LA CIVILISATION GRECQUE

A L'ÉPOQUE ARCHAIQUE ET CLASSIQUE

DANS LA MÊME COLLECTION

COLLECTION LES GRANDES CIVILISATIONS
DIRIGÉE PAR RAYMOND BLOCH

FRANÇOIS CHAMOUX

LA CIVILISATION GRECQUE

A L'ÉPOQUE ARCHAIQUE
ET CLASSIQUE

ARTHAUD

AVERTISSEMENT DE L'ÉDITEUR

Ce livre reprend le texte de l'ouvrage de François Chamoux, La Civilisation grecque à l'époque archaïque et classique, *publié en 1963 par les Éditions Arthaud, souvent réédité et qui a connu de nombreuses traductions étrangères. L'auteur a revu et mis à jour l'index documentaire qui a été sensiblement raccourci ainsi que la bibliographie. Seules les illustrations photographiques noir et blanc et couleur ont été supprimées de cette édition; on pourra s'y reporter ainsi qu'à leurs légendes détaillées en consultant le volume relié de la collection « Les Grandes Civilisations ».*

PRÉFACE

L'ESSAI *sur la* Civilisation grecque archaïque et classique *que les édi-tions Arthaud rééditent aujourd'hui a paru, chez le même éditeur, il y a vingt ans, dans la collection* Les grandes civilisations. *Il était accompagné d'une abondante illustration commentée. L'ouvrage a rencontré l'intérêt du public, qui a accueilli avec faveur la formule originale que lui proposait la collection dirigée par Raymond Bloch, avec le perpétuel contrepoint qui s'établissait entre le texte et l'image. Toutefois, en présentant le livre à ses futurs lecteurs, j'insistais en 1963 sur ce qui en faisait l'élément essentiel à mes yeux, à savoir le texte « qui, seul, donne tout leur sens aux images ». C'est pourquoi cette présentation s'achevait par la vieille prière que les rhétoriciens du siècle dernier adressaient au maître à la fin de leurs dissertations :* Lege, quaeso! *« Prends la peine de me lire, je t'en prie! »*

Cette considération de la primauté du texte a conduit à envisager la réédition actuelle qui, sous une forme plus modeste, offre à un public plus étendu la partie principale de l'ouvrage. Non que je méconnaisse la valeur testimoniale et suggestive des documents figurés : bien au contraire je suis persuadé plus que jamais que l'étude d'une civilisation ne saurait être complète sans le recours à l'archéologie, ou à ce qui en tient lieu. Mais il reste que l'interprétation d'ensemble des sources, qu'elles soient littéraires, épigraphiques, monumentales ou figurées, est l'objectif final que se propose l'histoire et que, toute provisoire qu'elle apparaisse chaque fois qu'un savant s'efforce de la cerner, c'est elle seule qui aide à mettre en place, pour un temps, l'étude des problèmes ou des documents particuliers. Dans cette perspective, il pouvait apparaître souhaitable que l'effort de présentation global que j'avais tenté il y a vingt ans fût à nouveau soumis au public, même dépouillé du cortège d'illus-

trations qui contribuait à le rendre vivant. Car à vrai dire, me semble-t-il, à cette synthèse déjà ancienne, les découvertes survenues depuis lors n'imposent d'apporter aucun changement fondamental.

Les points principaux de l'exposé me paraissent en effet garder toute leur valeur. Le développement considérable des études mycéniennes n'a pas remis en cause le caractère hellénique de cette première phase de la civilisation grecque que j'avais été l'un des premiers à percevoir et à souligner. Pour les siècles « obscurs » qui lui font suite, les travaux récents ont mis en lumière la continuité que manifestent les documents depuis la fin du mycénien jusqu'à la civilisation « géométrique », qui est en même temps celle d'Homère, et les philologues sont de plus en plus nombreux à admettre qu'Homère n'a pu concevoir et composer ses deux grandes épopées sans le secours de l'écriture alphabétique, dont l'emploi vers la fin du VIIIe siècle est désormais bien attesté. L'histoire des temps archaïques et classiques n'a pas été modifiée dans ses grands traits, même si le labeur incessant des spécialistes a pu conduire, sur tel ou tel point de détail, à nuancer les interprétations. Le rôle déterminant de la guerre dans l'évolution de la société grecque est aujourd'hui un fait généralement reconnu, conformément à ce que j'en disais alors. L'étude de la religion grecque privilégie de plus en plus, comme je l'avais indiqué à l'époque, l'examen objectif des faits de culte, du rituel et des mythes locaux au détriment des synthèses ambitieuses consacrées aux grandes divinités, qui mutilent une réalité multiforme, rebelle aux simplifications abusives. Le système politique et social de la cité grecque nous apparaît de mieux en mieux dans sa riche complexité, à mesure que se développent les recherches des épigraphistes, et nul ne croit plus maintenant que la civilisation hellénique se réduise à l'apport d'Athènes, quel que soit le prestige mérité dont cette cité a pu jouir. Le rôle social de l'art et de la littérature, la place de l'écrivain et de l'artiste à l'intérieur de la cité, aux besoins de laquelle ils pourvoient selon leurs moyens, retiennent l'attention des philologues et des historiens de l'art, conscients du lien étroit qui unit l'évolution des techniques et les exigences de la société. Ces vues, que j'avais essayé d'exprimer clairement dans mon livre, restent valables de nos jours. J'ai pu y faire référence sans aucun scrupule, quand j'ai tout récemment prolongé mon étude par celle de la Civilisation hellénistique.

C'est pourquoi la présente édition reproduit, sans autre modification que quelques minimes corrections de forme, le texte publié il y a vingt ans. L'Index documentaire a été considérablement allégé. La bibliographie a été remaniée pour tenir compte des travaux récents. Mon vœu est que, sous cette forme nouvelle, l'ouvrage suscite à nouveau la curiosité et la réflexion d'un public élargi, curieux de mieux comprendre une civilisation dont l'héritage représente encore l'élément majeur de notre patrimoine.

F.C.

INTRODUCTION

L A dette du monde moderne à l'égard du peuple grec est immense. Les catégories de pensée qui sont encore les nôtres ont été pour la première fois définies par lui. Nous lui devons tout l'essentiel de nos outils intellectuels, mais aussi les principes de notre morale. Même l'enseignement du christianisme, qui inspire encore toute la civilisation occidentale, nous est parvenu par l'entremise de la pensée grecque, qui en a. élaboré et systématisé les données. Elle a rendu perceptible pour tous le caractère universel du christianisme et s'est fait son agent de transmission rapide et efficace : la langue grecque a été, ne l'oublions pas, celle de la primitive Eglise. Rome, là comme ailleurs, n'a joué d'abord que le second rôle, avant de prendre le relais et d'apparaître enfin, grâce à l'apport de son génie propre, comme maître et guide de l'Occident. Dans l'héritage commun que nos penseurs et nos artistes ont fait fructifier depuis quinze siècles avec des fortunes diverses, nul ne conteste que la part de l'hellénisme soit primordiale.

Aussi la curiosité de nos contemporains reste-t-elle vive à l'égard d'un peuple et d'une civilisation envers qui nous nous sentons si largement redevables. Cette curiosité trouve abondamment à se satisfaire, puisque les sources de notre connaissance de la Grèce antique sont exceptionnellement riches et variées. La langue grecque est représentée par des textes littéraires sans aucune interruption depuis le VIIIe siècle avant Jésus-Christ jusqu'à nos jours. Le récent déchiffrement des tablettes mycéniennes permet même de remonter (il est vrai par des documents purement administratifs et d'une interprétation difficile) jusqu'au XVe siècle au moins avant notre ère. Aucune

7

autre langue humaine n'offre à l'étude une littérature aussi riche répartie sur une aussi longue période de l'histoire, soit près de trois mille cinq cents ans. A côté de ces sources écrites, l'archéologie nous fournit pour la Grèce une documentation extrêmement abondante et, dans l'ensemble, fort bien classée. Les monuments qu'elle étudie après les avoir mis au jour n'ont pas seulement l'intérêt de nous renseigner sur la civilisation dont ils sont des témoignages, mais ils gardent, en outre, bien souvent, une valeur esthétique à laquelle nous sommes sensibles, aujourd'hui encore, indépendamment du recul du temps. Enfin, et ce n'est pas l'élément le moins favorable, le pays même où les Grecs ont vécu, où ils ont élaboré leur conception du monde et leur éthique, nous est aisément accessible. Rien n'est plus facile, de nos jours, que d'accomplir le voyage de Grèce et nous avons le privilège, pour quelque temps encore, de découvrir à peu de frais sur le sol grec, sous leur aspect authentique, épargnés pour l'essentiel par l'uniformité de la vie moderne, les mêmes paysages qu'ont vus Homère, Sophocle ou Platon.

Tels sont, pour l'homme d'aujourd'hui soucieux de mieux connaître les origines lointaines de sa propre pensée, les moyens qu'il trouve à sa disposition. Certes la matière est d'une ampleur qui étonne le profane : elle peut légitimement faire reculer l'helléniste de profession, conscient de la précarité de sa science et de la faiblesse de ses forces, évidemment inégales à une tâche si étendue. Est-ce une raison pour différer sans cesse un essai de synthèse dont la difficulté ne fait point de doute, mais dont l'urgence apparaît à quiconque pressent, dans notre siècle, combien les hommes de chez nous ont besoin de se rattacher lucidement à leur propre histoire ? Il leur faut assurer contre les périls qui l'assaillent la vigueur et la pérennité d'une civilisation qui nous a faits ce que nous sommes, mais dont nous risquons trop souvent de méconnaître la valeur universelle et l'originalité. Que le sentiment aigu qu'il éprouve d'une telle nécessité à notre époque soit pour l'auteur de ce livre l'excuse dont il avait besoin pour l'entreprendre.

Aussi bien l'objet qu'il se propose n'est pas et ne pouvait pas être d'apporter une somme, réduite aux dimensions d'un seul volume, de tout ce que le labeur des hellénistes, archéologues, philologues et historiens, a fait connaître de la Grèce antique. La prétention serait risible et il la rejette expressément. L'effort d'une vie n'y suffirait pas et, quelque soin qu'on y puisse apporter, un tel ouvrage souffrirait toujours de quelque grave lacune ou de quelque défaut majeur dans les proportions. Il s'agit bien plutôt d'offrir au lecteur, sous une forme accessible et détendue, une sorte de méditation sur les principaux aspects de l'hellénisme archaïque et classique,

tels qu'ils apparaissent aujourd'hui à un homme qui depuis vingt-cinq ans fait métier d'en poursuivre l'étude. La matière de ces réflexions, l'étendue et la direction qu'elles vont prendre dépendent pour une large part des thèmes de recherche que les hasards de sa carrière ont proposés à l'auteur. C'est pourquoi tels développements pourront surprendre par leur ampleur, au détriment d'autres sujets, qui paraîtront peut-être négligés à tort. Mieux valait néanmoins admettre franchement ce risque que d'introduire à toute force un équilibre fallacieux et concerté. Si toute tâche humaine est imparfaite, du moins ce livre voudrait-il être, ami lecteur, un livre « de bonne foi ».

●

Nous n'en sommes plus à penser, comme Taine, que tout s'explique, ou presque tout, par l'influence du cadre naturel et du climat. Ce sont les hommes qui font l'histoire et ils tirent parti des conditions géographiques à la mesure de leur persévérance et de leur ingéniosité. Mais il est vrai que ces conditions leur facilitent plus ou moins la tâche et qu'inversement elles contribuent à modeler le caractère des peuples. Or quiconque a visité la Grèce et ses abords ne peut douter que cette région de Méditerranée n'ait exercé sur ses anciens habitants la plus bénéfique influence. Si pour les modernes, armés de tant de moyens divers pour se soustraire aux exigences des sols et aux caprices du climat, la séduction du monde égéen reste si forte, que ne fut-elle pas à une époque où la dépendance de l'homme à l'égard des conditions naturelles était bien plus marquée que de nos jours ? Rappelons donc à grands traits ce qu'est ce pays privilégié.

La Grèce propre forme l'extrémité méridionale de la péninsule balkanique. Elle est de dimensions modestes : il n'y a guère plus de 400 kilomètres depuis le massif de l'Olympe, qui marque la limite septentrionale de la Thessalie, jusqu'au cap Ténare (ou cap Matapan), pointe la plus méridionale du Péloponnèse. Mais ce petit pays est extrêmement compartimenté en raison de sa nature montagneuse et de ses côtes très découpées. Aussi laisse-t-il à qui le parcourt aujourd'hui encore l'impression d'être bien plus vaste que ses dimensions sur la carte ne le donneraient à croire. La variété des paysages, où intervient presque toujours l'élément vertical des montagnes, très souvent combiné avec le plan d'eau des perspectives marines, renforce encore ce sentiment d'ampleur et de volume qui exalte le spectateur.

La Grèce continentale, que prolonge au-delà du golfe de Corinthe la

presqu'île du Péloponnèse (ou Morée), est en effet presque partout couverte
de montagnes sinon très élevées (aucune n'atteint 3 000 mètres), du moins
fort abruptes. Les deux seules plaines de quelque importance sont la plaine
de Béotie, dont le lac Copaïs, aujourd'hui asséché, occupait une grande
partie dans l'Antiquité, et surtout, plus au nord, celle de Thessalie, la seule
où il arrive assez souvent qu'on n'aperçoive plus de barrière montagneuse
à l'horizon. Partout ailleurs on ne découvre entre les monts et les collines
que de petits bassins intérieurs ou des terrasses côtières dont la plus grande
dimension dépasse rarement 20 kilomètres. Entre ces bassins, le morcellement du relief permet d'ordinaire d'emprunter des passages étroits, en
suivant des pistes côtières ou des vallées sinueuses et escarpées. Par chance,
la mer, se glissant profondément entre les montagnes, offre une voie de
communication commode : aucun point de la Grèce propre ne se trouve
à plus de 90 kilomètres de la côte.

La Grèce insulaire est le complément naturel de la Grèce continentale.
Plus que les îles Ioniennes, un peu isolées au bord des étendues désertes
de la Méditerranée centrale, ce sont les îles de la mer Egée qui comptent.
Fermée au sud par la longue, étroite et haute barrière de la Crète, qui approche
les 2 500 mètres au mont Ida, et au nord par les côtes de Macédoine et de
Thrace, cette mer est parsemée d'îles au point qu'un navire y perd rarement
la terre de vue. De l'Eubée jusqu'à Rhodes, les Cyclades et les Sporades
méridionales (ou Dodécanèse) dessinent entre la Grèce et l'Asie Mineure
un chapelet continu de terres émergées. Grâce à ces îles montueuses, refuges
ou abris du navigateur, le bassin égéen tout entier est devenu comme une
dépendance de la Grèce.

La plupart de ces îles ont un sol rocheux, privé d'eaux vives, peu
favorable à la végétation. Seules les plus grandes des Cyclades, Andros,
Tinos, Naxos, Paros ou Milo, offrent des conditions meilleures. L'île volcanique de Santorin (dans l'Antiquité Théra) doit à son sol de pierre ponce
une fertilité particulière, mais l'absence d'un port naturel a nui à son développement. Plus riches sont les grandes îles de la côte d'Asie, Lesbos, Chio,
Samos, à peine séparées du continent par des chenaux de faible largeur :
elles participent tout naturellement à la vie du littoral anatolien. Rhodes,
au sud, occupe une place à part, un peu excentrique. Au nord, Samothrace,
Thasos et les trois doigts de la Chalcidique forment les avancées de la
Thrace et de la Macédoine. Entre elles et les Cyclades, Lemnos, Scyros
et l'archipel des Sporades jalonnent de repères utiles la moitié septentrionale
de la mer Egée.

Certes entre les contrées d'un pays si divers il existe des différences notables : tandis que les sommets du Pinde se couvrent de forêts alpestres, Délos ou Cythère ne sont que rochers nus, et, l'été, les campagnes riantes de l'Elide, aux horizons toujours verts, font un vif contraste avec la plaine de Thessalie, poussiéreuse et brûlée de soleil. Mais ces variations, sauf cas extrêmes, ne jouent qu'à l'intérieur d'un ensemble auquel le climat méditerranéen confère une unité profonde. Dès l'Antiquité, ce climat apparaissait comme particulièrement favorable. « La Grèce a reçu en partage, dit Hérodote, les saisons de beaucoup les mieux tempérées » (III, 106). Mer et montagne et plus encore l'action des vents étésiens* (ceux qu'on appelle le *meltem* dans les Cyclades) rendent supportable l'ardeur du long été. L'hiver, généralement doux, est la saison des pluies, mais connaît aussi de belles journées ensoleillées. Le gel et les frimas ne sont certes pas ignorés et il y a parfois de la neige, même en Attique : mais ces rigueurs durent peu, comme durent peu les rares orages, d'ailleurs impressionnants. En somme, c'est un climat tonique et sain, qui favorise la vie au-dehors. La pureté de l'air est justement célèbre : Euripide chante l'atmosphère de l'Attique, « la plus lumineuse qui soit » (*Médée*, 829-830). Si les vrais fleuves sont rares, tels l'Achéloüs et l'Arakhtos en Acarnanie et en Epire, le Pénée en Thessalie, l'Alphée en Arcadie et en Elide, du moins les sources ne manquent pas, sauf dans les Cyclades où l'emploi des citernes est généralisé.

Le sol se prête à des cultures variées : céréales (orge et froment), vigne, olivier, figuier. Le gros bétail ne trouve de pâturages que dans les montagnes ou dans la plaine de Thessalie, dont les chevaux étaient renommés. En revanche, moutons, chèvres et porcs paissent sans difficulté dans le maquis. Dans l'Antiquité, le gibier pullulait : lapins et lièvres, oiseaux sauvages, sangliers, cerfs et daims. Il y avait aussi des fauves : ours, loups et même des lions, qu'on chassait encore à l'époque classique dans les montagnes du Nord. Les lacs offraient d'importantes ressources aux pêcheurs : ainsi les anguilles du lac Copaïs, en Béotie, qu'on exportait vers Athènes. Quant au poisson de mer, il était l'objet d'une pêche active, depuis le fretin des anchois et des sardines jusqu'aux grosses pièces comme les thons. Très tôt aussi, les Grecs surent pratiquer l'élevage des abeilles. Sol et sous-sol offrent des ressources diverses : d'admirables pierres à bâtir, comme la pierre de taille (ou *pôros*) de Sicyone, le calcaire gris-bleu du Parnasse ou les marbres des Cyclades, de Thasos ou d'Attique; l'argile qui permet la construction en briques crues et favorise l'essor de la céramique, surtout quand cette argile est, comme en Attique, d'une qualité exceptionnelle; les métaux utiles ou précieux. Il y a du cuivre en Eubée; de l'argent à Thasos, à Siphnos dans les Cyclades, et surtout dans les collines du Laurion, à l'extrémité de l'Attique; de l'or à Thasos et sur le continent voisin en Thrace. Si le minerai de fer est de qualité médiocre, il est du moins fort répandu. Il n'est pas jusqu'à l'obsidienne, cette pierre noire, dure et coupante comme du verre, à la fois si rare et si prisée aux temps néolithiques, qu'on ne trouve en abondance à Milo.

Ainsi le pays grec présente des conditions favorables à l'habitat humain : mais encore faut-il que l'homme en soit digne et qu'il se donne la peine d'en profiter. Car, à côté des avantages naturels, certains inconvénients ne sont pas négligeables. La menace des tremblements de terre n'a rien d'imaginaire : Corinthe, Santorin, Céphallénie en ont souffert cruellement de nos jours encore. Si les terres arables sont bonnes, elles ne recouvrent que 18 p. 100 du territoire et le cultivateur doit sans cesse tantôt les défendre contre l'érosion, tantôt les irriguer contre la sécheresse. L'extrême compartimentage du sol, dû à sa nature montagneuse, favorise la naissance d'unités politiques à la mesure humaine, mais s'oppose à la constitution d'un grand État. Si la mer, pénétrant partout, facilite les communications avec l'extérieur, les échanges ne sauraient s'établir qu'à force de travail et d'ingéniosité : la Grèce ne peut exporter que des produits élaborés par des techniques complexes, vin, huile, parfums, terres cuites, objets de métal, alors qu'elle a besoin de certaines matières premières et d'abord de blé. La faiblesse de sa production en céréales fait peser sur elle une constante menace de disette : pour peu que la population s'accroisse, elle souffre aussitôt du « manque de terre », cette *sténochôria* qui fut l'une des causes principales de l'émigration grecque vers l'étranger. Le peuple grec est donc condamné à l'activité, à l'intelligence et à l'expansion s'il ne veut pas rapidement dépérir. Situation inconfortable, mais excitante, dont l'histoire montre qu'il a su allégrement tirer parti.

CHAPITRE I

LA CIVILISATION
MYCÉNIENNE

L<small>E</small> milieu de ce siècle a vu se produire un événement dont les conséquences sont considérables pour l'histoire grecque : une écriture,
dite *Linéaire B*, qui était restée jusqu'alors mystérieuse, a été
déchiffrée en 1953 par les Anglais Ventris et Chadwick et les progrès faits
depuis lors ont confirmé, comme les deux savants britanniques l'avaient
reconnu dès le début, que la langue ainsi transcrite était du grec. Cette découverte est d'une importance capitale, moins peut-être par la teneur des textes
désormais compréhensibles pour nous que par les perspectives nouvelles
qu'elle ouvre sur les origines de la civilisation hellénique. On savait bien,
en effet, par les traditions légendaires recueillies dans les poèmes homériques,
les historiens ou les mythographes, que des peuples indo-européens, prédécesseurs des Grecs des temps héroïques et étroitement apparentés à eux,
avaient pénétré dans la péninsule au cours du IIe millénaire avant notre
ère. D'après Homère, on les nommait les Achéens et on pensait reconnaître
leur nom dans certains documents égyptiens ou hittites. On leur accordait
un rôle déterminant dans l'évolution de la civilisation dite *mycénienne*, révélée
par les fouilles sur le continent grec et sur de nombreux autres sites du bassin
méditerranéen. Mais on mettait volontiers l'accent sur la parenté de cette
civilisation avec la civilisation crétoise, telle que sir Arthur Evans l'avait fait
surgir, au début du siècle, des ruines de Cnossos en Crète, et l'on restait
persuadé qu'entre la floraison de la culture mycénienne, vers les XIVe-XIIIe
siècles, et les débuts de la Grèce archaïque, au VIIIe siècle, la coupure était
radicale. La période obscure qu'on appelle le Moyen Age hellénique, avec
les bouleversements mal connus, mais profonds, qu'on y entrevoit, passait

pour séparer deux mondes, le monde préhellénique du IIe millénaire, disparu au XIIe siècle dans les troubles consécutifs à l'invasion dorienne, et le monde grec proprement dit, qui commençait avec Homère. Certes, depuis les années trente, les travaux des archéologues, grâce aux nombreux vases découverts dans les nécropoles d'Attique surtout, avaient permis de nuancer ces vues, en laissant apparaître une certaine continuité entre l'art mycénien et l'art géométrique, du XIIe au VIIIe siècle : on avait créé pour désigner les étapes de cette transition les termes de submycénien et de protogéométrique, et une chronologie relative de la céramique s'établissait peu à peu. Mais on hésitait encore à en tirer des conclusions fermes sur le plan de l'histoire, et l'on considérait toujours les Mycéniens comme des Préhellènes.

C'est cette opinion si généralement admise que nous devons abandonner désormais. En lisant pour la première fois les documents en Linéaire B, Ventris et Chadwick ont démontré que les Mycéniens étaient des Grecs, ou du moins qu'ils parlaient le grec, ce qui est l'essentiel à nos yeux, puisque l'appartenance à l'hellénisme se manifeste avant tout par la langue. Dès lors il nous faut admettre que l'histoire et la civilisation grecques commencent non plus au VIIIe siècle, mais au moment où apparaissent les premiers textes déchiffrables, c'est-à-dire au milieu du IIe millénaire, vers la fin du XVe siècle, sinon plus tôt encore. Toute la civilisation mycénienne fait désormais partie de l'hellénisme, non plus comme une préface, mais comme le premier chapitre de son histoire, qui débute ainsi six cents ans au moins plus tôt qu'on ne le croyait. La langue grecque nous est désormais connue par des textes qui s'étalent du XVe siècle avant notre ère jusqu'à nos jours, soit sur près de trois mille cinq cents ans : c'est un phénomène unique et d'un intérêt primordial pour les linguistes. D'autre part, les débuts de la Grèce archaïque nous apparaissent maintenant non plus comme un commencement, mais comme un prolongement ou une renaissance, et cette perspective nouvelle autorise à mettre l'accent non plus sur la rupture, mais sur la continuité. L'époque mycénienne échappe aux temps préhelléniques pour entrer dans l'histoire, et les héros de l'épopée redeviennent pour nous des hommes.

●

Quel est donc ce Linéaire B dont le déchiffrement entraîne de telles conséquences ? De 1900 à 1904, dans ses fouilles de Cnossos, sir Arthur Evans mettait au jour, entre autres objets surprenants, des tablettes d'argile qui portaient des signes d'écriture, évidemment non alphabétiques. Un premier classement permit de distinguer deux systèmes assez voisins, mais néanmoins différents, de symboles au dessin simplifié, qu'on baptisa *Linéaire A* et *Linéaire B*. Le nombre des documents de Cnossos en Linéaire B atteint 3 000. Peu avant la seconde guerre mondiale, en 1939, l'Américain Carl Blegen, qui explorait l'emplacement d'un palais mycénien à Pylos, en Messénie, découvrit un lot de 600 tablettes inscrites en Linéaire B, auxquelles les fouilles reprises après la guerre devaient en ajouter d'autres : il y en a aujourd'hui un millier. Enfin, depuis 1950, l'archéologue anglais A.J.B. Wace et ses collaborateurs, en reprenant les recherches à Mycènes, retrouvaient dans les ruines de maisons voisines de la forteresse une cinquantaine de nouveaux documents. Ce matériel d'études s'enrichit chaque année grâce à de continuelles découvertes.

Les savants avaient, dès le début, fait un gros effort pour interpréter ces documents. Ils les avaient soigneusement comparés et classés, mais sans parvenir à les comprendre, car ils ne disposaient d'aucun document bilingue qui pût jouer le rôle que la Pierre de Rosette joua pour Champollion. On était donc réduit à des tâtonnements jusqu'à ce que le jeune architecte britannique Michaël Ventris, parti de l'hypothèse que la langue écrite en Linéaire B était du grec, eût établi, avec l'aide de son compatriote John Chadwick, des équivalences satisfaisantes et un procédé cohérent de transcription. Dans un article paru en 1953 dans le *Journal of Hellenic Studies* et qui eut un grand retentissement, ils faisaient connaître les premiers résultats acquis et proposaient l'interprétation de 65 d'entre les quelque 90 symboles connus pour le Linéaire B. Depuis lors et malgré la mort accidentelle de Ventris survenue en 1956, le déchiffrement s'est poursuivi avec ardeur et ténacité, confirmant pour l'essentiel la découverte du jeune savant prématurément disparu.

Le Linéaire B est un système graphique dont les symboles représentent en majorité des syllabes. Aux signes à valeur syllabique viennent s'adjoindre certains idéogrammes qui représentent globalement des mots (*l'homme*, la *femme*, le *blé*, le *char*, la *coupe*, le *bronze*, etc.), d'autres symboles représentant des unités de compte ou de mesure, et enfin des chiffres. Ces signes étaient gravés au moyen d'un stylet, sur des tablettes d'argile molle qui ont tantôt la forme d'une plaque rectangulaire semblable à une page de cahier, sur laquelle les lignes d'écriture vont de gauche à droite et sont d'ordinaire séparées entre elles par un trait horizontal, tantôt une forme étroite et oblongue offrant seulement la place pour une ou deux lignes d'écriture. Les signes se composent de quelques traits formant une figure simple. Seuls les idéogrammes évoquent parfois assez précisément une image concrète. Les chiffres répondent au système décimal; il y a, en outre, des signes spéciaux pour les fractions.

Il est assez clair que ce système de transcription, que les Grecs empruntèrent aux Crétois, n'avait pas été primitivement conçu pour la langue grecque. On constate, en effet, que les valeurs attribuées aux différents signes du syllabaire doivent admettre un certain jeu pour aboutir à une transcription cohérente en un dialecte grec, même d'un type fort archaïque. Ainsi la plupart des diphtongues ne sont pas notées comme telles, la distinction entre voyelles longues et voyelles brèves n'est pas faite, non plus qu'entre consonnes sourdes, sonores et aspirées, ni entre *l* et *r*. Par exemple, le même signe pourra se lire *pe* ou *phe*; un autre se lira suivant le cas *lo* ou *ro*. D'autre part, les consonnes finales de chaque syllabe, s'il y en a, ne sont généralement pas notées. Si bien que le mot grec *elephantei*, signifiant *en ivoire* (au datif), s'écrit en Linéaire B *e-re-pa-te*, tandis que *doulos*, signifiant *esclave* (au nominatif), s'écrit *do-e-ro*.

On voit par ces indications sommaires quelles difficultés offre la lecture de ces textes : mais, réserve faite pour quelques signes encore mystérieux et pour certaines transcriptions peu sûres, les progrès réalisés depuis 1953 ont été continus et le principe du déchiffrement découvert par Ventris n'est plus discuté; d'ores et déjà d'éminents linguistes s'attachent à définir à partir de ces textes les traits originaux de la « philologie mycénienne ». Il faudra, certes, des années pour qu'on parvienne à une intelligence parfaite de tous les documents conservés. Mais il est dès maintenant possible d'indiquer quelques-uns des renseignements qu'ils nous donnent.

Les tablettes mycéniennes n'ont encore livré ni textes littéraires, ni contrats, ni correspondances ou traités entre souverains. Jusqu'à présent nous ne possédons que des pièces d'archives provenant des services d'intendance attachés aux palais de Cnossos, de Pylos ou de Mycènes. Nous y lisons des inventaires de biens, provisions, cheptel, objets mobiliers; des listes de fonctionnaires, d'ouvriers ou de soldats; des états de redevances au souverain ou d'offrandes aux divinités. Visiblement, ces documents n'étaient pas établis pour durer : ils répondaient à un but purement pratique et n'ont servi qu'à tenir les comptes du palais. C'est précisément pourquoi ils nous font pénétrer directement dans la vie quotidienne du premier peuple grec que nous rencontrons dans l'histoire. Non seulement nous apprenons quelle langue il parlait, mais nous entrevoyons son organisation sociale. Le souverain administre ses sujets et son domaine avec l'aide de fonctionnaires chargés de tenir ses registres à jour. Les contributions en nature alimentent les réserves du prince, en blé, en huile, en vin, en miel, mais aussi en herbes

aromatiques et en épices, menthe, fenouil, sésame, coriandre, cumin. Les troupeaux qui pâturent loin du palais sont dénombrés. Les artisans, hommes libres ou esclaves, travaillent pour le maître : aux forgerons on fournit du bronze en lingots comme matière première; les potiers fabriquent diverses sortes de vases; les menuisiers et les charrons exécutent des meubles, des chars, des roues. D'autres textes font allusion à des mouvements de troupes ou à des opérations maritimes. D'autres enfin mentionnent des noms de divinités auxquelles sont faites des offrandes.

●

Ainsi revit à nos yeux, non pas dans le détail des événements politiques, mais du moins sous certains aspects de son organisation religieuse et sociale, la première civilisation hellénique de l'histoire. A la date où nous la saisissons grâce aux tablettes mycéniennes, elle était déjà installée dans le bassin de la mer Egée depuis plusieurs siècles. C'est au début du IIe millénaire avant notre ère, semble-t-il, que les premiers Hellènes se répandirent en Grèce propre, à partir des régions du Nord, Macédoine et Thessalie, où ils avaient déjà pénétré auparavant. Ils s'y mêlèrent à une population déjà en place dont nous connaissons l'industrie depuis les temps néolithiques (jusque vers le milieu du IIIe millénaire), puis à l'époque dite du *Bronze Ancien* (de 2500 à 1900 environ). A ces anciens habitants les nouveaux venus imposèrent leur langue, une langue indo-européenne, qui devait devenir le grec mycénien. La civilisation dite du *Bronze Moyen*, qui s'étend de 1900 à 1600 environ, résulte de la fusion entre ces envahisseurs et les précédents occupants : tandis que se répand le type nouveau de la maison à *mégaron*, une poterie faite au tour et imitée de formes en métal, la céramique dite « minyenne », apparaît à côté de la céramique « à peinture mate » traditionnelle.

Dès le début du *Bronze Récent* (1600-1100 environ), les Hellènes du continent, qui jusqu'alors avaient surtout entretenu des relations avec le nord-est de la mer Egée et les Cyclades, prirent des contacts fréquents avec la Crète minoenne. Ces contacts eurent une importance décisive. Les guerriers grecs se trouvaient désormais en rapport avec une civilisation ancienne, brillante et raffinée. A cette époque, la Crète était un Etat centralisé, avec une capitale, Cnossos*, peuplée de plus de 50 000 habitants, où régnait un monarque riche et puissant, entouré d'une aristocratie aimant la vie de cour, les palais ornés de fresques, les villas confortables, les fêtes et les jeux. Grâce à une marine prospère, le commerce crétois florissait et répandait au-dehors les produits d'un art original et délicat. Très vite les Grecs subirent l'influence de ces voisins du Sud. Puis ils furent tentés d'aller voir de près le pays d'où leur venaient tant de richesses : ils avaient pris goût à la navigation et y étaient vite passés maîtres. Si l'on s'en tient à l'interprétation des faits archéologiques qui est traditionnelle depuis Evans (mais qui a été tout récemment mise en doute), ils débarquèrent dans la grande île vers 1450 et ruinèrent l'Etat minoen pour s'installer en sa place. C'est alors que, du milieu du XVe siècle jusqu'au XIIe siècle environ, la puissance des Grecs mycéniens régna sur le bassin de la mer Egée et diffusa sur une aire très étendue, de la Syrie et de l'Egypte jusqu'à l'Italie méridionale et à la Sicile, leurs produits manufacturés. La conjoncture internationale était favorable, puisque les deux grands empires égyptien et hittite avaient établi entre eux un certain équilibre et que les cités de Palestine et de Syrie, qui les séparaient et dépendaient nominalement de l'un ou de l'autre, n'en jouissaient pas moins d'une grande liberté dans leurs relations économiques. Les Grecs en profitèrent pour développer leur commerce dans ces régions intermédiaires, à Chypre où ils semblent bien s'être installés dès cette époque, à Ougarit (Ras Shamra) sur la côte syrienne et dans l'arrière-pays syro-palestinien. La guerre de Troie, qui a vraiment eu lieu, comme l'ont montré les fouilles américaines, vers la fin du XIIIe ou le début du XIIe siècle, est un des derniers épisodes de cette expansion, qui devait faire place aussitôt après, au cours du XIIe siècle, à une décadence profonde et durable.

●

C'est donc pendant cette période privilégiée qui va de la fin du XVe à la fin du XIIIe siècle avant notre ère que nous devons considérer la première civilisation grecque, alors à son apogée. Elle doit le nom de *mycénienne*, sous lequel elle est généralement connue, à l'importance du site de Mycènes*, en Argolide, que l'Allemand Schliemann explora en 1876 avec des résultats exceptionnels. Le hardi fouilleur était mû par le désir de retrouver le tombeau d'Agamemnon. Si la Fortune ne lui réserva pas cette joie, elle lui procura bien davantage, puisque c'est toute la civilisation hellénique du IIe millénaire, jusqu'alors entièrement oubliée, qui surgit du sol de Mycènes. Une nécropole royale, avec des stèles grossièrement décorées de sculptures, livrait les trésors de ses tombes à fosse, où les restes des occupants étaient accompagnés d'armes et de bijoux somptueux : diadèmes, colliers, bagues, bracelets, plaques d'or cousues sur les vêtements, ceintures et baudriers d'or, masques d'or sur le visage reproduisant les traits des disparus, coupes et vases en métal précieux, épées et dagues incrustées aux fourreaux ornés de boutons en or, toutes ces parures éclatantes sont aujourd'hui rassemblées dans la grande salle mycénienne du Musée National d'Athènes et attestent la splendeur de la dynastie grecque qui régna sur l'Argolide au XVIe siècle avant notre ère. Telle est, en effet, la date que l'on assigne à cette nécropole d'après le matériel archéologique (céramique, objets d'ivoire et de métal) qu'elle a livré aux fouilleurs.

Les successeurs de cette dynastie, au siècle suivant, se firent enterrer dans des tombeaux d'une forme toute différente, qui comptent parmi les plus extraordinaires créations de l'Antiquité. On les appelle *tholos*, du nom donné par les Grecs aux bâtiments sur plan circulaire. Ce sont, en effet, des chambres rondes creusées dans le sol et couvertes d'une coupole conique en encorbellement faite d'assises successives en gros blocs soigneusement appareillés. On y accède par une tranchée à ciel ouvert ou *dromos*, qui conduisait à une porte monumentale richement décorée. La plus remarquable de ces tombes, construite dans la seconde moitié du XIVᵉ siècle, est celle qu'on nomme traditionnellement le *Trésor d'Atrée*, au flanc d'une colline en face de l'acropole de Mycènes. Elle a conservé sa voûte intacte, bien que le décor architectural de l'entrée ait disparu. Les dimensions considérables de l'espace intérieur (plus de 13 mètres de haut pour un diamètre de 14,50 mètres), les blocs prodigieux qui servent de linteau au-dessus de la porte (l'un d'eux pèse plus de cent tonnes), enfin la qualité de l'appareil impressionnent toujours singulièrement le visiteur.

Les mêmes qualités de construction se font admirer à quelque distance dans les fortifications de l'enceinte principale qui entoure l'Acropole. La célèbre *Porte des Lions*, avec les murs et le bastion qui la flanquent, date du milieu du XIVᵉ siècle. Faite de blocs énormes, qui ont résisté aux séismes comme aux entreprises destructrices des hommes, elle offre encore un aspect imposant. Au-dessus du linteau, un grand relief monolithe en pierre grise occupe le triangle de décharge : il représente un motif « héraldique », deux lions affrontés dont les pattes antérieures s'appuient sur le piédestal d'un pilier sacré. Ce thème plastique est emprunté à la tradition figurée crétoise, mais la technique de la sculpture monumentale est sans exemple en Crète et doit appartenir en propre aux Grecs du continent.

Mycènes occupe, près des montagnes, un site sauvage qui évoque bien aux yeux des modernes les sombres tragédies que l'imagination des Grecs classiques prêta à la famille des Atrides. Dans la plaine de l'Argolide, à une quinzaine de kilomètres plus au sud, et à deux kilomètres à peine de la mer, une petite butte isolée porte d'autres ruines cyclopéennes, celles du palais de Tirynthe. La puissance de l'enceinte, la dimension des blocs de pierre gigantesques qui la composent (ils ont jusqu'à 3 mètres de long) y sont encore plus formidables qu'à Mycènes. A Tirynthe, comme à Mycènes, la forteresse abritait un palais, mais le plan en est mieux conservé. C'est là qu'on voit apparaître pour la première fois une forme architecturale à laquelle les Grecs devaient demeurer attachés : les *propylées*, c'est-à-dire une entrée monumentale où la porte ouverte dans un mur se trouve précédée de chaque côté du mur par un porche à colonnes. Dans les deux cours successives du palais, ce dispositif était employé. Au fond de la seconde cour, entourée de portiques sur les trois autres côtés, s'ouvrait un autre porche, plus vaste, qui donnait accès à la grande salle à travers une antichambre. La grande salle,

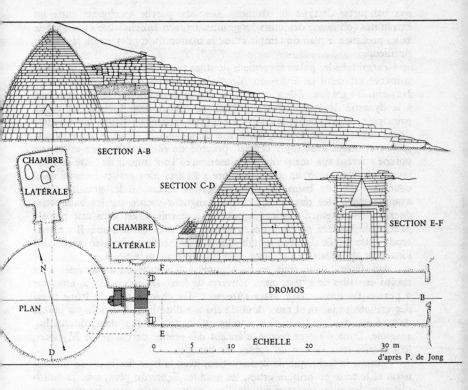

SECTION A-B

SECTION C-D

SECTION E-F

CHAMBRE LATÉRALE

CHAMBRE LATÉRALE

N

PLAN

F

E

DROMOS

B

A

ÉCHELLE

0   5   10   20   30 m

d'après P. de Jong

(*D'après A.J.B. Wace.*) *Cette magnifique construction funéraire, baptisée arbitrairement Trésor d'Atrée, date d'environ 1325 avant J.-C. La chambre funéraire souterraine est précédée d'un long couloir à ciel ouvert ou dromos protégé par deux murs latéraux en maçonnerie. La porte est surmontée de deux énormes linteaux monolithes sur lesquels repose un triangle de décharge. L'intérieur est voûté en forme de ruche. Une chambre latérale était creusée directement dans le roc.*

ou *mégaron*, de belles proportions (près de 12 mètres × près de 10 mètres), avec quatre colonnes soutenant le toit, autour du foyer central, est proprement la demeure royale, où le prince a son trône et préside aux réunions et

23

aux banquets. Ce type de bâtiment, avec son porche à colonnes entre les extrémités (ou *antes*) des murs longitudinaux, son antichambre et sa grande salle, préfigure le plan du temple grec : la maison du roi deviendra la maison du dieu.

Parmi tous les palais mycéniens dont les restes ont été dégagés, le mieux conservé est celui de Pylos en Messénie, non loin de la rade célèbre de Navarin. Il a été fouillé depuis 1952 par une mission américaine. On l'attribue à la dynastie du sage Nestor, qu'Homère célèbre dans l'*Iliade*. La partie principale, où la base des murs est restée bien apparente, occupe un rectangle de 55 mètres × 30 mètres, au centre duquel on retrouve le *mégaron* aux quatre colonnes avec foyer central, précédé de son antichambre et de son porche ouvrant sur une petite cour intérieure. Tout autour de cette enfilade principale s'ordonne un grand nombre de salles plus petites : chambres à coucher, salles de bains, bureaux, magasins divers où les grandes jarres ayant contenu des réserves de vivres s'alignent encore sur les banquettes dans les encastrements ménagés pour les recevoir. C'est dans une pièce à gauche de l'entrée qu'on a découvert les archives en Linéaire B qui ont rendu cette fouille illustre : les tablettes d'argile molle avaient été cuites dans l'incendie du palais et par suite miraculeusement préservées.

Un décor raffiné était prévu, comme à Tirynthe ou à Mycènes : sol revêtu de dalles de gypse, murs couverts de fresques qu'une étude attentive a permis de reconstituer assez sûrement. De chaque côté du trône royal des griffons se faisaient face, doublés chacun d'un lion. Plus loin un joueur de lyre est assis sur un rocher, tandis qu'un gros oiseau blanc, devant lui, s'envole. Dans d'autres pièces, c'étaient des scènes de chasse. A Mycènes, le *mégaron* était décoré de scènes de bataille.

Certes, la technique de construction, avec la base des murs en maçonnerie et le reste en briques crues, les grandes lignes du plan, avec la multiplication des salles réparties autour d'une cour centrale, enfin les principaux motifs de décor sont fortement marqués par l'influence crétoise : les palais « minoens » de Cnossos, de Mallia, de Phaestos ont fourni le modèle dont dérivent les palais mycéniens. Mais, bien que la filiation soit évidente, ces derniers présentent pourtant des caractères propres, dont le *mégaron* est le plus remarquable. Cette grande salle centrale, avec son antichambre et son porche, est inconnue dans l'architecture minoenne. Les Mycéniens, qu'ils l'aient empruntée à l'Asie anatolienne ou qu'ils l'aient conçue eux-mêmes, l'introduisirent dans le plan complexe du palais crétois : mais ils y introduisirent du même coup une recherche de la symétrie, une préoccupation de l'axe médian qui étaient tout à fait étrangères aux architectes insulaires. De même, en empruntant à la Crète la technique de la fresque, ils s'en servaient à l'occasion pour peindre des sujets — telles les scènes de guerre — différents de ceux qui plaisaient aux Crétois. Dans leurs demeures princières comme dans leurs forteresses et dans leurs tombeaux monumentaux, les premiers Grecs marquaient ainsi fortement de leur apport original la culture qu'ils avaient reçue d'autrui.

•

Il en fut de même dans le domaine de la céramique, qui est si important pour apprécier la diffusion et la chronologie de la civilisation mycénienne. Longtemps on a considéré que les vases de la dernière période du Bronze Récent représentaient simplement un stade ultime et décadent dans l'évolution de la céramique crétoise, telle que l'avaient hérité les artisans continentaux. On estime aujourd'hui que la poterie mycénienne mérite d'être étudiée en elle-même tant pour son abondance que pour son originalité. Des spécialistes ont établi le répertoire des formes et des motifs décoratifs, et cette étude a permis de classer chronologiquement ces vases d'une manière assez précise. Il y eut des centres de fabrication nombreux : en Argolide, à Rhodes, à Chypre, en Attique aussi où déjà la finesse de l'argile et l'adresse des artisans indigènes donnent à la production locale une qualité particulière.

Les potiers mycéniens exécutent d'une main habile des vases aux formes bien définies : jarres munies de trois anses à l'épaule; jarres dites à *étrier*, avec deux anses se rejoignant à une fausse embouchure, tandis que la véritable embouchure est décalée un peu plus bas; cruches à vin au bec harmonieusement allongé, à l'anse nervurée, visiblement imitées de modèles en métal; vases à mélanger l'eau et le vin, ou *cratères*, avec une vaste panse, une embouchure très large et un pied élégamment resserré; coupes en calice à deux anses montées sur un pied effilé; petits vases en grand nombre, modèles réduits des précédents, dont le plus caractéristique est le petit vase à étrier à panse globulaire. Le décor est posé au « vernis » noir ou roux (la différence de couleur tient à la différence de cuisson) sur un engobe lustré de ton crème. Très souvent l'essentiel de ce décor se réduit à des lignes horizontales plus ou moins épaisses, groupées aux bons endroits pour souligner la forme du vase, avec un sens admirable de l'élégance et du rythme. Sur l'épaule apparaissent aussi des motifs simples, écailles, réseaux, courbes concentriques. Pour les grands vases, les motifs repris de la céramique crétoise sont employés avec une grande sûreté de goût, mais stylisés de telle sorte que leur origine naturaliste est parfois difficile à reconnaître. Qui devinerait, par exemple, sans l'aide des modèles crétois, que les trois souples volutes qui s'inscrivent sur la panse d'une cruche dérivent en fait de la représentation du nautile, levant trois de ses bras au-dessus de sa coquille pour s'en servir comme d'une voile? Tel l'a décrit Pline l'Ancien, curieux des merveilles de la nature. Tel l'a chanté Callimaque dans une épigramme charmante : « ... Je voguais autrefois sur les ondes marines, en déployant ma voile au souffle des zéphyrs... » Le peintre mycénien a métamorphosé la gracieuse vision en un pur schéma graphique qui épouse la courbe du vase avec une élégance souveraine.

Même simplification décorative pour le motif du poulpe, pour celui du murex ou pour les modèles végétaux, tous pareillement hérités de la Crète, tous pareillement transformés par le génie vigoureusement simplificateur des Grecs mycéniens. Mais en outre ceux-ci font appel à des sources d'inspiration qui avaient été négligées par leurs prédécesseurs crétois : oiseaux et quadrupèdes servent de thème pour la décoration des grands vases, et aussi la figure humaine, jusqu'alors réservée à la fresque. Ce sont surtout les cratères qui offrent une place convenable pour ces scènes où l'on voit un taureau dont un oiseau pique le cou, ou un char à deux chevaux monté par deux passagers. Le dessin est souvent très gauche dans ces œuvres hardiment novatrices : mais plus qu'aucune autre elles nous font pénétrer directement dans le monde de l'histoire, comme le célèbre vase des guerriers de Mycènes, ou dans celui de la légende, comme le cratère d'Enkomi, à Chypre, où certains

---

(D'après Blegen.) Ce plan correspond aux bâtiments principaux du palais, qui était en outre entouré de constructions plus modestes. On remarque l'entrée principale (1), où la porte est précédée vers l'extérieur comme vers l'intérieur d'un porche couvert à colonne médiane : c'est déjà le dispositif des propylées qui connaîtra un grand développement dans l'architecture grecque. On entre ensuite dans une cour intérieure (2) bordée de deux portiques à deux colonnes chacun. Le portique qui est dans l'axe permet de gagner, en traversant une antichambre, la grande salle ou mégaron (3), au milieu de laquelle se trouve le foyer circulaire, entouré de quatre colonnes qui soutenaient

le toit avec un lanterneau pour l'aération. Le sol est stuqué et décoré de lignes incisées. Le trône du prince, à droite, était encadré de griffons peints à fresque sur le mur. A droite de la cour, on pénétrait dans un appartement séparé (pour la princesse? ou pour les hôtes de marque?) dont la pièce principale (4) est munie d'un foyer central. Une pièce adjacente (5) était une salle de bains dont la baignoire est toujours en place. Les autres pièces du palais étaient destinées au service : on remarque en particulier les magasins (6, 7) où se trouvent des jarres enfoncées dans des banquettes de plâtre. →

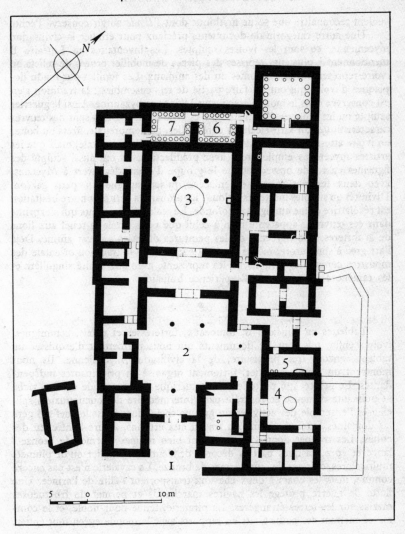

veulent reconnaître une scène mythique dont l'*Iliade* aurait conservé l'écho.

Une autre catégorie de documents précieux pour étudier la civilisation mycénienne, ce sont les ivoires sculptés. Les inventaires en Linéaire B mentionnent à plusieurs reprises des pièces de mobilier ornées de reliefs en ivoire représentant des hommes ou des animaux. Les fouilles ont rendu des plaques d'ivoire qui ont pu faire partie de tels ensembles : la tradition s'en est conservée dans le monde grec jusqu'à l'époque byzantine. Ainsi le guerrier sculpté ou les groupes d'animaux gravés découverts à Délos sont des œuvres caractéristiques du XIIIᵉ siècle. A côté d'elles, de nombreux coffrets ou boîtes en ivoire attestent la vogue d'une technique d'origine orientale, mais que les artistes mycéniens employèrent avec prédilection. Ils ont aussi sculpté des figurines en ronde bosse, comme le groupe d'ivoire découvert à Mycènes, avec deux femmes assises et enlacées qu'accompagne un petit garçon. Divinités ou simples mortelles ? Nous l'ignorons, à la vérité, et notre hésitation est révélatrice d'une ambiguïté profonde. Le réalisme vigoureux qui s'exprime dans ces œuvres s'apparente bien à celui que nous révèle le relief aux lions de la forteresse de Mycènes ou les peintures de vases à décor animé. Déjà l'art grec à son aurore, même lorsqu'il emprunte à la tradition orientale des monstres comme les griffons, se les représente avec une acuité singulière et les ramène à la mesure de l'expérience humaine.

●

Tablettes en Linéaire B, tombeaux, forteresses et palais, céramiques, ivoires enfin, tels sont les documents qui nous permettent d'esquisser un tableau, encore très provisoire, de la civilisation mycénienne. Ils nous montrent un peuple guerrier, fortement organisé en principautés indépendantes. Le prince, qui porte le titre homérique d'*anax*, réside dans sa riche et puissante demeure et contrôle par l'intermédiaire de fonctionnaires spécialisés l'ensemble des activités du groupe social dont il est le chef : il gère les domaines fonciers, donne du travail aux artisans, assure l'entretien des cultes. Les troupes dont il dispose sont bien munies d'armes de bronze : lance et épée, casques parfois décorés de dents de sanglier ou de plumets multicolores, cuirasse de cuir à lames de bronze. La cavalerie n'est pas encore connue, mais les chars à deux chevaux transportent l'élite de l'armée. Une flotte de guerre protège les navires marchands et permet de fructueuses razzias sur les terres étrangères. La piraterie, tenue pour noble, et le commerce mettent ces petits États en rapports avec le monde égéen tout entier, de Troie à la Crète, en passant par les Cyclades et les côtes d'Anatolie. Un fort courant d'échanges se dessine, comme nous l'avons vu, en direction du monde oriental, par Rhodes et Chypre, où des colonies mycéniennes s'installent d'une façon durable. La côte syrienne, la Palestine, l'Egypte accueillent les produits grecs. En échange, elles fournissent des tissus, de l'or, de l'ivoire, des épices. Plus loin encore, le commerce mycénien atteint la Sicile, les îles Lipari, Ischia et surtout Tarente où il semble qu'un comptoir colonial ait été fondé vers 1400 par des Grecs venus de Rhodes. C'est ainsi qu'une première expansion hellénique, à partir du Péloponnèse et de la Grèce propre, couvre déjà, aux XIVe et XIIIe siècles, tout le bassin oriental de la Méditerranée et commence même à se faire sentir jusqu'aux portes de l'Occident.

Ce peuple grec que nous voyons ainsi agir par le commerce et par l'épée montre un goût singulier pour l'art. Il a recueilli le riche et vivace héritage de la Crète qui lui a fourni des modèles et des traditions techniques. Mais il fait fructifier cet héritage et le transforme en lui imposant sa marque : le sens de la grandeur et de la puissance, et cette double qualité, apparemment contradictoire, qui n'a cessé depuis les origines de caractériser l'art grec, l'observation réaliste et la capacité d'abstraction. De là la noblesse architecturale de ses murailles et de ses tombeaux, la perfection formelle de ses vases, le vigoureux dessin de ses reliefs, où même les maladresses d'artisans encore inhabiles à maîtriser pleinement les formes naturelles traduisent avec une ingénuité géniale les forces élémentaires de la vie. Les meilleures œuvres en acquièrent une sorte de tension intérieure qui nous émeut encore aujourd'hui et qu'on ne doit pas être surpris de retrouver, à l'autre extrémité de la chaîne, dans les chefs-d'œuvre de l'art byzantin.

Déjà ces Grecs du premier âge vénèrent les mêmes dieux qui resteront ceux de leurs lointains descendants. Le déchiffrement du Linéaire B a fourni les noms de nombreuses divinités auxquelles les Mycéniens apportaient des offrandes et a révélé ainsi, à notre grande surprise, que la plupart des Olympiens du panthéon classique étaient déjà l'objet d'un culte au cours du IIe millénaire. Rien ne montre mieux le caractère hellénique des populations de Pylos, de Cnossos ou de Mycènes que de rencontrer sur leurs tablettes les noms de Zeus et d'Héra, de Poséidon, d'Athéna, d'Hermès, d'Artémis et d'Arès, et même celui de Dionysos, qu'on croyait introduit beaucoup plus tard dans le cercle des dieux grecs. C'est déjà le polythéisme hellénique, dans sa riche complexité, qui apparaît installé sur les lieux mêmes où plus tard s'élèveront temples et sanctuaires. Il n'y manque même pas les dédicaces à *tous les dieux*, qui englobent dans une commune révérence les divinités majeures (ou que nous supposons telles) et d'autres qui seront ultérieurement plus ou moins absorbées ou éclipsées par des personnalités divines plus importantes : ainsi Enyalios, dieu de la guerre, qui deviendra une épithète d'Arès ; Péan, dieu de la médecine, qui se confondra avec Apollon ; Ilithye, déesse de l'enfantement, fille de Zeus et d'Héra et étroitement liée à sa mère ; ou encore l'héroïne Iphimédie, qui fut aimée de Poséidon. Ces divers dieux sont servis par des prêtres et des prêtresses qui reçoivent parfois les titres mêmes — celui de *Porte-Clefs*, par exemple — qui leur seront donnés plus tard par les Grecs classiques.

Que ces divinités, individualisées par les noms qui nous sont devenus familiers, aient déjà été conçues par les Mycéniens sous l'aspect anthropomorphique n'est pas absolument démontré : mais c'est extrêmement probable. Le célèbre sarcophage d'Haya Triada, où, au début du XIVe siècle, souvenirs « minoens » et scènes « mycéniennes » sont étroitement mêlés, montre une effigie divine à figure humaine à laquelle on présente des offrandes. Si le groupe d'ivoire de Mycènes avec les deux femmes et l'enfant n'est pas à coup sûr une figuration religieuse, du moins a-t-on sans doute raison de reconnaître l'Apollon *Alasiotas*, le dieu d'Alasia (nom antique de Chypre), dans la curieuse statuette de bronze au casque à longues cornes qui a été découverte à Enkomi de Chypre dans un sanctuaire annexé à une grande demeure. Elle représente le prototype de toute la statuaire grecque ultérieure.

●

Comment cette civilisation si vivace, ce peuple si entreprenant, cette société apparemment si solidement établie sur ses bases se sont-ils effondrés si rapidement dans le cours du XIIe siècle ? On invoquait encore, il y a peu, l'invasion dorienne pour expliquer la ruine du monde mycénien et la décadence si profonde qui, entre le XIIe et le Xe siècle, marque la période qu'on appelle le Moyen Age hellénique. Les Doriens étaient des Grecs moins évolués qui, à partir des régions montagneuses du nord-ouest de la péninsule, occupèrent peu à peu la Grèce centrale, la majeure partie du Péloponnèse et enfin les îles du sud de la mer Egée et la Crète elle-même, au cours d'une longue et lente progression qui s'étendit sur tout le XIe et une partie du Xe siècle. Comme cette pénétration s'accompagna d'un grand changement dans les mœurs, consécutif à l'adoption du fer, on était naturellement tenté d'attribuer à l'arrivée des envahisseurs nordiques, plus rudes et mieux armés, le bouleversement qui détruisit la civilisation mycénienne.

Ces vues longtemps admises sont aujourd'hui fort discutées. L'étude plus précise des sites mycéniens ne laisse guère apparaître la destruction massive et radicale, la totale rupture avec le passé qu'on avait cru y observer tout d'abord. La décadence semble avoir connu des étapes et l'insécurité s'établit peu à peu, provoquant l'abandon progressif des régions moins bien défendues. L'apparition du fer et celle du nouveau rite funéraire de la crémation, qui tend à remplacer l'ensevelissement, sont sans doute antérieures à l'arrivée des tribus doriennes. On est ainsi porté à réduire l'importance de ces dernières comme cause directe d'un phénomène qui dut commencer avant elles.

Une explication d'un type différent paraît rendre compte assez bien des faits. Au cours du xiiie et du xiie siècle, des migrations très complexes affectèrent l'ensemble du Proche-Orient, tout autour de la Méditerranée orientale. Elles nous sont connues par les documents égyptiens qui parlent à maintes reprises d'attaques menées par les *Peuples de la Mer*, coalition hétérogène à laquelle des contingents grecs ont certainement participé. Ces invasions, d'abord repoussées, puis partiellement victorieuses, affectèrent gravement l'équilibre politique du Proche-Orient. L'Empire hittite s'effondra. L'Egypte se replia sur le Delta, abandonnant ses possessions d'Asie. Les conditions qui avaient favorisé le commerce dans le bassin oriental de la Méditerranée disparurent devant les progrès de la piraterie. Les Mycéniens, qui étaient directement intéressés à ces échanges, souffrirent cruellement de leur relâchement. Ils furent bientôt coupés de leurs partenaires orientaux et réduits aux seules ressources de leur sol. Celui-ci, qui n'a jamais été bien riche, ne fournissait pas des ressources suffisantes pour une population nombreuse et habituée à l'opulence. Les principautés mycéniennes, sous la pression de la nécessité, se seraient alors tournées les unes contre les autres, dans une série de guerres intestines qui provoquèrent successivement la destruction partielle, puis la chute de la plupart d'entre elles. D'où la déchéance rapide d'une culture qui finit par oublier ses sources d'inspiration et ses richesses antérieures, y compris l'usage de l'écriture Linéaire B, et qui perdit toute capacité de renouvellement à force de répéter des formules devenues stériles. Les Doriens, en se répandant sur une grande partie du monde grec, y auraient ainsi trouvé non une civilisation en plein éclat qu'ils auraient brutalement détruite, mais une civilisation moribonde dans une société en déclin. Leur arrivée aurait accéléré l'appauvrissement général de la Grèce, provoquant ainsi une émigration vers les terres plus riches de la côte anatolienne, où l'hellénisme devait retrouver sa force et son rayonnement.

LA CIVILISATION GRECQUE

Ce n'est guère qu'à partir du IXe siècle que les échanges extérieurs purent reprendre et que la Grèce propre, de nouveau en mesure de s'enrichir par le contact avec l'Orient, se mit peu à peu à revivre.

CHAPITRE II

LA CIVILISATION GÉOMÉTRIQUE OU L'AGE D'HOMÈRE

A u IXe siècle, lorsque après une longue période obscure et misérable le monde hellénique retrouve sa vitalité, il se présente à nous sous une forme bien différente de ce qu'il était à l'époque mycénienne. La décadence des États achéens et l'invasion des tribus doriennes ont provoqué pendant trois siècles des mouvements de population qui ont profondément modifié la répartition du peuple grec dans le bassin de la mer Egée. Tandis que les nouveaux arrivants occupaient progressivement la majeure partie de la Grèce continentale et du Péloponnèse, les occupants antérieurs, s'ils voulaient échapper à la domination dorienne, quittaient les lieux pour aller chercher ailleurs une terre plus accueillante. On connaît fort mal le détail de ces migrations, qui se prolongèrent pendant des siècles et dont le souvenir n'était resté dans la mémoire des Grecs que sous la forme de légendes à travers lesquelles le substrat historique est bien difficile à percevoir clairement. Mais il est sûr que le mouvement se dirigea vers l'est, vers les Cyclades et vers la côte anatolienne, et qu'il aboutit à l'installation permanente, sur toute la frange occidentale de l'Asie Mineure, d'une série de colonies grecques populeuses et prospères. Comme les plus importantes de ces colonies parlaient le dialecte ionien, on désigne d'ordinaire le phénomène historique qui conduisit à leur fondation sous le nom de *migration ionienne*. L'expression s'oppose à celle d'*invasion dorienne*, ce qui forme un diptyque satisfaisant pour l'esprit. Mais, pas plus que l'invasion dorienne, la migration ionienne ne doit être considérée comme une opération simple. Plusieurs travaux ont montré, au contraire, son extrême complication.

Il serait prématuré de vouloir retracer dans le détail un mouvement de

population aussi complexe. Plus que l'examen critique de la tradition légendaire, ce sont les fouilles archéologiques qui permettront de préciser la date
d'arrivée des colons grecs sur les différents points de la côte d'Asie. Or,
ces recherches sont encore à leurs débuts, d'ailleurs très prometteurs, comme
on l'a vu à Smyrne et à Phocée. Actuellement, on considère que les premières
installations helléniques sur le continent anatolien sont antérieures à la fin
de l'époque mycénienne : à Milet* et à Claros, semble-t-il, les Grecs seraient
arrivés dès le XIVe siècle, peut-être à la suite des Crétois déjà établis sur place.
Puis la colonisation s'étendit par vagues successives, d'origine et d'importance numérique très variées, selon que les populations achéennes de Grèce
propre refluaient devant les envahisseurs doriens : tantôt elles occupaient
des emplacements nouveaux, en chassant les indigènes, tantôt elles venaient
renforcer une colonie antérieure. Les Doriens eux-mêmes suivirent le mouvement en conquérant les îles du Sud, la Crète, Rhodes et divers points de la
côte d'Asie Mineure. Au IXe siècle, l'essentiel de ces migrations est achevé.
L'apparition, en plein centre de l'Anatolie, d'une puissance nouvelle, le
royaume de Lydie, met un terme à l'expansion des Grecs vers l'intérieur.
Dès lors la répartition des populations helléniques autour de la mer Egée,
devenue un lac grec, est à peu près définitive, sauf pour la côte nord, qui ne
sera occupée qu'ultérieurement.

●

Les Anciens distinguaient entre les Grecs en fonction de grandes
divisions linguistiques, fondées sur les dialectes, qu'ils considéraient comme
correspondant à des divisions ethniques. Si les modernes ne tiennent plus
cette correspondance pour rigoureuse, ils n'en reconnaissent pas moins que
la langue s'accorde souvent avec les institutions pour caractériser l'élément
dominant dans une région déterminée. En fonction de quoi l'occupation du
monde égéen, à la fin des grandes migrations qui marquèrent le Moyen Age
hellénique, se présente comme suit :

On parle des dialectes *éoliens* dans la partie septentrionale de la bande
côtière anatolienne colonisée par les Grecs, depuis la basse vallée de l'Hermos,
au nord de Smyrne, jusqu'en face de l'île de Lesbos, ainsi que dans cette île
même. Les colons éoliens sont venus de Thessalie et de Béotie, où le dialecte
éolien, après leur départ, s'est fortement teinté d'influences nord-occidentales.
Des populations de langue *ionienne* sont établies en Attique, en Eubée,
dans les Cyclades (sauf au sud) et sur le littoral anatolien depuis Smyrne

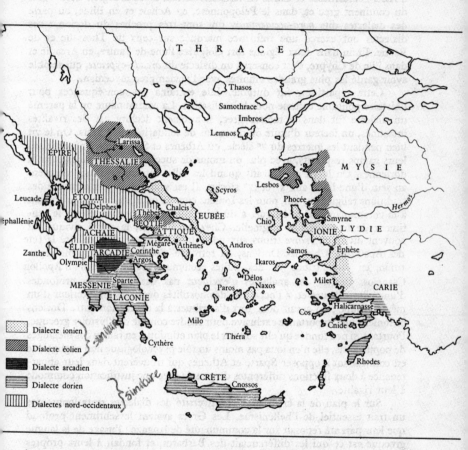

jusqu'au nord d'Halicarnasse, ainsi que dans les grandes îles de Chio et de Samos. Des tribus *doriennes* ont soumis, en y imposant leur langue, la Mégaride, la Corinthie, l'Argolide, la Laconie, les Cyclades du Sud (en particulier

Milo et Théra), la Crète, Rhodes et le Dodécanèse, et enfin, sur la côte d'Asie, Halicarnasse et Cnide en territoire carien. Dans la région nord-ouest du continent grec et, dans le Péloponnèse, en Achaïe et en Elide, on parle des dialectes dits *nord-occidentaux*, qui sont très proches du dorien : ces dialectes ont exercé une influence marquée sur ceux de Thessalie et de Béotie. Enfin dans deux régions fort éloignées l'une de l'autre, en Arcadie et dans l'île de Chypre, s'est conservé un dialecte dit *arcado-cypriote*, qui semble avoir gardé les plus grandes affinités avec l'ancien grec mycénien.

Cette répartition fut durable. Elle entraîna des conséquences pour l'histoire politique comme pour la civilisation. La communauté ou la parenté du dialecte fut dans le monde grec, si aisément déchiré par des rivalités intestines, un facteur d'unité ou du moins de solidarité entre Etats. On le vit bien pendant les guerres du Vᵉ siècle, où Athènes et Sparte entraînèrent dans leurs camps respectifs, avec plus ou moins de succès, cités ioniennes et cités doriennes. On le vit auparavant quand les villes ioniennes d'Asie s'unirent au sein d'une ligue aux Xᵉ et IXᵉ siècles. Il est vrai que la communauté des traditions religieuses, qui, pour les Ioniens comme pour les Doriens, s'ajoutait à la communauté de la langue, a dû faire beaucoup pour entretenir le sentiment de leur parenté originelle. Chez les Ioniens, le corps civique est souvent divisé en *quatre* tribus aux noms traditionnels et l'on célèbre la fête des Apaturies. Chez les Doriens, on retrouve d'ordinaire une même répartition en *trois* tribus et des cultes communs comme celui d'Apollon Carneios. Certes, ces analogies n'excluent pas des différences profondes d'une ville à l'autre et, à l'occasion, des hostilités déclarées à l'intérieur d'un même groupe : on aurait donc tort d'attribuer à la distinction entre Doriens et Ioniens une importance exclusive pour rendre compte de l'histoire grecque. Pourtant, si peu fondée qu'elle soit sur le plan ethnique, en raison des mélanges de populations, elle n'en joua pas moins un rôle psychologique non négligeable en contribuant à opposer Sparte et Athènes qui trouvèrent dans leur appartenance à deux fractions différentes du peuple grec une justification commode à leur rivalité.

Sur le plan de la civilisation, la diversité des dialectes resta longtemps un trait essentiel de l'hellénisme. Les Grecs avaient le sentiment profond que leur parenté reposait sur la communauté de langage : l'usage de la langue grecque est ce qui les différenciait des Barbares, et fondait à leurs propres yeux leur solidarité à l'égard du reste du monde. Or, si la variété des parlers locaux favorisait à l'intérieur de cet ensemble le particularisme politique, elle était en même temps une source de richesse verbale dont écrivains et poètes, en artistes conscients, ont su tirer maints effets. Ainsi se constituèrent très tôt plusieurs langues littéraires, qui empruntaient à tel ou tel dialecte, ou à la combinaison de plusieurs d'entre eux, leur couleur et leur résonance particulières, tout en demeurant accessibles à n'importe quel Grec cultivé. L'exemple le plus frappant, en même temps que le plus ancien, est celui de la langue épique, où se combinent dans une synthèse aussi complexe qu'harmonieuse des éléments ioniens et des éléments éoliens soumis aux exigences d'une métrique raffinée. Ce langage artificiel, strictement réservé à la diction épique en hexamètres et qui n'a jamais été *parlé* nulle part, a connu une extraordinaire faveur puisqu'il n'a pas cessé d'être en usage jusqu'à la fin de l'Antiquité et même, ultérieurement, dans les cercles d'érudits byzantins. Ainsi, au hasard des créations littéraires, selon que le génie d'un écrivain avait marqué tel ou tel genre, le dialecte dont il s'était servi était tenu pour favorable aux compositions du même style et suscitait des imitations, sans pour autant interdire les transpositions dans un dialecte différent. Les mélanges même furent admis : les chœurs des tragédies attiques sont composés non en dialecte attique comme le reste de la pièce, mais dans un dorien, d'ailleurs fort simplifié, qui passait pour mieux adapté au lyrisme choral. D'autre part, la comédie d'Aristophane a tiré des effets pittoresques de l'emploi des dialectes dans la bouche des étrangers.

On ne saurait oublier non plus que les Anciens eux-mêmes avaient donné le nom de *dorique* et d'*ionique* aux deux principaux « ordres » de leur architecture. De fait l'emploi de l'un ou de l'autre, dès le VIᵉ siècle où ils apparaissent parfaitement définis, prédomine dans des régions différentes du monde hellénique : le dorique sur le continent grec, l'ionique dans l'Asie Mineure hellénisée. Mais ces distinctions ne furent jamais très rigoureuses et, bientôt, certains architectes imaginèrent d'associer les deux ordres, en vue d'effets particuliers, dans les mêmes ensembles monumentaux, comme à l'Acropole d'Athènes, et jusque dans les mêmes monuments, comme dans les Propylées de Mnésiclès. Là encore, comme en littérature, les goûts variés et les traditions différentes des diverses branches du peuple grec contribuaient à enrichir une culture devenue leur bien commun.

●

Le IXᵉ et le VIIIᵉ siècle sont désignés habituellement sous le nom d'*époque géométrique*, en raison du caractère original de la céramique de ce temps. On trouve, en effet, sur les sites occupés à cette époque, des vases ou au moins des tessons dont le décor est essentiellement constitué par des lignes droites et des motifs géométriques simples. Pendant longtemps l'apparition de ce style a été mise en rapport avec l'invasion dorienne : on voulait y voir l'influence d'un esprit nouveau, introduit par les envahisseurs venus du Nord. Cette interprétation des faits n'a plus guère cours aujourd'hui : le progrès des fouilles a montré que, loin d'être dû à une révolution du goût consécutive à une transformation soudaine du milieu ethnique, le style géométrique s'est lentement et progressivement dégagé de la tradition mycénienne. Il est particulièrement remarquable que cette continuité ait été reconnue en Attique, où l'élément dorien n'a jamais pénétré et où pourtant la céramique géométrique atteignit une perfection inégalée. Mais la même évolution lente apparaît aussi ailleurs. Pour en désigner commodément les étapes, les archéologues ont créé les termes de *submycénien* et de *protogéométrique,* qui permettent, en l'absence de toute donnée historique certaine, de fonder une chronologie, au moins relative, des siècles obscurs. On admet que le submycénien s'étend approximativement depuis la fin du XIIᵉ siècle jusqu'au milieu du XIᵉ siècle (± 1100 — 1050) et que le protogéométrique va du milieu du XIᵉ siècle jusqu'au début du IXᵉ siècle (± 1050 — 900). A l'intérieur du géométrique proprement dit, les céramologues distinguent un style géométrique pur ou *géométrique ancien*, qui dure d'environ 900 jusqu'un peu avant le milieu du VIIIᵉ siècle ; un style géométrique élaboré (ou *géométrique mûr*) au milieu du VIIIᵉ siècle, qui produit de magnifiques chefs-d'œuvre où la figure humaine, sous une forme stylisée, occupe déjà une place au milieu de motifs géométriques ; enfin un style *géométrique récent*, correspondant à la dernière partie du VIIIᵉ siècle, où les représentations figurées prennent de plus en plus d'importance et provoquent ainsi la dissolution rapide du géométrique proprement dit.

Ces divisions, il convient de le préciser, reposent essentiellement sur l'étude de la céramique attique, qui est de beaucoup la mieux connue. Dans d'autres parties du monde grec, on constate souvent des retards par rapport à l'Attique : les difficultés de communication pendant le Moyen Age hellénique ont favorisé le conservatisme dans les régions les plus reculées. Mais, en gros, l'évolution est la même partout.

On ne doit pas être surpris de l'importance accordée à la céramique dans l'établissement de la chronologie pour cette période de l'histoire grecque. Les faits politiques nous échappent durant les «siècles obscurs» et la recherche archéologique, seule à même de nous renseigner, doit se fonder sur les documents les plus communément retrouvés dans les fouilles, c'est-à-dire sur les tessons d'argile cuite : ceux-ci ont, en effet, le triple avantage de provenir d'objets d'usage courant, donc partout répandus, d'être relativement faciles à classer à cause de leur décor peint, dont le style évolue, et enfin d'être d'ordinaire bien conservés, car, si les vases de terre cuite peinte se cassent facilement, du moins leurs fragments résistent sans dommage appréciable à la corrosion des siècles. C'est pourquoi on pourrait dire, parodiant le mot du poète : *le tesson seul a l'éternité.*

Cette céramique géométrique est connue en bien des points du monde grec : à Corinthe, à Argos, en Béotie, dans les Cyclades et plus spécialement à Théra, à Rhodes, à Chypre, et même en Italie. Mais c'est en Attique qu'on en suit le mieux le développement depuis l'époque submycénienne, grâce aux fouilles de nécropoles comme celle du Céramique, située près d'un quartier d'Athènes ultérieurement occupé par de nombreux potiers, d'où son nom. A l'extérieur de la ville, près de la porte du Dipylon★, s'étendait un cimetière qui continua de recevoir des sépultures à l'époque classique. Les découvertes faites dans les plus anciennes de ces tombes, au cours de travaux conduits entre les deux guerres mondiales, ont révélé le dispositif particulier de ces sépultures à crémation, qui apparaissent dès l'époque submycénienne, se généralisent au Xe siècle et restent en usage aux siècles suivants, bien que l'ensevelissement, rite moins coûteux que la crémation, ait alors reparu. Une simple fosse creusée dans le sol reçoit au fond l'urne cinéraire et quelques vases en guise d'offrandes au mort. Cette fosse est à moitié remplie de terre et, à la surface, on dresse une pierre tombale qui fait office de stèle, accompagnée souvent d'un vase de grande taille destiné à recueillir les libations qui sont un élément essentiel du culte funéraire. On comprend que ce cimetière et les nécropoles similaires, comme celle d'Eleusis, aient été particulièrement riches en céramique.

Les formes de vases (amphores, cratères, cruches, coupes, gobelets, boîtes à couvercle dites *pyxides*) évoluent dans un sens bien déterminé : les diverses parties du vase (par exemple, pour les amphores, la panse et le col) sont de plus en plus nettement séparées au lieu des transitions par courbes insensibles qu'aimait la céramique mycénienne. Il semble qu'un sens architectural de plus en plus exigeant se manifeste, conduisant à construire le vase comme un assemblage d'éléments clairement différenciés. En même temps l'audace des potiers croît avec leur virtuosité : elle les conduira à exécuter de véritables monuments de terre cuite, comme les amphores et les cratères funéraires du Dipylon, qui atteignent la taille humaine et représentent d'extraordinaires prouesses techniques.

Le décor en vernis noir est d'abord posé sur l'argile claire, puis, dès le protogéométrique, intervient l'usage de recouvrir le vase entier de vernis noir, en réservant, sur le col ou l'épaule, un emplacement rectangulaire pour un motif décoratif géométrique : cercles ou demi-cercles concentriques, lignes ondulées, lignes brisées, bandes de triangles ou de losanges, rectangles quadrillés ou damiers. La beauté plastique de ces vases, avec le vif contraste clair sur noir et la sobre élégance du décor, reste à nos yeux singulière. C'est alors qu'apparaît le motif du méandre, déjà connu en Egypte et en Crète, mais dont l'art hellénique devait faire un si grand usage que nous l'avons appelé la *grecque*. S'enrichissant toujours, le répertoire ornemental se tourne vers le monde vivant : mais l'inspiration qu'il en tire reste soumise à une vigoureuse interprétation abstraite. Des animaux très schématiques, en silhouette noire, composent des frises à peine différentes de celles des motifs purement géométriques : oiseaux ou quadrupèdes sont des signes plus que des formes animées, reproduits inlassablement comme un modèle de tapisserie. Cet élargissement du répertoire incite le potier à consacrer plus de place au décor, qui finit par envahir à peu près toute la surface du vase.

Les amphores ou les cratères colossaux du Dipylon appartiennent à cette période du géométrique mûr ou au géométrique récent. Devant ces monuments, on est confondu par le goût raffiné qui préside à la répartition des zones ornementales : le motif choisi est chaque fois parfaitement adapté à l'emplacement qui lui est assigné, et en outre des correspondances ou des rappels sont subtilement ménagés à l'intérieur d'une ordonnance concertée dans le moindre détail. Par une innovation de grande conséquence, le potier finit par faire appel à la figure humaine, traitée d'une manière aussi conventionnelle que les animaux. Toutefois la tentation était grande, dès qu'on représentait des hommes, de les introduire dans une scène composée. C'est ce qui se produit sur la grande amphore du Dipylon, où le rectangle réservé entre les anses accueille l'image de la déploration du défunt, étendu sur le lit funèbre, qu'entourent, assis ou debout, des assistants en deuil. Certes, ces personnages schématiques sont tous pareils; on ne les distingue ni par leurs vêtements, ni par leur sexe. Mais déjà le geste des deux bras tenant la tête exprime un sentiment : l'élément humain que leur présence introduit dans un ensemble purement abstrait agira comme un ferment de dissolution qui en modifiera très vite le caractère. Si le développement rapide des scènes à personnages est un trait propre au géométrique attique, il souligne par là même les dons exceptionnels d'un peuple d'artistes qui l'emportait déjà de loin dans ce domaine sur l'ensemble des autres Grecs.

●

Cette prépondérance d'Athènes dans la céramique géométrique éclipse les autres manifestations de la civilisation matérielle à cette époque. L'architecture n'est guère connue que par quelques rares plans de temples ou de maisons reconstitués à partir des fondations, seules subsistantes. Un assez grand nombre de statuettes de bronze, en fonte pleine, remonte au VIIIe siècle : elles représentent des animaux ou des personnages stylisés, assez semblables aux silhouettes peintes de la dernière période géométrique. Certaines adhèrent à une base qui a servi de sceau. D'autres ont été montées sur des vases ou de grands trépieds en bronze dont plusieurs exemplaires mutilés ont été retrouvés. D'autres enfin servaient d'offrandes dans des sanctuaires. Des fibules de bronze, accessoires nécessaires pour fermer les vêtements doriens, drapés et non cousus, portent des dessins géométriques. Des statuettes de terre cuite reproduisent les mêmes modèles schématiques que celles de bronze, à l'exception des singulières idoles « en cloche » de Béotie, aux jambes rapportées, au corps parfois orné de motifs géométriques peints. Tout cela, néanmoins, compte peu en regard des grands vases attiques. Mais la Grèce géométrique a fait bien davantage pour la civilisation : elle lui a donné l'alphabet et Homère.

L'adoption de l'alphabet phénicien par les Grecs se situe vraisemblablement au IXe ou au début du VIIIe siècle. Les inscriptions alphabétiques les plus anciennes appartiennent à la seconde moitié du VIIIe siècle. En adaptant pour leur usage l'ingénieuse notation phonétique imaginée par les Phéniciens, les Grecs y introduisirent une innovation capitale, la notation des voyelles, que les Sémites ne pratiquaient pas. Peut-être le souvenir de l'ancien syllabaire mycénien, qui distinguait nettement entre les syllabes d'un vocalisme différent, a-t-il contribué à cet enrichissement du système alphabétique qui devait lui conférer une valeur universelle. Cette technique nouvelle de l'écriture prit un essor rapide et, avec quelques variantes dans le détail, se répandit dans le monde hellénique tout entier. L'alphabet latin devait plus tard en sortir, ainsi que la plupart des alphabets modernes.

Ce n'est sans doute pas un hasard si les deux premières œuvres littéraires de longue haleine, l'*Iliade* et l'*Odyssée*, sont maintenant datées par la majorité des savants au IXe ou, plus volontiers, au VIIIe siècle, c'est-à-dire au moment où les Hellènes commencent à se servir de l'écriture alphabétique. En dépit de l'extrême complexité de la question homérique, beaucoup de lecteurs aujourd'hui sont sensibles à la rigueur de construction dont l'un et

41

ι'autre poème témoignent à qui les étudie sans préjugé. Les Anciens déjà, dont la familiarité avec le texte homérique était infiniment plus grande que la nôtre, ne doutaient pas de l'unité foncière de chacune des deux épopées; peu d'entre eux même envisageaient l'hypothèse que le même auteur n'eût pas composé à la fois l'*Iliade* et l'*Odyssée*, et le meilleur critique littéraire de l'Antiquité, Aristarque, si habile à déceler dans le texte traditionnel les interpolations tardives, combattit fort vigoureusement ces « séparatistes » ou *chorizontes*, comme on les appelait. J'incline, pour ma part, à suivre une opinion si autorisée, que les analyses de certains savants contemporains renforcent en montrant, d'une partie à l'autre des *Poèmes*, des correspondances révélatrices d'une architecture consciemment ordonnée par un même esprit créateur.

Or, si exercée qu'ait été la mémoire chez des poètes voués à la récitation épique, on ne peut guère imaginer que des effets de ce genre aient été obtenus sans le secours de l'écriture. Même si le style épique, par son caractère formulaire, garde encore des traits du style oral, il faut admettre que l'auteur de l'*Iliade* et de l'*Odyssée*, bien qu'une légende tardive l'ait fait passer pour aveugle, a transcrit dès l'origine ses grandes compositions. Aussi bien les plus anciennes inscriptions grecques que nous possédions, comme celle qui promet en prix au meilleur danseur le vase attique sur lequel elle est peinte ou celle qu'on a déchiffrée récemment sur la *Coupe de Nestor* découverte à Ischia (toutes deux remontent à la seconde moitié du VIIIᵉ siècle), nous prouvent que la langue et la versification épiques étaient dès cette époque d'un usage courant tant à Athènes que dans les colonies lointaines de Méditerranée occidentale.

La perfection même des deux épopées montre qu'elles sont l'aboutissement d'une longue tradition. Les Anciens en avaient conscience puisque Aristote écrit dans sa *Poétique* : « Nous ne connaissons aucun poème analogue composé par des prédécesseurs d'Homère, mais tout indique qu'il y en eut beaucoup. » La disparition de toute littérature antérieure est due sans doute à l'absence d'un procédé de transcription approprié : le syllabaire mycénien, s'il était resté en usage (ce qui n'est aucunement certain), était trop imparfait pour servir à perpétuer une œuvre littéraire de longue haleine. Homère, en revanche, a dû bénéficier du secours de l'alphabet et son œuvre a rejeté dans l'oubli toutes celles qui l'avaient précédée.

Bien des villes se disputaient l'honneur de lui avoir donné le jour. Mais, qu'il fût né à Chio, à Smyrne, à Colophon, à Ios ou à Cymé, il est sûr que le poète a composé son œuvre dans le monde des cités ioniennes d'Asie

Mineure. Celles-ci, au VIIIᵉ siècle, prospéraient après leurs débuts difficiles. Groupées en une ligue de douze cités, unies par des affinités de langue et de religion, comme le culte commun qu'elles rendaient à Poséidon dans le sanctuaire panionien du cap Mycale, liées à Athènes par des liens sentimentaux et des souvenirs historiques, elles avaient une organisation sociale solide, dont l'élément essentiel était une aristocratie de grands propriétaires terriens qui disposaient de la réalité du pouvoir, qu'ils fussent ou non groupés autour d'un roi. C'est dans les palais de ces grands d'Ionie que furent récitées pour la première fois l'*Iliade* et l'*Odyssée*. L'une évoquait, à travers le recul du temps, une expédition prestigieuse dont le souvenir était cher aux Hellènes installés en terre d'Asie : ils voyaient à juste titre dans l'entreprise achéenne contre Troie la préfiguration de la colonisation ionienne en Anatolie, et les récits d'exploits guerriers exceptionnels plaisaient à ces nobles auditeurs, eux-mêmes fervents adeptes de la chasse et des exercices militaires. L'autre flattait l'imagination par le récit d'aventures lointaines dans les mers occidentales, telles que les marins d'Eubée et de Grèce propre, à la suite des Phéniciens, commençaient à les faire revivre. La guerre et les voyages, ces deux formes d'activités, fournissaient une belle matière épique. A travers les siècles obscurs, le souvenir du monde achéen s'était conservé grâce à ces compositions poétiques que l'œuvre d'Homère suppose, mais qu'elle éclipsa par la suite. Depuis les découvertes de l'archéologie mycénienne et plus encore depuis le déchiffrement du Linéaire B, les commentateurs modernes se plaisent à souligner dans les poèmes homériques tout ce qui peut se rapporter à cette tradition mycénienne et, de fait, l'importance de ce legs du IIᵉ millénaire est considérable. Mais on aurait tort de méconnaître qu'Homère, qui vivait à l'époque géométrique, doit aussi beaucoup à son temps. Il lui doit en particulier un élément essentiel de sa poésie, les comparaisons, souvent fort développées, d'un événement héroïque avec un fait de la vie quotidienne, procédé qui lui permet de rendre le monde épique intelligible à ses auditeurs en faisant appel à leur commune expérience de tous les jours. Il lui doit cette connaissance directe et personnelle de la nature et des hommes qui, dans l'*Odyssée* comme dans l'*Iliade*, nous fait accéder de plain-pied aux sentiments des personnages et nous restitue avec une efficace sobriété le cadre naturel où se déroulent leurs aventures. De là cette impression de vérité simple que nous ressentons encore, à travers la magie du style, devant le texte des *Poèmes* et qui leur confère comme une jeunesse éternelle.

Ce n'est donc pas sans raison que l'on a insisté, depuis quelques années, à plusieurs reprises, sur les affinités que l'art d'Homère présente avec celui des plus beaux vases géométriques. Sens de la composition pour élaborer de grands ensembles à l'agencement subtil, conception nette de la hiérarchie dans les domaines religieux ou social aussi bien qu'esthétique, intervention permanente d'une intelligence lucide qui interprète le monde en fonction de l'homme et construit l'œuvre en fonction des exigences de l'esprit : les deux grandes épopées ioniennes nous montrent tout cela, que nous retrouvons pareillement dans les chefs-d'œuvre des potiers attiques du VIIIᵉ siècle. Mais il y a plus net encore. Lorsque, dans la seconde moitié du siècle, les peintres de vases firent à Athènes la place plus large aux représentations figurées, ils peignirent sur de grands cratères des scènes de batailles terrestres et navales dont la parenté avec les scènes semblables de l'*Iliade* a été plusieurs fois soulignée. Ces œuvres, qui ne sont souvent conservées qu'à l'état de fragments, n'en sont pas moins significatives. Tout en gardant contact avec la tradition qui lui fournit ses petits personnages schématiques, le céramiste les anime par la notation juste d'une attitude ou d'un geste qui leur donne une vérité singulière. N'est-il pas remarquable qu'Homère, quand il décrit, procède exactement de la même manière, en élisant dans une réalité complexe le détail essentiel ou caractéristique qu'il retient seul pour le fixer définitivement dans notre mémoire ? L'art du poète et l'art du peintre reposent l'un et l'autre sur la parfaite possession d'un métier qui leur fournit des formules ou des poncifs élaborés par leurs devanciers : mais leur propre génie créateur insuffle à ces éléments traditionnels une vie nouvelle grâce à l'acuité et à la justesse de leur vision personnelle du monde. La force expressive de l'œuvre, le sentiment de plénitude et de perfection qu'elle nous procure résident précisément dans cet équilibre entre le legs du passé, consciemment accepté par l'artiste, et l'apport original d'une intelligence qui va droit à l'essentiel. La rencontre entre deux formes d'art appartenant à des domaines si différents, mais inspirées si visiblement par un même esprit, est un fait de civilisation révélateur.

●

Avec Homère comme avec la céramique géométrique attique, la société grecque du VIIIᵉ siècle nous est apparue sous son aspect le plus favorable. L'autre face nous est présentée par un autre poète, plus âpre et moins séduisant, Hésiode*, qui vécut probablement dans la seconde moitié du siècle, sinon un peu plus tard. Il connaissait l'œuvre d'Homère, qu'il imite à l'occasion d'une façon précise et avec qui une légende tardive très en faveur dans les écoles le faisait entrer en compétition. A la différence du poète ionien, il n'a pas vécu à la cour des puissants : c'était un paysan de Béotie, possesseur d'un petit domaine près du bourg campagnard d'Ascra, au pied de l'Hélicon, non loin d'un vallon consacré aux Muses. Deux de ses poèmes nous ont été conservés, tous deux rédigés en langue épique, la *Théogonie* ou généalogie des dieux et *Les Travaux et les Jours*, poème agricole et didactique. Dans le second, il nous parle souvent de lui-même, de ses réflexions et de ses soucis. Tandis que la personnalité d'Homère s'efface entièrement derrière son œuvre, l'œuvre d'Hésiode, en dépit du style formulaire et de certaines gaucheries de forme, rend un son très personnel et nous renseigne avec précision sur le sort du petit peuple des campagnes dans la Grèce géométrique.

Ce sort n'est certes guère enviable. Le paysan peine durement sur son lopin de terre, exposé aux épreuves successives des saisons. Le travail est sa loi. En cas de succès, il pourrait accéder à la richesse, qui seule attire la considération. Mais les querelles de famille ou de voisins donnent lieu à des procès que les rois, c'est-à-dire les grands, tranchent trop souvent par des sentences torses, après s'être laissé séduire par des présents. Hésiode invoque ardemment la Justice et affirme sa confiance dans l'équité de Zeus, le dieu suprême : mais il indique par là même combien rarement, à ses yeux, cette justice était respectée. Du moins l'appel constant qu'il fait à cette abstraction divinisée montre la force d'une exigence morale qui se faisait jour chez les citoyens besogneux, mal satisfaits de leur condition et conscients de mériter autre chose. Il y avait là dans les cités grecques la source de conflits sociaux qui, au cours de la période suivante, allaient aboutir à la grande entreprise de la colonisation lointaine et à de profonds bouleversements politiques.

CHAPITRE III

L'AGE ARCHAÏQUE

(DU VIIIᵉ AU VIᵉ SIÈCLE)

L'EXPOSÉ qui précède a mis en lumière les grands faits de civilisation qui donnent à l'époque géométrique une importance décisive dans l'histoire de l'Occident. Il convient maintenant de rappeler dans leurs grandes lignes les principaux événements qui marquèrent l'évolution du peuple grec du VIIIᵉ au VIᵉ siècle, depuis le moment où, après les siècles obscurs, nous recommençons à la saisir jusqu'à l'époque des guerres médiques où le destin de l'hellénisme s'est trouvé remis en question. Pendant cette période, les documents ne permettent que rarement de retracer en détail une histoire qui, surtout au début, reste très mêlée d'éléments légendaires. Mais du moins, à la différence du Moyen Age hellénique, l'âge archaïque ne disparaît pas dans une obscurité totale. L'adoption de l'écriture alphabétique permettait désormais de conserver des documents d'archives : listes de magistrats, listes de vainqueurs aux Jeux, réponses des oracles, plus tard textes de lois, de décrets, de traités. La liste des vainqueurs aux Jeux Olympiques, qui servit beaucoup plus tard de chronologie universelle, commençait en 776 avant Jésus-Christ, à l'instauration de ces fêtes panhelléniques. Une forme d'historiographie, à vrai dire mal dégagée des traditions de l'épopée, apparaît timidement à la fin du VIIIᵉ siècle avec le poète Eumélos* de Corinthe. Les grands historiens du Vᵉ siècle, Hérodote* et Thucydide*, ont l'un et l'autre utilisé ces sources, dans la mesure limitée où ils en avaient besoin pour leur propos. Grâce à ces textes auxquels l'archéologie apporte parfois compléments ou confirmation, nous pouvons esquisser pour l'essentiel l'histoire de cette période complexe où l'hellénisme classique acheva lentement de se former.

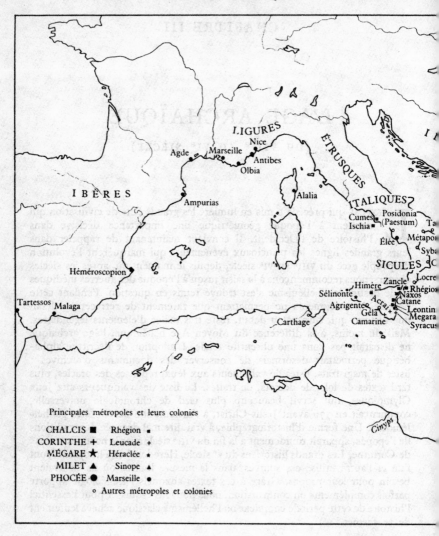

Principales métropoles et leurs colonies

CHALCIS ■   Rhégion ■

CORINTHE +   Leucade +

MÉGARE ★   Héraclée ★

MILET ▲   Sinope ▲

PHOCÉE ●   Marseille ●

   ○ Autres métropoles et colonies

6. LES COLONIES GRECQUES

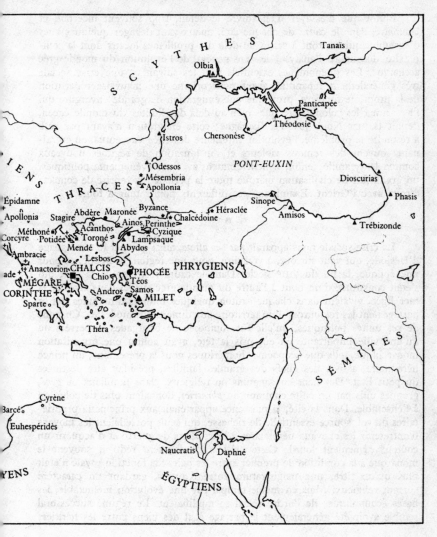

Tanais

Olbia

Panticapée

Théodosie

Istros   Chersonèse

Odessos

Mésembria   *PONT-EUXIN*

Apollonia   Dioscurias

SCYTHES

THRACES   Byzance   Sinope   Phasis

Épidamne   Abdère Maronée   Chalcédoine   Héraclée

Apollonia   Stagire   Ainos Perinthe   Amisos

Méthoné Acanthos   Cyzique   Trébizonde

Corcyre Potidée Toroné   Lampsaque

Ambracie Mendé Abydos   PHRYGIENS

Anactorion Lesbos

CHALCIS   Chio

MÉGARE   Téos

CORINTHE   Andros Samos

Sparte   MILET

Théra   SÉMITES

Cyrène

Barcé

Euhespéridès

Naucratis   Daphné

ÉGYPTIENS

Plutot que d'essayer d'en suivre le détail, trop souvent incertain et lacunaire, dans le cadre de chaque cité, mieux vaut dégager quelques vues d'ensemble qui aideront à saisir, au-delà des problèmes locaux dont la complexité décourage l'analyse, le sens général de l'évolution du monde grec archaïque. Les phénomènes essentiels sont les suivants : une crise sociale très généralement répandue, ayant pour origine une mauvaise répartition de la propriété foncière, provoque une émigration de grande envergure qui fit essaimer les colonies grecques bien au-delà des limites du monde égéen, depuis la mer Noire jusqu'à l'Espagne ; cette émigration n'ayant pas suffi à résoudre le problème, l'évolution intérieure des cités s'accentua, en entraînant souvent des remous violents et l'instauration de régimes nouveaux comme la tyrannie ; enfin, concurremment avec ces événements politiques, un grand fait de civilisation marque toute la période : la reprise de contacts étroits avec l'Orient. Examinons ces différents points tour à tour.

●

La crise sociale nous apparaît par ses effets, ainsi que par le témoignage d'Hésiode, qui vaut surtout, à vrai dire, pour une région, la Béotie, et pour une époque, la fin du VIIIe siècle. Dans le cadre restreint de la cité, qui s'était constituée d'un bout à l'autre du monde grec sur les deux rives de la mer Egée, vivaient dans chaque canton quelques milliers d'hommes qui se partageaient les ressources d'un territoire aux dimensions modestes. Chacune de ces unités politiques, qu'elle fût composée de bourgades dispersées ou qu'une ville importante en eût pris la tête, avait connu une organisation monarchique, telle que les poèmes homériques nous la présentent ; un prince héréditaire, assisté des chefs des grandes familles, présidait aux destinées du petit Etat. Des liens consanguins ou religieux, clans familiaux ou *géné*, groupes unis par un culte commun ou *phratries*, donnaient plus de cohésion à l'ensemble. Dans la cité, la puissance appartenait aux principaux propriétaires du sol, source essentielle de richesse, qui seuls possédaient les moyens d'entretenir les chevaux nécessaires à leurs chars de guerre et d'acquérir un coûteux armement lourd. Cette aristocratie foncière réduisit souvent le monarque à la condition de premier entre les pairs : la fonction royale n'était plus qu'un titre, une magistrature entre d'autres, gardant un caractère surtout religieux. Mais en même temps, par une évolution inéluctable, les bases économiques de l'ordre social se modifiaient. Le régime successoral semble avoir été généralement le partage égal des biens entre les héritiers directs. Dès que le possesseur d'un lot de terres avait plus d'un fils, son patrimoine se trouvait divisé à sa mort en fractions qui, à chaque génération, allaient en s'amenuisant : très vite, la condition du propriétaire de chaque lopin devenait misérable et son appauvrissement le contraignait soit à s'endetter, soit à s'engager au service d'un riche, qui profitait de l'occasion pour mettre la main, tôt ou tard, sur le petit domaine. D'où une tendance générale à la concentration foncière au bénéfice de quelques privilégiés, tandis qu'une masse croissante de la population besognait dans des conditions difficiles et risquait de perdre son indépendance économique et même, par le jeu de l'endettement et de la servitude pour dettes, sa liberté tout court. Tel est, décrit sous une forme extrême et schématique, le phénomène que nous devinons un peu partout dans le monde grec au début de l'époque archaïque et qui, joint à l'accroissement régulier de la population, engagea les Grecs dans l'aventure coloniale.

Les Anciens ont défini, un peu sommairement, cette cause essentielle de l'émigration comme le « manque de terres » ou *sténochôria*. Dans la pratique, les occasions qui entraînèrent le départ des colons vers la terre étrangère varièrent beaucoup : rivalités entre chefs politiques, appétit d'aventure, bannissement prononcé contre une partie du corps social, ultérieurement esprit d'entreprise inspiré par un impérialisme politique ou commercial. Mais il y eut presque toujours à la base la nécessité de résoudre par un moyen radical un problème de surpopulation ou une crise foncière.

Les circonstances qui entourèrent la fondation des colonies frappèrent l'imagination des contemporains, des colons et de leurs successeurs, si bien que dans ce domaine, plus peut-être qu'en aucun autre, les légendes eurent tendance à proliférer. Toutefois nous avons pour plusieurs colonies des narrations précises qui nous permettent de nous représenter assez bien la suite habituelle des opérations. Prenons l'exemple de la petite île volcanique de Théra* (aujourd'hui Santorin), dans les Cyclades, d'où partit, peu après le milieu du VIIe siècle, une expédition pour l'Afrique. Les péripéties de l'affaire nous sont contées en grand détail par Hérodote (IV, 150 et suiv.), dont le récit est curieusement corroboré, pour l'essentiel, par une inscription de Cyrène remontant au IVe siècle, mais reflétant une tradition plus ancienne qui n'est certainement pas le texte d'Hérodote. La concordance des deux sources n'en est que plus significative.

Il ressort de ces deux textes que, vers le milieu du VIIe siècle, l'île de Théra connut une période de troubles, consécutive à de mauvaises récoltes. Consulté par le roi qui gouvernait l'île, l'oracle de Delphes lui conseilla d'envoyer une expédition en Libye pour y fonder une colonie. Sans enthousiasme, les Théréens s'exécutèrent : réunie par le roi, l'assemblée des citoyens décida de confier à un certain Battos le commandement de l'expédition. Les futurs colons seraient recrutés à raison d'un fils par famille. Ceux qui auraient été désignés seraient tenus de s'embarquer sous peine de mort et de s'installer dans la nouvelle colonie. Ils ne seraient autorisés à revenir à Théra que si, au bout de cinq ans d'efforts persévérants, l'entreprise échouait totalement. Ainsi constitué, le contingent désigné prit place sur deux *pentécontores* (ou vaisseaux à cinquante rameurs) : c'est dire qu'il devait compter deux cents hommes au plus. Les deux navires se rendirent en Crète, à Itanos, où ils s'assurèrent les services d'un pilote crétois et se firent conduire en Libye, où ils abordèrent au large de la côte orientale de Cyrénaïque, sur un îlot inconfortable qui leur assura une base sûre pour explorer le continent. A partir de cet avant-poste, ils s'aventurèrent vers l'intérieur, prirent contact avec les indigènes, qui les accueillirent favorablement, et, après une installation provisoire de six ans en Cyrénaïque orientale, ils se fixèrent définitivement au centre du pays, sur le rebord du plateau supérieur, dans un site privilégié qui offrait une source abondante et des terres bien arrosées propices à une colonisation agricole. La ville de Cyrène* était fondée, en 631 avant Jésus-Christ, si l'on s'en tient à la chronologie traditionnelle, et elle devait connaître sur cette terre d'Afrique une éclatante prospérité pendant treize siècles, jusqu'à l'arrivée des Arabes en 642 de notre ère.

Cette histoire, sur laquelle nous avons la chance d'être particulièrement bien renseignés, est fort représentative. On y retrouve les éléments essentiels qui reparaissent dans la plupart des récits de fondation : la crise économique et sociale qui provoque la décision d'émigrer; la consultation de l'oracle de Delphes, qui doit fournir à l'entreprise la caution d'une autorité religieuse indiscutée et peut-être aussi, en raison des nombreuses consultations de ce genre qui étaient soumises à l'oracle, des conseils utiles sur la bonne direction à prendre pour éviter de se heurter à d'autres colons; l'intervention autoritaire de l'Etat, sous la forme d'un décret de l'assemblée, pour organiser l'expédition, désigner son chef et les participants, contraints de s'expatrier sous peine des sanctions les plus sévères; leur départ en petit nombre, car le cadre restreint de la cité grecque permet de résoudre un grave problème social par l'émigration de quelques centaines d'hommes seulement; leur installation dans une île côtière, aux abords d'un continent inconnu, pour s'y assurer un refuge avant de pénétrer dans l'intérieur; et enfin l'installation définitive d'une colonie agricole sur un site propice, offrant de l'eau et de bonnes terres de labour. Tout cela se retrouve, plus ou moins modifié selon les circonstances, dans l'histoire de nombreuses autres fondations qui répondirent aux mêmes nécessités et connurent des péripéties du même genre.

A Cyrène et en bien d'autres endroits, les Grecs n'eurent pas à se heurter, au début tout au moins, à l'hostilité des indigènes : ils avaient affaire à des tribus nomades à qui l'installation permanente d'étrangers sur leur territoire ne portait pas ombrage. Mais cette colonisation pacifique ne réussit pas partout. En certains endroits, comme en Italie méridionale, il fallut de longs et rudes combats pour venir à bout de la résistance opposée par les Barbares. L'exemple le plus frappant est sans doute celui de Tarente, tel que nous le rapporte le voyageur grec Pausanias, qui écrit au IIe siècle de notre ère, mais qui utilise des sources anciennes · « Ce sont les Lacédémoniens qui colonisèrent Tarente, et le fondateur de la ville fut le Spartiate Phalanthos. Désigné pour commander l'expédition colonisatrice, Phalanthos reçut de Delphes un oracle disant que, quand il sentirait de la pluie sous un ciel clair, alors il prendrait possession d'un territoire et d'une ville. Sur le moment il n'examina pas personnellement le sens de l'oracle et négligea de se le faire expliquer par un des exégètes, dont c'était le métier. Conduisant ses vaisseaux, il aborda en Italie. Là, il remporta plusieurs victoires sur les indigènes, mais il ne réussissait ni à prendre une ville, ni à s'assurer la possession d'un territoire. Alors il se souvint de l'oracle, et il se dit que le dieu lui avait prédit une chose impossible : car jamais il ne pleuvrait par un ciel pur et serein. Comme il se sentait découragé, sa femme, qui l'avait accompagné dans son expédition, cherchait à le réconforter : elle lui prit la tête sur ses genoux et se mit à lui chercher les poux dans les cheveux. Durant cette occupation, comme elle pensait à la situation de son mari qui ne s'améliorait pas, dans sa tendresse pour lui elle fondit en larmes. Ses larmes en tombant mouillaient la tête de Phalanthos, et voilà que celui-ci tout à coup comprend la prophétie, car sa femme avait nom Aithra, c'est-à-dire « ciel serein ». Aussi la nuit suivante attaqua-t-il Tarente, la plus grande et la plus prospère des villes de la côte, et il l'enleva aux Barbares. »

Malgré son caractère anecdotique et légendaire, ce récit montre bien quelles difficultés les colons grecs rencontrèrent pour s'établir dans cette région des Pouilles où les Messapiens leur opposèrent une vive résistance dès l'époque de la fondation, à la fin du VIIIe siècle, et ne cessèrent guère par la suite de les inquiéter. Il montre aussi le rôle essentiel joué dans la fondation de toute colonie par le chef désigné pour diriger l'opération, qui porte le titre de fondateur, *oikistès*, et qui, sous la protection de la divinité, permet aux émigrants de surmonter leurs épreuves. On comprend que ces hommes chargés d'une responsabilité exceptionnelle aient été gratifiés d'honneurs exceptionnels : après leur mort, ils furent généralement considérés comme des héros et un culte fut à ce titre institué auprès de leur tombe.

●

On voudrait pouvoir suivre dans le détail cette étonnante expansion du peuple grec : mais les documents sûrs font trop souvent défaut, surtout pour les hautes époques, et d'autre part les fondations furent trop nombreuses pour qu'on les énumère sans faire un choix. En outre, plus d'une colonie, après s'être solidement établie sur son territoire, proliféra à son tour en envoyant elle-même des colons dans des régions voisines. Enfin il est difficile de distinguer nettement les phases successives d'un mouvement qui se poursuivit pendant près de trois siècles dans des directions très diverses. Sans doute a-t-on pu dire avec raison que les colonies du début, jusque vers le milieu du VIIᵉ siècle, ont été surtout des installations agricoles, provoquées par la crise sociale que nous avons évoquée plus haut, tandis que des préoccupations commerciales ont dû jouer davantage dans la période ultérieure : mais cette évolution, qui est réelle, n'a rien de rigoureux et ne permet guère d'établir des cadres chronologiques valables pour l'ensemble de la colonisation. Bornons-nous donc à l'évoquer, comme on le fait d'ordinaire, en fonction de grandes divisions géographiques.

A l'aube du VIIIᵉ siècle, le bassin oriental de la Méditerranée n'offrait aux Grecs un secteur libre qu'en direction du nord. L'intérieur de l'Anatolie, montagneux et d'accès difficile, attirait peu un peuple qui n'aimait pas s'éloigner de la mer. Assyriens et Phéniciens empêchent toute pénétration en Cilicie ou en Syrie. Bien plus, ils prennent pied à Chypre où les Grecs auront à compter avec eux. Au sud, l'Egypte, même affaiblie et divisée, était trop peuplée pour offrir une conquête facile. Seules les côtes septentrionales de l'Egée n'étaient pas tenues par des populations nombreuses et organisées. Elles attirèrent dès la première moitié du VIIIᵉ siècle des colons venus d'Eubée, où deux villes voisines l'une de l'autre, Chalcis et Erétrie, prirent l'initiative de ces opérations. Bien que la chronologie en soit très mal connue dans le détail, les fondations se succédèrent rapidement dans la région qui, en raison du grand nombre des colonies de Chalcis (une trentaine), reçut le nom de Chalcidique. Les trois péninsules qui s'en détachent, la Pallène, la Sithonie et l'Acté, furent occupées en force, les villes les plus importantes étant Mendé en Pallène et Toroné en Sithonie. Un peu plus tard, Méthoné était fondée sur la côte de Macédoine, à mi-chemin entre l'Olympe et le fond du golfe Thermaïque. La plupart de ces villes restèrent de dimensions modestes et firent peu parler d'elles, sinon par la qualité de leur vin. La plus puissante, Potidée, sur l'isthme de Pallène, ne fut fondée qu'à la fin du VIIIe siècle par des colons venus non de l'Eubée, mais de Corinthe.

Vers l'est, la côte de Thrace, où des tribus belliqueuses se trouvaient installées, attira des Ioniens des Cyclades. Dans la première moitié du VIIe siècle, des colons venus de Paros fondaient une cité dans l'île de Thasos*, située près de l'embouchure du fleuve Nestos et non loin du massif montagneux du Pangée. Tant dans l'île elle-même que sur le continent, d'importantes mines d'or devaient faire la fortune de la colonie. Mais cette entreprise, à laquelle le poète Archiloque prit part, n'alla pas sans combats violents avec les Thraces : moyennant quoi les Thasiens occupèrent une bonne partie du territoire qui s'étend entre l'embouchure du Nestos à l'est et celle du Strymon à l'ouest, assurant ainsi les bases de leur future prospérité. Au-delà du Strymon, sur la côte orientale de Chalcidique, des Grecs de l'île d'Andros fondaient, au milieu du VIIe siècle, Acanthos et Stagire. Au-delà du Nestos, vers l'est, des Ioniens de Chio, vers la même époque, s'installaient à Maronée, tandis que d'autres, venus de Clazomènes, essayaient vainement de tenir à Abdère contre les tribus thraces du voisinage : un siècle plus tard, d'autres Ioniens, chassés de Téos par les Perses, reviendront à Abdère, cette fois avec succès. Enfin, plus à l'est encore, à l'embouchure du fleuve Hébros, la ville d'Ainos était fondée par des colons éoliens, tandis que d'autres Eoliens, au début du VIIe siècle, occupaient Samothrace*. De l'Olympe à la Chersonèse de Thrace, le littoral et les îles se trouvaient désormais contrôlés par les Grecs.

La pénétration en mer Noire, à travers les Détroits et la Propontide (mer de Marmara), commence peut-être dès la fin du VIIIe siècle, mais les premiers établissements furent balayés par les peuplades cimmériennes et l'installation des Grecs en fut retardée d'un demi-siècle. Dès le VIIIe siècle, du moins, les gens de Milet avaient fondé Cyzique, sur la côte sud de la Propontide : il fallut la fonder de nouveau en 676, après un raid des Cimmériens. Plusieurs autres établissements milésiens naquirent peu après, en particulier Abydos, sur la rive asiatique de l'Hellespont (Dardanelles). Entre Abydos et Cyzique, les Phocéens s'établissent à Lampsaque. La côte européenne accueillait très tôt à Sestos, sur l'Hellespont, des Eoliens de Lesbos et plus tard, vers 600, à Périnthe des Ioniens originaires de Samos. Toutefois une ville de Grèce propre, Mégare*, venait dans cette région faire concurrence aux cités grecques d'Asie : dès 676 elle envoyait une colonie à Chalcédoine, sur la rive asiatique du Bosphore, et seize ans plus tard, en 660, elle fondait, sur la rive opposée, la ville de Byzance, promise à une haute fortune. Que les Mégariens aient attendu seize ans pour s'installer sur le site de Byzance, cela suscitait encore, nous dit Hérodote, l'étonnement réprobateur d'un général perse à l'époque de Darius ! Du moins les colonies mégariennes du Bosphore contrôlaient désormais l'accès de la mer Noire.

Les Grecs la nommaient le Pont-Euxin, la mer hospitalière, par antiphrase, en raison des tempêtes redoutables qui fondent sur cette mer sans îles, des brouillards et des courants qui y rendent la navigation dangereuse. Ils n'en explorèrent pas moins ses côtes à partir du Bosphore à la fois vers l'est, en direction du Caucase et de la Colchide, le pays mythique de la Toison d'Or, et vers le nord, au-delà des bouches du Danube, jusqu'à la Crimée. Milet, comme en Propontide, y joua le rôle principal, secondée, comme en Propontide, par Mégare. C'est vers 630 que les Milésiens s'établirent définitivement à Sinope, au milieu de la côte septentrionale de l'Anatolie. Puis, au VIe siècle, ils fondèrent Amisos au-delà de Sinope. Sinope elle-même envoyait des colons plus loin vers l'est à Trébizonde. La prospérité de ces cités grecques ne tenait pas seulement à l'élevage, aux pêcheries et à l'agriculture : le commerce maritime y bénéficiait en outre d'un débouché intéressant, car certaines marchandises circulaient par voie de terre par les hauts plateaux anatoliens depuis Sinope ou Amisos jusqu'à la Cilicie, en face de l'île de Chypre.

En longeant la côte européenne du Pont-Euxin, les Milésiens avaient poussé très vite jusqu'au Danube : ils fondèrent Istros, un peu au sud du fleuve, dès le milieu du VIIe siècle. Dix ans plus tard, ils s'installaient à Olbia, sur l'embouchure du Boug et du Dniepr, qu'ils appelaient le Borysthène. Avant la fin du VIIe siècle, ils aménageaient l'escale d'Apollonie, sur le rivage de la Thrace, puis, plus au nord, celle d'Odessos (Varna). C'est dans la première moitié du VIe siècle qu'ils atteignirent la Crimée (ou Chersonèse Taurique), y fondant successivement Panticapée (Kertch) et Théodosie, avant de s'engager, à la fin du siècle, jusqu'au fond de la mer d'Azov pour y fonder la ville de Tanaïs à l'embouchure du Don. Des comptoirs plus modestes furent enfin implantés sur le rivage même du Caucase, comme Phasis ou Dioscurias. Moins actifs, les Mégariens avaient fondé vers 560 Héraclée du Pont, entre le Bosphore et Sinope, puis, en 510 Mésembria, entre Apollonie et Odessos. Ce n'est qu'en 422 que les gens d'Héraclée du Pont s'installèrent à Chersonèse, à la pointe méridionale de la Crimée.

Cette colonisation mégarienne et surtout milésienne de la mer Noire a un caractère particulier : la plupart des cités qu'elle dispersa dans cette vaste zone furent avant tout des établissements commerciaux, très isolés au milieu de peuples barbares avec lesquels il fallait souvent composer en acceptant de leur payer tribut. Mais les ressources de ces pays lointains permirent un fructueux trafic dont la Grèce propre fut la bénéficiaire : fer, plomb et cuivre des mines de Thrace, bois des Balkans, poisson séché ou fumé pris dans les pêcheries des grands estuaires, esclaves thraces ou scythes, enfin et surtout le blé des terres noires en Russie méridionale, telles étaient les principales denrées que les vaisseaux grecs cherchaient dans les comptoirs du Pont-Euxin. Ils y rapportaient en échange les produits manufacturés de l'artisanat grec, bijoux et vases d'orfèvrerie, pièces de céramique, vins, huile et parfums, dont les Barbares étaient grands amateurs. Les tombes indigènes de Thrace ou de Russie méridionale ont livré maints trésors qui montrent l'importance de ce commerce : une catégorie de vases attiques du IVe siècle est si abondamment représentée dans le mobilier funéraire de Crimée qu'on lui a donné le nom de *style de Kertch*.

•

Bien différente apparaît la colonisation en Italie et en Sicile : là, ce ne sont pas seulement des comptoirs commerciaux, mais de puissantes colonies de peuplement qui prospèrent et mènent une existence indépendante, en contribuant largement à l'éclat de la civilisation hellénique. L'aventure de l'hellénisme occidental est une page brillante de l'histoire grecque.

Elle commence à très haute époque avec la fondation de Cumes en Campanie, dès 757, selon la chronologie traditionnelle que l'archéologie paraît bien confirmer. Une vingtaine d'années auparavant, les Eubéens avaient déjà occupé l'île d'Ischia (Pithécusses), avant de passer sur le continent. Cumes, colonie de Chalcis, se trouvait ainsi, dès le début, la plus septentrionale des villes grecques d'Italie, au bord de la riche plaine campanienne, et en mesure d'établir avec les Etrusques, qui dominaient dans le nord de la péninsule, des relations d'échanges par voie de mer. Vers le même temps, d'autres Chalcidiens s'installaient à Naxos, près de Taormine, en Sicile, d'où ils essaimaient presque aussitôt, plus au sud, vers Catane et Léontini. Vers 740-730, c'étaient encore des Chalcidiens qui fondaient Zancle (Messine), puis Rhégion, sur la côte de Calabre, sur l'autre rive du détroit : comme les Mégariens sur le Bosphore, les Chalcidiens contrôlaient désormais le point de passage obligé vers le nord. Nous retrouvons d'ailleurs en Occident les Mégariens, non moins actifs qu'en direction du Pont-Euxin : leur colonie de Mégara Hyblæa s'installe à cette époque au sud de Léontini. Enfin un Corinthien, Archias, en 733, choisit pour s'y établir le site avantageux de Syracuse*, d'où il expulse les indigènes sicules : ce devait être bientôt la plus prospère des cités grecques de Sicile. Les Syracusains étendirent leur territoire vers l'intérieur, où ils fondèrent Acraï, et jusqu'à la pointe méridionale de l'île. S'avançant enfin le long de la côte sud en direction de l'ouest, ils y colonisèrent Camarine au début du VII⁰ siècle.

Mais déjà d'autres Grecs les avaient devancés dans cette marche vers l'Occident. Une expédition conjuguée de Rhodiens et de Crétois était venue s'installer à Géla*, dans une plaine fertile, dès les premières années du VII⁰ siècle : un siècle plus tard les gens de Géla envoyaient, vers 580, des colons à Agrigente. Plus loin encore, les Mégariens de Mégara Hyblæa avaient déjà fondé Sélinonte* vers le milieu du VII⁰ siècle. Sur la côte septentrionale, la seule ville grecque importante fut Himère*, colonie de Zancle, dont la fondation est contemporaine de celle de Sélinonte. Toutefois la pointe occidentale de la Sicile resta entre les mains des indigènes Elymes et des Phéniciens qui, depuis Carthage, s'y étaient installés solidement. Des guerres fréquentes les opposèrent aux Grecs, qui ne réussirent jamais à les en déloger et même finirent par perdre une position aussi importante que Sélinonte, à la fin du V⁰ siècle.

Parallèlement à l'occupation de la Sicile se développait celle de l'Italie méridionale. Vers 720, des colons venus d'Achaïe, dans le Péloponnèse, débarquaient à Sybaris, à l'angle occidental du golfe de Tarente, dans une plaine qu'ils mirent aussitôt en valeur. Une route terrestre, à travers les montagnes de la Calabre, permettait de rejoindre la mer Tyrrhénienne en évitant le détour par Messine. Plus au sud, d'autres Achéens fondaient Crotone qui devait rivaliser avec Sybaris et finalement, en 511-510, la détruire. Mais entre-temps les Sybarites avaient installé des colons à Métaponte, au fond du golfe de Tarente et, sur la mer Tyrrhénienne, à Posidonia, en Lucanie, plus connue sous son nom latin de Pæstum . Cependant la cité la plus puissante de la région, Tarente, avait été fondée à la fin du VIII⁰ siècle par des Lacédémoniens dans les conditions que nous avons évoquées plus haut : un excellent port, un arrière-pays fertile lui valurent une rapide prospérité. Enfin, vers l'extrémité de la botte italienne, des Locriens fondèrent Locres Epizéphyrienne, dans le premier quart du VII⁰ siècle. Bordée de villes grecques populeuses et actives, l'Italie méridionale méritait bien le nom de Grande-Grèce, sous lequel on prit l'habitude de la désigner.

La route qui y conduisait depuis la vieille Hellade passait par le canal d'Otrante, après avoir longé les côtes d'Acarnanie et d'Epire. Il était naturel que cet itinéraire fût jalonné, lui aussi, de colonies grecques. La plus ancienne fut Corcyre (Corfou), occupée d'abord par Erétrie au début du VIII⁼ siècle, puis prise par les Corinthiens vers 733, dans le même temps où ils allaient fonder Syracuse. Plus tard, Corinthe renforça son contrôle des débouchés du golfe de Corinthe vers l'ouest et le nord en établissant des colons à Leucade, à Ambracie et à Anactorion, puis, plus au nord, à Apollonie d'Illyrie. Déjà les Corcyréens les avaient devancés en fondant Epidamne (Durazzo), sur la côte de l'Adriatique. Quand les vaisseaux d'Athènes, à la fin du VIᵉ siècle, poussèrent jusqu'aux bouches du Pô pour y apporter les beaux vases qu'on a retrouvés dans la nécropole étrusque de Spina, ils pouvaient relâcher dans des ports grecs jusque bien au-delà du canal d'Otrante.

•

Vers l'Extrême-Occident, ce sont les Ioniens qui s'aventurèrent le plus loin. Hérodote nous a rapporté l'histoire de ce marchand de Samos qui, en 639, au cours d'une traversée vers l'Egypte, fut déporté d'abord sur les côtes de Cyrénaïque, puis, à partir de là, fut pris par la tempête qui l'emporta jusqu'aux Colonnes d'Hercule (détroit de Gibraltar), que le vaisseau franchit avant de prendre terre en Espagne à l'embouchure du Guadalquivir, près de Cadix, dans une région jusqu'alors inconnue des Grecs et à laquelle ils donnèrent le nom de Tartessos. La cargaison que le Samien en rapporta fit sa fortune et il en remercia les dieux en consacrant dans le sanctuaire d'Héra à Samos un vase de bronze colossal qu'Hérodote a vu et décrit. Il semble que ce soit surtout de l'argent et du cuivre qu'on pouvait trouver en Espagne. Les marins ioniens de Phocée* se firent une spécialité de ce trafic, auquel les indigènes paraissent s'être prêtés de bonne grâce de la fin du VIIᵉ au milieu du VIᵉ siècle. Malgré la concurrence des marins de Carthage, qui hantaient les côtes de la Méditerranée occidentale et possédaient des comptoirs en Espagne, à l'ouest de la Sicile, en Sardaigne et dans les Baléares, les Phocéens gagnaient les ports espagnols par la route du nord. C'est ainsi que, vers 600, ils s'installèrent à Massalia (Marseille), où l'un d'eux, Protis, épousa Gyptis, fille du roi de la région. Plus qu'une colonie agricole, la ville fut un centre de négoce avec l'arrière-pays. Sur la côte de France, les Massaliotes fondèrent plusieurs comptoirs, Agathé (Agde) vers l'ouest, Olbia (Hyères), Antipolis (Antibes) et Nikaia (Nice) vers l'est. D'autres Phocéens établirent des échelles sur la côte espagnole : Emporion (Ampurias), Hémé-roscopion (près du cap de la Nao) et même Mainaké (Malaga). Quand la métropole, Phocée, eut été prise par les Perses en 545, une partie de ses habitants gagna Marseille, puis se fixa à Alalia, sur la côte orientale de la Corse.

Cet afflux des Grecs en Méditerranée occidentale rencontra l'hostilité conjuguée des Carthaginois et des Etrusques. En 540, leurs flottes coalisées se heurtèrent à celle des Phocéens d'Alalia dans une grande bataille navale au large de la Sardaigne. Bien que l'issue du combat fût restée indécise, les Grecs perdirent tant de vaisseaux (les deux tiers de leur effectif) qu'ils durent abandonner la Corse et se replier vers l'Italie méridionale, où ils fondèrent Elée (Vélia) en Lucanie, au sud de Pæstum. De même en Espagne, la pression de Carthage obligea les Phocéens à abandonner Mainaké. Mais leurs positions en Gaule et en Catalogne furent maintenues.

●

En Afrique, la présence des Puniques interdisait toute entreprise sur le Maghreb. Mais la Cyrénaïque, plateau verdoyant entouré de déserts, attira les colons grecs dans la seconde moitié du VIIe siècle. Nous avons vu dans quelles circonstances les Théréens de Battos fondèrent Cyrène en 631. La nouvelle cité fut assez rapidement prospère et développa une riche colonisation agricole, avec l'aide d'immigrants venus du Péloponnèse, des Cyclades et de Rhodes. Elle repoussa les assauts des Libyens du voisinage, un moment soutenus par le pharaon Apriès, et fonda elle-même d'autres colonies dans la région : Barcé, à une centaine de kilomètres à l'ouest de Cyrène, et Euhespérides (Benghazi), sur la côte occidentale, face aux étendues désertes de la Grande Syrte. Il est caractéristique que Cyrène et Barcé soient l'une et l'autre situées sur les hauteurs et dans l'intérieur des terres. Certes les deux villes disposaient de ports qui leur servaient de débouchés maritimes, mais l'essentiel, aux yeux des Grecs établis en Libye*, était la possession et la mise en valeur de terres arables. Ils s'y attachèrent avec un plein succès et la Cyrénaïque devint rapidement un des greniers du monde antique.

Plus à l'est, l'Egypte, pays riche et peuplé, terre de vieille civilisation, ne se prêtait pas à l'installation de colonies. A l'époque mycénienne, les Grecs avaient noué avec elle des rapports étroits, mais ces relations s'étaient fort relâchées, si même elles n'avaient pas complètement cessé, au cours des « siècles obscurs » et la conquête assyrienne ne favorisa pas leur reprise. C'est seulement lorsque Psammétique Ier, à partir de 663, libéra l'Egypte du joug étranger et reconstitua un Etat unifié que les Grecs retrouvèrent l'accès du pays. Le pharaon saïte et ses successeurs firent, en effet, appel à des mercenaires ioniens et cariens, ceux-là mêmes dont nous lisons encore les noms sur les graffiti d'Abou-Simbel, dans la haute vallée du Nil. Les soldats grecs au service du monarque égyptien attirèrent à leur suite des marchands et le commerce fleurit de nouveau entre le monde égéen et l'Egypte. Mais l'installation permanente des comptoirs ne fut pas laissée à la libre initiative des Grecs. Les soldats, comme il est naturel, furent établis dans des camps comme celui de Daphné, à la limite orientale du Delta, sur la branche pélusiaque du Nil. Quant aux trafiquants, ils se virent assigner une place pour leurs activités et leurs marchandises à Naucratis, dans l'ouest du Delta, près de la branche canopique du fleuve. Les documents archéologiques montrent que le site accueillit les Grecs dans le dernier quart du VIIe siècle. Mais c'est seulement sous le pharaon philhellène Amasis (568-526) que le statut de Naucratis fut précisé. Les Grecs y jouissaient de l'autonomie administrative et de la liberté de célébrer leurs cultes. Douze cités se partageaient les responsabilités dans ce comptoir privilégié : c'étaient toutes des cités d'Asie Mineure, comme Milet, Phocée, Cnide ou Halicarnasse, ou de grandes îles comme Samos, Chio ou Rhodes. Seule Egine représentait la Grèce propre dans ce concert. L'établissement fut étonnamment prospère jusqu'à la conquête de l'Egypte par Cambyse en 525 : les vaisseaux grecs y apportaient l'argent tiré des mines de Siphnos ou de Thrace et y chargeaient les céréales du Delta. Chacun trouvait son compte à un trafic si fructueux.

Peut-être une tentative analogue eut-elle lieu à Poseideion (Al Mina), près de l'embouchure de l'Oronte, en Syrie. Des fouilles récentes y ont trouvé de la céramique mycénienne, mais aussi des tessons grecs archaïques qui attestent une importation de produits grecs entre le milieu du VIIIe et la fin du VIIe siècle. Mais nous ignorons s'il y eut vraiment à cet endroit une institution permanente : Phéniciens et Assyriens paraissent bien avoir écarté systématiquement les Grecs des côtes de Syrie et de Palestine. A Chypre*, Grecs et Sémites se partageaient l'île, les premiers en tenant la majeure partie avec Salamis, Soles et Paphos, les seconds occupant la région du sud-est avec Amathonte et Kition. L'hellénisme chypriote demeurait vivace, comme en témoigne l'épopée des *Chants Cypriens* composée par le poète Stasinos dans la tradition homérique : mais plus qu'ailleurs il était sensible aux influences orientales et les sculptures archaïques trouvées dans l'île leur doivent une saveur très particulière.

●

Pendant que le peuple grec essaimait ainsi de l'Espagne au Caucase, que se passait-il en Grèce propre et en Ionie ? La colonisation fut, nous l'avons vu, la conséquence d'une crise sociale fort répandue dans le monde égéen. L'évolution politique intérieure et les conflits entre cités traduisent d'autres aspects de cette crise, tandis que la civilisation grecque se développe et s'enrichit grâce aux contacts avec l'Orient.

C'est au VIIIe et au VIIe siècle que nous apparaît dans le monde grec cette création politique originale que représente la cité, c'est-à-dire un Etat dont les dimensions sont modestes et qui a pour centre une agglomération urbaine, siège des institutions communes et des cultes civiques. Partout où une ville s'était formée, souvent par la réunion, ou *synœcisme*★, de plusieurs bourgs ruraux, on voit naître cette unité politique à la mesure de l'homme : elle a fourni le cadre dans lequel s'est développée la civilisation classique. La multiplication des cités grecques est un phénomène aussi surprenant que l'extension de leurs colonies : il y en eut des centaines, dont la plupart restent à nos yeux sans histoire, mais n'en montrèrent pas moins une durable vitalité. Chacune disposait d'un territoire minime : en Phocide, par exemple sur une surface totale de 1 650 km², on comptait vingt-deux cités indépendantes. La Crète, dont la superficie atteint 8 500 km², était divisée entre une centaine de petits Etats : déjà Homère l'appelle l'île « aux cent villes ». Corinthe, avec ses 880 km², ou Argos avec ses 1 400 km², font figure de grands Etats. Quant à Athènes (2 500 km²) ou à Sparte (8 400 km² en comptant la Messénie), ce sont des cités d'une étendue exceptionnelle. Les cités coloniales, nous l'avons vu, même quand elles ont cherché à étendre leur territoire vers l'intérieur, n'ont guère dépassé non plus ces dimensions. Cyrène ou Syracuse, qui furent les plus puissantes, contrôlaient un territoire moins vaste qu'un département français. On ne saurait comprendre l'histoire grecque sans tenir compte de cet émiettement politique extrême, auquel la constitution de confédérations ou de ligues n'apporta qu'un palliatif limité. La conscience commune des Hellènes, dont les Jeux Olympiques, à partir de 776, sont à la fois la manifestation et le symbole, n'empêche ni les rivalités ni les guerres. Le patriotisme local, exalté par les poètes, entretient et aggrave les conflits. Les exigences de la lutte armée entraînent un accroissement du nombre des soldats, provoque des modifications dans l'armement et la tactique : par contrecoup l'équilibre social en est affecté. Crises intérieures et guerres étrangères, voilà l'image que nous présente cette Grèce archaïque, avec le recul du temps qui simplifie et grossit les choses.

Dans son évolution, qui est d'une extrême complexité dans le détail, quelques faits principaux se laissent dégager : sur le plan de la politique intérieure, beaucoup de cités subissent des transformations politiques et sociales qui ont pour résultat d'élargir le corps civique et de donner une place plus grande aux plus pauvres des citoyens. Sur le plan des relations entre cités, quelques Etats jouent les premiers rôles : soit qu'ils brillent par leur activité commerciale, comme les villes d'Eubée ou surtout Corinthe, soit qu'ils s'imposent par leur valeur militaire, comme Argos et surtout Sparte. A partir du VIe siècle, l'importance croissante d'Athènes devient le fait capital. En même temps, sur l'autre rive de l'Egée, l'hellénisme anatolien, si prospère, connaît d'abord la vassalité sous la pression de la Lydie, puis la servitude après la conquête perse. Une menace extérieure se dessine alors sur la Grèce : elle aboutit aux guerres médiques. Ces divers aspects de l'histoire grecque archaïque vont nous retenir tour à tour.

●

Les cités grecques du VIIIe siècle avaient pour la plupart un régime aristocratique fondé sur la prédominance des grands propriétaires fonciers. Même lorsque la royauté héréditaire existait encore, les grands détenaient la réalité du pouvoir. Ils avaient la terre, d'où leur nom de « possesseurs du sol », *géomores* à Samos, *gâmores* à Syracuse. Ils avaient les chevaux, nécessaires pour tirer les chars où, conformément à l'usage achéen encore illustré sur les vases du Dipylon, montaient les guerriers pesamment armés, seuls en mesure de décider du sort de la bataille : d'où le nom d' « éleveurs de chevaux », *hippobotai*, dont se pare fièrement la noblesse de Chalcis en Eubée. Le jeu des héritages, celui des emprunts en nature et de l'esclavage pour dettes entraînent la concentration de la richesse foncière et l'appauvrissement de la paysannerie petite et moyenne, qui regimbe. Mais voici qu'une ressource inattendue s'offre à elle. La tactique militaire se modifie à son profit : aux combats individuels entre les nobles des deux camps amenés sur le terrain par leurs chars, une innovation de grande conséquence substitue un procédé de lutte plus efficace, la manœuvre à pied en bataillon serré, ou *phalange*. Avec son grand bouclier rond, son casque, sa cuirasse et ses jambières, le guerrier lourd ou *hoplite*, qui manie la lance et l'épée, forme avec ses compagnons une masse compacte et redoutable contre laquelle les combattants isolés transportés en char ne peuvent rien. Toute armée doit bientôt posséder son corps de bataille formé de ces fantassins bien équipés, à qui il suffit d'avoir non plus un char, mais un valet d'armes pour les aider à porter leur fourniment. Les hoplites se recrutent parmi les moyens et petits propriétaires, assez riches pour se procurer une armure et entretenir un goujat, mais qui n'auraient pas pu s'acheter un cheval. Indispensables pour la guerre, ces hommes savent réclamer bientôt leur part des responsabilités politiques. Le principe de beaucoup de réformes ultérieures est là. On verra, d'ailleurs, par la suite les mêmes causes produire des effets analogues lorsque le développement de la marine de guerre aura contraint d'enrôler pour les escadres un très grand nombre de rameurs : ces derniers, gens de peu qui n'avaient d'autres biens que leurs bras, voudront aussi jouer un rôle dans la cité et accéléreront par là même l'évolution politique de plusieurs Etats maritimes.

La lutte contre les privilèges de l'aristocratie — privilèges politiques, judiciaires et fonciers — conduisit souvent à concentrer les pouvoirs entre les mains d'un homme. Quand il s'agit d'un arbitre désigné par les groupes sociaux en conflit, cet homme revêtu d'une autorité exceptionnelle donne à la cité des lois que les partis s'engagent à respecter. L'âge archaïque en Grèce est l'âge d'or des législateurs. Ce peut être un étranger, auquel on fait appel à cause de sa réputation de sagesse ou parce qu'on espère qu'il saura mieux faire preuve d'impartialité s'il n'est pas mêlé de naissance aux conflits locaux. Ainsi, pour réformer leurs institutions, les Cyrénéens, au milieu du VIᵉ siècle, font venir en Libye un sage de Mantinée. Ephèse fait appel à un Athénien, Thèbes à un législateur de Corinthe. Ailleurs, c'est un de leurs concitoyens que les habitants investissent de leur confiance pour restaurer l'ordre et la loi. Zaleucos, à Locres Epizéphyrienne, dans la première moitié du VIIᵉ siècle, est le plus ancien de ces personnages à demi légendaires. Dracon à Athènes, vers 625-620, appartenait à la noblesse attique, comme Solon* au début du VIᵉ siècle. A Mytilène, dans l'île de Lesbos, le législateur Pittacos rétablit la concorde civique en exerçant le pouvoir suprême pendant dix ans : il mérita par sa fermeté, son équité et sa modération de figurer au nombre des Sept Sages, bien qu'il eût cru devoir frapper d'exil les poètes Alcée et Sapho.

La plupart de ces législateurs se préoccupèrent des mêmes problèmes essentiels. Ils avaient d'abord à codifier le droit de propriété, surtout pour les domaines fonciers, car la capacité politique était liée à la possession d'une certaine fortune, représentée essentiellement par un lot de terres : d'où l'importance qu'ils accordèrent aux dispositions réglementant l'héritage, pour éviter et le morcellement extrême et la concentration excessive des fortunes. A cette préoccupation se rattachent les prescriptions contre le luxe, qu'il s'agisse du costume des femmes ou des cérémonies funèbres, afin de faire disparaître une cause importante de dilapidation des patrimoines. Leur deuxième souci fut d'établir des règles plus équitables en matière judiciaire, pour réformer les abus et les « sentences torses » des grands contre lesquels s'élevait Hésiode : en rédigeant des codes souvent très rigoureux, comme celui de Dracon, mais qui s'imposaient à tous, ils s'efforcèrent de satisfaire une revendication essentielle du petit peuple. Enfin ils s'attaquèrent au problème de l'homicide : aux habitudes de vengeance privée qui, en cas de meurtre, perpétuaient la *vendetta* de famille à famille et de clan à clan, ils substituèrent une justice d'Etat, mêlée de préoccupations religieuses, qui, en dépit de son extrême sévérité, libéra pour une part l'individu de la sujétion au clan familial ou *génos*.

Ces réformes n'apparaissent pas comme inspirées par une volonté révolutionnaire : bien au contraire, leurs auteurs souhaitaient maintenir l'équilibre de la société traditionnelle, qui représentait à leurs yeux la vertu. Mais leurs tendances conservatrices ne les empêchaient pas de discerner la nécessité de faire leur part aux aspirations raisonnables de la multitude. Là où ils y sont parvenus, c'est-à-dire dans la grande majorité des cités grecques, l'évolution politique interne se fit pacifiquement, dans le cadre d'un régime aristocratique et censitaire qui savait s'élargir à l'occasion.

En revanche, quand le législateur échoua ou qu'on négligea de faire appel à ses services, il fallut recourir à la force. Là encore, le rôle joué par les individus fut primordial : l'âge archaïque, en Grèce, est aussi l'âge des premiers tyrans.

Le terme de tyran, *tyrannos*, dont l'origine, sans doute étrangère, reste discutée, désigne d'abord tout personnage investi du pouvoir suprême : au départ, il n'y a pas de différence entre le tyran et le roi, *basileus*. Par la suite, l'appellation fut réservée aux usurpateurs qui conquièrent le pouvoir et le gardent par la force. Une nuance péjorative s'attache donc au mot, qui est déjà sensible chez Hérodote et qui s'accentue avec Platon et les philosophes du IVe siècle. Mais le phénomène de la tyrannie nous intéresse moins par les considérations morales qu'il provoqua chez les écrivains et les moralistes que par le rôle qu'il joua dans la cité grecque archaïque. Thucydide, avec sa lucidité habituelle, en a parfaitement pris conscience lorsqu'il écrit : « En général, la tyrannie s'établit dans la cité quand les revenus s'accrurent. » Il entend par là que l'enrichissement par l'artisanat et le commerce, en créant une nouvelle source de déséquilibre social dans l'Etat, favorisa les bouleversements politiques. Devant le refus opposé par l'aristocratie foncière à leurs revendications, les autres classes sociales finissent par accorder leur confiance à un homme énergique et sans scrupules qui, par la violence ou par la ruse, s'empare du pouvoir et brise la résistance des grands. Souvent cet homme est lui-même un noble, occupant déjà une fonction importante dans l'Etat. Cypsélos*, le premier tyran de Corinthe, appartenait à la famille dirigeante de la cité et exerçait peut-être le commandement militaire quand il instaura la tyrannie. Arcésilas III de Cyrène est un monarque détrôné qui reprend possession de son royaume par les mêmes procédés qu'un tyran et qui continue d'agir par la suite avec des méthodes tyranniques. D'autres sont d'humble origine : Orthagoras, premier tyran de Sicyone, est le fils d'un boucher. Mais tous utilisent avec habileté et décision les conditions locales pour arriver à leurs fins.

Ils prennent la tête des mécontents : soit des pauvres, comme Théagénès de Mégare qui conquiert la popularité en faisant égorger les troupeaux des riches; soit des petits propriétaires ruraux, comme Pisistrate* à Athènes; soit d'une fraction ethnique de la population qui s'estime opprimée, comme Clisthène de Sicyone, qui mène une politique hostile aux Doriens, auparavant élément dirigeant de la cité. Le tyran se constitue ou se fait attribuer une garde personnelle, les *doryphores* ou porte-lance, qui lui vaut sécurité et respect. Il la recrute souvent parmi les mercenaires qui s'offrent déjà à cette époque dans le monde grec à qui veut payer leurs services. Il utilise cette force pour abattre l'aristocratie quand celle-ci se refuse à le reconnaître : ainsi Pisistrate exile la famille des Alcméonides, Arcésilas III confisque les domaines des nobles cyrénéens et distribue leurs terres à ses partisans, Thrasybule de Milet conseille à Périandre de Corinthe (à moins que ce ne soit le contraire, car les deux versions de l'anecdote sont attestées) de couper les têtes qui dépassent, comme il fit avec sa badine pour les épis les plus élevés. Parallèlement, il donne certaines satisfactions à la classe moyenne ou au petit peuple : à Athènes, c'est Pisistrate qui résout pratiquement le problème des dettes et de la propriété paysanne auquel Solon s'était attaqué avant lui. Il multiplie les grands travaux, tant par souci de son prestige que pour donner de l'emploi aux artisans et rendre plus facile la vie matérielle de ses administrés. Polycrate*, à Samos, fait construire par l'ingénieur architecte Eupalinos de Mégare un aqueduc souterrain qui suscitera, un siècle plus tard, l'admiration d'Hérodote, ainsi qu'un môle en eau profonde. Il rebâtit le temple colossal d'Héra, « le plus grand de tous les temples que j'aie vus », nous dit encore l'historien. Pisistrate et ses fils agirent de même en amenant au centre d'Athènes les eaux de l'Hymette jusqu'à la *Fontaine* *aux Neuf Bouches,* dont l'emplacement est encore discuté, et en entreprenant la construction du temple de Zeus Olympien, qu'ils n'eurent pas le loisir d'achever. Battos IV, le successeur d'Arcésilas III, roi tyran comme son père, élève à Cyrène un temple de Zeus qui restera le plus grand temple grec d'Afrique.

Les tyrans favorisent aussi, par goût du luxe et pour frapper l'imagination du public, les arts plastiques et la littérature. Ils font des offrandes somptueuses dans les grands sanctuaires panhelléniques, comme Cypsélos qui construit un trésor à Delphes et consacre dans l'*Héraion* d'Olympie un coffret d'ivoire si magnifique que Pausanias, au IIe siècle de notre ère, se plaira encore à le décrire minutieusement. Clisthène de Sicyone fait édifier à Delphes un monument dont les métopes sculptées, heureusement retrouvées de nos jours, illustrent des légendes soigneusement choisies par lui en fonction de sa politique antidorienne. Périandre accueille et honore à Corinthe le poète Arion sauvé, dit la légende, par un dauphin de la cruauté des pirates. Polycrate reçoit à sa cour le poète Ibycos de Rhégion et le gentil Anacréon de Téos, en même temps qu'il fait ciseler son célèbre anneau par Théodore* de Samos, le plus illustre artiste de ce temps. Pisistrate et ses fils président à la floraison merveilleuse de l'art attique dans la seconde moitié du VIe siècle; ils attirent à Athènes Simonide* de Céos ainsi qu'Anacréon après la chute de Polycrate et ils font établir la première édition soigneuse des poèmes homériques. Dans la première moitié du Ve siècle, alors que les tyrannies de Grèce propre auront disparu, les tyrans coloniaux, Gélon et Hiéron à Syracuse, feront venir auprès d'eux les poètes Simonide et Bacchylide* de Céos, ainsi que Pindare* lui-même, qui se rendra ensuite auprès d'Arcésilas IV à Cyrène.

A l'égard des Etats étrangers, qu'ils fussent grecs ou barbares, la politique des tyrans ne peut guère être définie d'emblée. Certains se laissent tenter par des entreprises de razzia ou de conquête : Cypsélos favorisa l'installation de colonies corinthiennes en Grèce nord-occidentale, comme Leucade et Ambracie; Périandre replaça Corcyre sous la domination de Corinthe et fonda en Pallène la ville de Potidée, qui devint rapidement la plus importante des colonies grecques de Chalcidique. Polycrate guerroya contre Milet et intervint dans les Cyclades où il conquit l'île de Rhénée pour la rattacher à Délos. Arcésilas III soumit à son autorité les autres cités grecques de Cyrénaïque, Barcé et Euhespérides. Mais dans l'ensemble les tyrans recherchèrent peu les aventures extérieures. Soucieux d'assurer leur pouvoir et, si possible, de pérenniser leur dynastie, ils développèrent leurs forces militaires pour se garantir des menaces tant intérieures qu'extérieures, et non pour se lancer dans une politique impérialiste. Battos IV à Cyrène, à la fin du VIe siècle, se garda d'encourager le Spartiate Dorieus qui sollicitait son concours pour fonder une colonie dans la zone d'influence carthaginoise, là où s'élèvera plus tard Leptis Magna : et l'abstention du tyran de Cyrène entraîna l'échec de l'entreprise. Pisistrate limite ses ambitions extérieures à l'occupation de Sigée, sur la côte d'Asie Mineure, près des Dardanelles : pour le reste, il se montre habile et pacifique avec ses voisins et noue avec d'autres tyrans, comme Lygdamis de Naxos ou Polycrate, des relations d'amitié. Polycrate lui-même, bien qu'il eût cédé plusieurs fois à la tentation des aventures armées, cherche à ménager les puissantes monarchies orientales ; il conclut une alliance avec le pharaon Amasis, puis fournit à Cambyse des navires quand le roi de Perse attaqua l'Egypte : cela ne l'empêcha pas d'être assassiné peu après dans un guet-apens organisé par les Perses. Dans les villes d'Ionie, les tyrans s'accommodèrent de la domination perse et acceptèrent de jouer le rôle d'un satrape. Ce fut aussi en Cyrénaïque la politique des monarques Battiades. En Sicile, en revanche, au début du Ve siècle, les circonstances firent de Gélon, puis d'Hiéron les champions de l'hellénisme contre les Etrusques et les Carthaginois.

La logique du gouvernement tyrannique, même si, comme à Cyrène, il était masqué par la fiction de la royauté héréditaire, voulait qu'il succombât sous les coups de ses adversaires, c'est-à-dire des partisans de l'aristocratie évincée du pouvoir, dès que la vigueur et la lucidité du tyran se relâchaient. Aussi, en dépit du désir que chacun d'eux eut de fonder une dynastie, peu nombreux sont ceux qui y parvinrent et aucune de ces dynasties ne dépassa la troisième génération : à Corinthe, Cypsélos et Périandre réussirent à maintenir leur pouvoir de 657 à 586 (selon la chronologie traditionnelle, que certains érudits modernes rabaissent d'environ trente-cinq ans), mais leur successeur est assassiné; à Athènes, des fils de Pisistrate, Hipparque et Hippias, le premier est poignardé par les *Tyrannoctones** Harmodios et Aristogiton en 514, l'autre est chassé en 510; à Syracuse, Gélon, puis son frère Hiéron règnent de 485 à 466, mais la tyrannie est abolie l'année même de la mort d'Hiéron; à Cyrène, le petit-fils d'Arcésilas III, Arcésilas IV, troisième et dernier des tyrans royaux Battiades, est massacré vers 440 à Euhespérides après avoir été chassé de sa capitale par une révolution. Si donc le phénomène de la tyrannie fut assez largement répandu dans le monde grec entre le milieu du VIIe et le milieu du Ve siècle, dans chaque cité en particulier il ne dura jamais très longtemps. Mais ce régime passager, s'il laissa d'ordinaire un souvenir amer en raison des rudes méthodes employées par les tyrans, n'eut pas seulement des effets malheureux. Dans certains cas, il marqua l'étape nécessaire sur la voie qui conduisait à la démocratie : c'est particulièrement net à Athènes, et c'est vrai aussi à Corinthe, à Cyrène et dans les villes de Sicile, comme Syracuse ou Géla, où un régime d'aristocratie modérée succéda à la tyrannie. Souvent, áu moins, les tyrans donnèrent aux cités qu'ils régirent une impulsion remarquablement vigoureuse dans le domaine économique et culturel, tout en contribuant à briser ou à assouplir les vieux cadres sociaux. Enfin, par leur personnalité hors de pair, les plus illustres des tyrans archaïques suscitèrent la curiosité scandalisée ou admirative qui s'exprime fortement dans les *Histoires* d'Hérodote, si riches en portraits de tyrans. Tout en blâmant chez eux l'ambition forcenée et l'esprit de démesure, le subtil historien d'Halicarnasse ne cache pas l'intérêt humain qu'il porte à ses modèles. L'imagination des Grecs s'exerça sur le souvenir d'hommes exceptionnels, que leurs dons naturels, leur énergie ou leurs vices avaient si nettement distingués du commun des mortels. Elle n'oublia jamais la démonstration donnée par eux que ce sont les hommes qui font l'histoire et que les masses, quand on sait s'y prendre, cèdent volontiers au prestige de l'individu.

•

N'est-ce pas précisément à sa défiance à l'égard de l'individu que Sparte*, la plus grande et la plus puissante des cités archaïques de Grèce propre, doit d'être restée « sans tyran », *atyranneutos*, selon le mot de Thucydide? L'historien souligne en tout cas que la politique spartiate fut hostile à la tyrannie, et de fait Sparte intervint contre Polycrate et contre les Pisistratides. Elle abattit Lygdamis de Naxos. Elle n'attira dans son alliance Corinthe et Sicyone qu'après la chute de leurs tyrans. C'est que ses institutions politiques et sociales, fondées sur une hiérarchie rigoureuse, étaient en opposition complète avec la nécessaire démagogie qui s'imposait aux tyrans. Peut-être même, comme on l'a parfois avancé, ce régime a-t-il été établi comme une « alternative à la tyrannie », pour faire face par d'autres moyens à la crise intérieure que Sparte subissait comme toutes les autres cités grecques. Ces réformes, dont l'économie sera exposée ultérieurement, étaient attribuées par la tradition antique à un illustre législateur, Lycurge, dont la figure est pour nous entièrement légendaire, et qui aurait vécu à la fin du IXe siècle. A la vérité Lacédémone (autre nom de Sparte) semble avoir aménagé progressivement ses institutions et ses mœurs jusque vers le milieu du VIe siècle, après quoi elles restèrent immuables jusqu'à la fin de l'époque classique. Une cause essentielle de cette évolution réside dans la politique d'expansion territoriale pratiquée par l'Etat spartiate dès l'aube des temps archaïques : il lui dut à la fois sa grandeur, ses déficiences et son originalité.

Les envahisseurs doriens qui avaient élu domicile dans la fertile vallée de l'Eurôtas ne se bornèrent pas, en effet, à s'emparer de toute la Laconie, entre les chaînes parallèles du Taygète et du Parnon. Ils voulurent aussitôt s'étendre vers l'est, à travers le Parnon, jusqu'à la mer Egée, et se heurtèrent ainsi aux intérêts d'Argos, qui avait établi sa domination sur toute cette côte jusqu'à l'île de Cythère. D'où un long conflit où Sparte eut finalement l'avantage, mais qui entraîna entre les deux cités voisines, bien qu'elles fussent l'une et l'autre doriennes de langue et d'institutions, une hostilité durable. Vers le nord, les Lacédémoniens s'étendirent aux dépens de l'Arcadie et lui arrachèrent plusieurs cantons montagneux limitrophes de leur territoire. Mais la décision la plus lourde de conséquences fut celle d'envahir la Messénie, au-delà de la barrière du Taygète. C'est dans la seconde moitié du VIIIe siècle que Sparte conquit cette région, au prix d'une guerre de vingt ans (vers 740-720) contre les Messéniens acharnés à défendre leur liberté. Leur résistance enfin brisée, le pays tout entier fut soumis à un régime de servitude et les habitants réduits à la condition d'*hilotes*, voisine de l'esclavage. La riche plaine de Messénie, entre le Taygète et le mont Ithôme, devait fournir par la suite aux Spartiates l'essentiel de leurs ressources, grâce au travail des hilotes. Cette conquête détourna Sparte des entreprises coloniales, exception faite pour celle de Tarente, qui en fut une conséquence directe : les colons qu'emmena Phalantos n'étaient autres, en effet, que des bâtards nés à Sparte pendant la longue absence des hoplites lacédémoniens.

La possession de la Messénie faisait de Sparte l'Etat de beaucoup le plus important du Péloponnèse. Mais les Messéniens, si durement traités, ne songeaient qu'à secouer leurs chaînes. Le soulèvement des hilotes, vers le milieu du VIIe siècle, mit Lacédémone à deux doigts de sa perte et lui imposa la deuxième guerre de Messénie, dont elle ne sortit victorieuse qu'après trente ans de lutte (vers 650-620) : les élégies martiales du poète Tyrtée contribuèrent à forger aux soldats lacédémoniens un moral de vainqueurs. Ils mirent au point à cette occasion la tactique de la phalange et leur discipline au combat leur permit de l'emporter sur les révoltés et leurs alliés argiens et arcadiens. Mais la nécessité de conserver la Messénie devait peser lourdement sur le destin de Lacédémone. Pour être en mesure à tout moment de faire face aux dangers qui les menaçaient, les Spartiates s'imposèrent désormais une règle de vie tout entière soumise aux exigences militaires : obéissance, vie en commun, exercices constants, concentration du commandement entre un petit nombre de mains. Ce système rigoureux devait conduire, par une implacable logique interne, à une austérité de plus en plus grande : après une période brillante, qui fit suite à la deuxième guerre de Messénie, la civilisation de Sparte déclina rapidement à partir du milieu du VIᵉ siècle. La belle céramique qu'elle exportait vers Samos, Cyrène, Tarente ou l'Etrurie et qui faisait concurrence à celle de Corinthe disparaît tout à fait. La ville cesse de s'ouvrir à des artistes ioniens comme ce Bathyclès* de Magnésie qui avait construit après le milieu du VIᵉ siècle le fameux « trône » d'Apollon à Amyclées. Les poètes étrangers ne viennent plus embellir ses cérémonies, comme l'avaient fait au VIIᵉ siècle Alcman de Sardes ou Terpandre de Lesbos. Lacédémone apparaît, certes, comme une puissance redoutable, dont la prééminence en Grèce n'est guère discutée. Le Péloponnèse entier, sauf Argos et l'Achaïe, entre dans un système d'alliances où elle joue un rôle directeur, comme le montre bien la formule « les Lacédémoniens et leurs alliés » couramment employée désormais. Mais cette force n'est pas mise au service d'une grande politique. Sparte vit sur elle-même, n'ambitionnant plus de nouvelles conquêtes, contente de maintenir celles qu'elle a déjà et de jouir au milieu des cités grecques d'un renom de valeur militaire et d'austère vertu.

Hors du Péloponnèse, les conflits armés ne furent pas moins fréquents. Les deux villes d'Eubée, Chalcis et Erétrie, qui avaient pris la plus grande part aux débuts de la colonisation, s'engagèrent l'une contre l'autre, à la fin du VIIIᵉ siècle, dans une lutte pour la possession de la plaine Lélantine, qui s'étend entre elles en Eubée. A cette *Guerre Lélantine*, où Erétrie finit par succomber, participèrent, nous dit Thucydide, la plupart des cités grecques. Nous n'en savons guère plus, mais la remarque montre combien, dans le microcosme hellénique, le moindre différend risquait de s'aggraver. D'autres luttes mirent aux prises, au début du VIᵉ siècle, Mégare et Athènes pour la possession de l'île de Salamine : Solon, puis Pisistrate assurèrent la victoire d'Athènes. Une querelle locale entre deux petites cités phocidiennes, Delphes et Crissa, eut des conséquences considérables : car Delphes était à la fois le siège d'un oracle d'Apollon et celui de l'*Amphictyonie** qui groupait douze peuples de la Grèce du Nord-Est. Cette ligue intervint et décréta contre Crissa la première *guerre sacrée* (600-590) : Crissa, vaincue, fut détruite et son territoire consacré à Apollon. Peu après, en 582, on célébrait les Jeux Pythiques pour la première fois. Le prestige de Delphes y gagna beaucoup et les Thessaliens, qui avaient reçu la direction des opérations contre Crissa, jouèrent pendant longtemps le premier rôle au sein de l'Amphictyonie.

Ainsi la guerre éclatait souvent entre les cités grecques archaïques : elle représentait pour elles une préoccupation essentielle et constante. Et pourtant elle n'empêcha nullement le développement économique lorsque les circonstances le favorisaient. L'exemple de Corinthe* est particulièrement significatif : installée sur son isthme, avec ses deux ports, l'un à l'ouest, proche de la ville, l'autre à l'est sur le golfe Saronique, Corinthe occupait une situation privilégiée, sur le passage des marchandises qu'on transbordait entre la mer Egée et la mer Ionienne. Elle sut en tirer bénéfice, d'abord sous le gouvernement d'une grande famille, les Bacchiades, puis sous celui des deux tyrans successifs, Cypsélos et Périandre. Nous avons vu comment elle développa ses entreprises coloniales vers les mers et les marchés de l'Occident, comme vers la Chalcidique avec la fondation de Potidée. Sur son propre sol, elle essaya sans succès de percer l'isthme pour mettre en communication les deux mers, puis elle construisit une piste dallée, le *diolcos*, sur laquelle on halait les vaisseaux d'un bord à l'autre de l'isthme. Corinthe n'était pas seulement une place de transit, mais aussi un centre artisanal important. Sa céramique, qui commence dès l'époque géométrique, est extrêmement abondante et répandue dans tout le monde hellénique, surtout vers l'Occident : l'évolution bien caractérisée de son style (*protocorinthien* jusqu'au dernier quart du VIIe siècle; *corinthien* jusqu'à la fin du VIe siècle) fournit aux archéologues un précieux critère de datation pour leurs fouilles. Bien entendu, certaines catégories de vases, comme les flacons à parfum, ne voyageaient pas vides, mais servaient à l'exportation des produits fabriqués à Corinthe. Une autre source de profits était la métallurgie : armes, miroirs, vases de bronze sortaient en grand nombre de ses ateliers. Pour protéger son commerce, elle développa une puissante marine de guerre : c'est aux Corinthiens que Thucydide attribue l'invention des *trières*, vaisseaux à trois rangs de rameurs, qui surclassaient les pentécontores. Ses artisans, sa flotte et son commerce faisaient de Corinthe la plus prospère des cités de Grèce propre dans la première moitié du VIe siècle.

L'extension du commerce se trouvait alors facilitée par une invention encore récente, celle du monnayage d'argent. La tradition attribue aux

Lydiens, qui possédaient dans leur sol des filons d'électrum, alliage naturel d'or et d'argent, l'initiative d'en avoir fait usage comme monnaie. En Grèce propre, le seul métal qui pouvait jouer ce rôle était l'argent : ce fut le roi d'Argos Phidon qui, vers le milieu du VIIe siècle, frappa les premières pièces d'argent en même temps qu'il introduisait tout un système de poids et mesures. Désormais, les Grecs avaient à leur disposition un instrument d'échange bien plus commode que les broches de fer ou *oboles* qui primitivement jouaient ce rôle.

Les principales cités eurent vite leur monnayage, que distinguait et garantissait un emblème particulier : « tortues » d'Egine, « poulains » de Corinthe, « chouettes » d'Athènes. Le système métrologique de Phidon, qu'on appelle aussi *éginétique*, fut d'ailleurs concurrencé par d'autres systèmes, en particulier le système *euboïque*, qui fut adopté par Corinthe et auquel Athènes se rallia. D'où des complications que les Grecs ne parvinrent jamais à résoudre entièrement. Mais la circulation monétaire n'en donna pas moins au commerce une remarquable impulsion.

Ce n'est guère, en effet, qu'à partir du moment où elle commence à battre monnaie, au début du VIe siècle, qu'Athènes se met à participer au mouvement économique d'une manière active. Il est curieux que l'Attique, que nous avons vu développer une civilisation brillante à l'époque mycénienne et à l'époque géométrique, ait connu une sorte d'éclipse au VIIe siècle. Non que les capacités créatrices de ses habitants se soient amoindries, puisque l'on apprécie aujourd'hui à sa juste valeur la céramique *protoattique* que cette époque nous a laissée : mais le rayonnement extérieur en est confiné aux régions du proche voisinage, indice sûr d'un affaiblissement interne que les témoignages historiques, pour obscurs qu'ils soient, confirment assez clairement. Athènes souffrait de la même crise politique et sociale que les autres cités grecques : pouvoirs excessifs concentrés aux mains des grandes familles ou *géné*, endettement insupportable des paysans, fonctionnement défectueux d'une justice entièrement aux mains de l'aristocratie, multiplication des vengeances privées. Quelques tentatives de réformes, trop timides, échouèrent, et un jeune ambitieux, Cylon*, tenta d'établir la tyrannie. La réaction des nobles, dirigés par la famille des Alcméonides et son chef Mégaclès, l'en empêcha : la répression fut rigoureuse au point que certains partisans de Cylon, réfugiés dans un sanctuaire, furent mis à mort en violation du droit d'asile. Ce sacrilège pesa longtemps sur le *génos* des Alcméonides, qui furent exilés avec leur chef : deux siècles plus tard, on reprochera encore à Périclès, qui par sa mère appartenait à cette famille, la souillure héréditaire du massacre des Cyloniens. Le Crétois Epiménide* vint purifier la cité (632).

Après cet échec, le législateur athénien Dracon fut chargé de réformer la justice : il rédigea le code fort sévère qui porte son nom. Tout en fixant pour la première fois le droit attique en lois écrites, il substitue aux vengeances privées une procédure légale devant des tribunaux d'Etat. En outre, distinguant entre le meurtre volontaire et le meurtre involontaire, il précisa la notion de responsabilité individuelle. L'arbitraire et la toute-puissance des clans familiaux se trouvaient fortement entamés.

Mais la crise sociale n'était pas pour autant résolue. Ce fut le rôle du sage Solon, poète, politique et commerçant tout à la fois, qu'on appela en 594-593 à la haute magistrature de l'archontat, avec pleins pouvoirs pour légiférer. Il commença par abolir toutes les dettes et par en supprimer les effets sur les personnes et sur les biens. L'esclavage pour dettes fut interdit. Diverses mesures juridiques affaiblirent la force tyrannique des liens familiaux à l'intérieur du *génos*. Des lois somptuaires empêchèrent les manifestations de luxe lors des funérailles, qui donnaient aux clans l'occasion d'affirmer leur richesse et leur puissance. Une série de mesures économiques de détail eut pour objet de favoriser l'agriculture et le commerce. Solon réforma les poids et mesures et fit adopter pour la monnaie le système euboïque : cette réforme dégagea Athènes de l'emprise économique qu'Egine, qui pratiquait le système « phidonien », risquait d'exercer sur elle. L'argent des mines d'Etat du Laurion, à l'extrémité méridionale de l'Attique, donna bientôt au monnayage solonien une valeur reconnue sur le marché international.

D'autres mesures sont d'ordre politique. Les citoyens étaient répartis d'une part entre les quatre tribus ioniennes traditionnelles, en fonction de leur naissance, et d'autre part entre quatre classes censitaires déterminées par le revenu foncier annuel. Solon ne modifie pas cette double répartition, mais il fonde la participation aux charges publiques sur le classement censitaire, en rendant ainsi l'accès possible à tout individu qui s'enrichit. Il institue un Conseil annuel de quatre cents membres, cent par tribu, pour préparer les travaux de l'Assemblée. Enfin il crée un tribunal populaire, l'*Héliée**, dont les membres sont pris parmi tous les citoyens et qui jouera ultérieurement un rôle essentiel dans la démocratie athénienne : car, comme l'a dit Aristote à ce propos, « par l'effet du vote dont il dispose au tribunal, le peuple du même coup dispose du gouvernement ».

Les réformes de Solon établissaient sur bien des points les bases de ce qui sera plus tard le régime démocratique d'Athènes. Elles ne ramenèrent pourtant pas la paix civique, chacun des deux partis, les nobles comme le peuple, ayant espéré davantage de ce législateur lucide et modéré. Trente ans plus tard, en 561-560, un noble de Brauron, Pisistrate, par un coup d'Etat audacieux, s'emparait de l'Acropole et établissait la tyrannie. Deux fois chassé du pouvoir, il sut chaque fois s'y installer de nouveau et transmit à sa mort, en 528-527, la tyrannie à ses fils Hipparque et Hippias, qui l'exercèrent paisiblement jusqu'en 514, année où les « tyrannoctones » Harmodios et Aristogiton assassinèrent Hipparque pour des griefs très personnels qui n'avaient rien à voir avec la politique. Hippias se maintint au pouvoir jusqu'à ce qu'une intervention lacédémonienne, sollicitée par les Alcméonides, adversaires du tyran, et conseillée par l'oracle de Delphes, le chassât en 510.

La tyrannie, tant exécrée par la suite dans la mémoire des Athéniens, avait pourtant valu à Athènes des avantages considérables. Ennemi des grandes familles dont la fortune était formée de grands domaines, Pisistrate avait au contraire de la sympathie pour les petits propriétaires ruraux : il favorisa par divers moyens la formation d'une classe paysanne indépendante et stable, très attachée à la terre qu'elle cultivait de ses mains. Le problème foncier que Solon n'avait pu résoudre se trouva donc réglé désormais. D'autre part, Pisistrate développa la frappe de l'argent du Laurion et substitua sur les monnaies les types nouveaux d'Athéna et de la chouette, symboles de l'Etat athénien, aux emblèmes variés des grandes familles. Ces monnaies se répandent au-dehors : on les trouve de l'Egypte à la Chalcidique, de Chio ou de Cos jusqu'à Tarente. La céramique attique « à figures noires », à partir de 550 environ, surclasse celle de Corinthe sur tous les marchés extérieurs, en Etrurie comme en Egypte, à Cyrène comme dans la mer Noire. Les constructions de prestige à Athènes même et les encouragements donnés à l'art sont autant de manifestations d'une prospérité que la ville devait, pour une bonne part, au gouvernement judicieux de ses tyrans.

Après la chute d'Hippias, deux partis se formèrent, l'un favorable à l'aristocratie et à l'alliance lacédémonienne, l'autre, dirigé par l'Alcméonide Clisthène*, partisan du peuple. Après une intervention spartiate qui échoua, Clisthène l'emporta sur ses adversaires et fit adopter de nouvelles et importantes réformes politiques : la démocratie athénienne était née. Une coalition hétéroclite, où entrèrent, avec Sparte, Corinthe, Chalcis et les Béotiens, se désagrégea sans avoir remporté de succès : Béotiens et Chalcidiens, restés seuls, furent complètement battus en 506 et cette victoire valut à Athènes des lots de terre en Eubée, sur lesquels elle installa pour la première fois

75

des colons mi-paysans, mi-soldats, les *clérouques*. Dotée désormais d'une organisation politique nouvelle et d'une armée qui venait de prouver brillamment sa valeur, la cité de Pallas pourra jouer un rôle décisif dans les événements qui vont mettre aux prises l'hellénisme et l'empire asiatique des Achéménides.

•

Depuis leur installation sur la côte occidentale de l'Asie Mineure, les Grecs n'avaient cessé d'être en rapports avec les Etats indigènes de l'intérieur. Les fouilles en cours à Gordion*, capitale de la Phrygie, nous font peu à peu mieux connaître la civilisation du royaume de Midas, à qui la légende attribuait une fabuleuse richesse. Lorsqu'un raid des Cimmériens l'eut détruit au début du VIIᵉ siècle, ce fut la Lydie, avec Sardes pour capitale, qui devint la principale puissance en Anatolie. Dans la première moitié du VIIᵉ siècle, Gygès fonda la dynastie des Mermnades, dont les souverains les plus remarquables furent Alyatte au début du VIᵉ siècle, puis Crésus (560-546). Sous l'impulsion de ces monarques entreprenants, la Lydie étendit ses relations avec les cités d'Ionie, au point d'exercer sur elles un véritable protectorat. Après une longue période d'hostilités, Alyatte avait su faire la paix avec Milet, signer avec elle un traité d'amitié et ouvrir ses Etats au commerce grec. Les échanges furent fructueux entre les ports ioniens, qui importaient des marchandises provenant de l'Egypte ou de la mer Noire, aussi bien que de la Grèce propre ou de l'Extrême-Occident, et le marché de Sardes, dont la renommée faisait une ville de luxe et de plaisir. Les Grecs s'accommodaient assez bien d'une sujétion peu lourde vis-à-vis de princes raffinés qui montraient des égards pour l'hellénisme : Alyatte épousa une Grecque, Crésus accueillit Solon à sa cour; l'un et l'autre comblèrent de présents magnifiques le sanctuaire de Delphes, et les Delphiens en échange accordèrent à Crésus le droit de cité. Grâce à ces relations cordiales avec la Lydie, les cités grecques d'Ionie connurent dans la première moitié du VIᵉ siècle une période de grande prospérité. La diffusion de la poterie ionienne commune, emballage courant pour les produits d'exportation, en témoigne abondamment : on la rencontre partout, en Etrurie, en Provence, en Espagne comme à Naucratis ou dans les colonies de la mer Noire. Parallèlement à son développement économique, l'Ionie connaît alors un brillant développement culturel : tandis que s'élève à Ephèse* le grand temple d'Artémis, comparable en dimensions au seul

Héraion de Samos, des Milésiens comme Thalès, qui prédit une éclipse de soleil en 585, ou Anaximandre, auteur vers 546 du premier ouvrage grec en prose que nous connaissions, donnent à la science et à la philosophie leur première forme rationnelle.

Mais déjà, depuis longtemps, l'influence de la pensée et surtout des arts orientaux ne cessait de s'exercer sur la civilisation grecque tout entière. Le VIIᵉ et la première moitié du VIᵉ siècle portent dans nos classifications archéologiques le nom de *période orientalisante*. Le commerce avec les marchés orientaux, d'abord par l'intermédiaire des Phéniciens, puis directement, par la voie maritime comme par la voie terrestre de l'Anatolie, avait répandu dans le monde grec les produits de l'artisanat asiatique : pièces d'orfèvrerie, tissus, ivoires sculptés, ustensiles de bronze. Le phénomène que nous avons constaté à l'époque mycénienne se reproduit alors : les influences de l'Asie se manifestent puissamment sur les mœurs, la pensée et l'art. Des modes orientales, celle des vêtements longs et richement ornés, des bijoux somptueux, des parfums, des accessoires de prix, de la mollesse et du luxe dans la vie quotidienne, pénètrent dans les cités grecques d'Ionie et aussi dans les riches colonies de l'Ouest, qui trafiquent avec l'Orient comme avec les Etrusques, eux-mêmes fortement marqués par leurs traditions anatoliennes. Des croyances religieuses et des mythes prennent forme à l'imitation des traditions orientales : l'Artémis éphésienne, l'Aphrodite de Paphos, l'Apollon de Didymes, près de Milet, ont plus d'un trait emprunté aux divinités asiatiques. L'Héraclès de Thasos passait pour avoir une origine phénicienne. Les monstres que la mythologie accueille volontiers, sphinx ou griffon, Gorgone ou Chimère, Sirène ou Pégase, proviennent du folklore asiatique ou s'inspirent de ses créations. L'art décoratif, en orfèvrerie comme en céramique, reproduit les motifs familiers de l'art oriental, tels que les tissus, en particulier, les avaient fait connaître à toute la Grèce : les frises d'animaux indéfiniment répétées, comme imprimées par un de ces cylindres-sceaux que gravaient les artistes du Proche-Orient, sont un élément essentiel du décor sur les beaux vases « orientalisants » de la céramique rhodienne comme dans la céramique de Corinthe. Même dans la musique, l'apport anatolien est considérable : les Grecs lui devaient deux des *modes* fondamentaux, le mode phrygien et le mode lydien.

Mais, pas plus qu'à l'époque mycénienne devant l'ampleur de l'apport crétois, l'originalité propre de la civilisation hellénique ne risquait de se laisser submerger par les influences orientales. Même en Ionie l'architecture reste grecque pour l'essentiel, et dans la céramique de Chio comme sur les sarcophages de Clazomènes ou sur les hydries ioniennes de Caeré on retrouve toujours la marque de l'esprit clairement ordonnateur du Grec, son sens de l'observation réaliste, l'intervention constante de l'artiste qui introduit quelque chose de personnel dans l'œuvre dès qu'elle échappe à la banale production utilitaire. L'archaïsme grec trouvait dans ses contacts avec l'Orient la faculté de s'enrichir et il en a profité abondamment : il ne voulait pas s'y adultérer. Nulle part sans doute cela n'apparaît plus nettement qu'en Attique, dans la seconde moitié du VIe siècle, avec la troupe gracieuse des *Corés* de l'Acropole, dont l'élégance et la parure sont souvent tout ioniennes, mais qui gardent dans leur maintien comme dans leur expression une retenue et une pudeur conformes à l'idéal de la femme grecque. Le sourire qui s'ébauche sur leur visage de marbre n'est certes pas pure convention : il traduit une vie intérieure qui fait de la statue une personne, bien différente ainsi des simulacres anonymes de l'Orient.

Or, au moment même où cet art et cette civilisation tiraient bénéfice de l'apport asiatique sans se laisser dominer par lui, une menace redoutable se dessine, venant de cet Orient jusqu'alors source de richesse et de profits et soudain chargé d'un péril mortel pour l'hellénisme. Une puissance nouvelle s'est révélée au milieu du VIe siècle, la puissance perse, fondée au cœur de l'Iran par Cyrus l'Achéménide. En peu d'années, ce conquérant et ce politique de génie, parti du royaume de Médie dont il s'est rendu maître, abat la puissance de Crésus (546), s'empare de toute l'Anatolie, range sous sa domination les villes grecques de la côte et plusieurs îles de la mer Egée. Puis il soumet Babylone et toute l'Asie antérieure, de la Méditerranée à la Mésopotamie. Son fils Cambyse conquiert l'Egypte (525). A partir de 522 un grand roi, Darius, règne sur l'empire achéménide et envisage d'en étendre plus loin les limites. A plusieurs occasions, il avait trouvé sur son chemin les Grecs de Grèce propre : Sparte avait soutenu Crésus contre Cyrus et gardait une attitude hostile à l'égard de l'Empire perse. Athènes avait refusé d'autoriser le retour d'Hippias, que les Perses favorisaient. En 499, une expédition perse tenta sans succès de soumettre l'île de Naxos dans les Cyclades. Cet échec encouragea les Ioniens à la révolte : ils obtinrent d'Athènes un renfort de vingt navires et cinq autres navires d'Erétrie, puis envoyèrent une colonne expéditionnaire dans la vallée de l'Hermos, où ils prirent et brûlèrent Sardes, sans respecter le sanctuaire de Cybèle, vénéré des Lydiens. Toute la Grèce d'Asie s'engagea alors dans la rébellion, pendant que les Athéniens rentraient chez eux. Mais Darius réagit avec vigueur et efficacité : en 494, la prise de Milet, faisant suite à la victoire navale de

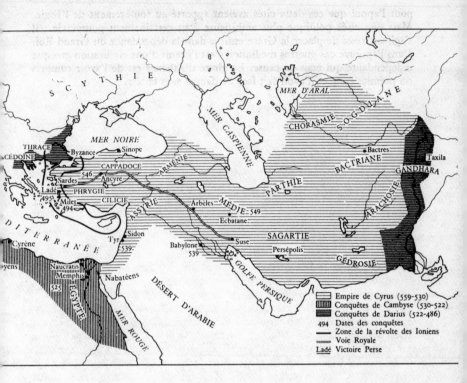

Empire de Cyrus (559-530)
Conquêtes de Cambyse (530-522)
Conquêtes de Darius (522-486)
494 Dates des conquêtes
Zone de la révolte des Ioniens
Voie Royale
Ladé Victoire Perse

Ladé, où la flotte ionienne avait été défaite, marqua la fin de la révolte
Les Milésiens furent déportés en masse, le sanctuaire d'Apollon à Didymes★
fut pillé et les offrandes sacrées furent emportées comme butin à Suse,
où l'une d'elles a été retrouvée de nos jours. Peu après, en 492, une armée
perse commandée par Mardonios passait les Détroits et restaurait l'autorité
de Darius sur la Thrace et la Macédoine, déjà soumises une première fois,
ainsi que les villes grecques de la région, avant la rébellion de l'Ionie. Deux
ans plus tard, en 490, une expédition commandée par Datis et Artapherne
quittait la Cilicie : son objectif immédiat était de punir Athènes et Erétrie

pour l'appui que ces deux cités avaient apporté au soulèvement de l'Ionie. Mais une visée politique plus ambitieuse était certainement poursuivie : il s'agissait aussi de placer la Grèce entière dans la dépendance du Grand Roi. Dans l'épreuve des guerres médiques, c'est l'avenir d'une civilisation grecque indépendante qui était en cause. La gloire d'Athènes est de l'avoir compris du premier coup et d'avoir fait face au danger sans faiblir.

CHAPITRE IV

L'AGE CLASSIQUE

(DES GUERRES MÉDIQUES A L'AVÈNEMENT D'ALEXANDRE LE GRAND, 490-336)

L'EXPÉDITION commandée par Datis et Artapherne réunissait des forces importantes d'infanterie et de cavalerie (peut-être 25 000 hommes), transportées par mer sous la protection des navires de guerre. Hippias, l'ancien tyran d'Athènes, fils de Pisistrate, l'accompagnait, dans le dessein de rétablir son autorité sur l'Attique avec l'aide des Perses. Il escomptait l'appui de certaines complicités dans la population, parmi ceux qui se souvenaient du régime des Pisistratides comme d'un « âge d'or ». Au passage, la flotte incendia Naxos, soumit les Cyclades, ravagea le territoire de Carystos en Eubée, puis elle parvint à Erétrie, qui succomba par trahison après un siège de six jours. Abordant ensuite en Attique, elle débarqua les troupes d'invasion dans la baie de Marathon, en face de l'Eubée. Hippias conseillait les Perses dans leurs opérations.

Athènes, devant ce danger immédiat, envoya un coureur à Sparte pour demander du secours. Mais les Lacédémoniens, retenus par un scrupule religieux, ne se mirent pas en marche avant la nouvelle lune, six jours plus tard : quand ils arrivèrent, tout était terminé. L'Assemblée du peuple athénien avait décidé d'accepter le combat en rase campagne, au lieu d'attendre l'assaut derrière les murailles de la cité. Un des dix stratèges élus, Miltiade*, qui avait eu affaire aux Perses auparavant à l'occasion d'une entreprise coloniale en Chersonèse de Thrace, avait fait prévaloir cette décision. Il joua également un rôle déterminant sur le champ de bataille en engageant le polémarque Callimachos*, chef suprême de l'armée, à tenter la fortune des armes sans temporiser. A l'aube d'un jour de septembre 490, le choc eut lieu. Renforcés de mille soldats venus de Platées, fidèle alliée d'Athènes, les hoplites chargèrent au pas de course l'infanterie perse, au moins deux fois plus nombreuse qu'eux, et la mirent en déroute après un rude corps à corps. La flotte ennemie recueillit les vaincus et leva l'ancre. Callimachos et moins de 200 Athéniens étaient tombés dans la bataille et furent ensevelis sur place dans un tumulus commun qui domine encore aujourd'hui la plaine côtière de Marathon, au milieu des oliviers. Les Perses avaient perdu près de 6 500 hommes. Miltiade et les stratèges ramenèrent l'armée vers Athènes le jour même et arrivèrent à temps pour prévenir une tentative de débarquement au Phalère. Voyant que la côte était défendue, Datis et Artapherne n'insistèrent pas et regagnèrent l'Asie, emportant le butin et les prisonniers faits en Eubée et dans les Cyclades.

Aux yeux de Darius, l'opération pouvait passer pour un demi-succès. Certes Athènes avait échappé à la vengeance du Grand Roi, mais Erétrie, l'autre ville coupable d'avoir aidé les Ioniens révoltés, avait été durement châtiée. Les Erétriens captifs furent déportés à Arderikka, au nord de Suse, dans le Louristan, région où l'on exploitait déjà un puits de pétrole : cinquante ans plus tard, ils conservaient encore l'usage de leur langue et de leurs mœurs quand Hérodote les visita. Le pillage des villes d'Eubée, celui de Naxos, le grand nombre des prisonniers, autant de résultats positifs que l'échec du débarquement en Attique ne pouvait faire oublier. Athènes ne perdrait rien pour attendre : pour réduire la Grèce sous la domination du roi, on savait maintenant qu'un corps de débarquement appuyé par la flotte était insuffisant. Darius reprit son projet d'invasion sur une large échelle, mais la révolte de l'Egypte en retarda l'accomplissement. Sur ces entrefaites, le roi mourut (486) et son successeur, Xerxès, dut d'abord rétablir l'ordre en Egypte avant d'envisager de nouveau une expédition en Europe.

Ce qui n'était pour les Perses qu'un échec mineur apparut en revanche aux Grecs et reste à juste titre dans la mémoire des hommes une victoire aux conséquences capitales. Pour la première fois la redoutable armée perse avait été mise en déroute en rase campagne par les hoplites, alors qu'elle paraissait jusque-là invincible. Athènes, avec ses seules forces, avait réalisé cet exploit : la cité de Cécrops, fière de ses antiques traditions et de sa récente prospérité, se trouvait désormais auréolée d'une gloire militaire que même son succès de Chalcis, en 506, n'avait pu lui donner. A côté de Sparte, jusqu'alors sans rivale dans le domaine des armes, elle acquérait un prestige qui servirait son ambition naissante. Mais surtout, plus que jamais auparavant, la tentative de Darius contre Athènes avait fait prendre conscience aux Grecs de ce que représentait l'hellénisme en face du puissant empire

8. LA BATAILLE DE MARATHON

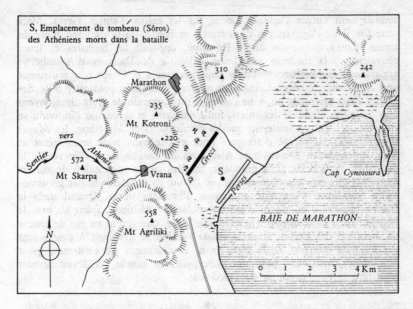

S, Emplacement du tombeau (Sôros)
des Athéniens morts dans la bataille

Marathon

235
Mt Kotroni
•220

vers
Sentier Athènes
572
Mt Skarpa

Vrana

558
Mt Agriliki

N

310

242

Grecs

S.

Perses

Cap Cynosoura

BAIE DE MARATHON

0   1   2   3   4 Km

(D'après N.G.L. Hammond.) L'armée perse, le dos à la mer, était ravitaillée par sa flotte stationnée dans la baie. Les Athéniens et les Platéens descendaient des contreforts du Pentélique (monts Agriliki et Kotroni). Le polémarque Callimachos (qui mourut dans l'action) commandait l'aile droite, les Platéens formaient l'aile gauche. Miltiade déploya ses troupes à une portée de flèches des Perses et fit donner l'assaut. Au centre, les Perses eurent d'abord l'avantage, mais aux deux ailes les Grecs l'emportèrent rapidement, puis se retournèrent contre l'ennemi vainqueur au centre et l'écrasèrent. La plupart des troupes perses se rembarquèrent en dépit des efforts faits pour les en empêcher. C'est alors que le frère d'Eschyle, Cynégire, eut la main coupée d'un coup de hache en essayant de retenir par la poupe un vaisseau ennemi.

asiatique. Il ne s'agissait pas seulement de la vie et de l'indépendance d'un peuple, mais de l'avenir d'une civilisation. Quels qu'aient pu être antérieurement, pour l'Attique, les bienfaits du régime des Pisistratides, la présence d'Hippias dans les fourgons de l'armée perse prenait la valeur d'un symbole. A travers la jeune démocratie athénienne, qui avait choisi d'affronter virilement l'invasion étrangère, c'était le peuple grec tout entier qui manifestait sa volonté de refuser la servitude. Certes bien des Grecs avaient connu et connaîtraient encore l'asservissement par les mains d'autres Grecs. Mais cette fois il ne s'agissait pas d'un conflit ordinaire, où la « guerre, mère de toutes choses », comme disait Héraclite, opposait les humains et leurs convoitises : la modeste expédition coloniale de Datis et d'Artapherne apparaissait comme une tentative pour imposer à la Grèce non seulement une domination étrangère, mais aussi une philosophie politique, celle des grands Etats orientaux où, sous l'autorité du souverain de droit divin, vivent non des citoyens, mais des sujets, foule anonyme et servile où l'individu se trouve noyé. Tel est le destin que les combattants de Marathon, les *Marathonomaques*, ont refusé d'accepter pour eux-mêmes, pour leurs frères et leurs descendants. Devant une Asie dont ils connaissaient à merveille la puissance, la richesse et la grandeur, fondées sur la soumission de masses humaines aux caprices d'un monarque absolu, ils ont défendu par les armes l'idéal juridique d'une cité composée d'hommes libres. Quand dans la fraîche lumière d'un matin d'été les soldats de Miltiade, ayant au bras le bouclier rond et brandissant leur longue lance, chargèrent au pas de course en direction des Perses, dont la masse sombre se détachait à contre-jour sur les flots éclatants de la mer, ils ne combattaient pas seulement pour eux-mêmes, mais aussi pour une conception du monde qui devait devenir plus tard le bien commun de l'Occident.

•

La seconde guerre médique eut un tout autre caractère. Les préparatifs de Xerxès, à partir de 483, étaient notoires : non seulement il rassemblait des forces considérables sur terre et sur mer, mais de plus il faisait entreprendre des travaux impressionnants, comme le percement d'un canal à travers l'isthme de l'Acté (la presqu'île du mont Athos) en Chalcidique, pour éviter que sa flotte n'ait à doubler ce cap dangereux, où les vaisseaux de Darius avaient subi de lourdes pertes dix ans auparavant, en 492, lors d'opérations sur les côtes nord de l'Egée. Il était clair que l'invasion était proche et que la Grèce entière était cette fois l'objectif visé par le Grand Roi.

A Athènes, Miltiade était mort en disgrâce après une expédition malheureuse contre Paros. Le chef politique le plus écouté, Thémistocle, avait vu le danger et prévu les moyens d'y parer; sur son conseil, le peuple avait affecté à la constitution d'une flotte de deux cents trières les revenus exceptionnels procurés par les mines d'argent du Laurion. Sparte, forte de sa gloire ancienne et du soutien de ses alliés, prit la tête des cités grecques

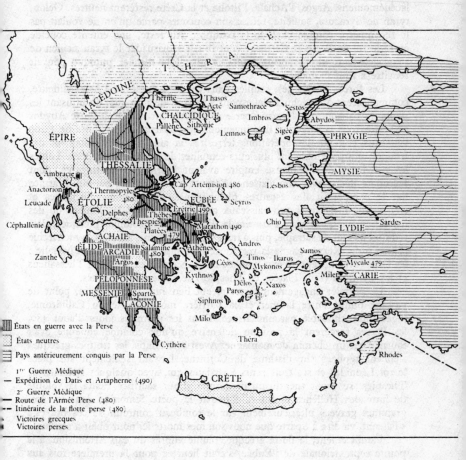

États en guerre avec la Perse
États neutres
Pays antérieurement conquis par la Perse

1ᵉ Guerre Médique
— Expédition de Datis et Artapherne (490)
2ᵉ Guerre Médique
— Route de l'Armée Perse (480)
-- Itinéraire de la flotte perse (480)
Victoires grecques
Victoires perses

décidées à combattre en commun pour leur liberté. On mit fin aux guerres intestines. Réunis à l'Isthme, les représentants des divers Etats discutèrent la stratégie à suivre et confièrent le commandement suprême aux chefs

85

lacédémoniens. Argos, l'Achaïe, l'Etolie et la Crète restèrent neutres. Gélon, tyran de Syracuse, sollicité, refusa son concours parce qu'on ne voulait pas le reconnaître comme chef de la coalition. Au reste, une entente conclue entre le roi de Perse et Carthage contribuait à dissuader le tyran sicilien de s'engager dans une aventure lointaine quand la menace punique pouvait renaître à tout moment.

Les forces de Xerxès, réunies dans le nord-ouest de l'Asie Mineure, commencèrent à franchir l'Hellespont au début de juin 480, en utilisant les ponts de bateaux que le génie perse avait jetés sur le détroit entre Abydos et Sestos sous la direction de l'ingénieur grec Harpale. Une flotte de 1 200 vaisseaux couvrait les opérations terrestres et aidait au ravitaillement des troupes, qui rassemblaient plusieurs centaines de milliers d'hommes. Toutes les provinces de l'immense empire avaient fourni des contingents, dont Hérodote décrit avec complaisance l'aspect pittoresque et bariolé. L'armée navale comportait des escadres phéniciennes, égyptiennes, ciliciennes et chypriotes, mais aussi 300 vaisseaux grecs montés par des Ioniens ou des insulaires sujets du roi. A travers la Thrace et ses colonies grecques, déjà réduites à l'état de satrapie, puis à travers la Macédoine, alliée de la monarchie achéménide, Xerxès gagna la région de l'Olympe et pénétra en Thessalie : les Grecs avaient reporté leur ligne de résistance plus au sud. Les Thessaliens et les Béotiens (sauf Platées et Thespies) se rallièrent à Xerxès.

Le premier engagement terrestre eut lieu aux Thermopyles, point de passage obligé entre la mer et la barrière montagneuse du Callidrome, jugée infranchissable par une armée. Dans les premiers jours d'août 480, les Perses forcèrent la position défensive qu'une colonne ennemie avait tournée par un chemin de montagne. Averties à temps, les troupes grecques s'étaient repliées sur l'isthme de Corinthe, laissant seulement sur place le roi Léonidas et ses trois cents Spartiates qui, avec quelques Béotiens de Thespies, se firent tuer jusqu'au dernier. Leur sacrifice exalta la volonté de lutte des Hellènes et fut célébré par le poète Simonide dans les épigrammes gravées ultérieurement sur le tombeau commun de ces braves : « Passant, va dire à Sparte que nous sommes morts ici pour obéir à ses lois. »

Parallèlement, la flotte grecque, réunie auprès du cap Artémision, à la pointe septentrionale de l'Eubée, s'était heurtée pour la première fois aux escadres du Grand Roi qui descendaient de Thermé, ville qui s'élevait en Macédoine sur l'emplacement de la future Thessalonique. Bien que fort éprouvés par un ouragan qui en avait brisé 400 sur la péninsule rocheuse de Magnésie, les navires égyptiens et asiatiques avaient fait bonne figure

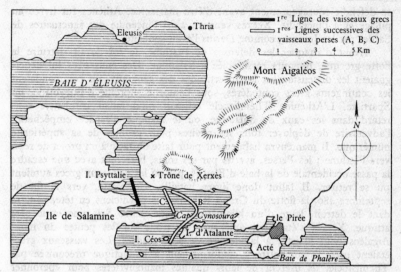

■■■ 1re Ligne des vaisseaux grecs
□ 1res Lignes successives des vaisseaux perses (A, B, C)

0 1 2 3 4 5 Km

Thria
Eleusis
BAIE D'ÉLEUSIS
Mont Aigaléos
N
I. Psyttalie
× Trône de Xerxès
Ile de Salamine
C
B
Cap Cynosoura
I. Céos
I. d'Atalante
le Pirée
Acté
A
Baie de Phalère

(D'après N.G.L. Hammond.) Les spécialistes discutent sur l'identification de l'îlot de Psyttalie que certains placent là où se trouve l'îlot d'Atalante sur le carton ci-dessus. La position des deux flottes et celle du trône de Xerxès ne sont pas non plus déterminées avec certitude. Selon Hammond, la flotte grecque occupait la partie nord du détroit de Salamine et son débouché dans la baie d'Eleusis. Dans la journée précédant la bataille, la flotte perse (A) vint fermer le débouché sud du détroit, près de l'îlot d'Atalante. Puis elle s'y engagea au cours de la nuit (B) et se trouva au matin (C) en face de la flotte grecque qui avançait elle-même dans le détroit. La rencontre eut lieu au milieu du détroit, qui en certains endroits n'a guère plus de 1 km de large. Des troupes perses débarquées dans l'îlot de Psyttalie furent décimées à coups de flèches, puis massacrées par les hoplites, tandis que les vaisseaux grecs, plus manœuvriers dans cet étroit espace, éperonnaient les vaisseaux du Grand Roi qui se gênaient mutuellement.

pendant deux jours de combats incertains. A la nouvelle de l'abandon des Thermopyles, la flotte grecque se retira vers le sud et jeta l'ancre près de Salamine, d'où elle pouvait protéger le flanc des fortifications de l'Isthme.

Par la Phocide qu'ils ravagèrent et la Béotie qui les accueillit en alliés, les Perses arrivèrent en Attique. Conformément à un oracle, les Athéniens avaient abandonné leur ville pour se réfugier sur la flotte qui les avait évacués sur Salamine et sur Trézène. La faible garnison laissée sur l'Acropole se défendit courageusement avant d'être massacrée. Athènes fut livrée au pillage et à l'incendie. Xerxès vengeait ainsi l'incendie des sanctuaires de Sardes par les Ioniens, comme Darius l'avait souhaité.

Avant d'attaquer les défenses de l'Isthme, le roi devait détruire la flotte grecque, toujours rassemblée à Salamine. Des émissaires lui dépeignaient les dissensions et les incertitudes des généraux qui commandaient les contingents grecs confédérés, sous l'autorité suprême d'Eurybiade, un Spartiate. L'Athénien Thémistocle estimait qu'il fallait combattre sans retard dans les eaux de Salamine, où le manque d'espace empêcherait l'adversaire de déployer tous ses navires pour profiter de sa supériorité numérique. Il manœuvra habilement pour faire obstacle à un projet de repli vers l'Isthme : les Perses, avertis par ses soins, barrèrent avec une escadre la passe occidentale de la baie d'Eleusis, par où les vaisseaux grecs auraient pu se retirer. Il fallut donc livrer bataille. Un matin, vers la fin de septembre 480, la flotte du Grand Roi, navires phéniciens en tête, pénétra dans le détroit, large d'un kilomètre à peine, entre Salamine et la côte attique. Xerxès s'était fait aménager un trône sur les pentes du mont Aigaléos pour assister à la victoire de ses escadres. Les vaisseaux grecs étaient prêts à combattre : conformément à la tactique préconisée par Thémistocle, ils usèrent de leurs qualités manœuvrières pour éperonner les navires ennemis, qui, en formation trop serrée, se gênaient les uns les autres. Les hoplites embarqués, mieux armés que leurs adversaires asiatiques ou égyptiens, eurent le dessus dans les combats d'abordage. Athéniens et Eginètes, les deux contingents les plus nombreux de la flotte grecque, rivalisèrent de vaillance et d'habileté. Après un engagement violent et confus, les vaisseaux du Grand Roi virèrent de bord et s'enfuirent vers le Phalère, tandis que les Grecs se livraient jusqu'à la nuit à un grand massacre de naufragés ennemis qu'ils assommaient, nous dit Eschyle, « comme des thons ». Moins de 400 navires grecs avaient infligé une rude défaite à une flotte trois fois supérieure.

Affaiblie par ses lourdes pertes, cette flotte n'en restait pas moins redoutable. L'armée perse était intacte. Mais Xerxès en avait assez vu et la saison était trop avancée. Il donna l'ordre de retraite, renvoyant la flotte directement vers l'Hellespont tandis que lui-même revenait par terre avec l'armée : il lui fallut quarante-cinq jours de marche pénible pour regagner l'Asie. Mais il laissait en Thessalie un de ses généraux, Mardonios, avec des forces considérables qui devaient hiverner sur place pour reprendre les opérations au printemps.

En 479, sitôt les moissons rentrées, au début de juillet, Mardonios envahit l'Attique que ses habitants avaient de nouveau évacuée pour se réfugier à Salamine. Apprenant que l'armée des Grecs confédérés quittait le Péloponnèse, il se retira lui-même en Béotie, laissant derrière lui une ville en ruine et des campagnes dévastées. Il attendit les Grecs au débouché des passes du Cithéron, près de la rivière Asopos. Ses troupes étaient nombreuses et excellentes : à l'infanterie perse et asiatique se joignaient des contingents d'hoplites béotiens et phocidiens; la cavalerie était spécialement redoutable, renforcée par les escadrons de Thessalie, de Béotie et de Macédoine. L'armée grecque, commandée par le Spartiate Pausanias*, neveu du roi Léonidas, était forte de près de 40 000 hoplites dont 10 000 Lacédémoniens et 8 000 Athéniens, sans compter les troupes légères. Elle franchit le Cithéron et prit position au pied de la montagne, en face des lignes perses, auprès de la ville de Platées. Les deux adversaires s'observèrent durant trois semaines, pendant lesquelles les Grecs eurent fort à souffrir du harcèlement des cavaliers ennemis. Un mouvement de retraite ordonné par Pausanias, mais mal exécuté par ses subordonnés, incita Mardonios à franchir l'Asopos avec son infanterie pour attaquer les Grecs désorganisés. Mais ces derniers supportèrent le choc avec fermeté : les Lacédémoniens surtout firent preuve de leur valeur traditionnelle, brisèrent l'assaut des Perses et, chargeant à leur tour, mirent l'ennemi en déroute. Mardonios trouva la mort dans la bataille. Les Athéniens, à l'aile gauche, avaient contraint les Béotiens à la retraite. Le camp barbare tomba aux mains des Grecs qui en massacrèrent les occupants. Les débris de l'armée d'invasion se retirèrent vers le nord, protégés par leur cavalerie. Thèbes, après un siège de vingt jours, livra les partisans des Perses. Les vainqueurs pouvaient à juste titre glorifier leur victoire en élevant des ex-voto dans les grands sanctuaires, comme la fameuse colonne serpentine de Delphes : cette fois, la Grèce était définitivement sauvée.

La bataille de Platées, un an après Salamine, mettait fin à la menace qui depuis quinze ans avait pesé sur l'hellénisme : elle ne mettait pas fin aux guerres médiques. Le même jour où Pausanias écrasait Mardonios dans les champs de Béotie, la flotte grecque, commandée par un général spartiate, remportait un autre grand succès. Elle avait pris l'offensive, appelée par les Ioniens qui voulaient se soustraire au joug achéménide. La flotte perse, refusant le combat, avait été tirée à terre auprès du cap Mycale, sur la côte d'Asie, en face de Samos, et les équipages s'étaient joints aux troupes présentes dans la région pour organiser un camp retranché. Les Grecs débarquèrent et prirent le camp d'assaut, pendant que les contingents ioniens enrôlés par les Perses faisaient défection. La victoire de Mycale donnait aux Grecs la suprématie navale en mer Egée. Les Ioniens un peu partout chassèrent les garnisons perses et les représentants du Grand Roi. Quant à la flotte grecque, elle se rendit dans l'Hellespont pour détruire les ponts de bateaux jetés par Xerxès sur les eaux du détroit : déjà la tempête s'en était chargée. La flotte rentra alors en Grèce, mais le contingent athénien resta dans les Détroits et mit le siège devant Sestos, qui tomba dans le cours de l'hiver. Au printemps 478, le stratège athénien Xanthippe, père de Périclès, rapportait à Athènes avec un important butin les câbles qui avaient servi à relier entre eux les bateaux portant les ponts de Xerxès. Ces trophées, qui furent consacrés aux dieux dans les grands sanctuaires, ajoutaient à la gloire d'Athènes, qui prenait en main désormais l'initiative militaire et politique dans les opérations contre l'Asie.

•

« Depuis les guerres médiques jusqu'à celle du Péloponnèse, nous dit Thucydide, Lacédémoniens et Athéniens, tantôt se faisant la guerre les uns aux autres, tantôt luttant contre leurs propres alliés qui cherchaient à se soustraire à leur autorité, tantôt concluant une trêve, ne cessèrent d'améliorer leurs ressources militaires et d'accroître à l'occasion de ces entreprises leur expérience des combats. » Cette période de cinquante années, ou *Penté-contaétie*, apparaît ainsi rétrospectivement à l'historien comme la préparation du conflit auquel devait fatalement aboutir la rivalité des deux grandes cités grecques. Sparte, dont l'autorité était jusqu'alors incontestée, vit avec inquiétude la puissance d'Athènes s'étendre au point de balancer sa propre influence jusque dans les affaires du Péloponnèse. Cette croissance est un fait capital non seulement pour l'histoire de la Grèce, mais aussi pour toute notre civilisation : car c'est en accédant au premier rôle sur le théâtre de la politique et de la guerre qu'Athènes put développer tout son génie dans le domaine de la pensée, de la littérature et de l'art. Le demi-siècle qui va de 480 à 430 est justement connu dans la mémoire des hommes sous le nom de *Siècle de Périclès* : il a donné à la civilisation grecque un essor décisif, un éclat qui n'a pas cessé d'éblouir.

Dès l'hiver 478-477, Athènes organisait avec les cités ioniennes d'Asie Mineure et des îles une ligue destinée à poursuivre la guerre contre les Perses. Ceux-ci demeuraient redoutables et un retour offensif en était toujours à craindre. Les villes d'Asie Mineure, des Détroits et de la mer

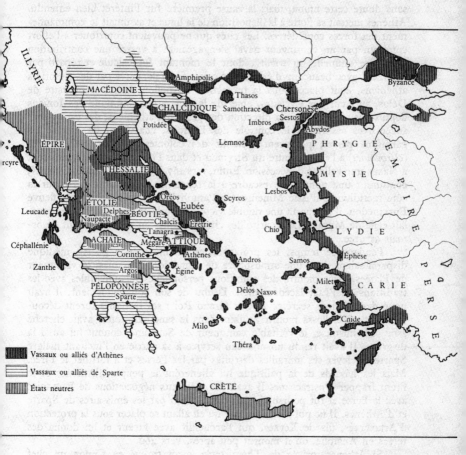

Légende :
- Vassaux ou alliés d'Athènes
- Vassaux ou alliés de Sparte
- États neutres

Egée, qui étaient directement menacées, avaient besoin d'une protection permanente fondée sur une puissante marine. Seule Athènes était en mesure de la fournir : la communauté de tradition entre l'Attique et l'Ionie facilita sans doute cette union, mais la cause première fut l'intérêt bien entendu. Athènes mettait sa flotte à la disposition de la ligue et assumait le commandement des forces confédérées. Les cités qui ne pouvaient contribuer à l'effort commun par un contingent naval s'engageaient à verser une contribution financière annuelle ou *tribut**, dont le montant fut calculé et réparti par Aristide* avec beaucoup d'équité. La caisse fédérale, gérée par des trésoriers athéniens, était placée sous la protection d'Apollon dans le sanctuaire de Délos, au cœur des Cyclades, objet de la vénération commune des Ioniens depuis des siècles. Sous la direction des généraux athéniens, des campagnes successives assurèrent le contrôle des Détroits, chassèrent de Thrace les garnisons perses, permirent d'établir des colonies militaires athéniennes (*clérouquies*) à l'embouchure du Strymon et dans l'île de Scyros, réprimèrent à Naxos une velléité de sécession. Enfin, vers 467, le fils de Miltiade, Cimon*, conduisait une nombreuse escadre à la rencontre de la flotte perse sur la côte méridionale d'Asie Mineure; en Pamphylie, à l'embouchure du fleuve Eurymédon, il remporta une double victoire navale et terrestre qui renouvelait celle de Mycale. La sécurité des cités grecques en mer Egée était désormais assurée.

Pendant ce temps, les protagonistes de la seconde guerre médique disparaissaient dans une atmosphère de scandales. Pausanias, le vainqueur de Platées, avait montré des ambitions personnelles incompatibles avec les traditions de l'Etat lacédémonien. Déchu de son commandement, il avait noué des relations secrètes avec le Grand Roi : ses intrigues furent découvertes et on le laissa mourir de faim dans le sanctuaire où il avait cherché asile. Thémistocle, le véritable vainqueur de Salamine, connut lui aussi la disgrâce. Il avait rendu un nouveau service à sa patrie en l'incitant malgré Sparte à relever ses murailles détruites par les Perses et à fortifier le Pirée. Mais les hasards de la politique lui aliénèrent le peuple d'Athènes et le firent frapper d'ostracisme. Il avait été mêlé aux négociations de Pausanias avec la Perse et fut poursuivi pour cette raison par les émissaires de Sparte et d'Athènes. Il ne put leur échapper qu'en allant se placer sous la protection d'Artaxerxès, fils de Xerxès, qui l'accueillit avec faveur et lui donna des terres en Anatolie, où il mourut peu après, vers 460.

Si Athènes, privée de Thémistocle, avait trouvé en Cimon un chef capable de lui inspirer une politique entreprenante, Sparte était aux prises avec des difficultés graves. Elle avait dû affronter une fois de plus l'hostilité d'Argos, sa voisine et sa vieille ennemie. Puis une révolte des hilotes éclata et entraîna pendant près de dix ans une troisième guerre de Messénie (469-

460). Un violent tremblement de terre, en 464, détruisit presque entièrement la ville : il fallut toute l'énergie du roi Archidamos et la traditionnelle discipline spartiate pour sauver l'Etat d'un complet désastre. Aussi Sparte ne put-elle profiter des premiers embarras qu'Athènes rencontrait dans ses prétentions à l'hégémonie : quand, en 465-464, l'île de Thasos, sur les côtes de Thrace, voulut abandonner l'alliance athénienne, elle fit en vain appel au secours de Lacédémone et Cimon put réduire la cité rebelle après deux ans de siège. Bien plus, Sparte dut solliciter le concours des Athéniens pour achever d'abattre la résistance des Messéniens. Cimon fut envoyé avec un corps expéditionnaire, mais échoua dans sa tentative pour enlever la forteresse du mont Ithôme, où les révoltés s'étaient réfugiés. Les Lacédémoniens le renvoyèrent avec désinvolture. Ce fut l'occasion d'une rupture ouverte entre les deux Etats : la lutte armée allait succéder à la rivalité sourde qui les opposait depuis vingt ans.

L'évolution politique intérieure d'Athènes favorisait l'hostilité à Sparte. Cimon avait toujours éprouvé des sympathies pour les traditions conservatrices de Lacédémone. Mais, en dépit de ses victoires, il fut frappé d'ostracisme en 461 : il n'avait pu empêcher le parti démocratique, conduit par Ephialte et par le jeune fils de Xanthippe, Périclès, de faire adopter des réformes qui retiraient toute influence politique au Conseil de l'Aréopage*, formé par les archontes sortis de charge, pour ne lui laisser que des fonctions judiciaires limitées aux cas de meurtre ou de sacrilège. Le Conseil des Cinq-Cents et le tribunal de l'Héliée, dont le recrutement était plus démocratique, héritaient des autres pouvoirs exercés jusqu'alors par l'Aréopage. Bien qu'Ephialte ait été assassiné presque aussitôt, ces mesures furent maintenues, d'où la mise en garde d'Eschyle dans l'*Orestie* (458) : « Refuse l'anarchie comme le despotisme ! » (*Euménides*, 525-526). En même temps, Athènes engageait des opérations offensives à la fois contre la Perse et contre les Lacédémoniens et leurs alliés. Tandis qu'elle accroissait ses moyens de défense en construisant de la ville au Pirée la fortification continue des Longs Murs, elle envoyait une flotte aider un chef libyen qui, près de Memphis, cherchait à soulever l'Egypte contre le Grand Roi. Cette expédition, après des succès initiaux, s'acheva en désastre en 454 : presque toutes les troupes engagées périrent. En Grèce propre, Athènes obtint le concours de Mégare, jusqu'alors alliée à Sparte, lutta contre Corinthe et brisa la puissance d'Egine (457), s'assurant ainsi une entière liberté de manœuvre dans le golfe Saronique. Elle subit en Béotie, à Tanagra (457), une défaite devant une armée lacédémonienne qui rentra dans le Péloponnèse après son succès. Les Athéniens en profitèrent pour affirmer leur autorité en Grèce centrale. Puis des opérations maritimes, dirigées en partie par Périclès, harcelèrent les côtes du Péloponnèse. A Naupacte, en Locride occidentale, les Athéniens avaient installé un solide point d'appui confié à la garde des Messéniens exilés par les Spartiates : ils pouvaient ainsi contrôler le golfe de Corinthe comme ils contrôlaient le golfe Saronique.

La décennie 460-450 est capitale pour Athènes : c'est alors que Périclès, né vers 495 d'une famille noble alliée au *génos* des Alcméonides, devient le principal inspirateur de la politique athénienne. Beau, séduisant, cultivé, excellent orateur, homme de guerre compétent, il jouissait de la pleine confiance des démocrates, qui, conscients de ses hautes qualités, le tenaient pour politiquement et financièrement intègre et lui restèrent fidèles jusqu'au bout, malgré les attaques des poètes comiques favorables à ses adversaires. Il concevait pour sa patrie de vastes ambitions et, en politique avisé, ne s'embarrassait pas d'excessifs scrupules quant aux moyens d'y parvenir. Convaincu, à très juste titre, que le peuple athénien possédait des capacités exceptionnelles, il estimait que ces capacités lui donnaient droit à l'hégémonie et lui faisaient un devoir de l'exercer : il fut ainsi conduit à la doctrine de l'impérialisme, dont ses compatriotes s'accommodèrent assez bien. Le peuple y trouvait son compte, puisqu'il devenait l'élément dirigeant non plus d'une confédération, mais d'un empire et que les ressources financières de la ligue allaient lui fournir des subsides : l'institution d'un salaire quotidien pour les juges de l'Héliée, la multiplication des fonctionnaires en métropole ou à l'extérieur, les soldes militaires et les indemnités, tout cela faisait vivre, nous dit Aristote, plus de vingt mille citoyens. En y ajoutant les constructions de prestige que Périclès fit entreprendre sur l'Acropole et qui donnèrent du travail à des centaines d'ouvriers pendant plus de vingt ans, on voit combien la politique de Périclès favorisait les intérêts matériels du peuple, pour ne rien dire des satisfactions qu'elle apportait à l'amour-propre national. En 454-453, le trésor fédéral fut transféré de Délos à Athènes, passant ainsi de la protection d'Apollon à celle d'Athéna : bien que la mesure fût justifiée par les menaces que la flotte perse faisait peser sur les Cyclades à la suite du désastre athénien en Egypte, il s'agissait au fond d'une opération politique qui marquait la totale mainmise d'Athènes sur les affaires de la ligue. Les cités alliées passaient en fait au rang de cités-sujettes et la ligue se transformait en empire.

Périclès, avec le concours de Cimon rappelé d'exil, agit avec décision et vigueur. Le désastre d'Egypte et les tendances impérialistes d'Athènes avaient engagé plusieurs cités alliées à faire défection, avec la complicité perse. Pour avoir les mains libres, les Athéniens conclurent une trêve avec Sparte. Ils s'employèrent ensuite à ramener les alliés dissidents à l'obéissance. Leur autorité une fois restaurée, ils reprirent la guerre contre les Perses : Cimon commandait l'escadre qui alla chercher le combat dans les eaux de Chypre. Il y mourut de maladie pendant les opérations, après avoir remporté de nouveaux succès. En 449-448, des négociations s'engagèrent et aboutirent à un traité qu'on appelle la Paix de Callias*, du nom du principal négociateur athénien. L'autonomie des cités grecques d'Asie était garantie. Les vaisseaux de guerre du Grand Roi ne devaient plus se montrer entre la Pamphylie et le Bosphore. Athènes, de son côté, respecterait les territoires du Grand Roi. Le retour de la paix assurait la sécurité des Ioniens, ce qui était le but avoué de la ligue de Délos, et le commerce maritime redevenait libre.

Athènes en profita pour affirmer davantage sa domination sur ses « alliés » : elle multiplia les colonies militaires, ou *clérouquies*, installées sur leur sol; elle exerça fréquemment son contrôle sur la politique intérieure des Etats en y favorisant les démocrates; elle imposa l'usage de la monnaie attique et du système attique des poids et mesures. L'impérialisme économique allait de pair avec l'impérialisme politique. Sparte cependant n'était pas inactive sur le continent. Elle déclencha contre les Phocidiens, alliés d'Athènes, la Seconde Guerre Sacrée afin de protéger contre eux l'autonomie de Delphes. Athènes riposta, mais elle rencontra de graves difficultés en Grèce centrale, où plusieurs cités béotiennes lui devinrent hostiles. Un corps athénien subit en 446 une lourde défaite à Coronée : il fallut évacuer toute la Béotie. Mégare se révolta et l'Eubée entière fit de même. Enfin une armée lacédémonienne s'avança jusqu'à Eleusis. Heureusement pour Athènes, le chef de cette armée ne poussa pas son offensive et battit en retraite. Périclès en profita pour châtier durement les Eubéens rebelles. Il conclut alors avec Sparte en 446-445 une paix de trente ans qui établissait un certain équilibre des forces entre l'empire athénien, amputé de la plupart de ses alliés continentaux (sauf Platées et Naupacte), mais toujours maître de l'Egée, et le bloc péloponnésien conduit par Sparte, que renforçait maintenant l'adhésion de Mégare et de la Béotie. Chacun devait s'abstenir d'entreprises contre les alliés de l'autre, mais pouvait agir à sa guise à l'égard des Etats non engagés. La liberté du commerce maritime, à l'est comme à l'ouest, était garantie.

En dépit de son recul en Grèce propre, Athènes était au comble de sa puissance économique et militaire. A l'instigation de Périclès, elle engagea une partie des fonds procurés par le tribut dans l'édification des monuments et des statues de l'Acropole : le Parthénon est construit de 447 à 438 et le plateau sacré est un vaste chantier en incessante activité jusqu'en 432. La seule statue d'Athéna Parthénos par Phidias coûta 700 talents, près de deux fois la valeur totale du tribut annuel des Alliés. En même temps Athènes entretenait sa marine, maintenant 60 trières en état d'alerte permanente pendant huit mois de l'année. Ces forces lui permirent d'intervenir au-dehors dans les régions les plus variées. En 443, ce sont les Athéniens qui, en Italie méridionale, installent à Thourioï*, près de l'ancienne Sybaris, une colonie recrutée dans divers Etats grecs : l'historien Hérodote d'Halicarnasse en fut un des premiers citoyens. En 440-439, Périclès réduisit, non sans peine, une révolte à Samos et une autre à Byzance. La rudesse de la répression exercée contre les Samiens rendit claire aux yeux de tous la transformation de la ligue en un empire aux exigences tyranniques. Son autorité ainsi raffermie, Athènes put alors envoyer une expédition en mer Noire jusqu'à Sinope et à Amisos, où des groupes de colons furent installés à côté des précédents occupants. En 436, elle fondait sur le bas Strymon l'importante colonie d'Amphipolis, destinée à renforcer son influence en Thrace et en Chalcidique. Enfin, vers l'ouest, elle concluait une alliance avec l'Acarnanie.

Dans cette région, comme en Chalcidique, les intérêts d'Athènes se heurtaient à ceux de Corinthe, membre de la ligue péloponnésienne. Un conflit s'étant élevé entre Corinthe et son ancienne colonie de Corcyre (Corfou), cette dernière sollicita et obtint l'alliance d'Athènes : dans un combat naval qui eut lieu en 433 dans les eaux de Corfou, les Corcyréens durent à l'arrivée de renforts athéniens de repousser l'escadre corinthienne. Le risque d'un conflit généralisé se précisait et Périclès, qui en était conscient, l'envisageait comme inévitable. Aussi multiplia-t-il les provocations à l'égard des alliés de Sparte. En 432, un décret proposé par lui interdisait aux marchands de Mégare l'accès des ports et des marchés de l'Attique et de l'empire athénien : c'était acculer Mégare, coupable d'accueillir les esclaves qui fuyaient Athènes, à l'asphyxie économique. En même temps une expédition athénienne était envoyée contre Potidée, la plus grande ville de Chalcidique, qui était une colonie de Corinthe et avait gardé des rapports étroits avec sa métropole. L'intervention à Corfou, le siège de Potidée, le décret « mégarien », c'était plus que Sparte n'en pouvait tolérer. Soutenue par ses alliés et poussée en particulier par Corinthe, elle envoya un ultimatum à Athènes, exigeant que le décret mégarien au moins fût rapporté. Conseillés par Périclès, les Athéniens rejetèrent cette demande : c'était la rupture et l'épreuve de force décisive entre les deux cités rivales. La guerre qui commençait en 431 allait durer vingt-sept ans, avant de s'achever par la défaite d'Athènes en 404.

•

Dès le début du conflit, Périclès fit adopter par ses compatriotes une stratégie coûteuse, mais seule susceptible d'assurer à Athènes de sérieuses chances de succès. Il mesurait parfaitement l'infériorité des troupes athéniennes dans une rencontre en rase campagne avec les forces de Sparte et de ses alliés : non seulement ces derniers avaient sur ce terrain la supériorité numérique, mais en outre la valeur reconnue des hoplites spartiates était propre à faire réfléchir leurs adversaires. Visiblement, le désir des Lacédémoniens était de rechercher le combat pour obtenir la décision par une seule bataille. Périclès conseilla de la refuser : la population de l'Attique devait se réfugier derrière les fortifications de la ville, du Pirée et des Longs Murs, abandonnant la campagne aux incursions ennemies. En revanche, Athènes utiliserait à plein sa supériorité maritime, non seulement pour maintenir la liberté de son commerce à partir du Pirée, mais aussi pour harceler les côtes du Péloponnèse en y multipliant débarquements et coups de main. Ses 300 trières, renforcées par celles de Chio, de Lesbos et de Corcyre, la qualité de leurs équipages, les bases de Naupacte et d'Acarnanie à l'ouest, la domination de la mer Egée, l'ampleur des réserves financières régulièrement alimentées par le tribut, autant d'éléments favorables pour Athènes devant un ennemi moins bien équipé sur mer et moins riche. On pouvait espérer que la ligue péloponnésienne, épuisée à la longue par une guerre navale sans merci, finirait par se désagréger et que Sparte, abandonnée par ses alliés, reconnaîtrait sa défaite. Il s'agissait donc d'une guerre d'usure, où les Athéniens devraient montrer persévérance et force morale, acceptant de laisser ravager leurs terres par l'envahisseur, mais gardant confiance dans l'issue finale de la lutte. Il fallut tout le prestige de Périclès pour faire triompher ses vues : la moitié de la population de l'Attique — tous les paysans et les citadins propriétaires d'un domaine rural — allait sacrifier ses biens et son mode de vie au succès d'une stratégie à longue échéance.

La première partie de la guerre, qui dura dix ans (431-421), est souvent appelée guerre d'Archidamos, du nom du roi de Sparte qui conduisit les premières opérations et qui, d'ailleurs, mourut dès 427. Après un coup de main manqué des Thébains contre Platées, alliée d'Athènes, l'armée lacédémonienne entra en Attique et saccagea le plat pays, tandis que la flotte athénienne exécutait des raids sur la côte du Péloponnèse. L'année suivante, en 430, les Lacédémoniens envahirent de nouveau l'Attique. Athènes fut alors frappée par un coup inattendu, la peste : la concentration de toute la population dans la zone urbaine, où les campagnards campaient sur les terrains vagues dans des conditions d'hygiène très défectueuses, favorisa l'épidémie, qui dura plus d'un an et qui devait reparaître en 427. Un tiers de la population fut emporté. Dans cette terrible épreuve, dont Thucydide nous a laissé un tableau impressionnant, les Athéniens se détournèrent un moment de Périclès, mais au printemps 429 ils lui rendirent leur confiance et le réélirent stratège. Le grand homme, épuisé, mourut à l'automne. Sa disparition privait Athènes du seul homme politique qui eût pu conduire heureusement la guerre à son terme. Après lui, aucun chef ne disposa d'un crédit comparable ni d'une pareille lucidité.

Les opérations militaires se poursuivaient avec des fortunes diverses. En Chalcidique, les Athéniens finirent par prendre Potidée (429) après deux ans d'efforts coûteux. Dans les eaux de Naupacte, le stratège Phormion remportait la même année de brillants succès sur une escadre péloponnésienne très supérieure en nombre : pour commémorer sa victoire, les Athéniens élevaient un portique dans le sanctuaire de Delphes. Mais ils avaient à faire face à la défection de Mytilène, la plus importante cité de l'île de Lesbos, qu'il fallut réduire et châtier. Sur la proposition d'un chef démocrate, Cléon, les instigateurs de la révolte furent exécutés en grand nombre. La même année (427), Platées*, assiégée depuis deux ans, succombait et la petite garnison de Platéens et d'Athéniens était passée par les armes. La guerre prenait un caractère cruel et inexpiable.

En 425, Athènes, par un coup heureux, eut la victoire à sa portée. Elle avait engagé quelques troupes en Sicile contre Syracuse et les villes alliées de Sparte. Une escadre qui emportait des renforts vers l'ouest fit relâche, à cause du mauvais temps, dans la rade de Pylos, sur la côte occidentale de Messénie. Un général athénien, Démosthène*, qui s'était déjà distingué auparavant en Acarnanie, décida de rester à Pylos et de s'y fortifier avec quelques soldats pour menacer, à partir de ce point d'appui, toute la Messénie, partie vulnérable du territoire lacédémonien. Pour écarter cette menace, les Spartiates voulurent enlever la position athénienne, qui résista à leurs assauts : ils occupèrent l'îlot côtier de Sphactérie, qui ferme la rade de Pylos. Sur ces entrefaites, une escadre athénienne survint et bloqua dans l'île les 400 Spartiates qui l'occupaient. Le nombre des Spartiates proprement dits dans la cité lacédémonienne était si restreint que ce blocus exercé contre 400 d'entre eux suffit pour décider Sparte à demander la paix en offrant à Athènes des conditions très avantageuses. Mais l'Assemblée du peuple athénien, à l'instigation de Cléon*, démagogue porté aux mesures extrêmes, se montra intransigeante et confia à Cléon, après des délibérations mouvementées, le soin de réduire les assiégés de Sphactérie. Habilement conduites par Démosthène, les troupes athéniennes, très supérieures en nombre, brisèrent la résistance des hoplites lacédémoniens : vingt jours après son départ, Cléon ramenait à Athènes 300 prisonniers, dont 120 Spartiates (425). Cette brillante opération renforça dans la majorité du peuple la volonté de ne pas traiter avant la victoire totale, malgré les plaidoyers ardents d'Aristophane en faveur de la paix.

Mais la chance tourna. En 424, l'armée athénienne entreprit d'envahir la Béotie. A Délion*, près de Tanagra, elle se heurta aux Béotiens et fut défaite en rase campagne : Athènes avait eu tort de s'écarter des conseils autrefois donnés par Périclès. D'autre part, le général lacédémonien Brasidas, envoyé en Grèce du Nord, s'empara d'Amphipolis, en dépit des efforts de l'Athénien Thucydide, qui commandait l'escadre stationnée à Thasos; tenu pour responsable de la perte d'Amphipolis, Thucydide fut condamné à l'exil, où il consacra ses loisirs forcés à écrire l'histoire de cette guerre. Cependant Brasidas accumulait les succès en Chalcidique, détachant d'Athènes nombre de villes alliées. Cléon se fit donner le commandement d'une expédition chargée de reprendre Amphipolis : dans l'été 422, sous les murs de la ville, il fut battu par Brasidas et périt, ainsi que Brasidas lui-même, au cours de l'action. La disparition simultanée du meilleur général spartiate et du chef athénien partisan de la guerre à outrance permit aux deux Etats d'engager des pourparlers qui, en 421, aboutirent à la paix dite de Nicias*, du nom de l'homme politique athénien qui la négocia. Cette paix, due à la lassitude et conclue au prix de concessions réciproques, ne résolvait pas la querelle de la prééminence entre Sparte et Athènes. Elle ne pouvait durer longtemps.

Dès le début, il apparut que les clauses du traité resteraient lettre morte : Athènes, ne parvenant pas à reprendre le contrôle d'Amphipolis et de la Chalcidique, garda Pylos et Cythère, d'où elle menaçait Sparte. Un jeu diplomatique compliqué s'élabora entre Sparte et Thèbes, Athènes et Argos, jeu auquel se joignirent Elis et les cités arcadiennes. La politique athénienne était tiraillée entre Nicias, partisan de la paix par l'entente avec

Lacédémone, Hyperbolos, successeur de Cléon à la tête du parti démocratique, et le jeune Alcibiade*, intrigant, séduisant et sans scrupules, aristocrate de naissance, démocrate par calcul d'ambition, disciple de Socrate et neveu de Périclès. La procédure de l'ostracisme, qui fut employée en 417 pour la dernière fois, aboutit à l'exil d'Hyperbolos, mais laissa en présence Alcibiade et Nicias, associés et rivaux à la fois. L'année précédente, Sparte avait restauré son prestige militaire en battant en rase campagne, près de Mantinée, une armée argienne renforcée d'Arcadiens et d'un petit contingent athénien. De son côté Athènes cherchait à compléter son contrôle sur la mer Egée. L'île de Milo ayant refusé d'adhérer à la ligue, les Athéniens la prirent de force et firent périr tous les hommes adultes (416-415). Cette exécution souleva l'indignation générale, mais le peuple d'Athènes n'en eut cure et décida d'envoyer une expédition en Sicile.

Il y avait longtemps qu'en Sicile Syracuse tenait la première place. Au début du siècle, la politique entreprenante de ses tyrans successifs, Gélon, puis son frère Hiéron, avait singulièrement accru sa puissance et son territoire. Leur gloire avait éclipsé celle des autres tyrans occidentaux, comme Théron d'Agrigente ou Anaxilas de Rhégion. Ils avaient brillamment défendu l'hellénisme contre les Puniques, avec la victoire d'Himère remportée par Gélon en 480, et contre les Etrusques, avec la bataille navale de Cumes, gagnée par Hiéron en 474. On a retrouvé à Olympie plusieurs casques étrusques dédiés par Hiéron en souvenir de sa victoire. Même après la chute de la tyrannie, en 466, un an après la mort d'Hiéron, Syracuse resta le plus puissant des Etats de Sicile. Fidèle au souvenir de ses origines, elle était en bons termes avec sa métropole, Corinthe, et, dès le début de la guerre du Péloponnèse, elle avait rallié à la cause de Corinthe et de Sparte

*(D'après N.G.L. Hammond.) Le récit de Thucydide permet de suivre en détail les opérations. Les Athéniens occupèrent le Grand Port dès la fin de l'année 415 et attaquèrent la ville (située dans la péninsule d'Ortygie, avec en outre le faubourg fortifié d'Achradine) au printemps 414. Ils cherchèrent à la couper de la terre ferme au moyen d'un mur (AAA) qui s'étendait vers le nord sur le plateau des Epipoles. Les Syracusains déjouèrent cette menace en poussant un mur transversal (SS) vers l'ouest en direction de la forteresse de l'Euryale. Gylippos, qui avait pu pénétrer dans la ville par terre, réussit au cours d'une sortie à occuper les hauteurs de Plemmyrion, au sud du Grand Port, au → début de 413. Quand les renforts athéniens arrivèrent, les deux généraux Nicias et Démosthène tentèrent à nouveau d'occuper les Epipoles, mais ils furent repoussés. Leurs vaisseaux subirent les attaques des Syracusains et de leurs alliés jusqu'à l'intérieur du Grand Port. En septembre 413 la flotte athénienne fut en grande partie détruite. L'armée chercha à gagner Catane par voie de terre, mais épuisée et décimée par les assauts ennemis, elle dut capituler. Les 7 000 survivants furent parqués dans les latomies.

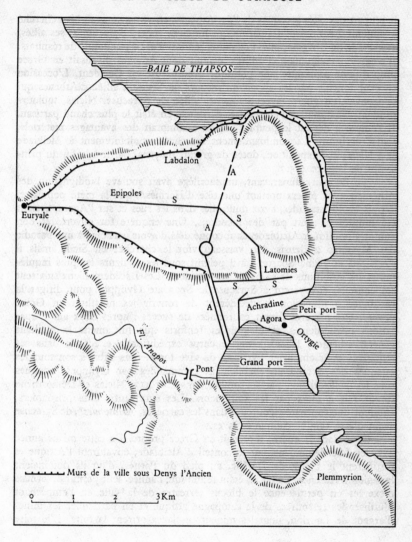

BAIE DE THAPSOS

Labdalon

Epipoles

A

S

Euryale

S

A

S

Latomies

S

A

Achradine

Agora

Petit port

Ortygie

Fl. Anapos

Pont

Grand port

Plemmyrion

Murs de la ville sous Denys l'Ancien

0   1   2   3 Km

la plupart des cités grecques de l'île. Athènes, en 427-424, avait bien cherché à soutenir Léontini et Camarine qui luttaient contre Syracuse et ses alliés, avec l'aide de Rhégion, mais cette intervention n'avait pas donné de résultats. Il s'agissait maintenant d'utiliser le répit dont Athènes disposait en Grèce propre pour reprendre une politique aventureuse en Occident. L'occasion en était fournie par les appels au secours de Ségeste, alliée d'Athènes qui se trouvait en guerre avec Sélinonte, alliée de Syracuse. Nicias, toujours prudent, déconseillait l'entreprise. Alcibiade en était le plus chaud partisan. Il l'emporta devant le peuple, qui en escomptait des avantages matériels, soldes et butin. Le commandement fut confié conjointement à Alcibiade et à Nicias et l'expédition, dotée de grands moyens, partit à la fin du printemps de l'année 415.

Peu de jours auparavant, un sacrilège avait soulevé l'indignation des Athéniens : les piliers portant une tête d'Hermès*, que la piété populaire, depuis les Pisistratides, avait multipliés dans les rues et sur l'Agora, avaient été mutilés de nuit par des inconnus. Une enquête fut ouverte et l'on voulut y impliquer Alcibiade, soupçonné déjà d'avoir participé à une parodie des Mystères d'Eleusis. Un vaisseau vint le chercher en Sicile, mais il s'échappa et gagna Sparte. Là il peignit sous les couleurs les plus inquiétantes les ambitions de sa patrie en Occident. Les Lacédémoniens suivirent ses conseils, envoyèrent à Syracuse le Spartiate Gylippos pour diriger la résistance à l'invasion et décidèrent de rouvrir les hostilités en Grèce propre. Ces mesures furent couronnées de succès : après deux ans d'opérations infructueuses et malgré les renforts que lui amena le meilleur général athénien, Démosthène, le corps expéditionnaire échoua dans ses tentatives pour emporter Syracuse de vive force, puis subit à son tour les attaques des Syracusains habilement commandés par Gylippos, attaques sous lesquelles il finit par succomber dans l'été 413. Nicias et Démosthène furent mis à mort par les vainqueurs. Les survivants, faits prisonniers, subirent une captivité rigoureuse dans les carrières, ou *latomies**, de Syracuse avant d'être vendus comme esclaves.

Cependant la guerre reprenait en Grèce propre. En cette même année 413, les Lacédémoniens, sur le conseil d'Alcibiade, envahirent l'Attique et fortifièrent le bourg de Décélie, au pied du Parnès, d'où ils dominaient la région d'Athènes. Ce poste, étant tenu toute l'année, leur permit désormais d'exercer en permanence le blocus terrestre de la ville en l'empêchant d'utiliser les ressources de la campagne attique et en particulier les mines d'argent de Laurion, dont les mineurs esclaves prirent la fuite. L'histoire des années 412-404, extrêmement complexe, montre à la fois les efforts désespérés faits par Athènes pour échapper à la pression de ses ennemis extérieurs et ses tentatives répétées pour réformer un régime politique tenu pour responsable du désastre de Sicile. Les ambitions des particuliers y jouent leur rôle au milieu des opérations militaires dont elles commandent souvent l'issue. Lutte pathétique et sans merci, où chacun joue sa tête en même temps que le sort de la République. Exploits guerriers, négociations diplomatiques, combinaisons louches élaborées par des aventuriers, mouvements populaires suscités par des démagogues, intrigues des sociétés secrètes ou *hétairies*, assassinats politiques, condamnations à mort, massacres de prisonniers, voilà ce que l'historien de ces années mouvementées rencontre à chaque instant. Des figures originales d'hommes politiques qui sont en même temps des chefs de guerre passent à travers ces péripéties : Alcibiade d'abord, puis, parmi les Athéniens, Théramène, représentant du parti modéré, le démocrate Thrasybule ou le stratège Conon*; parmi les Lacédémoniens, Lysandre*, général énergique et habile, négociateur rusé et sans scrupules; parmi les Perses, les satrapes Pharnabaze et Tissapherne et le fils cadet du Grand Roi, Cyrus le Jeune, qui organisera l'expédition des Dix Mille. Car désormais le rôle des Perses est déterminant dans l'évolution du conflit. Les temps sont révolus où les Grecs s'unissaient contre la menace asiatique ! Au contraire, ils se disputent l'alliance du monarque achéménide et de ses représentants en Anatolie : plus que d'un appui militaire qui ne se manifeste guère sur le champ de bataille, ils ont besoin de l'or du roi pour payer les frais de la guerre et débaucher par une surenchère opportune les mercenaires de l'autre camp. Ce facteur sera décisif pour la victoire finale de Sparte.

La guerre se déroule essentiellement sur mer, où elle est à la fois plus coûteuse et plus meurtrière. Athènes cherche désespérément à conserver son empire, qui se révolte de toutes parts, et les lignes de communication indispensables à son ravitaillement. Coupée de l'Egypte, un de ses deux principaux fournisseurs de céréales, par la défection de Rhodes, elle luttera jusqu'au bout pour garder ouverts les Détroits afin de recevoir les convois de blé en provenance de la Russie méridionale. En Ionie, les rébellions se multiplient : seule l'île de Samos, où les Athéniens ont installé un régime démocratique, offre à leur flotte un point d'appui sûr. Mais marins et soldats en station à Samos voient avec colère la révolution oligarchique qui, en leur absence, éclate à Athènes sous l'influence combinée des hétairies aristocratiques, inspirées par l'orateur Antiphon, et du parti modéré, dirigé par Théramène. En 411, pendant quelques mois, la démocratie fut supprimée et remplacée par un régime oligarchique, dit des *Quatre-Cents*. Mais ces derniers ne purent conserver l'appui de Théramène qui rétablit provisoirement le régime antérieur après accord avec la flotte de Samos, commandée par Thrasybule. Alcibiade, qui s'était brouillé avec Sparte, rentra en grâce auprès de ses compatriotes et c'est sous son commandement que les forces unies de Thrasybule et de Théramène remportèrent en 410 une grande victoire navale devant Cyzique. Sparte offrit la paix, que l'Assemblée d'Athènes eut l'imprudence de refuser. Jusqu'en 408, la flotte athénienne remporta bien de nouveaux succès en Thrace et dans les Détroits, mais l'arrivée de Lysandre* comme amiral de la flotte péloponnésienne et les secours financiers qu'il reçut de Cyrus le Jeune retournèrent la situation. Lysandre débaucha les rameurs des trières athéniennes en offrant une solde supérieure et s'assura l'avantage dans une première bataille. Alcibiade, tenu pour responsable, dut céder son commandement à Conon et se réfugia en Chersonèse. En 406, Athènes fit un nouvel effort : sa flotte, considérablement renforcée, battit l'escadre péloponnésienne aux îles Arginuses, sur la côte asiatique, en face de Lesbos. Ce fut l'ultime sourire de la fortune. Le peuple athénien ne sut pas en profiter : bien plus, dans un mouvement de colère irraisonnée, il punit de mort les stratèges vainqueurs, à qui il reprochait d'avoir négligé de sauver les équipages des vaisseaux coulés dans la bataille. Parmi les généraux victimes de cette procédure illégale figurait un fils de Périclès. L'année suivante, Lysandre, par une ruse de guerre habile, surprenait la flotte athénienne au mouillage sur la côte de Chersonèse, près de l'embouchure de l'Ægospotamos, et il la détruisait complètement, capturant les navires et les équipages, à l'exception d'un petit détachement commandé par Conon, qui s'échappa. Cette défaite était décisive. Dès novembre 405, le Pirée était bloqué, et la population assiégée dans la ville commençait à souffrir de la famine. Elle résista quatre mois et se rendit en avril 404, acceptant les conditions du vainqueur : destruction des Longs Murs, livraison des derniers vaisseaux de guerre, soumission aux ordres de Sparte en politique extérieure. Encore les Lacédémoniens s'étaient-ils montrés généreux en refusant d'accéder à la demande de leurs alliés, Thèbes et Corinthe, qui voulaient appliquer à Athènes le traitement sanguinaire qu'elle avait elle-même infligé à Milo, à Mytilène et à d'autres villes. On démolit aussitôt les Longs Murs, au son de la flûte : il semblait que la Grèce entrât dans une ère de liberté.

●

Si l'effondrement de l'empire athénien pouvait faire naître pareille espérance, elle ne dura pas longtemps. Sparte, chef incontesté de la coalition victorieuse, se montra vite incapable de jouer le rôle directeur qui lui revenait dans la réorganisation du monde hellénique : attaché à sa politique traditionnelle d'hégémonie continentale, gêné par l'alliance perse, dont les subsides lui étaient nécessaires pour sa flotte, affaibli par une évolution intérieure, conséquence de son système politique et social, qui réduisait progressivement le nombre des Spartiates proprement dits par rapport aux classes inférieures et aux hilotes, l'État lacédémonien n'avait ni assez d'hommes, ni des vues politiques assez larges pour imposer aux cités grecques, jalouses de leur autonomie, une autorité susceptible de coordonner leurs efforts et d'apaiser leurs querelles. Le prestige personnel de Lysandre, à qui les Grecs rendirent après sa victoire des honneurs exceptionnels, lui permit, certes, de dominer un temps les anciens alliés d'Athènes, installant partout au pouvoir les partis oligarchiques, appuyés sur des garnisons lacédémoniennes aux ordres d'un gouverneur spartiate ou *harmoste*. Mais dès la fin de 403 Sparte, toujours méfiante à l'égard des individus d'exception, retirait tout pouvoir à ce « roi sans couronne » et revenait à ses vieilles préoccupations d'hégémonie dans le Péloponnèse en réprimant les velléités d'indépendance manifestées par les Éléens.

Athènes, après sa défaite, avait connu pendant quelques mois une violente réaction antidémocratique. Le gouvernement de la cité fut confié à une commission de trente citoyens, parmi lesquels figuraient Théramène et Critias, un aristocrate intelligent et cyniquement ambitieux, disciple de Socrate et oncle de Platon. Forts de la présence d'une garnison lacédémonienne installée par Lysandre, les Trente firent régner la terreur dans la cité, livrant au bourreau plus de 1 500 citoyens et de nombreux métèques, et confisquant à leur profit les biens des condamnés et de ceux qui avaient cherché leur salut dans l'exil. Théramène, toujours modéré, s'efforça en vain de s'opposer à ces violences : Critias le fit exécuter par ses séides sans que le Conseil des Cinq-Cents, terrorisé, osât l'en empêcher. Mais les émigrés, regroupés par Thrasybule qui avait trouvé refuge en Béotie, rentrèrent en Attique, occupèrent la forteresse de Phylé, puis s'emparèrent du Pirée. Après une lutte fratricide entre gens de la ville et gens du Pirée, au cours de laquelle Critias périt dans un combat, les Trente furent chassés, puis, sous la menace d'une armée lacédémonienne revenue en Attique, une réconciliation intervint entre les deux partis. En 403-402, sous l'archontat d'Euclide*, une amnistie générale fut conclue, dont seuls étaient exclus les Trente et quelques magistrats, et la démocratie traditionnelle fut remise en vigueur.

Le peuple respecta rigoureusement le pacte d'amnistie et prit à sa charge le remboursement des dettes que les gens de la ville avaient contractées auprès des Lacédémoniens pour combattre les gens du Pirée. Toutefois, le souvenir des excès commis par les oligarques ne s'effaça que lentement et les haines qu'ils avaient suscitées jouèrent leur rôle dans le procès de Socrate* : en lui imputant le crime d'impiété et de corruption de la jeunesse, son accusateur Mélétos, soutenu par le démocrate Anytos, réveillait chez les juges le sentiment obscur que le philosophe était pour une part responsable, non seulement des spéculations audacieuses et des critiques destructrices qui ébranlaient les fondements moraux de la cité, mais aussi du comportement scandaleux de ses disciples, aristocrates insolents et sceptiques, Alcibiade, Charmide et surtout Critias. L'étonnant n'est pas que Socrate ait été condamné : c'est qu'il l'ait été à une aussi faible majorité. Sa résignation héroïque devant la mort, le respect qu'il témoigna aux lois de la cité en refusant de s'enfuir pour se soustraire à la condamnation firent sur ses amis une impression considérable que Platon et Xénophon communiquèrent à leurs contemporains. Sa fin dramatique contribua de la sorte à répandre son enseignement.

Ainsi occupée à sa restauration intérieure, Athènes laissait docilement Sparte mener le jeu dans les relations avec la Perse. Celle-ci venait de subir une crise grave, à laquelle des Grecs se trouvaient mêlés. A la mort du roi Darius II, son fils cadet, Cyrus le Jeune, qui avait joué un rôle important dans les dernières années de la guerre du Péloponnèse, se souleva contre son frère aîné, devenu roi sous le nom d'Artaxerxès II. Il recruta un corps de mercenaires grecs pour renforcer l'armée dont il disposait en Anatolie et marcha sur Babylone. A l'automne 401, il se heurta à l'armée royale à Cunaxa, en Mésopotamie, et fut tué dans la bataille. Les quelque 13 000 mercenaires grecs, abandonnés à eux-mêmes, firent alors retraite vers le nord, le long du Tigre, puis traversèrent l'Arménie et arrivèrent au printemps suivant à Trébizonde, sur la mer Noire, d'où ils regagnèrent l'Europe. L'épopée des Dix Mille*, comme on l'appela du nombre approximatif des survivants, frappa l'imagination des contemporains : elle révélait la faiblesse profonde de l'empire achéménide, qui n'avait pu arrêter cette petite troupe au cours de sa longue retraite, et elle exalta la confiance des Grecs dans leur supériorité militaire sur les Orientaux. Brillamment contée par Xénophon dans l'*Anabase*, qu'il rédigea comme témoin oculaire et acteur de cette aventure, elle devait plus tard inspirer les projets d'Alexandre.

En cette même année 400, Sparte rompait avec le Grand Roi, dont le satrape Tissapherne voulait rétablir la domination effective sur les cités grecques d'Ionie. La guerre fut une succession d'opérations décousues menées en Asie Mineure par des armées lacédémoniennes que la nécessité de rafler du butin pour remplir leurs caisses empêcha de construire une stratégie efficace. Le roi de Sparte Agésilas* s'y distingua par son activité et son énergie. A Chypre, l'Athénien Conon, réfugié auprès du roi Evagoras depuis la défaite d'Ægospotamos, organisait une escadre pour le compte des Perses. Enfin les émissaires du Grand Roi parcouraient la Grèce propre, distribuant l'or à pleines mains pour soulever contre Lacédémone les cités jalouses de son autorité.

Leurs efforts aboutirent en 395 à former une coalition où entrèrent Thèbes, que Sparte menaçait alors directement à la suite d'un incident en Phocide, Athènes, Argos et Corinthe. Lysandre fut tué dans un combat malheureux en Béotie. Rappelé d'Asie, comme le Grand Roi l'avait souhaité, Agésilas remportait une victoire à Coronée (394) sur les forces des coalisés. Mais Athènes relevait les Longs Murs et la flotte de Conon battait une escadre péloponnésienne dans les eaux de Cnide. Bientôt les côtes de Laconie subissaient de nouveau des attaques maritimes. D'autres opérations se déroulaient autour de l'isthme de Corinthe, d'où le nom de *Guerre de Corinthe* que l'on donne à toute cette guerre. On y vit à l'œuvre pour la première fois l'infanterie légère (les *peltastes*) de l'Athénien Iphicrate, qui introduisait un élément nouveau dans l'art militaire. La flotte athénienne, reconstituée, remporta des succès en mer Egée sous le commandement de Thrasybule. Sparte riposta en interceptant dans les Détroits les convois de ravitaillement à destination d'Athènes et en exécutant depuis Egine des coups de main sur le Pirée. La lassitude intervint alors chez les ennemis de Lacédémone. Le Spartiate Antalcidas négocia avec les Perses, et Artaxerxès fit connaître les conditions qu'il proposait aux Etats grecs. Après de longues hésitations, ceux-ci finirent par souscrire à la *Paix du Roi* (386). Ils reconnaissaient au monarque achéménide la possession des cités d'Asie et de Chypre. Les autres cités grecques, petites ou grandes, resteraient autonomes. Athènes gardait Lemnos, Imbros et Scyros, où elle avait réinstallé ses clérouques. Le Roi était le garant de ces conventions : il en était aussi le bénéficiaire, puisqu'il reprenait le contrôle des Grecs d'Anatolie et que la Grèce d'Europe, en raison du principe de l'autonomie des cités, devait rester une poussière d'Etats impuissants à tenter une grande entreprise. C'était la revanche des guerres médiques.

En Occident, l'hellénisme avait dû affronter une offensive redoutable de Carthage, qui mettait à profit les dissensions entre cités grecques pour reprendre son expansion en Sicile, arrêtée depuis la victoire de Gélon à Himère en 480. Les troupes puniques emportèrent d'assaut Sélinonte et Himère en 408, prirent Agrigente et la rasèrent, occupèrent Géla, menacèrent Syracuse. Celle-ci s'était soumise, au cours des opérations militaires, à un jeune officier énergique, Denys, qui, élu stratège unique, avait établi sa tyrannie en massacrant ses adversaires. La peste, qui s'était mise dans le camp des Puniques, les engagea à traiter : Denys accepta de reconnaître la mainmise de Carthage sur la majeure partie de la Sicile (404). Puis il s'employa à reconstituer ses forces : il étendit les fortifications de Syracuse au point d'en faire la plus grande ville du monde hellénique; il rassembla des troupes nombreuses de mercenaires tant grecs que barbares; il constitua un parc de machines de guerre et construisit une flotte de 300 navires, non seulement des trières, mais aussi des vaisseaux à quatre et cinq rangs de rames. Avec ces armements puissants, il attaqua Carthage en 397 et, après une longue guerre où il connut de brillants succès, mais aussi des revers, il conclut en 392 un nouveau traité, qui réduisait sensiblement la zone d'influence punique. Denys se tourna alors vers d'autres entreprises en Italie méridionale où, en s'appuyant sur les populations indigènes de Lucanie, il conquit tout le Bruttium avec les villes grecques de Locres, de Crotone et enfin de Rhégion, dont la possession lui assurait le contrôle de l'autre rive du détroit (387). En même temps, sa flotte dominait la mer Ionienne et permettait aux marchands syracusains de pénétrer jusqu'au fond de l'Adriatique : ils installaient des comptoirs à Lissos en Illyrie, à Adria dans le delta du Pô, enfin à Ancône, excellent port sur la côte italienne. Un raid maritime sur le territoire de la ville étrusque d'Agylla (Caere) fit peser la menace des vaisseaux syracusains sur la mer Tyrrhénienne. Toutefois, malgré deux nouvelles guerres contre Carthage, Denys ne parvint pas à expulser les Puniques de Sicile : en fin de compte, les adversaires convinrent de respecter comme limites de leurs territoires respectifs la rivière d'Himère au nord, le fleuve Halycos au sud. Les Carthaginois gardaient ainsi le tiers occidental de l'île, avec Sélinonte et Ségeste. Le reste demeurait aux Grecs, sous le contrôle de Syracuse.

Ces entreprises et ces succès avaient valu à Denys l'Ancien (ainsi nommé

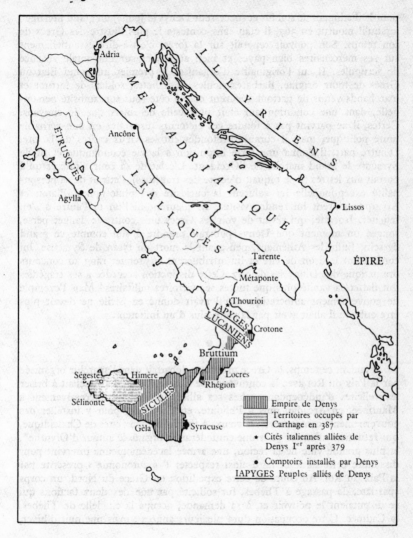

MER ADRIATIQUE

ILLYRIENS

ÉTRUSQUES

ITALIQUES

ÉPIRE

Adria

Ancône

Agylla

Lissos

Tarente

Métaponte

Thourioi

IAPYGES
LUCANIENS

Crotone

Bruttium

Locres

Ségeste · Himère

Rhégion

Sélinonte

SICULES

Gèla · Syracuse

Empire de Denys

Territoires occupés par
Carthage en 387

★ Cités italiennes alliées de
Denys Iᵉʳ après 379

● Comptoirs installés par Denys

IAPYGES Peuples alliés de Denys

pour le distinguer de son fils et successeur Denys le Jeune) un grand prestige : lorsqu'il mourut en 367, il était sans conteste le plus illustre des Grecs de son temps. Son pouvoir reposait sur la force, c'est-à-dire essentiellement sur ses mercenaires bien payés et bien armés, et sur une totale absence de scrupules. Il eut l'originalité d'organiser le premier un grand Etat où Grecs de toute origine, Barbares sicules ou italiotes, soldats de fortune et marchands venus de partout vécurent côte à côte sous son autorité personnelle, dans une condition qui était plus celle de sujets que de citoyens. Certes, il ne parvint pas à fondre ces éléments disparates en une véritable unité politique, mais il ébranla profondément les vieux cadres de la cité. D'autre part, il donna une forte impulsion à la vie économique et fit de Syracuse le grand marché de l'Occident. L'éclat de sa cour, l'intérêt qu'il portait aux lettres (il se piquait d'écrire des tragédies), l'attrait de sa personnalité exceptionnelle lui valurent la curiosité des philosophes. Platon et Aristippe vinrent lui rendre visite : ils n'eurent ni l'un ni l'autre à s'en féliciter. Isocrate, qui rêvait de voir les Grecs unis contre le danger perse, songea un moment que Denys pourrait prendre à son compte ce grand dessein. Enfin les Athéniens, peu avant la mort du tyran de Syracuse, lui conférèrent le droit de cité et lui attribuèrent le premier rang au concours dramatique des Dionysies de 367. Cette distinction accordée à ses tragédies dut flatter sa vanité plus que toutes ses victoires militaires ! Mais l'exemple de gouvernement autocratique qu'il avait donné en Sicile ne devait plus être oublié : il allait avoir par la suite plus d'un imitateur.

●

Pendant ce temps, la Grèce propre se débattait dans l'anarchie organisée par la Paix du Roi avec la connivence de Sparte. Celle-ci s'attachait à briser les velléités d'indépendance chez ses alliés, intervenant successivement à Mantinée, en Arcadie, puis à Phlionte, en Corinthie, pour y installer des gouvernements conformes à ses vœux. A l'appel de deux cités de Chalcidique, qui refusaient d'entrer dans une confédération organisée autour d'Olynthe*, la plus grande ville de la région, une armée lacédémonienne intervint pour dissoudre cette ligue et faire ainsi respecter l' « autonomie » prescrite par la Paix du Roi. Au cours de cette expédition en Grèce du Nord, un corps spartiate, de passage à Thèbes, fut sollicité par une des deux factions qui se disputaient le pouvoir et, à sa demande, occupa la citadelle de Thèbes, la Cadmée. Cette occupation dura plusieurs années : mais une nuit d'hiver, en 379, quelques patriotes thébains, dirigés par Pélopidas*, massacrèrent les magistrats favorables à Sparte et libérèrent la ville, obligeant la garnison lacédémonienne à se retirer. Les armées que Sparte envoya par la suite en Béotie furent impuissantes à réduire Thèbes à composition.

Athènes, en dépit de sa vieille méfiance pour sa voisine du Nord, avait pris assez vite fait et cause en sa faveur contre Sparte : les hommes nouveaux qui présidaient aux destinées de la ville, l'orateur Callistratos*, les généraux Chabrias*, Iphicrate et Timothéos*, le fils de Conon, étaient décidés à profiter des circonstances pour restaurer le prestige de leur patrie. En 377, leurs efforts aboutissaient à la constitution de la deuxième Confédération maritime qui, un siècle exactement après la première, groupait autour d'Athènes la plupart des cités insulaires de la mer Egée et des villes grecques de la côte thrace. Une série de traités bilatéraux, conclus depuis 384-383, avait préparé cette nouvelle organisation, qui associait sur un pied d'égalité Athènes et l'ensemble de ses alliés. Ces derniers se réunissaient en un Conseil (*Synedrion*) auquel Athènes ne participait pas. Les décisions de ce Conseil étaient prises à la majorité des voix, chaque cité disposant d'un vote. De son côté, l'Etat athénien prenait ses propres décisions. Si celles-ci coïncidaient avec celles du *Synedrion* des alliés, alors, et dans ce cas seulement, la Confédération agissait en tant que telle, Athènes ayant qualité pour diriger les opérations communes. Pour faire face aux dépenses confédérales, les alliés versaient des contributions fixées par le *Synedrion*, et non un tribut. Athènes, de son côté, assumait la charge d'entretenir ses propres forces militaires. Elle fournit ainsi un effort considérable qui lui permit de remporter sur mer plusieurs succès contre les vaisseaux péloponnésiens, non seulement dans les Cyclades, mais aussi en mer Ionienne où Timothéos conduisit une escadre vers Corcyre et l'Acarnanie. En 374, soucieuse de réduire ses dépenses et préoccupée des progrès de Thèbes, Athènes fit la paix avec Sparte sur la base du *statu quo* : elle avait regagné la supériorité sur mer.

Pendant ce temps Thèbes avait reconstitué à son profit la ligue des cités béotiennes, tandis qu'en Thessalie un chef énergique, Jason, tyran de Phères, unifiait la région sous son autorité. Cet élève du sophiste Gorgias avait rassemblé une forte armée de mercenaires, appuyée par l'excellente cavalerie thessalienne : sa présence introduisait un élément nouveau en Grèce centrale. De là pour Athènes des sujets de préoccupation qui l'incitèrent à se rapprocher de Sparte, en dépit de nouvelles difficultés qui les avaient opposées à propos des affaires de Corcyre. En 371, une conférence de la paix se réunit à Sparte, avec des représentants des principaux Etats grecs, y compris Denys de Syracuse, et un représentant du Grand Roi. On convint de réaffirmer les principes de la Paix du Roi. Mais un conflit éclata à propos de la Béotie : le plénipotentiaire de Thèbes, Epaminondas★, voulait signer le traité au nom de tous les Béotiens et non de Thèbes seule. Le roi de Sparte Agésilas s'y opposa absolument et Epaminondas quitta Sparte sans avoir signé le traité.

Aussitôt, Sparte donna l'ordre à l'armée lacédémonienne stationnée en Phocide de marcher contre les Thébains, qui refusaient de reconnaître l'autonomie des autres cités béotiennes. A quelques kilomètres au sud-ouest de Thèbes, près du bourg de Leuctres, le choc eut lieu (371). Epaminondas, qui commandait les forces de Thèbes, employa une innovation tactique de grande conséquence : contrairement à l'usage traditionnel, il concentra ses meilleures troupes à l'aile gauche, les disposa en profondeur et écrasa sous une attaque massive l'aile droite des Lacédémoniens : le roi Cléombrote et 400 Spartiates restèrent sur le champ de bataille. Cette victoire mettait fin à la supériorité militaire de Sparte en rase campagne et faisait de Thèbes un nouveau prétendant à l'hégémonie en Grèce propre. Le succès thébain était étroitement lié à l'action personnelle d'Epaminondas. Son intégrité, son patriotisme, son génie militaire surtout allaient porter sa patrie au premier rang.

L'assassinat de Jason de Phères, en 370, faisait disparaître un voisin redoutable : Thèbes en profita pour étendre son influence en Thessalie. Mais en même temps Epaminondas s'engageait dans le Péloponnèse, où les Arcadiens soulevés contre Sparte faisaient appel à son concours. En 370-369, il envahit la Laconie jusqu'alors inviolée, où le vieil Agésilas put seulement défendre la ville de Sparte, mais dut laisser les Thébains ravager la campagne. La Messénie, de nouveau soulevée, fut définitivement soustraite au joug lacédémonien : elle eut comme centre la ville nouvelle de Messène★, sur les pentes du mont Ithôme, où ses fortes murailles sont encore debout. L'Etat spartiate perdait ainsi l'essentiel de ses ressources : sa décadence était désormais inéluctable. En Arcadie, les cités se groupaient en une confédération et se donnaient une capitale en fondant une ville neuve aux dimensions exceptionnelles, Mégalopolis★ : sa présence sur les frontières de la Laconie devait barrer le chemin à toute nouvelle entreprise de Lacédémone. L'hégémonie de Sparte dans le Péloponnèse était détruite.

Ces brillants succès de Thèbes entraînèrent une alliance entre Sparte et Athènes qui s'efforcèrent de s'assurer l'appui des Perses : mais Pélopidas, l'envoyé des Thébains à Suse, sut gagner la faveur du Grand Roi qui reconnut

l'indépendance de la Messénie et réclama le désarmement de la flotte athénienne (367). La guerre reprit de toutes parts. Tandis que Thèbes établissait une garnison à Oropos, sur la frontière même de l'Attique, les Athéniens, grâce à Timothéos, occupaient Samos, d'où ils chassaient les Perses, et y installaient des clérouques. Ils faisaient de même à Potidée, en Chalcidique, et soumettaient plusieurs autres villes dans cette région. Mais Thèbes n'était pas inactive : elle construisit une flotte basée dans un port de Locride, sur le détroit d'Eubée, et Epaminondas alla soulever contre Athènes Byzance et les Détroits. Le prestige naval d'Athènes se trouvait fort ébranlé.

Toutefois la situation restait confuse dans le Péloponnèse, où un conflit opposait les Eléens et les Arcadiens. Puis des dissensions éclatèrent au sein de la Confédération arcadienne entre Mantinée et Tégée. Sparte, Athènes et Elis soutenaient Mantinée. Thèbes appuya Tégée et envoya Epaminondas à son secours en 362. Aux environs de Mantinée, une armée lacédémonienne, renforcée de contingents athéniens et mantinéens, attendait l'attaque des Thébains. Comme à Leuctres, Epaminondas forma son aile gauche « en forme de proue » et brisa la résistance des Spartiates. Mais il tomba dans la bataille à la tête de ses hoplites : avec cet homme de génie disparaissait la chance qu'avait Thèbes d'assumer la direction des affaires grecques. Privée de son chef, l'armée thébaine ne tira pas profit de sa victoire. Plus que jamais le désordre régnait en Grèce.

●

La situation n'était pas plus brillante en Occident où la mort de Denys l'Ancien avait laissé le gouvernement de Syracuse à son fils Denys le Jeune (367-357), qui n'avait pas les qualités paternelles. Pour conseiller le jeune souverain, un beau-frère de son père, Dion, fit venir de nouveau Platon, mais ce deuxième voyage du philosophe en Sicile ne fut pas plus heureux que le premier. Très vite, Denys se brouilla avec Dion, qui fut exilé et se retira à Corinthe. Quelques années plus tard, le banni, appuyé par Carthage, rentra victorieusement à Syracuse. Denys s'enfuit à Locres, laissant Dion* exercer la tyrannie au prix de violences qui lui valurent d'être assassiné en 354. Ce fut le début d'une période de troubles où l'Empire syracusain, passant de main en main, se désagrégea. Denys lui-même, revenu au pouvoir en 347, fut impuissant à le restaurer : dans chaque ville de Sicile, à Catane comme à Taormine, à Messine comme à Léontini, un tyran local avait surgi. Les Syracusains se retournèrent vers leur métropole, Corinthe, qui leur envoya en 344 un médiateur, Timoléon*. Accueilli favorablement par le tyran de Taormine, Timoléon obtint que Denys le Jeune renonçât à la tyrannie. Comme ses adversaires avaient fait appel aux Carthaginois, il fallut d'abord écarter cette menace. Vainqueur sur le fleuve Crimisos en 341, Timoléon conclut la paix deux ans plus tard, après avoir reconquis les territoires grecs en Sicile jusqu'à la frontière, reconnue déjà par Denys l'Ancien, de la rivière d'Himère et du fleuve Halycos. Puis il rétablit l'ordre intérieur, abolissant toutes les tyrannies, sauf celle d'Andromachos à Taormine, qui l'avait aidé depuis le début : les cités grecques furent groupées en une confédération dont Syracuse prit la tête. A Syracuse même, il établit un régime mixte, où, à côté de l'assemblée du peuple, un conseil de 600 membres jouait un rôle directeur. Ayant ainsi achevé sa tâche et rendu la paix à la Sicile épuisée par vingt ans d'anarchie, Timoléon résigna en 337 la magistrature suprême qui lui avait été conférée avec le titre de stratège muni de pleins pouvoirs et il finit paisiblement ses jours à Syracuse comme un simple particulier, donnant un rare exemple de modération et de civisme dans une époque si troublée.

En Grèce propre, l'instauration d'un ordre nouveau que les cités grecques avaient été impuissantes à établir elles-mêmes fut le fait d'une intervention étrangère, celle du royaume de Macédoine. On discute encore pour savoir si les Macédoniens étaient ethniquement des Grecs. Il est sûr du moins que ce peuple de rudes paysans et de montagnards, établi autour du golfe Thermaïque et dans les montagnes avoisinantes, entre la chaîne du Pinde et la basse vallée du Strymon, resta longtemps en marge du monde hellénique. En revanche, ses souverains héréditaires, la dynastie des Argéades, prirent dès le début du Ve siècle une part active à la vie grecque. A la fin du Ve siècle, le roi Archélaos, qui s'intéressait aux lettres, reçut à sa cour de Pella les poètes Euripide et Agathon, le musicien Timothéos de Milet, le peintre Zeuxis. La Macédoine jouait un rôle dans les affaires internationales et entra plus d'une fois dans l'alliance des Etats grecs. Elle disposait de ressources appréciées, en particulier du bois de charpente indispensable pour les constructions navales. Le roi, appuyé par des grands qui portaient fièrement le titre de « compagnons » du roi, ou *hétaires*, pouvait compter aussi sur le soutien fidèle d'une paysannerie qui fournissait d'excellents fantassins, les *pézétaires*. Cette monarchie militaire, fondée sur des sentiments forts d'allégeance personnelle à l'égard du souverain, pouvait devenir un remarquable outil politique entre les mains d'un roi énergique et ambitieux. Ce fut le cas avec Philippe, fils d'Amyntas.

Depuis la mort d'Amyntas III en 370, le royaume de Macédoine avait connu bien des querelles dynastiques. Philippe, fils cadet du roi défunt, était tout jeune encore et passa plusieurs années à Thèbes comme otage :

il y connut Epaminondas et Pélopidas et s'y familiarisa avec la politique grecque. Il avait vingt-deux ans en 359 quand il fut choisi comme régent du royaume, à la mort de son frère Perdiccas III, dont le fils était en bas âge. En peu de temps, le jeune régent rétablit une situation qui paraissait très compromise : il se débarrassa des autres prétendants au titre royal, s'entendit avec Athènes en promettant de lui faciliter la reconquête d'Amphipolis, d'où il retira la garnison macédonienne, installée là par Perdiccas, puis il battit les Illyriens à l'ouest et soumit les Péoniens au nord de la Macédoine. Avec la phalange des *pézétaires* et la cavalerie lourde menée par les *hétaires*, il avait organisé une puissante armée qui, en reconnaissance de ses succès, le déclara roi.

Son premier objectif fut d'assurer à la Macédoine un libre débouché sur la mer. Les meilleurs ports de ses côtes, Pydna, Méthoné, étaient des colonies grecques alliées d'Athènes. Mais Athènes se débattait depuis des années dans des difficultés diplomatiques et financières pour essayer de conserver le contrôle des Détroits et la cohésion de sa Confédération maritime. Celle-ci fut sérieusement ébranlée lorsqu'en 357 Chio, Rhodes et Byzance, soutenues par le dynaste carien Mausole*, qui gouvernait Halicarnasse pour le compte du Grand Roi, formèrent une alliance séparée, indépendante de la Confédération. Il s'ensuivit une guerre au cours de laquelle Athènes échoua dans ses efforts pour ramener les rebelles à l'obéissance. La paix conclue en 355 consacrait l'affaiblissement de la Confédération : chez les Athéniens, le parti modéré, conduit par Eubule*, politique et financier habile, avait fait prévaloir ses vues et le peuple ne voulait plus ni payer, ni servir. Philippe profita de la situation : successivement il s'empara d'Amphipolis qu'Athènes avait vainement tenté de reconquérir depuis des années, puis de Pydna, et enfin de Méthone, devant laquelle il perdit un œil (354). Les débouchés de la Macédoine sur la mer étaient désormais assurés. Entretemps, il avait pris Potidée en Pallène, mais l'avait cédée à la Confédération de Chalcidique, après en avoir expulsé les clérouques athéniens. Vers l'est, franchissant le Strymon au-delà d'Amphipolis, il avait conquis une colonie de Thasos, Crénidès, dans la plaine au pied du mont Pangée : par une innovation de grande conséquence, il en fit une cité nouvelle, à laquelle il donna son nom, Philippes, premier exemple d'un usage qui devait se répandre largement à l'époque hellénistique. Les mines d'or du Pangée lui fournirent le moyen de payer ses mercenaires et d'acheter des consciences. Les monnaies de Philippe allaient désormais jouer dans le monde grec le rôle que l'or perse y avait joué depuis un siècle.

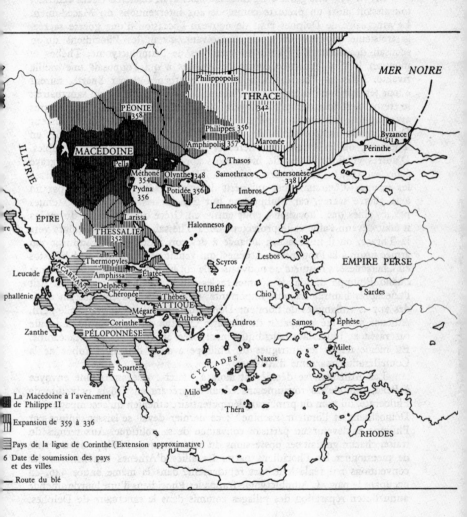

MER NOIRE

Philippopolis

THRACE
342

PÉONIE
358

Philippes 356

Amphipolis 357

Maronée

Byzance

Périnthe

ILLYRIE

MACÉDOINE

Pella

Thasos

Méthoné
354

Olynthe 348

Samothrace

Chersonèse
338

Pydna
356

Potidée 356

Imbros

ÉPIRE

Larissa

Lemnos

Halonnesos

EMPIRE PERSE

THESSALIE
352

Thermopyles

Scyros

Lesbos

Leucade

ACARNANIE

Amphissa

Élatée

Sardes

phallénie

Delphes

Chéronée

EUBÉE

Chio

Zanthe

Thèbes

ATTIQUE

Mégare

Corinthe

Athènes

Andros

Samos

Éphèse

PÉLOPONNÈSE

Milet

CYCLADES

Naxos

Sparte

Milo

Théra

RHODES

La Macédoine à l'avènement
de Philippe II

Expansion de 359 à 336

Pays de la ligue de Corinthe (Extension approximative)

6 Date de soumission des pays
et des villes

Route du blé

Or, en 356, une grave crise internationale avait éclaté en Grèce centrale, fournissant ainsi un prétexte commode aux interventions du Macédonien. Le sanctuaire de Delphes était de nouveau l'occasion d'une guerre sacrée, la troisième. Comme un siècle auparavant, c'était les Phocidiens qu'on accusait de sacrilège : parmi les membres de l'Amphictyonie, Thèbes se montrait la plus acharnée contre ces voisins à qui l'opposait une vieille rivalité. Mais les Phocidiens, appuyés par Athènes et par Sparte, mirent à leur tête un homme énergique, Philomélos, et s'emparèrent du sanctuaire : le trésor sacré leur donna les moyens de recruter une armée de mercenaires avec laquelle Philomélos, puis, après la mort de celui-ci, son successeur Onomarchos remportèrent des succès. Onomarchos pénétra même en Thessalie, où les tyrans de Phères et de Crannon lui étaient favorables. D'autres villes de Thessalie firent alors appel à Philippe. Après un grave échec en 353, le Macédonien revint en Thessalie l'année suivante et écrasa les troupes d'Onomarchos, qui périt dans la bataille. Cela ne mit pas fin à la guerre sacrée, car Philippe ne put franchir les Thermopyles, tenues par les alliés des Phocidiens, pour entrer en Grèce centrale, mais du moins il était devenu l'allié et le protecteur de la Thessalie. Il se tourna alors vers la Thrace, où il imposa son alliance à des rois indigènes et conduisit son armée jusqu'à la Propontide. Athènes, qui venait de reprendre pied à Sestos en Chersonèse, s'inquiéta de nouveau. Elle eut bien d'autres sujets de crainte quand Philippe décida de soumettre les villes de Chalcidique et les prit l'une après l'autre. La plus importante, Olynthe, tomba en 348. En dépit des appels enflammés de l'orateur Démosthène*, qui voyait grandir le péril, Athènes avait été incapable de secourir Olynthe en temps utile. La ville fut rasée et toute la Chalcidique incorporée au royaume de Macédoine. En même temps les intrigues de Philippe avaient détaché l'Eubée de la Confédération maritime d'Athènes.

Les Athéniens se décidèrent alors à traiter : une ambassade envoyée à Pella, capitale du royaume macédonien, prépara en 346 la paix dite de Philocrate, du nom du principal plénipotentiaire athénien qu'accompagnaient Démosthène et l'orateur Eschine* : ce dernier devait se laisser séduire par Philippe et devenir un partisan convaincu de sa politique. Aux termes du traité, chacun gardait ses possessions du moment, mais Philippe avait refusé de mentionner les Phocidiens parmi les alliés d'Athènes bénéficiaires des conventions : il régla leur sort rapidement, dans la même année 346, en occupant le pays. L'Amphictyonie frappa les Phocidiens d'une lourde amende annuelle en réparation des pillages commis dans le sanctuaire de Delphes.

Les deux voix dont ils disposaient au Conseil amphictyonique furent dévolues à Philippe ainsi que la présidence des Jeux Pythiques pour l'année en cours. Le roi de Macédoine se trouvait désormais officiellement admis dans le concert des Etats grecs.

Beaucoup de gens s'en réjouissaient : c'était le cas, en particulier, de ceux qui, avec le vieux rhéteur Isocrate, voyaient déjà dans le souverain macédonien le chef dont la Grèce avait besoin pour apaiser ses querelles et unir ses forces dans une entreprise commune contre la Perse achéménide. Mais d'autres, au premier rang desquels se trouvait Démosthène, tenaient la paix de Philocrate pour un armistice provisoire, juste bon à préparer la lutte décisive qu'ils considéraient comme inévitable. On le vit bien quand Démosthène, en 343, accusa Eschine d'avoir trahi sa patrie à l'occasion de l'ambassade de 346 : Eschine fut acquitté, mais la politique de Philippe et de ses partisans avait été attaquée avec violence au cours du procès et les passions populaires s'exaltaient de nouveau sur ce thème.

Philippe, de son côté, employait de son mieux le répit dont il disposait. Une nouvelle campagne contre les Illyriens, puis une intervention en Epire assurèrent ses arrières. En Thessalie, il réorganisa l'administration du pays, désormais réparti en quatre provinces, dont les chefs respectifs, ou *tétrarques*, lui étaient dévoués. Puis il se retourna vers la Thrace, qu'il soumit au-delà du Nestos jusqu'à la mer Noire et à la Propontide : tout le pays devint une possession royale gouvernée par un stratège nommé par Philippe. Les villes grecques du littoral, comme Byzance ou Périnthe, et les positions d'Athènes en Chersonèse étaient directement menacées. Craignant pour la route du blé, vitale pour son approvisionnement, Athènes se prépara de nouveau à la guerre, comme Démosthène l'y engageait. Aussi quand en 340 les troupes macédoniennes assiégèrent Périnthe, puis Byzance, la flotte athénienne intervint-elle en force. Philippe, qui avait échoué devant Périnthe, dut lever le siège de Byzance, secourue par le stratège athénien Phocion. Cet échec persuada le roi que la décision contre Athènes devait être obtenue par une intervention en Grèce propre.

Les affaires de Delphes allaient bientôt lui en fournir l'occasion. Pour détourner l'attention d'une plainte présentée au Conseil amphictyonique contre Athènes, le représentant athénien, Eschine, accusa les Locriens d'Amphissa d'avoir mis en culture indûment des terres consacrées à Apollon. Pour expier ce sacrilège, on décida une guerre sacrée contre les Locriens et la conduite en fut confiée à Philippe (339). Agissant avec une grande rapidité, celui-ci fit passer ses troupes en Phocide, avec l'accord des Phocidiens auxquels il promit une remise de l'amende dont ils avaient été frappés. Grâce à ce stratagème, il put tourner par l'ouest la position clef des Thermopyles, que les Béotiens occupaient, et déboucher à Elatée en Grèce centrale. Cette nouvelle bouleversa les Athéniens : ce fut la « surprise d'Elatée » et Démosthène dut s'employer à relever le courage de ses compatriotes. Prenant pleine conscience du danger, Athènes s'allia à Thèbes pour organiser la défense commune. Une armée groupant les forces des deux Etats se rassembla en Béotie pendant que Philippe s'occupait à châtier Amphissa, conformément à la mission dont les Amphictyons l'avaient chargé. Dans l'été 338, Philippe, à la tête de ses troupes, revint de Locride occidentale vers la haute vallée du Céphise béotien, où l'armée ennemie l'attendait près de Chéronée. L'aile gauche macédonienne, commandée par le jeune fils de Philippe, Alexandre, brisa la résistance des hoplites béotiens qui lui faisaient face : le « bataillon sacré » des Thébains se fit tuer jusqu'au dernier homme. Le contingent athénien subit de lourdes pertes, puis se débanda (2 août 338).

La victoire de Chéronée fut décisive. Toute résistance aux volontés de Philippe cessa. Thèbes fut durement traitée, reçut une garnison macédonienne à la Cadmée et perdit sa position prépondérante en Béotie. Athènes s'en tira aux moindres frais : elle abandonna seulement ses positions en Chersonèse de Thrace et accepta de dissoudre la Confédération maritime; elle gardait ses possessions extérieures, Lemnos, Imbros, Scyros et Samos, et reprenait même Oropos, sur la frontière de Béotie, qu'elle avait autrefois perdue; elle entrait enfin dans l'alliance de Philippe. Toutefois, dans sa défaite, le peuple athénien conserva assez de dignité pour confier à Démosthène le soin de prononcer, conformément à la tradition, l'éloge funèbre des soldats morts à Chéronée.

Le triomphe de Philippe marquait un tournant capital dans l'histoire de l'hellénisme. Un Etat monarchique et centralisé avait démontré d'une manière éclatante sa supériorité sur les coalitions éphémères que nouaient entre elles les cités autonomes. L'avenir appartenait aux grands royaumes et non aux petites républiques limitées au territoire d'une seule ville. La conception classique de la *polis* était désormais dépassée. On le vit bien lorsque Philippe, en 337, réunit à Corinthe une assemblée générale des Hellènes. Toutes les cités, sauf Sparte, y déléguèrent des représentants. Ils organisèrent entre eux la Ligue de Corinthe, qui pour la première fois donnait une forme fédérale à une sorte d'Etat panhellénique. La paix générale était instaurée entre les cités et il était défendu de la troubler

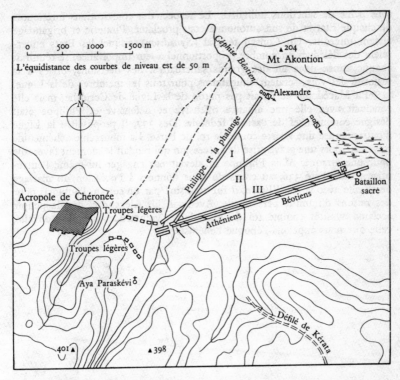

(D'après N.G.L. Hammond.) Les forces grecques, *Athéniens à l'aile gauche, Béotiens à l'aile droite*, étaient appuyées sur les marais du Céphise à droite, sur les contreforts montagneux voisins de Chéronée à gauche. Philippe engagea l'action par son aile droite qu'il commandait (position I), puis se replia volontairement (position II) avant que son aile gauche ait pris le contact. Les Athéniens, croyant l'emporter, avancèrent imprudemment à sa suite, désorganisant ainsi les lignes grecques. Un vide s'ouvrit entre le centre et le Bataillon sacré. Dans ce vide, Alexandre et la cava-lerie macédonienne chargèrent, tandis que toute la phalange reprenait sa marche en avant contre un ennemi en désordre. Le Bataillon sacré fut anéanti, les Grecs se débandèrent et les survivants s'enfuirent vers Lébadée par le défilé de Kérata. Le lion commémoratif élevé après la bataille pour servir de tombeau commun aux morts du Bataillon sacré a été rétabli sur son emplacement primitif, au pied des hauteurs, à peu près au milieu de l'emplacement occupé sur le plan ci-dessus par les troupes légères macédo-niennes.

sous peine de sanctions militaires. Le respect des constitutions intérieures de chaque Etat et de son autonomie était proclamé. Piraterie et brigandage étaient interdits. Un Conseil fédéral (*Synedrion*), auquel les Etats enverraient des délégués en nombre proportionnel à leur importance, se réunirait chaque année dans un des grands sanctuaires. Ses décisions, prises à la majorité des voix, seraient obligatoires pour tous les membres de la Ligue.

La Macédoine ne faisait pas partie de la Ligue de Corinthe, mais elle concluait avec elle une alliance offensive et défensive et Philippe était désigné comme chef de l'armée fédérale. Dès 337, il proposait à la Ligue d'entreprendre une guerre contre le roi de Perse. La monarchie achéménide traversait alors une grave crise de succession qui rendait le moment favorable pour une attaque. Mais Philippe ne devait pas engager lui-même l'entreprise : dans l'été 336, au cours de fêtes données à l'occasion du mariage de sa fille avec le roi d'Epire, il fut assassiné par un certain Pausanias pour des raisons d'inimitié personnelle. Avec son fils Alexandre, que le peuple acclama aussitôt comme roi de Macédoine, commence une ère nouvelle, celle que nous appelons l'époque Hellénistique.

CHAPITRE V

POLÉMOS

« POLÉMOS, dit Héraclite, a engendré le monde, Polémos règne sur le monde. » Le philosophe d'Ephèse, qui écrit au début du Ve siècle, entend par là que le *cosmos* est le théâtre d'une lutte sans fin entre éléments adverses, d'où un perpétuel changement : Polémos, la guerre (le mot en grec est du masculin), lui apparaît donc comme la loi même de l'univers. Cette réflexion désabusée a bien pu être suggérée à Héraclite par le spectacle de son temps : car pour les Grecs de l'époque archaïque et classique la guerre représente un souci permanent. Ce n'est pas sans raison que l'exposé historique qui précède relate tant d'opérations militaires : on a calculé que, durant le siècle et demi qui va des guerres médiques à la bataille de Chéronée, Athènes s'est trouvée en état de guerre, en moyenne, plus de deux ans sur trois, sans avoir jamais joui de la paix pendant dix ans de suite. Certes d'autres cités, dont les responsabilités et les prétentions étaient moindres, n'ont pas connu un destin aussi belliqueux. Mais nulle ne pouvait se tenir entièrement à l'écart des conflits armés si elle voulait survivre : la guerre était vraiment la loi d'airain du monde grec.

Il y avait, certes, à cela des raisons d'ordre économique. Comme les terres fertiles sont peu nombreuses en Grèce, elles pouvaient susciter des convoitises de la part de voisins avides ou surpeuplés. Athènes a employé la force des armes pour installer hors de l'Attique des colonies de peuplement à caractère militaire, les *clérouquies*. Sparte a été conduite à conquérir la Messénie par la logique interne de son système politique et social. Plus tard, la nécessité de maintenir ouverte une route commerciale essentielle a pu conduire à la guerre : Athènes, pendant un siècle, a multiplié les entreprises militaires pour contrôler la région des Détroits, où passaient les convois de blé en provenance de la Russie méridionale. On a vu, d'autre part, quel rôle joua dans le déclenchement de la guerre du Péloponnèse le fameux « décret mégarien » par lequel Périclès institua le blocus économique de Mégare. Enfin les convoitises qu'éveillaient les mines de Thrace entraînèrent plus d'un conflit dans la région de Thasos et du mont Pangée.

Mais les rivalités économiques ne sont pas l'essentiel. Si les Grecs ont consacré tant de temps et d'efforts à la guerre, c'est d'abord pour des raisons psychologiques qui tiennent à la conception hellénique de la cité. Celle-ci représente pour les membres qui la composent l'autorité suprême. L'indépendance absolue est sa loi : si elle entre dans une alliance, c'est, en principe, sur un pied d'égalité, sans aliéner l'autonomie dont elle est fière. Faute d'un arbitre reconnu pour trancher les différends, tout heurt d'intérêts dégénère aisément en conflit armé. La passion de la liberté, qui inspira tant d'appels enflammés aux orateurs et aux poètes, suppose qu'on accepte la guerre et même qu'on la fasse avec enthousiasme : seule mérite de rester libre la cité qui sait se battre pour sa liberté. Aussi le premier objet de l'organisation civique est-il de préparer les citoyens à l'éventualité inéluctable du combat. C'est ce que Platon avait parfaitement compris, quand il fait dire au Crétois Clinias, dans les *Lois* (625e), que « l'ensemble des citoyens passe sa vie à soutenir une guerre incessante contre toutes les autres cités ». Dans la cité grecque de l'époque archaïque et classique, le citoyen est d'abord un soldat, de même que l'homme d'Etat doit souvent se muer en chef militaire. Tout dépend de la fortune des armes : l'avenir personnel de chacun, celui de l'Etat, et finalement celui de l'hellénisme tout entier. La décadence d'Athènes est apparue irrémédiable quand elle n'a plus voulu pour guides que des financiers et des avocats et quand les Athéniens, sourds aux adjurations de Démosthène, ont refusé de servir eux-mêmes, abandonnant à des mercenaires la sauvegarde de la patrie.

●

L'armée grecque a pour élément essentiel, nous l'avons vu, un corps de fantassins lourds, les *hoplites*. L'hoplite dispose d'un équipement complet d'armes offensives et défensives, que les documents figurés, sculptures ou peintures de vases, nous montrent en détail. Encore convient-il de distinguer, parmi les représentations de guerriers, celles qui reproduisent fidèlement la réalité contemporaine et celles, de beaucoup les plus nombreuses, qui l'interprètent en la transposant dans le monde de la fable : les combattants complètement nus de la frise du Mausolée d'Halicarnasse n'ont jamais affronté que les Amazones. En revanche, le célèbre petit bronze de Dodone conservé à Berlin, la stèle d'Aristion sculptée par Aristoclès* ou le vase d'Achille au Vatican sont des documents dignes de foi. L'hoplite y apparaît vêtu d'une tunique de corps fort courte, qui laisse les jambes tout à fait libres. Un manteau peut compléter le vêtement. Les pieds sont nus ou chaussés de brodequins ou de sandales. Certains témoignages laissent entendre que les soldats grecs se sentaient parfois plus à l'aise pieds nus en terrain difficile.

La poitrine est protégée par une cuirasse soit en métal, soit en cuir ou en tissu de lin, ces dernières renforcées de plaques métalliques. A l'époque archaïque, on utilise la cuirasse rigide « en cloche » formée de deux plaques de bronze, une pour la poitrine, une pour le dos, réunies par des agrafes sur les épaules et sous les bras. On en a récemment retrouvé à Argos un magnifique exemplaire. Plus tard, les modèles souples furent plus en faveur : à la différence de la cuirasse en cloche, qui s'arrêtait à la taille, ils étaient prolongés d'ordinaire en dessous de la ceinture par des rangées de bandes de cuir pendantes, les *lambrequins*, qui protégeaient le bas-ventre. Sur la tête, l'hoplite porte un casque en métal à doublure de cuir ou de feutre, souvent muni d'un ou plusieurs cimiers hérissés de hauts panaches. Les officiers se distinguaient par l'ampleur et la richesse de leurs panaches, dont Aristophane se moque à l'occasion. La forme des casques répondait à des types variés, en général bien définis, auxquels la tradition donne des noms assez arbitraires. Le casque *corinthien*, à nasal et couvre-joues fixes, se portait en position haute quand on n'était pas au combat. Le casque *attique*, en revanche, sans nasal, était muni de couvre-joues mobiles que l'on relevait à volonté. Le casque *béotien*, en forme de bonnet conique, n'avait ni couvre-joues ni couvre-nuque. Il y avait d'autres types encore, mais ceux-là sont les plus répandus sur les monuments figurés. Les fouilles ont rendu beaucoup de casques de bronze, surtout à Olympie qui en a récemment fourni de fort beaux. Certains portent des dédicaces qui permettent de les dater.

Il en est de même pour des boucliers en bronze, qui furent très fréquemment consacrés comme offrandes dans les sanctuaires. Leur forme a varié au cours des siècles, depuis le bouclier *en huit* de tradition créto-mycénienne jusqu'au bouclier rond de l'époque classique, en passant par le bouclier « géométrique », aux deux larges échancrures latérales, et par le bouclier béotien, dérivé du précédent, mais avec des échancrures plus réduites. Le bouclier rond, au Vᵉ et au IVᵉ siècle, a un diamètre d'environ deux coudées (0,90 m). Il est assez fortement bombé vers l'extérieur. Sa carcasse de bois est recouverte, sur sa face externe, de cuir ou de peaux, ou même d'un revêtement complet en bronze. Au centre, un motif métallique fait parfois saillie : c'est fréquemment une tête de Gorgone, dont l'aspect horrible doit sinon effrayer l'adversaire, du moins écarter le mauvais sort. Divers emblèmes, gravés ou peints selon qu'ils sont figurés sur le métal ou sur le cuir, peuvent orner cette face externe du bouclier, comme on le voit sur les peintures de vases et dans les descriptions, pour une large part fantaisistes, que les poètes Eschyle, dans les *Sept contre Thèbes*, et Euripide, dans les *Phéniciennes*, ont données de l'armure des chefs argiens attaquant Thèbes. Quant au fameux bouclier d'Achille, longuement décrit par Homère au chant XVIII de l'*Iliade*, il appartient au domaine du mythe. En revanche, il y a des armes d'apparat, comme les boucliers que Phidias a conçus pour ses Athénas colossales sur l'Acropole d'Athènes, dont la convexité s'enrichissait de reliefs représentant la lutte des Grecs contre les Amazones ou celle des Centaures et des Lapithes. Même la face interne, concave, pouvait recevoir un décor, tissé ou peint sur la toile qui recouvrait le rembourrage de tissu ou de matière végétale dont était garni l'intérieur du bouclier : sur le bouclier d'Athéna Parthénos, Phidias avait peint à cet endroit le combat des dieux et des géants. C'est de ce côté que se trouvaient aussi les deux attaches permettant de tenir et de manipuler le bouclier : on passait le bras gauche dans la première avant de saisir la seconde attache de la main gauche. La première attache, qui forme brassard, a parfois reçu une décoration en reliefs de bronze travaillés « au repoussé » : les fouilles d'Olympie en ont livré plusieurs exemplaires d'époque archaïque, qui constituent une intéressante série. La paroi interne du bouclier était munie en outre de bretelles de cordes ou de cuir fixées près du bord supérieur : elles servaient au transport de l'arme quand on ne la tenait pas en position de combat et elles permettaient aussi de la suspendre à un support. En raison de son poids élevé, le bouclier était confié pendant les marches à un esclave, indispensable compagnon de l'hoplite. Le fourniment militaire porté par ce goujat comprenait, outre le bouclier, enfermé dans un étui de grosse toile, les couvertures pour le bivouac et un chevalet auquel on accrochait le bouclier en rase campagne avant l'action.

A l'époque archaïque, l'équipement défensif du guerrier lourd comportait aussi des jambières ou *cnémides* protégeant le devant de la jambe : mais cet accessoire tombe en désuétude à partir du Vᵉ siècle.

Les armes offensives de l'hoplite sont essentiellement la lance et l'épée. La longue et forte lance, à l'époque classique, a une longueur d'environ 5 coudées (2,25 m). Outre la pointe, elle est souvent munie d'un talon métallique pointu qui permet de la ficher en terre. La hampe en bois reçoit parfois une garniture de cuir qui la rend plus épaisse à l'endroit où la main l'empoigne, pour offrir ainsi une prise plus sûre. La lance est d'ordinaire maniée de la main droite seule, la main gauche tenant le bouclier. Comme le bouclier, on la conservait dans un étui protecteur entre les périodes d'opération. La lance « dorienne » fut considérée par les poètes comme l'arme grecque par excellence. Eschyle en fait le symbole de la valeur militaire des Hellènes par opposition à l'arc des Perses. Athéna, déesse guerrière, préfère la lance à l'épée.

L'épée, arme du corps à corps, sert de recours suprême au combattant privé de sa lance. A l'époque classique, elle a une lame en fer, de longueur réduite, ne dépassant guère une coudée (0,45 m). Cette lame est à double tranchant. La poignée est munie d'une garde étroite et d'un pommeau. Le fourreau est suspendu à un baudrier court qui passe sur l'épaule droite. La position du fourreau est si haute que le pommeau de l'épée arrive presque à la hauteur de l'aisselle gauche : pour mettre l'arme au clair, il fallait faire basculer l'épée en avant et caler le fourreau sous le bras gauche. On pouvait ainsi tirer l'épée sans lâcher le bouclier, ce qui n'eût pas été possible avec un baudrier plus long. On frappait également d'estoc et de taille. Tandis que le maniement de la lance, de l'arc et des javelots faisait l'objet d'un apprentissage bien réglé, il ne semble pas que les Grecs classiques se soient beaucoup préoccupés d'escrime. On conçoit d'ailleurs qu'alourdi par son bouclier et sa cuirasse l'hoplite n'eût guère tiré parti d'une science raffinée des parades et des feintes.

●

A côté du corps de bataille formé par les hoplites, les armées grecques disposaient de troupes légères et de cavalerie. Les troupes légères nous sont beaucoup moins bien connues que les hoplites, ce qui s'explique aisément par leur origine sociale. Tandis que les fantassins lourds, qui doivent se procurer leur armement coûteux à leurs propres frais, appartiennent à la classe aisée, les archers, frondeurs, lanceurs de javelots se recrutent dans les rangs des citoyens pauvres. Ils n'ont pas besoin d'armes défensives, car leur rôle n'est pas de rechercher ou d'attendre le choc, mais bien de harceler de loin l'ennemi. Leurs armes de jet sont peu coûteuses : ce sont les mêmes que pour la chasse. L'arc à double courbure est la plus perfectionnée : bien que les poètes y voient à l'occasion l'arme « perse » par excellence, il bénéficie dans le monde hellénique d'une très ancienne tradition qu'illustre la légende de l'arc d'Ulysse dans l'*Odyssée*, sans parler du mythe d'Héraclès et de Philoctète. Les Crétois passaient pour les meilleurs archers. L'efficacité du tir était grande dès lors qu'on opérait par concentration des traits sur une troupe en ordre serré. Même dans la guerre navale, la menace des flèches était assez redoutable pour qu'on munît les navires de guerre de panneaux protecteurs en forte toile qu'on dressait le long des plats-bords avant chaque engagement.

Les javelots, employés couramment pour la chasse, servaient aussi pour la guerre. Leur usage avait été courant dans l'infanterie lourde des temps homériques : le combat singulier, dans l'*Iliade*, commence d'ordinaire par un tir de javeline, qui manque rarement le but. Au flanc des vases du Dipylon, les défilés de guerriers armés de pied en cap montrent en général dans leurs mains deux javelots plutôt qu'une lance. Cette tradition héroïque explique pourquoi, à l'époque classique, on continua à entraîner tous les jeunes gens au lancement du javelot, bien que cette arme eût disparu de l'équipement des hoplites. Au reste les cavaliers ne cessèrent pas d'en faire usage. Sensiblement plus court que la lance, le javelot a une longueur de trois à quatre coudées (1,35 à 1,80 m). Il peut, comme la lance, être muni d'une pointe à chaque extrémité. Sa portée était accrue quand on le lançait non pas en le tenant à pleine main, mais en utilisant une courroie fixée en son milieu, qui jouait le rôle d'un propulseur.

La fronde représente l'arme de jet la plus simple : deux liens ou corde-lettes, d'une longueur approximative de deux pieds (environ 0,60 m), sont attachés à une sorte de poche de cuir. L'autre extrémité est tenue en main par le frondeur, qui place le projectile dans la poche de cuir et fait tourner rapidement l'ensemble. Quand il lâche une des cordelettes, le projectile, mû par la force centrifuge, part à grande vitesse. Un frondeur habile arrivait à une grande précision et son tir avait, nous dit un auteur ancien, une portée de l'ordre d'un stade (ou 600 pieds, soit environ 180 mètres). On lançait avec la fronde des pierres, mais aussi des balles spécialement fabriquées pour cet usage en argile ou en métal, surtout en plomb. Ces balles, de forme ellipsoïdale, permettaient un tir plus long et plus précis. On en a retrouvé un grand nombre, particulièrement à Olynthe, où elles proviennent du siège de la ville par Philippe en 348. Plusieurs de ces balles portent des inscriptions : ce sont des noms de peuples (ou *ethniques*), en entier ou en abrégé, ou des noms d'hommes. On n'est pas surpris d'y reconnaître le nom des Olynthiens ou des Chalcidiens, celui de Philippe lui-même et peut-être ceux de ses principaux officiers. Le nom de Philippe apparaît aussi sur des pointes de flèches.

On n'oubliera pas qu'à côté de ces armes légères les Grecs anciens n'ont jamais cessé, au cours de leur longue histoire, de se battre aussi avec les armes naturelles les plus simples, celles que fournit la terre maternelle, à savoir les pierres et les bâtons. Dans l'épopée, on voit à maintes reprises les héros brandir un quartier de roc pour en écraser l'adversaire. A l'âge classique encore, c'est avec une grêle de cailloux lancés à main nue, autant qu'avec des flèches, que les Athéniens écrasèrent les Perses débarqués dans l'îlot de Psyttalie, près de Salamine, après la fin de la bataille navale. Même tactique lorsque Démosthène, en 424, s'empare de l'île de Sphactérie, défendue par les Spartiates. A la fin du siècle, en 403, lors du combat qui mit aux prises à Munychie, quartier du Pirée, les partisans des Trente et les partisans de la démocratie, Xénophon signale expressément dans les rangs des démocrates la présence de lanceurs de pierres. Plusieurs textes mentionnent l'emploi de gourdins comme armes de guerre : au reste les 300 gardes du corps armés de massues qui permirent à Pisistrate, selon Hérodote (I, 59), de prendre le pouvoir à Athènes, n'étaient pas moins des soldats que les porteurs de lances ou *doryphores* qui constituaient habituellement la garde personnelle des tyrans grecs.

Si l'infanterie légère a joué un rôle restreint dans les grands conflits de l'époque archaïque et du Ve siècle, elle devait prendre plus d'importance au siècle suivant. Déjà au cours de la guerre du Péloponnèse quelques expériences se montraient pleines d'enseignements. Ainsi le général athénien Démosthène, avant de s'illustrer dans l'affaire de Sphactérie, avait subi en 426, dans les défilés d'Etolie, une rude défaite devant les montagnards de la région : ceux-ci, qui n'avaient pas d'infanterie lourde, avaient surpris le corps expéditionnaire athénien dans un terrain difficile, lui avaient infligé de lourdes pertes à coups de flèches et de javelots et l'avaient contraint à une retraite précipitée. Ces leçons ne furent pas perdues. Au début du IVe siècle, le stratège athénien Iphicrate organisa des corps de mercenaires légèrement armés, les *peltastes*, ainsi nommés parce qu'ils employaient, au lieu du lourd bouclier rond, un bouclier d'osier très léger en forme de croissant, la *pelté*, analogue par sa forme à celui que la tradition légendaire attribuait aux Amazones. Le peltaste n'avait pas de cuirasse métallique.

Ses armes offensives étaient une longue javeline qui pouvait servir de lance et une épée courte pour le corps à corps. Contre l'hoplite, il comptait sur sa légèreté pour éviter les coups. Ces troupes firent merveille à plusieurs reprises même devant les hoplites lacédémoniens.

●

La cavalerie, nous l'avons vu, est d'abord intervenue dans l'art militaire des Grecs sous la forme de la charrerie. L'emploi du cheval attelé a précédé celui du cheval monté. Déjà à l'époque mycénienne, comme on le voit sur les vases chypriotes, le char à deux chevaux ou *bige* est d'usage courant. C'est aussi l'engin de guerre habituel des héros homériques : sur ce point, le témoignage de la céramique géométrique confirme entièrement celui de l'épopée. Le guerrier de noble origine se rend en char sur les lieux du combat, puis il se bat à pied comme un hoplite. Pour conduire l'attelage, il dispose d'un cocher qui garde le contrôle du char pendant que son maître est engagé dans la lutte. Lors des déplacements, le guerrier, qui seul est muni d'un bouclier, se tient à la gauche du cocher. Le char homérique a deux roues; une caisse légère repose directement sur l'essieu. Les deux chevaux encadrent le timon, auquel ils sont reliés par le joug reposant sur leur encolure. Il arrive qu'un troisième cheval, destiné à servir de renfort, accompagne l'attelage. C'est sans doute à cette coutume que l'on doit l'apparition des attelages à trois chevaux ou *triges*, que l'on remarque sur un petit nombre de monuments figurés à la fin de l'époque géométrique et sur certains documents étrusques d'époque archaïque. Mais, dès le VIIe siècle, la mode des chars à quatre chevaux, ou *quadriges*, commençait à se répandre, en même temps que l'emploi du char comme engin de guerre disparaissait peu à peu, comme il a été dit plus haut, en raison des progrès de l'infanterie lourde. Le quadrige resta désormais un véhicule de parade, comme on peut le voir sur la frise du Parthénon, et un engin de compétition sportive qui joue dans les grands jeux panhelléniques un rôle de premier plan. Dans les armées grecques, on ne trouve plus désormais de chars de guerre que dans des cités excentriques comme Salamine de Chypre, où le maintien de cette tradition peut s'expliquer par des influences venues d'Asie, ou Cyrène, où l'on conserva jusqu'à l'époque hellénistique des escadrons de quadriges pour donner rapidement la chasse aux bandes de pillards qui venaient razzier les établissements agricoles du plateau cyrénéen.

Tandis que disparaissait le char de guerre, la cavalerie proprement dite prenait sa place. Les poèmes homériques ne mentionnent jamais la participation de cavaliers au combat et ils ne font que de très rares allusions à l'équitation. Mais dès le VIIe siècle les représentations de cavaliers en armes apparaissent sur les vases, sur les bas-reliefs comme la célèbre frise de Prinias en Crète, parmi les statuettes de terre cuite et les bronzes. Le rôle de la cavalerie dans la guerre, à l'époque archaïque et classique, fut pourtant rarement décisif. D'abord la Grèce propre n'était guère favorable à l'élevage des chevaux, faute de pâturages adéquats, sauf dans des régions privilégiées comme la Thessalie ou, à un moindre degré, la Béotie ou l'Eubée. C'est pourquoi la cavalerie thessalienne jouit d'un si grand renom : c'était la seule région de Grèce où, dans les forces armées, le rapport de la cavalerie à l'infanterie fût seulement du simple au double. Dans l'armée béotienne, où l'arme montée bénéficiait aussi d'une solide tradition, il fallut attendre les innovations tactiques d'Epaminondas pour qu'elle intervînt de façon importante dans la bataille. En revanche, dans certaines cités coloniales dont le territoire se prêtait à l'élevage, à Cyrène, à Tarente, à Syracuse, la cavalerie garda toujours une importance et un prestige considérables.

Le cavalier grec monta longtemps à cru, puis sur une simple couverture ou sur une peau de bête. Il ignorait l'usage de la selle et des étriers. Il dirigeait sa monture au moyen d'un frein de métal relié à ses rênes, mais ne connaissait pas le frein de langue. Aussi pour rendre plus sensible l'action du bridon, le frein était-il très brutal, avec des arêtes vives ou un corps hérissé de pointes. La bouche du cheval en était durement châtiée, d'où l'écume sanglante que signalent les textes et qu'imitaient les peintres sur leurs compositions équestres. Le harnais de tête comportait les mêmes éléments principaux que de nos jours, avec muserolle, frontal, têtière et montants, agrémentés, à partir de la fin du Ve siècle, de phalères, petits disques métalliques décorés de reliefs ou d'incrustations, qui étaient fixés sur la courroie au moyen d'un anneau adhérent à leur face postérieure.

Tout en se montrant très habiles à conduire leurs montures, comme en témoigne le traité *Sur l'Equitation* de Xénophon, les cavaliers grecs ne pouvaient obtenir la même efficacité de choc que les chevaliers du Moyen Age qui, solidement ancrés sur leur selle et sur leurs étriers, appuyaient leur coup de lance de toute l'énergie accumulée par leur cheval au galop. Les Grecs, eux, ne pouvaient frapper qu'avec la force de leur bras, sous peine d'être aisément désarçonnés. Aussi préféraient-ils à la longue lance deux javelines plus courtes et plus légères qui pouvaient servir aussi bien d'armes de jet que d'épieu. Rarement ils ont employé l'arc, laissant cette arme aux cavaliers barbares, Scythes ou Perses. Une épée complétait leur armement offensif. Souvent ils n'avaient aucune arme défensive, comptant seulement sur leur vitesse et leur agilité pour se soustraire aux coups de l'ennemi. Parfois, pourtant, on leur voit en main un bouclier rond plus petit que celui des hoplites. Leur vêtement habituel est la *chlamyde*, manteau court fixé par une fibule sur l'épaule droite. En dessous, le cavalier porte une tunique. Sur la tête il a soit le chapeau à larges bords ou *pétase*, soit un bonnet en peau, soit un casque. Aux pieds, des sandales ou des bottes souples à revers. Tels se présentent sur la frise du Parthénon les jeunes gens d'Athènes rassemblés en une brillante cavalcade.

Ainsi équipée, la cavalerie grecque n'est pas une arme de choc : elle éclaire le gros des troupes, contribue au cours de la bataille à protéger les flancs de l'armée, et poursuit l'adversaire débandé après la victoire. Seuls les Thessaliens semblent avoir fait un usage systématique de leurs escadrons, dont les hommes portaient cuirasse, pour emporter la décision dans une rencontre. C'est après s'être assuré leur concours que Philippe organisa, sous le commandement de son fils Alexandre, une cavalerie lourde dont la charge massive contribua brillamment à la victoire de Chéronée.

Pas plus que pour l'hoplite, la cité ne fournit son équipement au cavalier, qui doit en outre se procurer son cheval. D'où le caractère aristocratique de la cavalerie grecque, comme auparavant des guerriers montés sur des chars. L'élevage des chevaux, ou *hippotrophie*, est le privilège des familles nobles, qui sont en même temps des familles riches : s'intéresser aux chevaux, c'est une preuve d'aristocratie, ou du moins une forme de snobisme, comme chez le jeune Pheidippide, fils du campagnard Strepsiade, dans les *Nuées* d'Aristophane. A Athènes on recrute les cavaliers dans les deux classes censitaires qui ont les plus hauts revenus ; la seconde s'appelle précisément la classe des *Cavaliers*. C'est eux qu'Aristophane met en scène dans sa comédie de ce nom, en 424 : il les montre attachés aux traditions ancestrales et soucieux de ruiner le crédit du démagogue Cléon. Xénophon, lui-même homme de cheval, exprime parfaitement les préoccupations et les intérêts des « cavaliers » hellènes dans le premier tiers du IVe siècle.

●

L'organisation de ces forces armées varie selon les Etats et les époques. A l'époque classique, nous la connaissons approximativement pour Sparte et pour Athènes. Mais les noms donnés aux différentes unités ne recouvrent pas toujours des réalités comparables : ainsi le mot *lochos* désigne dans l'infanterie spartiate un corps nombreux, correspondant à un gros bataillon, tandis que le même mot est employé à Athènes pour une unité plus petite, de l'ordre d'une compagnie. Les responsabilités de l'officier commandant un *lochos*, le *lochage*, sont donc différentes dans les deux armées. Toutefois les principes d'organisation sont les mêmes partout : le soldat est encadré dans des unités d'importance croissante, analogues à nos sections, compagnies et bataillons, dont les effectifs sont un multiple de 10. Le nom des officiers qui les commandent dérive d'ordinaire du terme désignant l'unité : ainsi l'*énomotarque*, à Sparte, commande une section ou *énomotie*; le *lochage* est à la tête d'un *lochos*; le *triacatiarque*, à Cyrène, est le commandant d'une compagnie de 300 hommes; le *taxiarque*, à Athènes, est le chef d'un bataillon ou *taxis*.

Les grandes unités, aptes à faire campagne et composées d'éléments des diverses armes, sont confiées aux généraux, dont le titre varie : à Athènes, ce sont les *stratèges*, assistés de deux *hipparques* qui commandent la cavalerie; à Sparte, un des deux rois assume la direction des opérations, avec l'aide des chefs de corps ou *polémarques*. Le terme de *stratège* est le plus répandu pour désigner un officier général.

Le recrutement des troupes est étroitement lié à l'organisation sociale et politique de la cité. Les cadres sociaux subsistent dans l'armée : à Athènes, où nous sommes mieux renseignés qu'ailleurs, cette correspondance est rigoureusement assurée puisque chacune des dix tribus dont se compose le corps civique fournit à l'armée une *taxis*, ou bataillon, d'hoplites, commandée par un taxiarque élu appartenant à la même tribu. C'est ce taxiarque qui choisit les lochages, commandant les compagnies. C'est lui aussi qui désigne parmi les membres de sa tribu les soldats qui doivent servir lors des expéditions militaires : responsabilité fort lourde, qui pouvait donner lieu à des contestations et à des abus. Même opération pour la cavalerie : chaque tribu fournit une *phylé*, ou escadron, de 100 cavaliers commandée par un *phylarque* élu, dont les prérogatives sont analogues à celles du taxiarque. Le recrutement des cavaliers et des hoplites est fondé, nous l'avons vu, sur le principe censitaire : les citoyens qui n'ont pas de ressources suffisantes servent dans les troupes légères et surtout dans la flotte.

Le citoyen reçoit une formation spéciale qui le prépare à porter les armes. Cette formation est particulièrement développée à Sparte, où tout concourt à faire du jeune Spartiate un guerrier. Mais même la démocratie athénienne, dont les préoccupations sont loin d'être orientées dans le même sens que la constitution de Lacédémone, prend un soin particulier des futurs soldats. Elle a conçu à cette fin l'institution de l'éphébie, très caractéristique de l'aspect militaire que revêt dans la cité antique la condition du citoyen. Nous ne connaissons le détail du système que pour la période postérieure à la bataille de Chéronée, grâce à la *Constitution d'Athènes* d'Aristote, ouvrage rédigé sous le règne d'Alexandre le Grand, à une époque où l'éphébie venait d'être réorganisée. Mais il est vraisemblable que, dans son principe au moins, l'institution était déjà ancienne. Telle qu'Aristote nous la décrit, elle se présente sous la forme d'un service militaire obligatoire pour tous les jeunes Athéniens de dix-huit à vingt ans, au moins pour ceux d'entre eux qui appartenaient aux classes censitaires fournissant cavaliers et hoplites. Ces jeunes gens, groupés par tribus sous le commandement de chefs élus par le peuple, sont soumis à un entraînement physique et à une préparation militaire sous la direction d'instructeurs spécialisés. Ils prennent leurs repas en commun aux frais de l'Etat. Au cours de la deuxième année de leur service, ils sont envoyés hors d'Athènes pour tenir garnison dans les forteresses de la frontière comme Eleuthères, Phylé ou Rhamnonte et ils font des manœuvres en rase campagne. A l'expiration de cette deuxième année, ils reprennent leur liberté et sont désormais considérés comme des citoyens de plein exercice. Après quoi, de l'âge de vingt ans à celui de soixante ans, ils restent mobilisables : chaque classe d'âge, désignée par le nom de l'archonte éponyme de l'année où elle a été inscrite sur le rôle de l'éphébie, peut être convoquée en totalité ou en partie à l'initiative des stratèges. Toutefois les dix dernières classes, composées des citoyens de cinquante à soixante ans, ne peuvent être appelées que pour la défense du territoire et ne participent pas aux expéditions hors de l'Attique.

Ainsi l'Athénien est soumis à des obligations militaires pendant quarante-deux ans : deux années d'éphébie, trente ans de disponibilité dans l'armée active, dix ans dans la réserve territoriale. Les ressources en hommes de la grande cité lui permettaient de réunir, nous dit Thucydide, au début de la guerre du Péloponnèse, 13 000 hoplites de première ligne et 1 200 cavaliers, sans compter les troupes légères, les auxiliaires et les vétérans chargés de la défense des places. En 369, quand Athènes mobilisa, pour secourir Sparte menacée par Epaminondas, le corps expéditionnaire confié à Iphicrate rassemblait 12 000 hoplites. Vers la même époque, l'armée béotienne était forte d'environ 13 000 hoplites et 1 500 cavaliers. Sparte ne put jamais mettre en ligne des forces aussi considérables : à Platées, en 479, son infanterie lourde comptait bien 10 000 hommes, dont la moitié de Spartiates proprement dits; mais par la suite elle n'atteignit plus de pareils effectifs et dut compter sur la valeur exceptionnelle de ses soldats pour compenser une faiblesse numérique de plus en plus sensible avec le temps. Ces chiffres correspondent aux opérations les plus importantes; mais, le plus souvent, les troupes engagées étaient sensiblement moins nombreuses et ne représentaient que quelques milliers, parfois quelques centaines d'hommes. On conçoit que, par comparaison avec ces effectifs limités, les Grecs aient attribué aux grandes armées de Darius et de Xerxès, qui rassemblaient les contingents fournis par un immense empire, une importance numérique probablement très supérieure à la réalité.

•

La tactique employée par les armées grecques est d'ordinaire fort simple. Elle vise à provoquer un choc de front entre les adversaires en rase campagne. Les armées ennemies se rangent en bataille dans un ordre traditionnel bien déterminé : le corps de bataille au centre, les troupes légères et la cavalerie, quand il y en a, sur les flancs. Dans le corps de bataille, qui jouera le rôle déterminant dans la rencontre, les hoplites sont alignés en ordre serré sur une profondeur de huit à douze rangs. Une tradition constante fait disposer les meilleures troupes à l'aile droite de la formation de combat. Cet usage s'explique sans doute par le fait que, le bouclier étant porté au bras gauche, le flanc droit est le plus vulnérable tant chez l'homme isolé que dans une unité constituée : il convenait donc de confier aux combattants d'élite le poste le plus exposé. Les officiers sont au premier rang et le général lui-même prend souvent part à la bataille : on ne compte pas les chefs illustres qui sont morts au combat.

Avant d'engager les opérations, il est de règle de célébrer certains rites religieux. Dans la guerre comme en toutes choses, les Hellènes savent que les dieux et le destin décident du résultat : c'est déjà ce que pense Homère et, sur ce point comme sur beaucoup d'autres, la Grèce archaïque et classique reste fidèle à l'enseignement puisé dans l'*Iliade*. Tout chef militaire est accompagné de devins et d'exégètes qui consultent les dieux et interprètent les signes qu'ils envoient. Mentionnant un devin célèbre, Teisaménos, originaire d'Elis, qui fut au service de Lacédémone, Hérodote le tient pour directement responsable de cinq grandes victoires remportées par les Spartiates, depuis la bataille de Platées jusqu'à celle de Tanagra. Plus tard, quand le Lacédémonien Lysandre, le vainqueur d'Ægospotamos, se fit représenter dans le sanctuaire de Delphes avec ses principaux officiers pour commémorer sa victoire, il fit placer auprès de sa propre statue celle du devin Agias qui l'avait suivi dans cette campagne. Ainsi, que ce fût en vertu d'une croyance sincère ou simplement pour complaire à la crédulité publique, que le général fût animé d'une piété profonde comme l'Athénien Nicias ou qu'il fût léger et sceptique comme Alcibiade, il ne négligeait pas de faire des libations et un sacrifice, ni d'interroger les présages. Si ces derniers n'étaient pas favorables, on hésitait à combattre. Dans sa relation de la bataille de Platées, Hérodote rapporte que les Lacédémoniens, accablés de traits par les archers perses, restèrent immobiles sur leurs positions sans chercher à risposter tant que leur général Pausanias n'eut pas réussi à obtenir des dieux, par des prières et des sacrifices répétés, une indication satisfaisante. De son côté, Mardonios, chef de l'armée perse, s'était assuré à prix d'or les services d'un illustre devin grec, qui haïssait les Lacédémoniens et qui sacrifiait pour le compte de l'envahisseur.

Sitôt les présages favorables obtenus, l'action s'engageait. Après que les troupes légères, archers ou frondeurs, avaient harcelé la ligne ennemie en l'arrosant de projectiles, les hoplites entonnaient un vieux chant de guerre en l'honneur d'Apollon, le *péan*, puis s'ébranlaient pour l'assaut final. Le choc aboutissait à une série de corps à corps, à la lance et à l'épée, jusqu'à ce qu'un des deux adversaires lâchât pied et se débandât. Dans la mêlée, les qualités morales autant que les qualités tactiques assuraient la victoire aux meilleurs : pour maintenir la cohésion d'une ligne d'attaque ou de défense, pour serrer les rangs et prendre la place des hommes qui tombaient, il fallait les sûrs réflexes que l'habitude de la manœuvre en commun fait acquérir à une unité bien entraînée, mais aussi un courage intrépide fondé sur l'esprit de sacrifice. Ces hautes vertus guerrières firent longtemps le renom des soldats de Lacédémone, qui se répétaient depuis la seconde moitié du VIIe siècle les élégies martiales du poète Tyrtée : « Allons, jeunes gens, combattez en gardant votre place dans le rang ! Gardez-vous de céder à la fuite honteuse ou à la peur ! Forgez-vous dans votre poitrine un cœur vaillant, un cœur fort ! Oubliez l'amour de la vie quand vous affrontez l'ennemi !... Hardi ! Que chacun soutienne le choc, ferme sur ses jambes écartées, les deux pieds ancrés dans le sol et se mordant la lèvre de ses dents ! »

Pour mettre fin à la supériorité reconnue aux hoplites lacédémoniens, il fallut une révolution tactique, due au génie militaire d'Epaminondas. A Leuctres, en 371, puis à Mantinée, en 362, le Thébain innova d'une manière décisive : au lieu de mettre, conformément à la tradition, sa propre phalange à l'aile droite, il substitua à la formation en ligne une formation en coin, refusant sa droite et portant sa gauche en avant. A la pointe du dispositif il plaça ses hoplites sur cinquante rangs de profondeur. Cette masse compacte « semblable à la proue d'une trière » écrasa la phalange lacédémonienne qui lui était opposée et qui était répartie, selon l'usage, sur une profondeur de douze rangs. Ayant ainsi brisé d'abord la force principale de l'ennemi (c'est déjà le principe fondamental de Clausewitz !) par un coup judicieux frappé au bon endroit, il eut aisément raison du reste de l'armée adverse, qui avait disposé pourtant d'une nette supériorité numérique. L'invention de la « phalange oblique », à laquelle Epaminondas joignit, à Mantinée, l'emploi de la cavalerie comme arme de choc, bouleversa des habitudes établies depuis le VIIᵉ siècle et montra les ressources qu'un chef avisé pouvait trouver dans la manœuvre. Il y avait longtemps que les Athéniens s'en étaient aperçus dans la guerre navale, mais sur terre l'esprit conservateur des Lacédémoniens et le respect qu'on portait à leur valeur guerrière avaient empêché jusqu'alors l'art militaire de se perfectionner : Philippe de Macédoine, recueillant la leçon d'Epaminondas, allait le faire progresser à son tour.

Quand l'un des adversaires avait pris la fuite, la cavalerie du vainqueur lui donnait la chasse, mais la poursuite était rarement poussée à fond. L'armée victorieuse, satisfaite d'avoir fait reconnaître à l'ennemi sa supériorité, dressait un *trophée*, mannequin couvert d'armes, qui était le symbole concret de son triomphe, et chantait le péan de victoire. On enterrait les morts et on rendait les siens à l'ennemi, qui, en sollicitant une trêve à cet effet, reconnaissait par là même sa défaite. Restait à tirer profit du succès en imposant au vaincu des conditions de paix avantageuses et à remercier les dieux en leur consacrant la dîme du butin sous la forme d'offrandes dans les sanctuaires nationaux, ou même à l'occasion dans les sanctuaires panhelléniques.

Ainsi conçue, la guerre pouvait apparaître comme une sorte de jeu sanglant ayant ses lois bien définies et permettant aux cités rivales d'apporter à leurs différends une solution incontestée. Il s'en faut toutefois de beaucoup que les conflits armés aient pris toujours ce caractère. En fait, les rencontres décisives ont été l'exception dans l'histoire des Hellènes et les guerres ont souvent traîné en longueur, avec leur cortège de maux innombrables annuellement renouvelés. La cause en fut surtout la remarquable incapacité des armées grecques à prendre d'assaut les villes fortes. Sur ce point le progrès n'est guère sensible entre la guerre de Troie et l'époque classique : de même que les troupes d'Agamemnon piétinèrent dix ans devant Ilion et ne s'en emparèrent que par ruse, de même les hoplites lacédémoniens, tout confiants qu'ils fussent en leur supériorité en rase campagne, n'ont jamais réussi à forcer les fortifications d'Athènes et du Pirée durant toute la guerre du Péloponnèse et ne vinrent à bout de la résistance athénienne que par le blocus et la famine. C'est qu'une muraille vaillamment défendue était pratiquement imprenable de vive force, faute d'engins de siège appropriés.

C'est Denys l'Ancien de Syracuse qui, au début du IVᵉ siècle, fit construire les premières machines de jet et développa les engins de siège, peut-être à l'imitation des Carthaginois. Auparavant, on ne cite guère que l'emploi de machines par Périclès lors du siège de Samos en 440, celui de béliers dans quelques circonstances de la guerre du Péloponnèse, et un stratagème comme le lance-flammes avec lequel les Béotiens, en 424, incendièrent les fortifications en bois de Délion. Il fallut attendre la révolution militaire du IVᵉ siècle et Philippe de Macédoine pour que, suivant l'exemple donné par Denys en Sicile, l'art des sièges ou *poliorcétique* se développpât en Grèce propre.

Jusqu'alors, l'art de la défense avait progressé plus vite que celui de l'attaque, comme en témoigne la rédaction, vers 360, du *Traité sur la défense des places* par un officier arcadien, Enée le Tacticien. Les préceptes, les conseils, les stratagèmes qui forment la matière de cet ouvrage font comprendre pourquoi les armées grecques, avant le milieu du IVᵉ siècle, échouèrent si souvent devant les villes fortes. Celles-ci s'étaient multipliées en Grèce propre depuis les guerres médiques. Pendant longtemps, la tradition mycénienne des enceintes puissantes avait été perdue et les cités archaïques se contentaient du refuge offert à leur population par leur acropole, seule défendue par des murailles. Pourtant au VIᵉ siècle les villes d'Ionie, inquiètes des menaces que les conquêtes de Cyrus faisaient peser sur elles, s'étaient entourées de remparts. Ceux de Phocée, élevés grâce aux ressources du commerce avec l'Occident, étaient en pierre de taille, ce qui étonna les contemporains, habitués aux murs de briques des villes orientales : mais l'armée de Cyrus, qui n'en était pas à son premier siège, en vint à bout en élevant des terrasses permettant de les escalader et de les contrebattre. A Athènes, seule l'Acropole était fortifiée avant la fin du VIᵉ siècle, date à laquelle, selon les dernières études, la ville elle-même aurait été pourvue d'une enceinte pour la première fois. Cette enceinte ayant été détruite par les Perses en 480, Thémistocle la fit relever en hâte, suivant une technique qui fut souvent employée pour les murs des villes grecques : sur un solide soubassement en pierre s'élevait un rempart de briques crues. Au début, pour faire vite, on utilisa pour construire le soubassement des pierres de remploi et jusqu'à des stèles funéraires, au témoignage de Thucydide (I, 93). Ensuite, pour les fortifications du Pirée, on procéda avec plus de soin, allant même jusqu'à relier les blocs entre eux par des crampons métalliques, usage réservé aux murs des édifices d'apparat, mais exceptionnel dans les constructions utilitaires. Dans des murailles de ce type, les assises en briques crues ont disparu d'ordinaire, seul le socle de pierre subsiste, plus ou moins détruit. Ce n'est guère que dans la ville sicilienne de Géla* que des fouilles récentes ont mis au jour un épais mur de briques, bien conservé sur une hauteur considérable. Selon les tacticiens grecs, ces remparts de briques résistaient fort bien au bélier.

Lorsque les ressources financières et la présence de carrières à portée immédiate des travailleurs le permettaient, les enceintes étaient entièrement en pierre de taille. C'était le cas pour celle de Thasos, construite en marbre et en gneiss, matériaux qui abondaient dans l'île, à la fin de l'époque archaïque, puis restaurée après les guerres médiques, et de nouveau après 411. En Grèce propre, les enceintes les mieux préservées sont celle de Messène*, élevée après les victoires d'Epaminondas, et celle d'Ægosthène* en Mégaride, au pied du Cithéron : elles offrent de beaux exemples de fortifications classiques, avec des courtines rectilignes d'où saillent des tours carrées, deux fois plus hautes que les murailles. L'appareil des murs est magnifique, avec ses belles assises régulières de blocs à bossages. Les courtines étaient couronnées de merlons et de créneaux ou d'un parapet continu percé de meurtrières. Les tours étaient souvent couvertes. Elles jalonnaient la muraille tous les 20 ou 30 mètres, de façon à la flanquer efficacement par le tir des arcs et des javelots. Plus tard, quand l'emploi de la catapulte, inventée par les ingénieurs de Denys l'Ancien, se fut généralisé, la portée considérable de cette machine de jet permit d'allonger les courtines et même de remplacer les tours par de simples redans de la muraille, qui suivait désormais un tracé à crémaillère : mais ces innovations se répandirent surtout à partir de Philippe de Macédoine.

Outre les villes fortifiées, les Grecs savaient construire des forteresses afin de contrôler les points de passage obligés et de garantir les frontières. Ainsi l'Attique était protégée contre les invasions de ses voisins par un certain nombre de places fortes : Eleuthères, Phylé, Rhamnonte, dont les vestiges sont encore debout. Eleuthères en particulier, dominant la passe du Cithéron qui conduit vers Platées et Thèbes, dresse encore au sommet d'un piton rocheux ses tours et ses murailles en assez bon état, avec leur bel appareil isodome du IVe siècle. Certains de ces forts, comme Phylé et Décélie, ont joué un rôle important dans l'histoire politique et militaire d'Athènes. Au Ve siècle, la plupart des fortifications de ce genre étaient moins perfectionnées : le retranchement élevé par les Athéniens à Délion en 424 employait surtout le bois, ce qui permit aux Béotiens d'y mettre le feu. Enfin, on trouve dans toutes les régions de Grèce des fortins isolés, généralement de simples tours carrées, solidement construites en pierre de taille, qui s'élèvent au milieu d'un terrain de culture ou de pâturage, sans qu'on ait cherché à les installer dans une position spécialement forte. La date de ces installations, qu'on rencontre aussi bien dans la montagne que dans les îles, est souvent difficile à déterminer, mais certaines d'entre elles, à en juger d'après l'appareil de leurs murs, remontent au moins au IVe siècle. Il s'agit vraisemblablement de refuges ou de tours de guet élevés dans les régions frontières ou isolées, exposées aux razzias de pillards venus par terre ou par mer : les paysans et les pâtres du voisinage y pouvaient tenir en échec un parti ennemi apparu inopinément.

Tout ce dispositif de défense rendait difficile la tâche des envahisseurs, tant que l'art des sièges n'avait pas connu de nouveaux développements. Une campagne terrestre normale, au Ve siècle et dans la première moitié du IVe siècle, se déroule comme suit : après la déclaration de guerre, faite par l'entremise d'un héraut, le parti assaillant concentre ses troupes, y joint les contingents alliés et pénètre sur le territoire ennemi. Bien entendu, il a consulté les dieux avant d'entrer en guerre, soit qu'il ait député auprès des oracles illustres, soit qu'il s'en soit remis aux oracles locaux et aux rites habituels. La saison propice est le printemps ou l'été. On évite les campagnes d'hiver, où l'armée est exposée aux intempéries : dans les *Acharniens*, Aristophane montre le taxiarque Lamachos qui, chargé en plein hiver d'aller repousser une incursion des Béotiens sur la frontière, peste contre la neige et la mauvaise saison. Sitôt en territoire ennemi, l'armée ravage et pille systématiquement : elle brûle les fermes, s'empare du bétail, détruit les récoltes sur pied, coupe les arbres fruitiers et les vignes, va jusqu'à déterrer les gousses d'ail avec des bâtons pour être sûre d'avoir tout saccagé. Devant l'invasion, les paysans trouvent leur salut dans la fuite : les villes fortes sont là pour les accueillir, et le développement donné aux enceintes, embrassant souvent, en plus des quartiers urbains, de vastes zones non bâties, est fait précisément pour qu'elles jouent ce rôle de refuge. Ainsi les campagnards de l'Attique, durant la guerre du Péloponnèse, s'entassaient pêle-mêle dans les terrains vagues et les sanctuaires d'Athènes et du Pirée, ainsi qu'entre les Longs Murs : cet afflux soudain d'une population chassée de ses villages et campant dans des conditions d'hygiène déplorables provoqua la terrible peste des premières années de la guerre. Si l'armée de l'envahisseur n'a pas trouvé devant elle les troupes de l'adversaire pour une rencontre décisive, elle arrive jusqu'aux murailles de la cité. La surprise, la trahison ou la peur peuvent parfois lui en ouvrir les portes, comme à Platées en mars 431, quand un complice fit entrer de nuit dans la ville 300 hoplites thébains, ou à Amphipolis qui se rendit en 424 à la première sommation de Brasidas. Dans le cas contraire, le seul espoir est de forcer la ville par le blocus, qui est difficile à maintenir efficacement pendant une longue durée : Athènes mit plus de deux ans (431-429) à réduire Potidée, en Chalcidique. D'ordinaire, après une démonstration sous les murs de la ville, l'assaillant, peu soucieux de s'exposer aux inconvénients d'un siège à conduire en plein hiver dans une région déjà dévastée et privée de ses ressources, rentrait chez lui et libérait ses troupes jusqu'au printemps suivant. Tel fut le schéma des opérations pendant de longues années durant la guerre du Péloponnèse, du moins tant que les Lacédémoniens n'eurent pas conquis, avec la position de Décélie, un point d'appui leur permettant de s'installer à demeure, même l'hiver, dans la campagne attique.

A cette stratégie sommaire, les Etats qui ne disposent pas d'effectifs suffisants pour une bataille rangée, ou qui refusent d'en courir le risque, répondent par un harcèlement qui peut prendre la forme d'embuscades comme celle que les Etoliens tendirent à l'Athénien Démosthène en 426 ou celle où l'Athénien Iphicrate, à la tête de ses peltastes, détruisit un corps d'infanterie spartiate au cours de la guerre de Corinthe. Plus efficace encore est la riposte maritime. Car la supériorité navale permet à celui qui la possède de porter à l'ennemi des coups inattendus. Pendant la guerre du Péloponnèse, Athènes ne se fit pas faute de ravager à la belle saison les côtes du Péloponnèse, jusqu'au fond du golfe de Laconie; elle entretint pendant plusieurs années une base d'opérations à Pylos de Messénie; elle nuisit de son mieux au commerce maritime de Sparte et de ses alliés. Ce grand conflit fut dans une large mesure, comme les contemporains l'ont parfaitement senti, la lutte d'une puissance terrestre contre une puissance navale, et Sparte ne l'emporta, en définitive, que lorsqu'elle eut réussi, grâce à Lysandre et à l'or perse, à briser la flotte athénienne. Le rôle capital joué par la marine de guerre est un des traits originaux de l'histoire grecque.

●

Dès l'époque mycénienne, les Grecs utilisèrent leurs vaisseaux pour la guerre et la piraterie, deux activités connexes qui devaient aller de pair à leurs yeux jusqu'à l'époque hellénistique. Une tablette célèbre de Pylos fait allusion à une expédition maritime. La guerre de Troie n'est que la plus illustre d'une série d'opérations du même genre où la marine et l'armée de terre intervenaient conjointement. Nous connaissons mal les vaisseaux mycéniens : quelques pierres gravées, quelques dessins ou graffiti sont des documents trop réduits ou trop sommaires pour nous renseigner suffisamment sur la navigation hellénique au IIe millénaire. Mais il n'est pas douteux que les barques en usage à cette époque permettaient déjà des traversées importantes : l'invasion de l'Egypte par les Peuples de la Mer, parmi lesquels il y avait des Achéens, le montre assez dès la fin du XIIIe siècle.

Aux temps homériques, nous sommes beaucoup mieux renseignés, grâce à la fois aux *Poèmes* et aux représentations figurées des vases géométriques. Celles-ci, nous l'avons vu, nous montrent assez fréquemment des scènes de batailles navales ou de combats près des vaisseaux, qui présentent de frappantes analogies avec les descriptions homériques. En combinant les indications tirées de ces deux sources, on peut décrire assez précisément ces grandes galères non pontées, munies d'un éperon, avec gaillard d'avant et gaillard d'arrière, l'un et l'autre surélevés et bordés de rambardes. Les rameurs sont disposés sur un seul rang, appuyant leurs rames sur des tolets en forme de crocs plantés verticalement sur le plat-bord. Entre les deux files de rameurs, un passage surélevé ou *coursie* permet de passer de l'avant à l'arrière. C'est là que se tiennent les soldats embarqués. Le navire est dirigé au moyen de deux longues rames faisant office de gouvernail et disposées de part et d'autre de la poupe. Le pilote va de l'une à l'autre grâce au « banc de pied » qui lui est réservé et qui tient toute la largeur du navire — environ deux mètres à cet endroit proche de la poupe. C'est sur ce banc qu'Ajax, au chant XV de l'*Iliade*, a bondi, brandissant une grande pique d'abordage, pour repousser du haut des vaisseaux grecs tirés au sec sur la grève l'assaut des bataillons troyens.

Tel est le vaisseau long — la *galère subtile*, dit V. Bérard, reprenant l'expression dont on se servait au Grand Siècle — couramment en usage dans la marine grecque du haut archaïsme. Il marche à la fois à la rame et à la voile. Le mât unique, amovible, se dresse au milieu du navire, fiché dans un trou de la coursie et le pied maintenu dans un bloc de bois ou *emplanture* qui adhère à la quille. Une vergue horizontale, qu'on hisse avec des drisses de cuir, porte la voile carrée, voile unique que l'on maintient et oriente au moyen d'écoutes et de bras de vergue. Ce gréement, qui ne représente aucun progrès par rapport aux navires égyptiens, ne permet pas de naviguer au plus près : les seules allures qu'il autorise sont vent arrière ou grand largue. Dès qu'il s'agit de serrer le vent, il faut carguer la voile et prendre les rames. Les rameurs peuvent être jusqu'à cinquante, soit vingt-cinq de chaque bord : c'est déjà presque le type de navire à cinquante rames, ou *pentécontore*, qui sera habituel aux VIIe et VIe siècles.

Les vaisseaux longs de l'âge homérique, étant munis d'un éperon, sont par conséquent en mesure de détruire un navire ennemi par le choc : bien que nous n'ayons pas de témoignage direct sur un véritable combat sur mer à cette époque, il est clair que déjà la tactique navale était née. Elle fut perfectionnée par les grands Etats maritimes et principalement par Corinthe. Cette importante cité, établie sur l'Isthme et regardant vers les deux mers, développa sa marine de guerre pour protéger son commerce et ses relations avec ses colonies : à cet effet, elle se constitua une flotte de navires d'un type nouveau, non pontés, plus bas sur l'eau, plus rapides et plus maniables, et mus par cinquante rameurs dont les rames ne sont plus assujetties à des tolets, mais passent dans des ouvertures pratiquées dans le plat-bord. Ces *pentécontores*, longues d'une trentaine de mètres, étaient assez comparables pour la Méditerranée à ce que seront dans l'Atlantique les *drakkars* normands ; elles étaient plus capables de manœuvrer que les vaisseaux homériques pour utiliser l'éperon. Avec les barques à trente rameurs ou *triécontores*, d'un type analogue, mais réduit, elles furent l'ossature des escadres grecques archaïques et permirent l'expansion coloniale dans les mers lointaines. C'est sur deux pentécontores, par exemple, que Battos et ses compagnons passèrent de Théra en Libye pour y fonder Cyrène.

Les dimensions de la pentécontore (30 à 35 m de long) représentent à peu près un maximum pour un navire normal en bois : dès qu'on dépasse cette longueur, on risque une rupture de la quille lors des efforts imposés au bateau par la navigation en haute mer. Pour gagner encore de la vitesse, il fallait augmenter le nombre des rameurs. Comment y parvenir sans allonger davantage le navire ? La solution était de superposer les rameurs : d'où les types de vaisseaux à deux et à trois rangs de rames, *dières* et *trières*, qui devaient connaître, ces dernières surtout, une faveur exceptionnelle à l'époque classique. Avec la trière*, en effet, la construction navale grecque atteignit à son apogée : ce navire fin manœuvrier fut l'élément essentiel de la flotte athénienne au moment de sa plus grande puissance et mérite à ce titre une attention particulière.

La coque, longue de 35 à 38 mètres, est étroite : 4 à 5 mètres au maître-couple, à hauteur de la ligne de flottaison. Le tirant d'eau n'atteint pas un mètre, le déplacement est de l'ordre de 80 tonneaux de jauge internationale. La coque, renforcée de préceintes, est munie d'un éperon. La disposition des rameurs, qui a été longtemps discutée, peut se déduire assez clairement des documents figurés. Les textes nous apprennent que les trois rangs de rameurs portaient de haut en bas les noms de *thranites*, *zeugites* et *thalamites*. Ceux qui correspondaient aux rameurs traditionnels de la penté-contore et des vaisseaux archaïques étaient les rameurs du rang inter-médiaire, assis, comme autrefois, directement sur les baux du navire, qu'on appelait *zeugos* (« joug » ou « traverse »), d'où le nom de *zeugites*. Leurs rames passaient, comme sur la pentécontore, par des ouvertures percées dans le plat-bord. Les *thranites* étaient assis 2 pieds (environ 0,60 m) plus haut et leur siège ou tabouret (*thranos*) était fixé juste contre la partie supé-rieure du plat-bord, à mi-chemin entre les bancs des zeugites. Les thranites étaient donc décalés par rapport à ces derniers à la fois en hauteur, en longueur et aussi en largeur, car ils se trouvaient plus éloignés de l'axe du bateau d'environ une largeur d'épaules. Pour compenser cette position extérieure, on avait imaginé de munir la trière d'une galerie, large d'environ 2 pieds (0,60 m), qui faisait saillie au-dehors à la hauteur du plat-bord et qui reposait sur des supports rejoignant obliquement les préceintes. Le rebord de cette galerie, qui était surmonté d'un garde-fou à claire-voie, portait aussi les tolets destinés aux rames des thranites. Ceux-ci, tout en étant assis juste contre le plat-bord du navire, disposaient ainsi néanmoins d'un bras de levier suffisant pour manœuvrer leur longue rame sans une fatigue excessive. Quant aux *thalamites*, ils étaient assis dans la cale (*thalamos*), exactement dans le plan des thranites, mais plus près de l'axe du bateau que les zeugites d'une largeur d'épaules et plus bas qu'eux d'environ 3 pieds (0,90 m). Leurs rames passaient, comme celles des zeugites, par des sabords percés dans le flanc du navire et situés à l'aplomb des tolets des thranites correspondants. Ce dispositif apparemment complexe est, en réalité, fort simple : il consiste à employer au mieux l'espace disponible en décalant les trois rangées de rameurs à la fois en hauteur et en largeur et en les disposant en quinconce dans le sens de la longueur du navire. Chacun obtenait ainsi la place nécessaire pour manœuvrer sa rame, sans être gêné par un voisin trop rapproché, avantage particulièrement appréciable dans la manœuvre, essentielle pour la sauvegarde du navire, qui consistait à rentrer rapidement les rames au commandement, quand un vaisseau ennemi s'approchait avec l'intention de les briser, et à les ressortir en hâte, sitôt le danger passé. Les sabords des thalamites n'étaient guère qu'à 0,50 mètre de la surface de l'eau, et ceux des zeugites à 0,90 mètre environ : pour éviter d'embarquer des paquets de mer, il fallait donc les obstruer au moyen d'une gaine de cuir qui d'une part était fixée à la coque et d'autre part enserrait étroitement la rame, tout en lui laissant la liberté de se mouvoir. Les thranites, eux, étaient à l'air libre, à 1,40 mètre ou 1,50 mètre au-dessus de l'eau. Au Ve siècle, on établit d'ordinaire au-dessus d'eux un pont supérieur destiné à la fois à les protéger des traits ennemis et à recevoir les soldats embarqués. En outre, on disposait sur les flancs du navire, avant chaque engagement, des pare-flèches en forte toile.

La trière athénienne a une chiourme de 170 rameurs : 62 thranites, 54 zeugites et 54 thalamites. Comme les thranites, placés les plus hauts, ont aussi les rames les plus longues, ils passent pour avoir la tâche la plus rude : d'où l'expression « le peuple des thranites » qu'emploie Aristophane pour désigner le petit peuple d'Athènes, qui fournissait les rameurs. Sont embarqués aussi quelques matelots, moins d'une dizaine, pour la manœuvre des voiles, des ancres et des amarres. Sur ce point, la trière n'est pas en progrès par rapport aux vaisseaux de guerre antérieurs : elle n'a toujours qu'un grand mât avec une unique voile carrée, et parfois une petite misaine, carrée elle aussi. L'état-major comprend le capitaine ou *triérarque*, l'officier-pilote, un second officier dit officier de proue qui veille à l'avant du navire, le chef de chiourme, qui règle la nage avec l'aide d'un joueur de flûte indiquant la cadence, et probablement plusieurs quartiers-maîtres. Quelques hoplites ou archers embarqués, les *épibates*, complètent l'équipage, dont l'effectif normal est de 200 personnes.

Avec un équipage bien entraîné, la trière pouvait filer 5 ou 6 nœuds (de 9 à 11 km à l'heure). La formation des rameurs n'était d'ailleurs pas une petite affaire : l'effort physique était grand et pouvait durer des heures sans interruption. La parfaite cohésion de la chiourme dans les manœuvres délicates ne s'obtenait qu'au prix d'un constant exercice. Comme le dit Périclès dans son discours au peuple d'Athènes, avant le début de la guerre du Péloponnèse, « si un métier exige une formation technique, c'est bien celui de marin. Il n'admet pas qu'on le pratique à l'occasion comme un métier de complément : bien au contraire, aucun métier de complément n'est compatible avec celui-là. » Pourtant les équipages athéniens étaient recrutés dans le peuple : c'est la classe des *thètes*, celle des citoyens sans fortune, qui fournissait les rameurs. A l'occasion, on enrôlait aussi des métèques ou même des esclaves. Ces marins recevaient une solde quotidienne dont l'importance variait, suivant les circonstances et les ressources du Trésor public, de deux oboles à une drachme (6 oboles). Dans la dernière partie de la guerre du Péloponnèse, les amiraux lacédémoniens, qui disposaient des subsides perses, pratiquèrent une surenchère en matière de solde qui entraîna la désertion de nombreux rameurs au service d'Athènes.

Le commandant de la trière, ou *triérarque*, n'est pas chez les Athéniens un marin de métier. C'est un riche citoyen qui a été désigné par les stratèges pour cet honneur, qui est en même temps une lourde charge financière. La *triérarchie* dure un an : elle consiste à assumer le commandement du navire, à le mettre en état de prendre la mer et à l'entretenir. La coque, le mât, la voile et les principaux agrès sont fournis par l'Etat. Mais le triérarque doit compléter l'équipement, faire effectuer les réparations, réveiller le zèle de l'équipage par des dons ou des primes qui s'ajoutent à la solde versée par le Trésor. La dépense est si considérable qu'on dut, à partir de 411, autoriser deux citoyens à s'associer pour y faire face et, ultérieurement, en 357-356, organiser le système plus compliqué des *symmories*, qui répartissait la charge entre un assez grand nombre de contribuables. Mais alors le principe fondamental de l'engagement physique et individuel au service de la cité était abandonné : le citoyen ne payait plus de sa personne, mais seulement de ses deniers, et son attitude mentale à l'égard de la guerre en était profondément transformée. Il va de soi qu'à l'époque où les triérarques s'embarquaient eux-mêmes sur leurs navires, ils ne possédaient pas toujours les qualités et l'expérience d'un officier de marine : d'où l'importance de l'officier-pilote qui, lui, était un homme du métier et dont le rôle était de conseiller efficacement le triérarque. Ce dernier n'en conservait pas moins l'entière responsabilité de son navire. On le vit bien dans l'affaire des Arginuses, où des triérarques s'opposèrent vivement aux stratèges devant l'Assemblée du peuple, parce qu'ils se sentaient eux-mêmes responsables de l'exécution des ordres reçus.

A l'époque de sa grandeur, la puissance d'Athènes reposait essentiellement sur ses escadres. Lors de la deuxième guerre médique, elle pouvait aligner près de 300 trières. En 431, elle en avait au moins autant, sans compter celles de ses alliés qui avaient gardé une flotte indépendante, comme Lesbos, Chio et Corcyre. A plusieurs reprises elle fut capable d'en construire de nouvelles par dizaines et de les armer. Aristophane, dans les *Acharniens*,

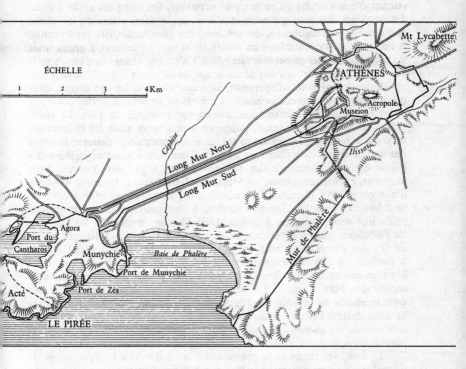

ÉCHELLE

Mt Lycabette

ATHÈNES

Acropole

Museion

Ilissos

Céphise

Long Mur Nord

Long Mur Sud

Mur de Phalère

Agora

Port du Cantharos

Munychie

Baie de Phalère

Port de Munychie

Port de Zéa

Acté

LE PIRÉE

(D'après R.-E. Wycherley.) Installée au pied de l'Acropole et défendue par ses murailles, la cité d'Athènes est en outre reliée au Pirée et à la rade foraine du Phalère par des Longs Murs construits à l'instigation de Thémistocle, puis de Périclès. La vaste place forte ainsi créée défia les assauts ennemis tant que la flotte athénienne garda la maîtrise de la mer. Les trois ports du Pirée, ports militaires de Zéa et de Munychie, port commercial du Cantharos, étaient aussi défendus par des murailles. La colline de Munychie était la clef de la défense du Pirée, comme l'Acropole et la colline du Museion étaient les clefs d'Athènes.

nous a conservé l'évocation pittoresque d'une de ces mobilisations navales : « Ce n'est dans toute la ville qu'un tumulte guerrier : on interpelle les triérarques, on distribue la solde, on dore les statues de Pallas. Le portique

147

retentit d'échos tandis qu'on mesure les rations. On voit partout des outres, des courroies, des gens qui achètent des pots, des filets pleins d'ail, d'olives et d'oignons, des couronnes, des sardines, des filles faciles, des yeux pochés. A l'arsenal, même agitation : on rabote les rames, on enfonce à grand bruit les tolets, on fixe les gaines aux sabords. Ce n'est que chants de flûtes, appels du chef de chiourme, son des fifres, coups de sifflets. »

Entre les périodes d'opération, la coque de la trière est abritée dans des hangars spécialement aménagés à cet effet : ce sont des cales couvertes en plan incliné, débouchant directement sur le bassin du port. La trière y était halée sur des rouleaux, poupe en avant, après avoir été débarrassée de son gréement. Elle y restait au sec, ce qui permettait de nettoyer la coque des algues et des coquillages et de la calfater. On a reconnu en bien des points du monde antique des vestiges de ces loges pour navires. Leur longueur, environ 40 mètres, confirme les calculs fixant la longueur moyenne d'une trière à 35-38 mètres. D'ordinaire, ces hangars sont prévus pour un seul bateau. Toutefois Denys l'Ancien, à Syracuse, en fit construire qui recevaient deux vaisseaux à la fois. Déjà Homère mentionne les loges où les Phéaciens, marins expérimentés, abritaient leurs navires. Hésiode, moins au fait des choses de la mer, ne parle que d'emplacements à ciel ouvert. A Corinthe, à Samos du temps de Polycrate, des cales couvertes existaient dès l'époque archaïque. Strabon rapporte que le port de Cyzique en possédait 200. Mais c'est, bien entendu, Athènes qui était la plus riche en aménagements de ce genre avec les trois ports du Pirée*, le Cantharos, port de commerce, à l'ouest, et les deux rades de Zéa et de Munychie, réservées à la marine de guerre : au milieu du IVe siècle, on y comptait 300 loges pour vaisseaux.

Le mât, les rames et le gouvernail (formé de deux longues rames de poupe) de la trière désarmée étaient mis à l'abri dans le hangar où reposait la coque. Pour les agrès, voiles et cordages — catégorie désignée dans les documents officiels comme « agrès à suspendre » —, ils étaient rassemblés dans un bâtiment spécial, l'arsenal ou *skeuothèque*. En 347-346, les Athéniens entreprirent de construire une nouvelle skeuothèque près du port de Zéa, sur les plans de l'architecte Philon d'Eleusis : nous possédons le devis de construction qui nous a été conservé par une inscription et qui est un document capital pour l'architecture grecque. C'était un bâtiment très soigné, long de 130 mètres sur une largeur de 18 mètres. A l'intérieur, 134 grandes armoires, destinées à renfermer les voiles, étaient disposées dans les collatéraux de chaque côté d'une galerie médiane bordée de hautes colonnes. Les cordages étaient placés au-dessus des armoires, sur des étagères. Des mesures de précaution avaient été prévues pour éviter l'incendie : ainsi les fenêtres étaient fermées par des châssis de métal et non de bois.

La construction des trières était confiée à des spécialistes, les ingénieurs du génie maritime, considérés comme les architectes de la mer. Dans les documents officiels, le nom du navire est suivi de celui de son constructeur, dont la responsabilité est ainsi engagée. Les méthodes de travail permettaient d'aller vite lorsque la nécessité l'exigeait : on cite des cas où une flotte entière fut achevée en quelques mois. Le grand problème était de se procurer le bois nécessaire à ces constructions navales. L'Attique est pauvre en bois : il fallait en importer de Chalcidique ou de Macédoine. Les rois de Macédoine surent tirer parti de cette ressource importante de leurs domaines et faire payer cher une amitié qu'Athènes avait grand intérêt à cultiver.

Comme dans nos marines modernes, les trières portaient chacune un nom, toujours au féminin. Noms de divinités ou d'héroïnes : *Amphitrite, Thétis, Hébé, Galatée, Pandore* — noms de vertus ou de notions abstraites : *Justice, Force, Vertu, Liberté, Paix* — épithètes laudatives : l'*Aimée*, la *Rapide*, la *Dorée*, la *Chanceuse* — adjectifs géographiques : la *Néméenne*, la *Délienne*, la *Delphienne*, la *Salaminienne*. Cette dernière, ainsi qu'une autre trière nommée la *Paralienne*, était spécialement chargée de porter les dépêches officielles de l'Etat. Les Athéniens étaient naturellement très attachés à une marine dont leur sort dépendait. Aristophane traduit ce sentiment avec humour lorsqu'il imagine, dans les *Cavaliers*, que les trières personnifiées se réunissent en conseil pour faire échec à un projet d'expédition qui ne leur plaît guère. La plus âgée prend la parole : « Ignorez-vous, mesdemoiselles, ce qui se passe en ville ? On dit qu'un orateur, un mauvais citoyen, réclame cent d'entre nous pour attaquer Carthage... » Et les trières de protester qu'elles ne se prêteront pas à ce projet funeste, quitte à chercher asile, comme des fugitifs, dans quelque sanctuaire inviolable !... Mais aussi quelle fierté dans le cœur des Athéniens lorsqu'ils descendaient au Pirée pour assister au départ de l'escadre pour une entreprise lointaine ou au retour de la flotte victorieuse après quelque succès retentissant ! Thucydide a évoqué pour nous en termes inoubliables le départ de l'expédition de Sicile au milieu de l'année 415 : « Quand tout le monde fut à bord et que tout le matériel destiné à l'expédition eut trouvé sa place, la trompette sonna et un grand silence se fit. Les prières traditionnelles avant de prendre la mer furent dites alors, non pas sur chaque vaisseau en particulier, mais pour tous à la fois par la voix d'un héraut. Sur toute l'escadre on puisa dans les cratères le vin préparé et passagers et officiers firent les libations avec des coupes d'or et d'argent. A ces prières s'associaient la foule des citoyens restés sur le rivage et tous les autres spectateurs qui formaient des vœux pour le succès de l'expédition. Quand on eut chanté le péan et que les libations furent achevées, les vaisseaux prirent la mer, naviguant d'abord en ligne de file, puis ils luttèrent de vitesse entre eux jusqu'à la hauteur d'Egine. »

Les historiens nous ont laissé un grand nombre de récits de batailles qui nous permettent d'apprécier les progrès de la tactique navale. Les opérations n'avaient lieu qu'à la belle saison : les tempêtes hivernales eussent été fatales à ces vaisseaux étroits, longs et non pontés. Les flottes passaient donc l'hiver dans quelque base navale et ne prenaient la mer qu'au printemps. Elles ne poussaient guère au large qu'en cas d'absolue nécessité (pour les grandes traversées vers l'Afrique ou l'Italie méridionale, par exemple), car la vie à bord, faute de place, n'était pas commode dès que la navigation se prolongeait. On évitait de naviguer la nuit et l'usage était même de toucher terre pour les repas. Cela explique que les annales de la guerre chez les Grecs ne nous rapportent guère de rencontres en haute mer, mais des batailles à proximité des côtes, souvent dans un détroit, où les vaisseaux cherchent volontiers à gagner le rivage et où les forces terrestres interviennent fréquemment. Toutefois, une évolution se laisse reconnaître dans la conduite des opérations. A l'époque archaïque, en dépit de l'existence d'un éperon à la proue des navires de guerre, le combat naval tendait à se rapprocher du combat terrestre. Chaque vaisseau cherchait à se placer bord à bord avec un adversaire et les hoplites embarqués s'attaquaient à ceux d'en face : la seule tactique était donc l'abordage et la bataille se résolvait en une série de combats singuliers, navire contre navire, sans véritable manœuvre d'ensemble. Les peintres de vases archaïques ont plus d'une fois représenté cette manière de combattre, ainsi sur le célèbre cratère d'Aristonothos, qui date du VIIe siècle.

Plus tard, et en particulier dans le cours du Ve siècle, la tactique navale se transforma, en grande partie sous l'influence des amiraux athéniens qui surent remarquablement tirer parti d'équipages bien entraînés. Déjà à Salamine les vaisseaux grecs avaient largement usé de leurs qualités manœuvrières pour éperonner les navires ennemis qui se gênaient mutuellement dans un espace trop resserré. Mais ultérieurement on mit au point des manœuvres complexes qui permirent, en mer libre, à une escadre bien commandée de l'emporter sur des forces bien supérieures. La manœuvre dite *diekplous* consistait à traverser en ligne de file les rangs des vaisseaux ennemis qui se présentaient de front : on cherchait au passage à briser les rames de quelques adversaires, mais surtout on obligeait l'escadre ennemie, si elle voulait éviter d'être prise à revers, à une conversion génératrice de confusion et propice à une attaque à l'éperon. La manœuvre dite *périplous*, plus délicate encore, consistait à tourner à grande vitesse, toujours en ligne de file, autour de la flotte ennemie : le risque d'être attaqué de flanc était réel, mais chaque vaisseau pouvait en être garanti si le vaisseau qui le suivait se tenait prêt à éperonner tout navire attaquant son prédécesseur. A condition que la formation fût gardée et la vitesse constante, la manœuvre finissait par obliger l'ennemi à resserrer son dispositif au point que ses navires se gênaient mutuellement, ou à rompre son ordonnance de bataille, offrant ainsi une occasion favorable à l'assaillant. Un brillant modèle de l'emploi du *périplous* fut donné par l'Athénien Phormion dans la bataille navale du golfe de Patras en 429 : avec ses 20 trières, il encercla les 47 trières d'une escadre péloponnésienne, les obligea à se rapprocher les unes des autres et, quand la brise matinale, comme il l'avait prévu, souleva les eaux du golfe, augmentant ainsi le désordre chez l'ennemi, Phormion attaqua, mit en déroute les Péloponnésiens et leur prit 12 trières sans en perdre lui-même une seule.

D'autres batailles eurent le caractère d'une opération combinée, avec débarquement et participation à l'action d'une infanterie jetée sur le rivage. Il en fut ainsi, par exemple, de la bataille d'Ægospotamos en 405, où Lysandre détruisit la flotte athénienne : en refusant le combat plusieurs jours de suite, l'amiral spartiate avait inspiré à l'adversaire une fausse sécurité. Sachant par un de ses navires posté en éclaireur que les Athéniens, après leur démonstration quotidienne au milieu du détroit, avaient regagné la côte de Chersonèse pour le repas du soir, Lysandre prit la mer aussitôt, surprit les trières ennemies au mouillage, équipages à terre, et les captura ou les détruisit presque toutes, assurant ainsi la victoire définitive de Sparte dans la longue lutte engagée depuis vingt-six ans.

●

Avec ces forces terrestres et navales, les cités se firent la guerre sans relâche et souvent sans pitié. Car les Grecs ont toujours admis que le droit du vainqueur sur la personne et les biens du vaincu était en principe sans limites. Le vainqueur peut, sans manquer aux lois de la guerre, massacrer la population ou la réduire en esclavage, s'emparer de la terre ou détruire les récoltes, s'approprier les richesses mobilières, incendier les villages et les villes, sous la seule réserve de respecter les domaines sacrés pour ne pas irriter les dieux. C'est déjà l'objet que se proposent les Achéens attaquant Troie. Ecoutons Agamemnon, dans le chant IV de l'*Iliade*, évoquant devant ses hommes le sort qui attend leurs ennemis : « Soyons-en sûrs : les vautours se repaîtront de leur chair sans défense et nous, nous emmènerons sur nos vaisseaux leurs femmes et leurs petits enfants, après avoir conquis la ville. » Plus tard, Ulysse, sur le chemin du retour, n'éprouve aucun scrupule à ravager au passage le pays des Cicônes, sur la côte de Thrace : il n'épargne que le prêtre d'Apollon, par respect pour le dieu, non sans accepter de lui, en guise de rançon, des présents magnifiques. L'épopée montre que tout homme vit dans le souci d'écarter de ses enfants et de sa ville le jour fatal, le « jour impitoyable » de la défaite et de la servitude. Un des sept héros argiens qui mènent l'assaut contre Thèbes n'a-t-il pas inscrit sur son bouclier, en manière de devise : « *J'incendierai la ville* » ?

Ce droit imprescriptible du plus fort, l'époque classique ne l'a pas mis en doute, même si dans la pratique elle a su lui apporter quelques tempéraments. Socrate lui-même, dans les *Mémorables* (IV, 2, 15), fonde sur cette évidence un de ses raisonnements : « Si un général, ayant pris d'assaut une cité ennemie qui s'est rendue coupable de quelque méfait, en réduit la population en esclavage, dirons-nous qu'il commet une faute ? — Assurément non ! — Ne dirons-nous pas qu'il agit conformément à la justice ? — Certes si ! » Le vainqueur est donc fondé à disposer du vaincu à sa fantaisie, et toute limitation qu'il s'impose à lui-même passe pour une mesure de clémence. Le peuple athénien, en dépit de la modération et de la « douceur » dont il se targuait volontiers, se montra d'une extrême rigueur à l'occasion : il expulsa de leur patrie certains habitants de l'Eubée en 446, les Eginètes et les habitants de Potidée en 430, les Déliens en 422. Il prononça un arrêt de mort en 427 contre tous les habitants de Mytilène révoltée, mais revint le lendemain même à des sentiments plus doux et la trière *Paralienne*, faisant force de rames, réussit à faire parvenir à temps le contrordre au stratège Pachès, chargé de l'exécution. Plus tard, en 422, Cléon, qui avait proposé le massacre des Mytiléniens, fit vendre comme esclaves les habitants de Toroné en Chalcidique. L'année suivante, une autre ville de Chalcidique, Scioné, subissait un sort encore plus cruel : les Athéniens tuaient tous les hommes valides et réduisaient femmes et enfants à la servitude. Enfin en 416-415 ils traitaient de la même manière impitoyable la ville de Milo, dans les Cyclades, qui avait refusé de se soumettre. Des mercenaires thraces à la solde d'Athènes, en 415, détruisirent de fond en comble la ville béotienne de Mycalessos et en massacrèrent toute la population, y compris les femmes et les enfants, si bien que le site fut définitivement abandonné, comme le note encore Pausanias au IIe siècle de notre ère. De leur côté, les Spartiates ne se conduisaient pas moins cruellement : ils exécutèrent les hommes pris à Platées en 427 et traitèrent de même ceux d'Hysiai, bourg d'Argolide, en 417-416. On conçoit qu'Athènes, quand elle eut capitulé devant Lysandre en 404, ait appréhendé de subir le même sort. C'est d'ailleurs ce que certains alliés de Sparte, comme Thèbes ou Corinthe, réclamaient pour leur vieille ennemie enfin abattue. Xénophon, dans les *Helléniques,* nous rapporte combien ses compatriotes, conscients des rigueurs qu'ils avaient eux-mêmes infligées à leurs adversaires, redoutaient de se voir appliquer la loi du talion. « Mais, ajoute-t-il, les Lacédémoniens se refusèrent à réduire en esclavage une cité grecque qui avait rendu de tels services à la Grèce dans les plus grands dangers que celle-ci avait courus. »

Il apparaît donc que les considérations morales pouvaient intervenir à l'occasion pour adoucir des mœurs violentes que la tradition pourtant autorisait. C'est l'honneur de l'hellénisme que d'avoir su exprimer, par la bouche de quelques-uns de ses penseurs, écrivains ou hommes politiques, des scrupules d'humanité qui tendirent peu à peu à rendre les lois de la guerre moins impitoyables. Il y eut d'abord des influences religieuses, et en particulier celle de Delphes : le texte d'un serment amphictyonique cité par l'orateur Eschine dans son discours *Sur l'Ambassade* contient l'engagement de ne « dépeupler » par la guerre aucune des cités qui participent à l'Amphictyonie pyléo-delphique. Et, de fait, ce serment semble avoir été respecté pendant tout le cours du VIe siècle, période où l'oracle de Delphes jouit du plus grand prestige moral. Le texte du « Serment de Platées », tel qu'il nous a été conservé par une inscription du IVe siècle, est sans doute apocryphe, mais il reflète les préoccupations contemporaines à la date où il a été gravé : or il reprend le même engagement en l'appliquant cette fois non plus aux cités amphictyoniques, mais à Athènes, Sparte et Platées ainsi qu'aux cités membres de l'alliance défensive conclue contre Xerxès. Ici, le scrupule qui a conduit à formuler cette restriction au droit du vainqueur est moins religieux que moral : il a sa source dans le sentiment de la solidarité hellénique, de la communauté du sang et de la langue, que les orateurs et les écrivains exprimaient volontiers et qui, sans avoir jamais réussi à faire disparaître le particularisme ombrageux des cités, parvient néanmoins parfois à refréner quelque peu ses manifestations violentes. A ce souci Platon a fait écho lorsque, dans le *Ménéxène* (242 *d*), il attribue au respect de la solidarité hellénique la décision par laquelle les Athéniens épargnèrent les hoplites spartiates faits prisonniers à Sphactérie : « Ils estimaient que contre un peuple frère il suffit de combattre jusqu'à la victoire et qu'on ne doit pas, pour satisfaire au ressentiment particulier d'une cité, mettre en péril la communauté des Hellènes. »

La violence en elle-même finit par susciter la réprobation et le scandale chez certains esprits moins enclins que les autres à se plier aux mœurs traditionnelles. C'est le cas chez Euripide, qui n'hésite pas, dans une pièce comme les *Troyennes*, jouée en 415, à condamner le principe de la guerre de conquête, en raison des malheurs et des souffrances injustes qu'elle entraîne. Il place cette condamnation dans la bouche d'un dieu, Poséidon, dès le début de la pièce, tout entière consacrée à dépeindre le sort misérable des captives phrygiennes, Hécube, Andromaque, Cassandre, juste après la prise de Troie : « Fou le mortel qui dévaste les villes ! Il a rendu déserts les temples des dieux et les abords des tombes, domaine sacré des morts : et bientôt il périt à son tour ! » Plus loin le poète fait dire à Cassandre : « Tout homme sage doit éviter la guerre. Pourtant si l'on en vient à cette extrémité, c'est un honneur glorieux que de succomber vaillamment pour sa patrie. » Ainsi se définit peu à peu l'idée nouvelle de la guerre juste, où la gloire n'est pas seulement liée à l'exercice des vertus militaires, mais aussi à la légitimité de la cause qu'elles ont à défendre. Si l'on admet l'éventualité du sacrifice suprême, encore faut-il qu'il soit consommé au bénéfice d'une idée noble. D'où l'insistance avec laquelle, dans les épitaphes ou les oraisons funèbres des guerriers morts, on met l'accent non seulement sur l'obéissance aux lois de la patrie (seuls les Spartiates n'ont pas besoin d'autres mobiles), mais encore sur le fait qu'ils sont tombés pour la liberté. C'est pour que leur cité soit libre qu'ils étaient disposés à périr. Cette préoccupation apparaît déjà dans certaines épigrammes funéraires composées à l'occasion des guerres médiques, comme dans celle-ci, attribuée à Simonide, qui formule en termes très généraux un sentiment fort répandu :

> *La suprême prouesse est de mourir en brave :*
> *le Sort nous l'a donnée, à nous plus qu'à tout autre.*
> *Pour avoir à la Grèce offert sa liberté,*
> *nous dormons, revêtus d'une gloire immortelle.*

Cette conception idéaliste du devoir militaire est très généralement admise à l'époque classique, du moins en théorie, quelle que soit la réalité qu'elle recouvre. On ne cherche guère, en tout cas, à lui en opposer une autre. Le « pacifisme » d'Aristophane, comme on l'appelle parfois d'un terme trop moderne et certainement anachronique, ne conteste nullement l'obligation de servir sous les armes les intérêts de la patrie : ce que préconise l'auteur des *Acharniens*, de la *Paix* et de *Lysistrata*, c'est simplement une politique extérieure pacifique, contraire à celle des démagogues Cléon, Hyperbolos ou Cléophon, qui voyaient dans la poursuite de la guerre un moyen de satisfaire aux aspirations de leur clientèle par les soldes et indemnités militaires, les rentrées du tribut des alliés et l'installation des clérouquies hors de l'Attique. Alors que ces avantages sont appréciés du petit peuple urbain, les paysans propriétaires font les frais des hostilités : chassés de leurs campagnes, ils assistent depuis les murs de la ville au pillage de leurs biens, à la destruction de leurs oliviers et de leurs vignes et ils enragent de ne pouvoir s'y opposer. Voilà pourquoi ils souhaitent la paix, persuadés, non sans quelque illusion, que l'adversaire acceptera de la conclure à des conditions raisonnables. Aristophane se fait leur défenseur parce qu'il les aime et les estime et parce qu'il déteste les démagogues et leur racolage éhonté. Mais s'il nous montre le brave paysan Dicéopolis concluant une trêve séparée avec les Lacédémoniens ou s'il tourne en dérision le taxiarque Lamachos, ses rodomontades, le plumet gigantesque de son casque et la Gorgone horrifique de son bouclier, il n'entend point par là préconiser une politique d'abandon ni ridiculiser la vraie vaillance. Bien au contraire, son patriotisme, peut-être à courte vue, lui inspire plus d'un hymne éloquent à la gloire de la terre attique, et nul n'a mieux que lui chanté les mérites, à vrai dire idéalisés, des « Marathonomaques », les héros des guerres médiques, modèles des vertus civiques et militaires. *Laudator temporis acti*, Aristophane n'a rien d'un novateur en matière de principes politiques et sa propagande en faveur de la paix prend tout son sens quand on l'envisage comme un argument de politique intérieure. A-t-il aperçu que la guerre, en appauvrissant les ruraux d'une façon durable, ébranlait les assises mêmes du corps social et aboutirait fatalement à sa transformation profonde ? Il serait téméraire de l'affirmer : du moins, même si le processus de cette dégradation lui échappait, ses symptômes lui apparaissaient clairement et il a tout fait pour lutter contre eux.

●

Or précisément cette crise sociale, dont Aristophane pressentait l'imminence et qui avait la guerre comme cause immédiate, devait entraîner une conséquence importante pour les traditions militaires helléniques : la réapparition du mercenariat, qui se manifeste dès la fin de la guerre du Péloponnèse et qui transforme déjà d'une manière sensible les méthodes et les conditions de la guerre au IVe siècle, avant de les bouleverser entièrement à l'époque hellénistique. Le mercenariat, comme on l'a récemment montré, traduit un profond déséquilibre social : pour que des hommes, en grand nombre, acceptent de mener une vie inconfortable et d'affronter la mort, non plus sous la contrainte du devoir civique, mais simplement pour servir le patron, quel qu'il soit, qui les paie, il faut bien que la société à laquelle ils appartiennent ne leur laisse pas d'autre choix. Le phénomène est d'autant plus remarquable que la solde des mercenaires, loin d'être élevée, semble au IVe siècle plutôt inférieure, d'ordinaire, à celle d'un ouvrier qualifié. Néanmoins le nombre des soldats de fortune en service dans les armées grecques de l'époque est considérable : au début du siècle, au moins 40 000, suivant des calculs récents, dont la moitié environ en Sicile, au service de Denys l'Ancien; en 366, au moment où Thèbes est au sommet de sa puissance, où Athènes reprend avec Timothéos une politique impérialiste et où Denys le Jeune, qui vient de succéder à son père, envoie des troupes en Grèce pour y soutenir Sparte, on compte environ 20 000 mercenaires sur les divers théâtres d'opérations; au milieu du siècle, il y en a au moins autant, dont un grand nombre au service des Phocidiens qui, engagés dans la troisième guerre sacrée, utilisent les trésors de Delphes pour recruter des mercenaires et réussissent ainsi, pendant dix ans, à tenir tête à leurs ennemis. Il y a donc là un phénomène nouveau qui intervient assez fréquemment, au IVe siècle, dans l'organisation des armées grecques.

Certes, le mercenariat était apparu déjà à l'époque archaïque. Dans une pénétrante analyse, A. Aymard a mis en lumière les liens qui unissent mercenariat, colonisation et tyrannie : ce sont trois symptômes différents, mais approximativement concomitants, de la crise sociale qui sévissait dans le monde grec du VIIe et du VIe siècle. Déjà à cette époque on trouve des mercenaires grecs dans les armées des pharaons saïtes, de Psammétique Ier à Amasis et au fils de celui-ci, Psammétique III, que le dévouement de ses soldats étrangers ne réussit pas à sauver de la défaite devant Cambyse. Outre les mentions de ces mercenaires que l'on trouve dans Hérodote, leur présence est attestée par les graffiti que certains d'entre eux ont gravés, en 591, sur les jambes des colosses sculptés à la porte du grand temple d'Abou-Simbel, en Nubie. Parmi les étrangers ou *alloglosses* qui ont ainsi laissé la trace de leur passage, il y a des Sémites, des Cariens et des Grecs originaires d'Ionie et de Rhodes. Les monarques asiatiques, aussi bien Nabuchodonosor, roi de Babylone, que la dynastie des Mermnades, en Lydie, ont fait à l'occasion appel à des guerriers grecs. Enfin les tyrans eux-mêmes recrutaient volontiers leurs séides parmi des soldats de fortune venus d'autres régions du monde hellénique. La dynastie des Battiades, à Cyrène, dont les trois derniers rois se comportèrent comme des tyrans, fournit de bons exemples de ce procédé : Arcésilas III, chassé de Cyrène vers 530 par une révolution, se réfugia à Samos, auprès de Polycrate, et y recruta un corps de mercenaires avec lequel il reconquit son royaume. Son petit-fils, Arcésilas IV, chargea son propre beau-frère Carrhôtos, en 462, de recruter des mercenaires, à l'occasion du voyage qu'il avait entrepris en Grèce pour y participer au nom d'Arcésilas à la course de chars des Jeux Pythiques.

Toutefois, à en juger du moins par les documents dont nous disposons, le mercenariat ne paraît pas avoir connu à l'époque archaïque un développement comparable à celui qu'il prit au IVe siècle. Sans doute l'exutoire de la colonisation suffisait-il aux miséreux et aux déracinés. Au Ve siècle du moins, réserve faite pour le cas d'Arcésilas IV signalé plus haut, le recrutement des mercenaires semble disparaître. C'est au cours de la guerre du Péloponnèse qu'il se manifeste de nouveau : ainsi Athènes fait appel à des auxiliaires thraces pour l'expédition de Sicile et c'est un contingent de ces mercenaires, arrivés trop tard, la flotte étant déjà partie pour Syracuse, que Diitréphès fut chargé de reconduire en Thrace et qui dévasta au passage la ville béotienne de Mycalessos. Les hostilités se prolongeant, le nombre des soldats de métier qui louaient leurs services augmenta dans les pays grecs : c'est pourquoi, à la fin de la guerre, un si grand nombre d'entre eux se trouvèrent sans emploi et purent ainsi se mettre à la disposition de Cyrus le Jeune quand celui-ci tenta de renverser son frère Artaxerxès. La retraite des Dix Mille, en 401-399, après la bataille de Cunaxa, révèle à la fois le grand nombre et la valeur militaire de ces mercenaires.

Désormais, et quelles qu'en soient les causes, le rôle joué par ces soldats de métier va croître dans les armées grecques, au détriment des soldats-citoyens. Leur qualité technique s'améliore par l'exercice que savent leur imposer des généraux de valeur comme les Athéniens Conon, Iphicrate et Timothéos, comme le Spartiate Agésilas, ou bien ces officiers de moindre envergure, véritables chefs de bandes, dont le type est Ménélaos le Pélagon, un Macédonien qui entra au service d'Athènes en 363 et en reçut divers honneurs, dont le droit de cité. Les modifications introduites dans la tactique militaire, telles que nous les avons déjà décrites, sont dues pour une bonne part à l'emploi des mercenaires : il en est ainsi pour les peltastes d'Iphicrate, et on notera sans surprise que le Macédonien Ménélaos sert comme hipparque à la tête de ses escadrons, illustrant ainsi l'importance croissante prise par la cavalerie dans les armées du IVe siècle.

Ces soldats de métier se montraient-ils plus impitoyables pour la population civile que ne l'étaient les troupes traditionnelles ? A vrai dire, les uns comme les autres pratiquaient le pillage, considéré comme un droit du vainqueur. Mais c'est un fait que les contemporains voyaient avec quelque effroi croître ces bandes de mercenaires, composées « d'apatrides, de déserteurs, d'individus coupables de toutes sortes de crimes »; on leur reprochait « leurs exactions, leurs violences, leur mépris de la loi »; on finissait par les considérer comme « les ennemis communs de tout le genre humain ». Tels sont du moins les termes dont Isocrate use en 356 dans son discours *Sur la Paix* (44-46). Même en faisant la part d'une inévitable amplification rhétorique, ce ton est révélateur d'un sentiment qui tendait à se répandre. Dans le même discours, l'orateur athénien reproche à ses compatriotes de s'en remettre à ces étrangers du soin de défendre sous les armes les intérêts de la cité. Le même reproche revient plusieurs fois dans la bouche de Démosthène. Ces textes montrent assez dans quel sens évoluaient les mœurs guerrières du monde grec. La guerre avait été jusqu'alors l'affaire commune de chaque cité, et en même temps, au moins en principe, l'affaire de chaque citoyen en particulier. Désormais intervient une certaine spécialisation dans ce domaine comme dans d'autres : le service militaire, même si des institutions comme l'éphébie se proposent de le rendre plus efficace et mieux réglé, n'est plus considéré en fait comme le premier devoir du citoyen, celui dont on s'acquitte avec conviction, sinon avec enthousiasme. On envisage volontiers de s'en décharger sur une catégorie de spécialistes qu'on recrute à prix d'argent à l'étranger. Les progrès de l'individualisme, le relâchement des liens qui attachaient l'individu à la cité, le souci de se dérober aux risques ou aux obligations qu'imposait la solidarité civique, tout cela va de pair avec la constitution d'un marché international des mercenaires par suite d'une crise économique et sociale. L'offre et la demande croissent parallèlement. Il s'y ajoute la complication grandissante de la technique militaire — dans l'armement, dans la tactique, dans l'emploi des machines — qui rend plus évidente la supériorité d'une troupe de métier sur une armée de citoyens. L'épopée d'Alexandre, en raison du rôle prépondérant qu'y joua l'armée nationale macédonienne, pourra masquer quelque temps la réalité de cette évolution. Mais quand ce chef génial aura disparu, on verra vite combien le développement des corps de mercenaires favorisait les desseins des généraux ambitieux : désormais la guerre dans le monde hellénique cessera d'être l'affaire des cités pour devenir l'affaire des princes.

CHAPITRE VI

RITES ET DIEUX

Pour la plupart de nos contemporains, la religion grecque, c'est essentiellement un ensemble de légendes dont nos poètes et nos artistes, depuis la Renaissance, ont souvent tiré parti, à l'imitation de leurs prédécesseurs grecs et latins. A ces souvenirs mythologiques se joignent les images de quelques sites grandioses, Delphes, l'Acropole d'Athènes, le cap Sounion, où des ruines belles ou pathétiques se dressent encore au milieu d'un sanctuaire abandonné. Depuis Leconte de Lisle et les poètes parnassiens, les noms authentiques des dieux grecs, plus ou moins correctement transcrits, se sont substitués à ceux des dieux latins correspondants, avec lesquels on les a longtemps confondus. Mais si nous parlons de Zeus et non plus de Jupiter, d'Aphrodite au lieu de Vénus, d'Hermès à la place de Mercure, nous continuons d'ordinaire à les considérer comme le ferait un lecteur des *Métamorphoses* d'Ovide plutôt qu'avec les yeux d'un Athénien du Ve siècle. Cette conception s'explique par une longue tradition scolaire dont l'autorité est difficile à ébranler. Mais elle ne répond guère à ce que fut la réalité du sentiment religieux chez les Grecs à l'époque classique : or c'est cette vérité-là que nous souhaitons atteindre. Nous demeure-t-elle accessible, et par quelle voie ?

Les textes littéraires restent notre source la plus abondante, celle aussi qui risque le plus de nous induire en erreur. En effet, l'imagination des Grecs s'est toujours exercée avec prédilection sur les légendes relatives aux dieux, et cela sans le moindre scrupule à l'égard de la tradition. Les Grecs n'ont jamais connu de dogme immuable dans le domaine mythologique : la pluralité des lieux de culte, la dispersion de la population et le particularisme des cités grecques favorisaient la prolifération des légendes et leur extrême diversité. Conscients de ces variations, qui ne heurtaient pas leur sentiment du divin, les poètes ne se firent pas faute d'y ajouter encore à l'occasion. Un esprit aussi profondément religieux que Pindare n'hésite pas à s'écarter d'une tradition bien établie : dans la *Ire Olympique* il critique vivement l'histoire selon laquelle Tantale aurait tué son fils Pélops* pour faire servir sa chair comme viande à la table des dieux : « L'homme a le devoir de n'attribuer aux dieux que des actions honorables (...). Il m'est impossible d'appeler cannibale un des Bienheureux : je m'y refuse ! » Aussi, à plusieurs reprises, modifie-t-il une légende pour la rendre plus conforme à ses exigences morales. Les Tragiques n'agissent pas autrement : ils ne se gênent guère pour arranger la tradition au gré de leur fantaisie et le contenu des vieux mythes devient par leur fait d'une étonnante plasticité. Plus tard, à l'époque hellénistique, érudits, mythographes, scoliastes et compilateurs se sont livrés à leur tour avec une extrême liberté à l'élaboration d'une mythologie déjà foisonnante et pleine d'incohérences acceptées. A cette époque, ce sont d'autres soucis qui ont présidé à ces transformations ou enrichissements du trésor légendaire de l'hellénisme : il s'agissait d'introduire une relative cohésion entre des traditions contradictoires pour satisfaire aux exigences rationalistes éveillées par les philosophes, ou de pimenter par des inventions pittoresques des récits trop longtemps rabâchés pour conserver encore quelque saveur auprès d'un public blasé. Or c'est chez ces auteurs tardifs, bien plus que chez Homère ou les Tragiques, que les écrivains latins ont puisé leur information avant de nous la transmettre. On voit par là combien les renseignements qu'ils nous donnent sont d'une interprétation difficile pour l'historien des religions. Plutôt que le sentiment commun des Grecs classiques, ils nous transmettent le produit d'une élaboration savante, au milieu de laquelle il est fort délicat et bien souvent impossible de distinguer les témoignages authentiques puisés à bonne source de ce qui n'est que pure fantaisie.

Certes, il y a dans la richesse et dans la ductilité même de la tradition mythologique un trait original, révélateur de la nature profonde de la religion grecque. Mais il convient de ne s'en servir qu'avec d'infinies précautions. Seuls sont utilisables sans trop de réserve critique ceux de nos textes qui nous rapportent avec bonne foi et objectivité des traditions liées à des rites. Car plus que les légendes, c'est le fait de culte qui nous introduit dans la familiarité des Grecs d'autrefois et qui nous fait saisir directement leur comportement religieux. La pratique concrète, voilà la seule référence valable en la matière, qu'elle nous soit connue par un auteur, par une inscription ou par un document archéologique. Là, nous avons affaire à des réalités sociales, à des croyances qui se manifestent par des actes, et non à de pures spéculations intellectuelles. L'étude de la religion grecque consiste donc à inventorier, à décrire et, si possible, à interpréter les pratiques cultuelles, qui sont toujours locales, plutôt qu'à rassembler dans une synthèse précaire des témoignages mythologiques souvent artificiels et rarement cohérents. La légende ne devient un document utile que si elle est liée à un fait de culte qu'elle illustre ou qu'elle explique. Faute de cette confirmation positive, elle apparaît comme un simple exercice littéraire qui nous renseigne surtout sur son auteur.

Nous connaissons les faits de culte par des sources diverses, dont l'interprétation requiert des méthodes fort différentes. Il y a d'abord le témoignage des textes littéraires, qui mentionnent des rites parfois comme en passant, d'autres fois avec un luxe de détails fort précieux pour nous. Ainsi les poèmes homériques renferment plusieurs scènes de prière ou de sacrifice, les tragédies attiques décrivent certains rites funéraires, Aristophane met en scène la célébration des Dionysies rurales avec verve et précision. Ensuite nous avons les indications des historiens et des polygraphes : Hérodote au Ve siècle avant Jésus-Christ, Plutarque au début du IIe siècle de notre ère sont pleins de renseignements sur la vie religieuse des Grecs, à laquelle ils portent tous les deux un intérêt très vif. Il y a enfin les compilateurs de basse époque, dont l'œuvre nous a été transmise fragmentairement par l'intermédiaire des lexicographes byzantins du Moyen Age, comme l'auteur anonyme (souvent appelé *Suidas* par suite d'une vieille erreur) du recueil connu sous le titre de *la Souda*. Ces citations ou notes brèves, souvent altérées au cours de la transcription manuscrite, enrichissent néanmoins de façon appréciable notre connaissance de la religion grecque ancienne. Mais le trésor irremplaçable est pour nous Pausanias. Ce rhéteur du IIe siècle de notre ère, qui rédigea une description ou *Périégèse* de la Grèce propre (Attique, Péloponnèse, Béotie et Phocide), accorde aux faits et aux traditions religieuses la curiosité la plus vive. Comme ses itinéraires à travers chaque région lui font traverser les moindres bourgades, il s'attache à noter avec une conscience admirable les légendes qu'on y raconte et les faits de culte qu'il y remarque. Sans son témoignage si varié, si foisonnant, si honnête aussi, nous n'aurions bien souvent qu'une vue sommaire et mutilée de la religion des Hellènes. Très respectueux des interdits qui frappent certains aspects des cultes, réservés à la connaissance des seuls initiés, il se garde de révéler ces pratiques secrètes, mais il nous apprend qu'elles existent, ce que d'ordinaire nous ne soupçonnions pas. Quant aux rites publics, il les énumère volontiers, parfois avec un grand luxe de détails, surtout s'il s'agit d'usages étranges ou surprenants : il rapporte à leur sujet l'explication qui lui a été donnée sur place ou qu'il a pu recueillir dans ses lectures. Ajoutons que la grande précision topographique de ses itinéraires a permis d'identifier sur le terrain nombre de monuments sacrés dont les ruines subsistent encore : sans lui nous serions bien en peine pour mettre un nom sur la plupart des bâtiments ou des offrandes dans les grands sanctuaires de Delphes ou d'Olympie. Sans ses descriptions, certes dépourvues de tout pittoresque et de tout talent d'évocation, mais généralement exactes et parfois détaillées, nous ignorerions tout de l'aspect intérieur des grands temples. On voit quelle dette immense les historiens de la religion grecque ont contractée à l'égard de Pausanias.

A côté des textes littéraires, les documents archéologiques et épigraphiques représentent une autre source d'information, très riche et très variée. Les inscriptions qui touchent aux institutions religieuses sont extrêmement nombreuses : lois sacrées, dédicaces, inventaires d'offrandes et de trésors sacrés, relations de cures miraculeuses, oracles, décrets pris à propos des fêtes religieuses, calendriers sacrés, épigrammes funéraires, tous ces textes gravés sur pierre ou sur métal et recueillis soit dans les fouilles, soit au hasard des trouvailles fortuites nous révèlent des aspects de la religion grecque sur lesquels les auteurs, Pausanias mis à part, sont souvent muets, ou tout au moins peu explicites. Leur intérêt s'accroît à nos yeux du fait que ce sont des documents bruts, qui ont été rédigés pour répondre à des préoccupations pratiques immédiates et qui d'ordinaire n'ont pas été soumis à une élaboration interprétative ou aux altérations inévitables de la tradition manuscrite. D'où la valeur éminente de leur témoignage.

Quant aux documents proprement archéologiques qui intéressent l'histoire religieuse, ils appartiennent à deux catégories : les monuments d'architecture et les monuments figurés. Les ruines, plus ou moins intelligibles selon l'état de destruction dans lequel elles nous apparaissent, permettent de mieux connaître le plan des sanctuaires et la disposition des édifices sacrés : temples, trésors, autels, bâtiments spéciaux destinés aux cérémonies des mystères, portiques, sources miraculeuses. Dans des cas privilégiés, l'élévation se laisse restituer, plus ou moins hypothétiquement. Des reconstructions partielles, qu'on désigne volontiers aujourd'hui sous le néologisme un peu pédant d'*anastyloses*, donnent l'échelle des sites et aident à recréer par la pensée les manifestations qui s'y déroulaient. Les monuments figurés contribuent à préciser cette évocation : les statues retrouvées, qu'il s'agisse d'offrandes ou de copies tardives d'œuvres célèbres, nous restituent l'image divine ; les reliefs votifs ou funéraires nous montrent le fidèle en présence du dieu ou les survivants autour du disparu que la mort a introduit dans le monde de l'éternelle paix ; les décors sculptés des édifices religieux, frontons, métopes, frises ioniques continues, cimaises ou architraves ornées de scènes à personnages, déroulent à nos yeux des représentations qui n'étaient pas choisies au hasard, mais comportaient toujours au moins une part d'enseignement pour le spectateur ; les peintures de vases, dans leur infinie variété, présentent quelques scènes rituelles d'un vif intérêt, mais aussi d'innombrables figurations mythologiques qui enrichissent singulièrement les indications des textes. Nombre de ces documents proposent encore aux spécialistes des énigmes non résolues. Toutefois peu à peu leur étude progresse et les images reçoivent ainsi leur commentaire, tandis que les renseignements tirés des textes prennent vie par le rapprochement avec les documents archéologiques. La méthode qui consiste à confronter les uns et les autres pour qu'ils s'éclairent mutuellement, cette méthode synthétique qui exige du savant des compétences multiples et des connaissances très étendues se montre féconde, certes, dans tous les domaines de l'étude de l'Antiquité, mais nulle part elle ne s'impose avec plus de force que dans l'histoire religieuse : l'admirable *Manuel* du savant suédois M. P. Nilsson en a fourni la preuve avec éclat. Tout exposé d'ensemble sur la religion grecque doit tenir compte de ces divers éléments pour en combiner les données.

●

A travers ces témoignages, la religion grecque classique nous apparaît comme étroitement liée au groupe social. Cela tient évidemment pour une part au caractère des documents qui nous renseignent, textes réglementant des cérémonies collectives, monuments publics élevés aux dieux de la cité, œuvres d'art illustrant des croyances communes. Mais c'est aussi un trait fondamental de l'homme grec classique. Celui-ci ne se considère pas comme un individu isolé, dont le salut personnel puisse être obtenu indépendamment des groupes sociaux auxquels il appartient : c'est un être éminemment sociable, ou, pour reprendre le mot d'Aristote, un « animal politique », qui tient aux rapports avec autrui et qui a conscience de n'accomplir vraiment sa destinée que par cette communication avec les autres. Nous l'avons constaté en analysant le phénomène de la guerre. Nous le verrons encore en étudiant l'organisation de la cité. Or la religion est l'élément psychologique essentiel qui assure la cohésion des groupes et leur durée. C'est pourquoi ses manifestations, même individuelles, prennent d'ordinaire un caractère social plus ou moins accentué : si elles s'adressent à la divinité, elles supposent aussi un public qui en serait le témoin et auquel l'auteur de l'acte pieux a pensé en l'accomplissant.

Ce n'est pas à dire que le sentiment religieux élémentaire, sous sa forme individuelle et spontanée, ait été inconnu des Grecs. Bien au contraire ils avaient un mot, peut-être emprunté au vocabulaire d'une langue préhellénique, pour exprimer ce mélange de respect et de crainte que l'homme conçoit devant tout ce qui lui paraît relever d'une force mystérieuse et surnaturelle, animée par une volonté qu'il pressent sans toujours en pénétrer les vues. Ce sentiment, c'est le *thambos* : les Grecs semblent l'avoir éprouvé avec une force et une fréquence particulières, spécialement devant la nature et les spectacles exaltants qu'elle propose à l'homme dans leur pays privilégié. Il s'agit d'une appréhension directe de la présence divine, qu'impose d'une façon inopinée un paysage grandiose ou quelque lieu secret, une lumière ou une ombre, un silence ou un bruit, un vol d'oiseau, le passage d'une bête, la majesté d'un bel arbre, la forme d'un rocher, la fraîcheur d'une source, le cours puissant d'un fleuve, le frémissement des roseaux, la caresse du vent, un coup de tonnerre, un rayon de lune, la chaleur de midi, le murmure incessant des vagues. L'âme attentive et mobile des Grecs accueillait ces impressions de nature avec avidité. Ils y goûtaient une sorte de trouble délicieux qui les arrachait à eux-mêmes et leur semblait l'œuvre évidente d'un dieu. Cette omniprésence de la divinité, ressentie avec une intensité singulière, a fourni l'élément premier et durable de la religion grecque. C'est parce que les dieux se trouvent partout qu'ils sont si nombreux : le polythéisme a pour origine le sentiment très vif que la nature entière est pénétrée par le divin. Ce peuple profondément religieux était en même temps — l'un n'empêche pas l'autre — épris au plus haut point de raisonnement logique : son goût de la vie sociale et du discours l'y engageait. Aussi était-il naturellement porté à fractionner une présence divine si fréquente et si polymorphe en individualités multiples, conçues à sa mesure. D'où le grand nombre des lieux de culte, les autels rustiques, les tas de pierres, les arbres sacrés, les grottes de Pan, les offrandes aux Nymphes, les héros anonymes, mais aussi la prolifération des sanctuaires où les divinités majeures sont honorées sous un aspect spécifiquement local, que matérialise une épithète particulière.

S'il ressentait le *thambos*, le Grec en déduisait donc qu'il avait affaire à quelque personnalité divine. Il en faisait part aussitôt à la communauté dont il était membre — ou, plus souvent, il identifiait cette divinité dont il venait d'éprouver le pouvoir avec une de celles que la communauté révérait déjà. Ainsi les cultes traditionnels conservaient vigueur et prestige; parfois s'y adjoignait quelque culte nouveau. L'intervention du groupe social, en transformant la réaction individuelle en un rite, donnait une valeur concrète et durable à ce qui n'avait été au départ qu'un sentiment fugitif. Inversement la complicité dans une même croyance, la conviction d'être soumis à l'autorité d'un même dieu conférait au groupe permanence et homogénéité. La religion grecque, comme la plupart des religions, a donc un aspect subjectif et un aspect social. L'un ne serait rien sans l'autre. Si l'élément social l'emporte, c'est par l'effet de cette tendance instinctive qui pousse l'homme grec à vivre dans le cadre de la cité. Mais la valeur personnelle de sa foi n'en est pas ébranlée, bien au contraire.

Cette analyse un peu abstraite a paru nécessaire pour faire comprendre que la religion grecque, si elle se manifeste essentiellement par des faits de culte, c'est-à-dire par des rites d'ordinaire collectifs, ne se réduit pas plus à ces cérémonies qu'elle ne se réduit à la brillante parure des légendes mythologiques. Elle n'aurait pas suscité pendant des siècles la ferveur des individus et des foules si elle n'avait abondamment parlé à l'âme. Au-delà de l'hommage de la cité à ses dieux, au-delà du simple échange de services entre le fidèle et la divinité, où l'offrande est destinée à conquérir la faveur divine, il y a eu la familiarité quotidienne de l'Hellène avec le sacré. Autant que nous puissions la définir à travers les documents qui la révèlent, cette familiarité n'a guère revêtu le caractère d'une effusion mystique : il s'agit plutôt de la conscience que les dieux existent, qu'ils sont proches de nous par leurs sentiments comme par leurs figures, et que leur puissance s'intéresse au sort des mortels. Les relations entre les Grecs et la divinité prennent ainsi volontiers le ton personnel. Le dieu comme le fidèle est un individu : on sollicite sa protection avec confiance et sympathie, et non seulement avec respect et avec crainte. Les liens qui s'établissent de l'un à l'autre évoquent parfois une sorte de complicité. Telle est bien, dans l'*Iliade*, l'attitude d'Athéna à l'égard de Diomède ou, dans l'*Odyssée*, à l'égard d'Ulysse. L'aide qu'elle leur accorde se nuance d'affection, ses conseils s'humanisent d'un sourire. Quoi qu'on en ait dit, la grandeur divine ne perd rien à ce commerce si direct avec les hommes : le mortel qui se sent l'objet d'une telle faveur ne saurait se commettre sans s'exposer aux pires châtiments. Il sait que les dieux sont d'une autre race et qu'ils sont plus puissants que nous. Mais il ne s'étonne pas de les rencontrer près de lui.

C'est dans cette perspective qu'il convient de replacer les légendes rapportant les amours des dieux avec les mortels, qui choquaient tant les Pères de l'Eglise. A l'époque classique les rites d'*hiérogamie*, ou mariage divin, sont accomplis encore avec ferveur et la croyance populaire leur accorde une valeur réelle : le célèbre athlète Théogénès de Thasos, au début du Ve siècle, passait pour avoir été conçu au cours d'une cérémonie de ce genre, où son père, prêtre d'Héraclès Thasien, tenait avec sa propre épouse le rôle du dieu, et le nom même du personnage (*Théogénès* signifie « né d'un dieu ») rappelait son origine sacrée. A Athènes, chaque année, on célébrait un rite du même genre où la « reine », épouse de l'archonte-roi, magistrat entouré du respect de tous, était unie à Dionysos, vraisemblablement représenté en l'occurrence par son époux. De même les légendes montrant des humains admis à la table des dieux trouvent leur prolongement rituel dans les repas divins ou *théoxénies,* connus en particulier dans le culte des Dioscures. Virgile, cet esprit si sincèrement religieux, ne trahissait donc pas la tradition grecque lorsqu'il écrivait à la fin de la *IVe Bucolique* : *Qui non risere parenti, nec deus hunc mensa, dea nec dignata cubili est.* « Ceux qui n'ont pas, enfants, souri à leur mère, un dieu ne les reçoit pas à sa table, une déesse ne les admet pas dans son lit. »

Ainsi prit forme l'anthropomorphisme, trait fondamental de la religion chez les Hellènes. Il naquit de la conjonction de trois caractères qui distinguaient l'âme de ce peuple : le sens du divin, le rationalisme pratique, l'imagination créatrice. Pour se représenter d'une façon concrète la divinité dont ils appréhendaient directement l'existence, les Grecs la conçurent en termes aisément assimilables pour la communauté où ils vivaient, c'est-à-dire sous la forme humaine, en lui attribuant un niveau supérieur dans la hiérarchie sociale. Leur capacité à traduire les idées en images matérielles ou verbales, leur don naturel pour l'art et la poésie les aidèrent puissamment à fixer cette conception d'une manière transmissible et durable, à l'organiser et à l'enrichir. De cet effort fructueux ils eurent eux-mêmes conscience. Hérodote, non sans quelque excès, a fortement souligné l'importance d'Homère et d'Hésiode dans le domaine religieux : « C'est à eux que l'on doit l'exposé poétique de la théogonie (ou généalogie des dieux); ils ont donné aux dieux leurs appellations rituelles; ils ont défini les détails de leurs cultes et leurs attributions respectives; ils ont fait connaître leurs figures. » Mieux informés aujourd'hui, en particulier par les documents mycéniens, nous savons que le polythéisme hellénique était déjà bien vivant plusieurs siècles avant Homère. Mais il est vrai que les poèmes homériques et ceux d'Hésiode servirent de catéchisme à tout un peuple qui, accoutumé à les lire dès l'enfance, tira d'eux ses notions de base en matière religieuse. On y trouvait non seulement une vive évocation des Immortels, mais aussi des principes moraux, garantis par l'autorité de Zeus, le dieu suprême, et ces préceptes rituels dont l'énumération minutieuse occupe tant de place dans *Les Travaux et les Jours*.

Non moins que l'élaboration apportée par ces deux poètes, l'intervention des artistes, et singulièrement des sculpteurs, fut décisive pour la religion grecque. Elle y gagna de s'humaniser plus encore que dans les œuvres littéraires. La création poétique garde, en effet, une relative mobilité et laisse quelque champ libre à l'imagination du public. La création plastique, en revanche, immuable et pesante, est chargée de présence concrète dans les trois dimensions. Très tôt, l'idée de la divinité s'est associée étroitement à la statue de culte. Elle y trouvait le support solide dont elle avait besoin. Nulle religion n'a plus rigoureusement dépendu du simulacre, que les Grecs ont désigné, dans l'usage habituel, sinon constant, de la langue par un mot particulier, *agalma*. Ils entendent par là l'image divine, par opposition à la représentation d'un mortel, *eikôn*. C'est par un glissement de sens très tardif que l'*icône* a fini par signifier, en grec byzantin, l'image sacrée à l'inverse du sens que donnait d'ordinaire à ce mot la langue classique. L'*agalma* est à la fois la représentation du dieu et le signe de sa présence : la statue *est* le dieu, sans pourtant que celui-ci se confonde entièrement avec elle. Sans doute la nature divine déborde largement le simulacre : le fidèle admet sans peine la pluralité des images d'un même dieu. Mais il considère que toutes participent à l'essence de la divinité, qui se manifeste ainsi pleinement en chacune d'elles.

Encore fallait-il que ces images fussent aisément identifiables. On a vu par le bronze chypriote de l'Apollon *Alasiotas* (si l'identification proposée est correcte) que les artistes mycéniens étaient aptes à traduire efficacement l'idée d'un dieu anthropomorphe. Leurs successeurs du haut archaïsme furent d'abord moins habiles : les raides effigies divines de Dréros en Crète, faites de bois revêtu de plaques de bronze martelées et clouées, ou l'Apollon efflanqué, en fonte pleine, dédié par le Béotien Manticlos fournissent de bons exemples de leur savoir-faire. L'évolution qui désormais entraînera l'art grec dans la voie du naturalisme jusqu'à l'apogée de la culture classique ne fera que renforcer dans la religion la tendance anthropomorphique. Elle l'aidera à se dégager à la fois des vestiges de l'*aniconisme* primitif, qui voyait un dieu dans des objets sans formes humaines, qu'il s'agisse de pierres brutes, de morceaux de bois, d'arbres même, et des séquelles du *thério-morphisme*, qui adorait des divinités animales ou des monstres. Certes de ces tentations ancestrales, que le peuple grec a connues comme les autres peuples, il restera toujours quelques traces : la piété est naturellement conservatrice et Pausanias mentionne encore, au IIe siècle de notre ère, maint culte rendu à des pierres sacrées, comme il signale en Arcadie une Déméter à tête de cheval. A côté des statues des dieux exécutées par les grands maîtres de l'art classique, on garda pieusement dans les sanctuaires des images sommaires de pierre ou de bois, legs de l'archaïsme, auxquelles on donnait le nom de *xoana* et qui restaient l'objet d'une dévotion très vive : ainsi, sur l'Acropole d'Athènes, la statue d'Athéna la plus vénérée n'était pas le colosse d'or et d'ivoire élevé par Phidias dans le Parthénon, mais le vieux *xoanon* en bois d'olivier, conservé dans l'Erechthéion, qui passait pour être tombé du ciel et à qui la cité venait apporter solennellement tous les quatre ans l'offrande du *péplos*, à l'occasion des grandes Panathénées. Ne négligeons donc pas ces survivances, qui furent durables : mais constatons qu'elles sont peu de chose auprès du panthéon des dieux humanisés que l'intelligence exigeante des Hellènes, servie par la virtuosité des artistes, a su organiser en une société hiérarchisée, active, accessible, accueillante aux préoccupations morales et civiques et à une certaine forme de spiritualité.

●

A ces dieux qui, dès l'époque mycénienne, portaient déjà, pour la plupart, leur nom définitif, le Grec rendait un culte, conformément à des usages traditionnels qui apparaissent déjà bien établis dans les poèmes homériques. Dans le détail, les prescriptions rituelles sont d'une complexité extrême : elles varient suivant les lieux et les divinités. Du moins distingue-t-on les principaux actes du culte qui, à travers la diversité que leur imposent les circonstances, ont pourtant en commun quelques caractères bien définis : ce sont la prière, l'offrande, le sacrifice, les fêtes publiques, les jeux. Nous les étudierons successivement.

Il convient toutefois de définir au préalable la notion de pureté rituelle, qui intervient dans toutes ces opérations comme une condition préliminaire indispensable. Cette notion est liée à celle du sacré et du profane. Si certains lieux ou certains actes sont tenus pour sacrés, on conçoit que pour y accéder ou pour les accomplir il faille se soumettre à certaines exigences qui mani festent le respect qu'on leur porte : exigences de propreté, de décence vestimentaire, de conduite. Qui néglige ces prescriptions est impur : il n'a pas fait disparaître la souillure qui le rend impropre à s'approcher des dieux. Il s'agit, en principe, d'une souillure matérielle : l'idée de la souillure morale, quand elle intervient, a dû n'apparaître qu'après coup. C'est ainsi qu'avant tout geste pieux, on doit prendre des précautions de propreté. Quand Achille, au chant XVI de l'*Iliade*, adresse une prière à Zeus, il choisit une coupe d'un grand prix, la purifie avec du soufre, la lave à grande eau, puis se lave lui-même les mains avant de faire la libation et de formuler sa prière. Il en est de même lorsque Télémaque, au chant II de l'*Odyssée*, adresse une prière à Athéna : comme il est alors sur la plage, c'est dans l'onde marine qu'il se lave les mains avant de prier. Quand les chefs achéens, au chant III de l'*Iliade*, vont prononcer des serments accompagnés de prières et de sacrifices, les hérauts qui les assistent leur versent d'abord de l'eau sur les mains. Ce qu'Homère nous montre en pratique, Hésiode, dans *Les Travaux et les Jours*, le traduit en précepte : « Jamais, à l'aube, il ne faut offrir ni à Zeus ni aux autres dieux des libations de vin sombre sans s'être lavé les mains : car alors ils ne t'écoutent pas et repoussent avec dégoût tes prières. » L'usage de ces ablutions rituelles se maintient à travers toute l'époque classique : de là la présence, à la porte des sanctuaires, d'un bassin d'eau lustrale mis à la disposition des visiteurs. Pausanias signale, près de l'entrée de l'Acropole d'Athènes, une statue en bronze due à Lykios, fils de Myron, qui représentait un jeune garçon porteur d'un « bénitier » pour cet usage (*perirrhanterion*) : elle datait de la seconde moitié du Ve siècle.

Parmi les souillures, l'une des plus graves est due au sang versé : à Hécube, sa mère, qui l'invite à faire une libation à Zeus, Hector, qui vient de se retirer momentanément du combat, répond qu'il ne saurait faire ni libation ni prière parce qu'il est éclaboussé de sang (*Iliade*, VI, 264-268). De même, Ulysse, après le massacre des Prétendants, se hâte de purifier son palais en y faisant brûler du soufre (*Odyssée*, XXII, 493-494). Se rattachent à cet antique préjugé les prescriptions relatives à la purification d'un meurtrier telles qu'elles nous sont connues par plusieurs textes. Il ne s'agit pas de le laver d'une faute, puisque l'homicide involontaire est soumis aux mêmes exigences rituelles que l'assassin : c'est le fait d'avoir versé le sang qui a provoqué la souillure, même si l'acte avait des motifs légitimes ou des excuses. Cette souillure doit être effacée pour éviter qu'elle ne se répande par contact avec celui qui en est affecté. Aussi le meurtrier est-il banni de la cité, jusqu'à ce qu'il ait été purifié. Des peintures de vases montrent la purification d'Oreste, meurtrier de sa mère, par aspersion avec le sang d'un porcelet. Ce rite assez répandu choquait le philosophe Héraclite, qui remarquait : « Il est vain de purifier avec du sang les hommes souillés d'un meurtre : quelqu'un qui a marché dans la boue se lave-t-il avec de la boue ? » Les lois sacrées de Cyrène, dont une inscription du IVe siècle nous a conservé le texte, fixent dans le détail la conduite à tenir à l'égard d'un suppliant qui, coupable d'un meurtre, sollicite son admission dans la cité : on y remarque des précautions rigoureuses pour éviter tout contact entre les citoyens et l'étranger encore impur.

De même que le sang, la mort est cause d'impureté. Pausanias nous apprend qu'à Messène, dans le Péloponnèse, c'était une règle établie qu'un prêtre ou une prêtresse dont un enfant venait à mourir devait se démettre de ses fonctions sacerdotales : ce deuil familial si proche entraînait une souillure qui rendait impropre au service des dieux. Il était, en général, interdit d'ensevelir les morts à l'intérieur des terrains sacrés (exception faite, bien entendu, pour les héros). En 426-425, les Athéniens qui administraient le sanctuaire d'Apollon à Délos reçurent d'un oracle le conseil de purifier toute l'île : déjà, un siècle auparavant, Pisistrate avait fait purifier toute la région où portait la vue à partir du sanctuaire. Pour se conformer à l'ordre du dieu, ils détruisirent toutes les tombes qui se trouvaient encore à Délos et transportèrent dans l'île voisine de Rhénée, où les fouilleurs modernes l'ont retrouvé dans une fosse commune, le matériel funéraire (essentiellement des vases d'argile) qui avait été recueilli dans ces tombes. Désormais, il fut interdit de mourir dans l'île sainte : les moribonds étaient transférés à Rhénée pour y rendre le dernier soupir.

La même règle était appliquée aux femmes en travail : elles allaient accoucher à Rhénée. Car l'accouchement, sans doute à cause du sang, entraîne aussi l'impureté. Les lois de Cyrène portent que la présence d'une accouchée rend impure la maison tout entière, ainsi que l'homme qui se trouve sous le même toit. Un autre paragraphe envisage le cas d'une fausse couche : si le fœtus a forme humaine, l'impureté est semblable à celle qu'entraîne un décès; dans le cas contraire, la fausse couche est assimilée à un véritable accouchement. Même les relations sexuelles pouvaient, dans certains cas, rendre rituellement impur : le fait est digne de remarque, parce que la morale hellénique n'a jamais attaché, comme le fit plus tard la morale chrétienne, la notion de péché à l'amour physique en tant que tel. Mais il est cause d'impureté matérielle, comme le montre bien un passage d'Hésiode, dans *Les Travaux et les Jours*, v. 733-734, dont les termes fort crus sont révélateurs. Il était interdit de faire l'amour dans les sanctuaires. Hérodote, qui attribue l'invention de cette règle aux Egyptiens, indique que ce peuple et le peuple grec sont les seuls à la respecter, ainsi qu'à se laver après le coït avant de pénétrer sur un terrain sacré. La remarque de l'historien est confirmée par les lois de Cyrène qui précisent à ce sujet que la copulation nocturne n'entraîne aucune impureté; en revanche, si elle a lieu pendant le jour, elle doit être suivie d'ablutions. La légende d'Atalante et de son mari Hippomène illustre cette interdiction rituelle relative aux sanctuaires : pour avoir cédé à leur passion mutuelle dans l'enceinte d'un lieu sacré, les deux époux furent châtiés par la colère divine qui les transforma en lions. Ovide a recueilli leur histoire au livre X de ses *Métamorphoses*.

Ainsi, pour avoir accès aux cérémonies religieuses, l'homme doit se plier à des conditions précises : il lui faut être net de tout contact avec les mystères inquiétants de la naissance et de la mort. Euripide le fait dire très clairement par Iphigénie, prêtresse d'Artémis en Tauride : « L'homme qui a pris part à un meurtre, celui qui a porté les mains sur une accouchée ou sur un cadavre, la déesse l'écarte de ses autels parce qu'il est, à ses yeux, marqué d'une souillure. » Les rites purificateurs, aussi précis que variés, en vigueur dans les cités grecques permettaient de remédier à ces proscriptions momentanées en restaurant la pureté requise. En même temps et par une sorte d'entraînement fatal, ils conduisaient les esprits éclairés, que le problème du bien et du mal préoccupait naturellement, à s'interroger sur la valeur de cette pureté rituelle, qu'ils étaient tentés de prolonger sur le terrain moral. De là, dans la religion des Hellènes, telle du moins que les meilleurs d'entre eux l'envisageaient, une ambiguïté qui ne s'est jamais complètement dissipée entre l'éthique et le sacré. C'est pourquoi Apollon et Zeus, les grands dieux purificateurs, ont été en même temps ceux à qui on attribuait — oh! bien modestement encore! — le rôle de protecteurs de l'équité et de la morale. Les appels d'Hésiode à la justice de Zeus, le rôle d'Apollon dans les *Euménides* d'Eschyle rendent perceptible ce glissement qui répondait à un besoin profond. Mais le polythéisme hellénique n'était pas encore en mesure de le satisfaire entièrement.

La prière est l'acte religieux élémentaire par lequel le fidèle entre en communication expresse avec un dieu, soit qu'il réponde ainsi à l'appel intérieur qu'il a ressenti, soit qu'il engage spontanément le dialogue. Dans les deux cas, en effet, c'est bien d'un dialogue qu'il s'agit. Le dieu répond ou non, à sa guise, mais du moins il a entendu ce que l'homme a formulé ouvertement. Aussi la prière est-elle essentiellement verbale et proférée à haute voix. L'Antiquité grecque n'a guère connu la prière muette ni même à voix basse : indice révélateur du caractère social de son comportement religieux. Sans doute faut-il voir là en outre le souvenir d'un sentiment très primitif, qui attribue au mot comme une vertu magique : cependant la magie, sans être absente de la pensée hellénique, n'y joue qu'un rôle inférieur et restreint. Dans l'esprit du Grec classique, la prière n'a pas pour objet de contraindre la volonté divine par quelque mystérieux pouvoir attribué au verbe, mais bien de se faire entendre du dieu, comme on se fait entendre d'un mortel. Aussi doit-elle avoir un sens : les cris sans signification, les onomatopées — le *ié péan* du culte d'Apollon, l'*évohé* dionysiaque, l'*alala* guerrier, l'*ololugé* ou lamentation des femmes (analogue au *you-you* des femmes arabes) — ne sont pas des prières. En revanche, la simple invocation, où la divinité est appelée par son nom, est déjà en elle-même une prière, car elle a la valeur d'un salut, elle est une manifestation de révérence à l'égard du dieu : en ce sens, le mot unique *dieu* ou *dieux*, au nominatif (cas employé pour l'exclamation et pour l'interpellation), qui apparaît souvent sur les stèles en tête des décrets, représente à lui seul une prière.

Outre l'invocation, la prière comporte d'ordinaire l'expression d'une demande adressée au dieu dont on réclame la protection; pour mieux capter sa bienveillance, on lui rappelle parfois ou les bienfaits qu'il a déjà accordés auparavant et qui l'engagent, ou les gestes pieux dont le solliciteur s'est acquitté envers lui; enfin on peut y ajouter la promesse de largesses ultérieures. Voici par exemple la prière que Pénélope adresse à Athéna, au chant IV de l'*Odyssée* : « *Entends-moi, fille de Zeus à l'égide, Atrytonée* (surnom d'Athéna)! *Si autrefois en ton honneur le sage Ulysse a fait brûler dans ce palais les cuisses de grasses victimes, génisse ou brebis, souviens-t'en aujourd'hui en ma faveur et sauve mon fils! Des prétendants déjoue l'impudente entreprise!* » La prière est prononcée debout, devant la statue ou le sanctuaire, la main droite ou les deux mains levées, la paume tournée vers le dieu. On ne se prosterne que dans certains cultes funéraires ou de divinités du sol : auquel cas on frappe la terre de ses mains tout en priant. L'agenouillement n'intervient guère que dans des rites magiques : Théophraste, dans ses *Caractères*, en fait un des traits distinctifs de l'homme superstitieux.

L'offrande accompagne souvent la prière. N'est-il pas naturel de se concilier la bienveillance d'un être puissant en lui apportant quelque don ? Non qu'il faille toujours interpréter ce geste comme un marché, conformément à la conception purement juridique qu'exprime l'adage latin *do ut des*, « mon présent appelle le tien en retour ». Certes, ce sentiment n'est pas absent de beaucoup d'offrandes, comme le montre bien la dédicace d'une statue par un Athénien du VIᵉ siècle qui dit à la déesse avec simplicité : « Puisses-tu m'accorder de t'en consacrer une autre ! » Mais d'ordinaire il s'agit simplement d'exprimer d'une manière tangible le respect ou la reconnaissance qu'on éprouve envers la divinité. L'offrande peut être occasionnelle, comme les modestes dons que les fidèles déposent dans les sanctuaires rustiques : un fruit, une poignée d'épis, quelques fleurs, des gâteaux, la dépouille d'un gibier. Ces marques de la piété populaire ont inspiré plus tard les poètes hellénistiques, qui composèrent à l'envi des épigrammes pour ce genre d'offrandes, par manière d'exercice littéraire : « *Reçois en témoignage de gratitude, ô Laphria* (surnom d'Artémis), *de Léonidas, le vagabond, le miséreux, le crève-la-faim, ces parts de galette à l'huile, cette olive (un trésor !), cette figue verte toute fraîche cueillie ; prends aussi ces cinq grains de raisin détachés d'une belle grappe, maîtresse, et en libation le fond de mon pichet ! Tu m'as délivré de la maladie : tire-moi pareillement de la misère qui me harcèle, et je te sacrifierai un chevreau !* » Ce qui pour Léonidas de Tarente, au IIIᵉ siècle, n'est plus qu'un jeu de lettré alexandrin, avait été durant des siècles pour le paysan grec un geste de naïve et sincère dévotion.

Outre l'offrande occasionnelle, il y a celles que l'usage prescrit : c'est le cas, par exemple, pour les libations, dont il convient de s'acquitter, selon les conseils d'Hésiode, chaque matin et chaque soir, en répandant à terre quelques gouttes de vin. On agissait de même dans le repas avant de boire : le dieu recevait ainsi sa part privilégiée de la boisson qui allait réjouir le cœur de l'homme. D'autres offrandes répondaient à des traditions locales auxquelles le peuple resta longtemps fidèle : Pausanias signale que, de son temps encore, « les gens de Liléa (ville de Phocide), à certains jours fixés, jettent dans la source du Céphise (rivière de Phocide et de Béotie) des gâteaux du pays et d'autres offrandes traditionnelles ». Ils racontaient, dit le Périégète, que ces gâteaux, après un parcours mystérieux, reparaissaient à Delphes dans la fontaine de Castalie.

Dans d'autres cas, ce sont des objets précieux, et non des aliments, qu'on offre à la divinité. Les dons de vêtements sont fréquents : ne convient-il pas d'habiller les statues ? C'est pourquoi Hécube, à Troie, va déposer sur les genoux d'Athéna qu'elle implore le plus beau voile de sa garde-robe. Dans le calendrier des fêtes athéniennes, il n'en est pas de plus vénérable que celle des Grandes Panathénées*, où, tous les quatre ans, la déesse reçoit le *péplos* tissé pour elle par les Ergastines, jeunes filles des plus nobles familles d'Attique, qui ont reproduit sur leur métier un modèle dessiné par les meilleurs artistes et représentant la lutte des dieux contre les géants. Comme on le voit sur la frise ionique du Parthénon, c'est alors la cité tout entière qui prend part à l'offrande. Ainsi se constituent les trésors sacrés, alimentés par les dons publics comme par ceux des particuliers : vêtements, armes, vaisselle de métal précieux, bijoux, réserves d'or ou d'argent en lingots ou en numéraire, objets de toute sorte que la piété des fidèles consacre à la divinité. On les abrite dans les temples ou dans ces bâtiments spéciaux, généralement de petite taille, fort analogues à des chapelles, à ceci près qu'ils ne renferment pas de statue de culte, et qu'on appelle des trésors. Prêtres et magistrats ont la garde de ces richesses et ils en sont responsables non seulement envers le dieu, mais aussi envers leurs concitoyens à qui ils rendent des comptes détaillés à leur sortie de charge. De là ces documents épigraphiques si curieux que sont les inventaires sacrés, énumérant les offrandes, avec leurs principales caractéristiques et leur poids : dans des cas privilégiés, comme à Délos, par exemple, ces textes nous sont conservés en assez grand nombre pour que leur étude révèle tout un aspect de la vie du sanctuaire, à travers la survivance et le renouvellement de ces collections.

Nombre de ces offrandes sont proprement des *ex-voto* : elles ont été consacrées pour attester la reconnaissance des fidèles envers leur dieu pour un service rendu. Ce n'est plus le sentiment du *do ut des* qui les inspire, mais le souci de manifester une gratitude dont l'inscription qui accompagne l'*ex-voto* fait souvent connaître la raison. Les particuliers consacrent une statue, s'ils sont riches, une humble statuette de terre cuite, s'ils sont de condition modeste. Sur des vases d'argile très simples, une main souvent maladroite grave dans le vernis le nom de la divinité. Dans le sanctuaire du dieu médecin Asclépios, on consacre l'image en relief du membre ou de l'organe malade que le dieu a guéri. D'autres fois, c'est l'intervention salvatrice d'Asclépios lui-même qui est représentée par un tableau ou sur la pierre : à partir du IVe siècle, ces offrandes se multiplient avec le développement du culte épidaurien. D'autres *ex-voto* rappellent des exploits athlétiques ou guerriers. Les grands sanctuaires d'Olympie ou de Delphes étaient remplis de statues d'athlètes vainqueurs que Pausanias énumère complaisamment : les inscriptions qu'il a copiées sur leurs socles ont parfois reparu dans les fouilles, confirmant ainsi la conscience et la véracité du Périégète.

L'usage était d'offrir à la divinité la dîme de tout profit qui passait la mesure, chasse ou pêche, négoce ou butin guerrier. Hérodote rapporte nombre de ces consécrations, comme celle du Samien Colaios, ce marchand du VIIᵉ siècle qui alla faire fortune en Espagne, au pays de l'étain, et qui, à son retour, consacra dans l'Héraion de sa ville natale un cratère colossal en bronze orné de têtes de griffon en saillie, type de vase que les découvertes archéologiques font bien connaître aujourd'hui. Plus tard, à la fin du VIᵉ siècle, l'ingénieur Mandroclès, lui aussi originaire de Samos, reçut de Darius des présents magnifiques en récompense de l'habileté avec laquelle il avait établi sur le Bosphore un pont de bateaux, pour y faire passer l'armée du Grand Roi partant pour l'expédition de Scythie : Mandroclès fit alors peindre un tableau qui représentait Darius regardant son armée en train de franchir le pont et il le consacra dans l'Héraion de Samos, avec une inscription métrique dont Hérodote nous a conservé le texte. On le voit, de telles offrandes ne sont plus seulement un geste de piété : elles satisfont aussi l'orgueil du donateur qui rappelle à la postérité ses hauts faits.

Ces sentiments n'étaient pas moins vifs dans les collectivités que chez les individus. Pausanias signale à Delphes une offrande des Corcyréens qui datait de la première moitié du Vᵉ siècle et qui est très caractéristique du comportement religieux d'une cité grecque à cette époque : « A l'entrée du sanctuaire, il y a un taureau de bronze, œuvre de Théopropos d'Egine et consacré par les Corcyréens. On raconte à ce sujet qu'à Corcyre un taureau, s'écartant du troupeau, descendait du pâturage pour mugir au bord de la mer. Comme le fait se reproduisait chaque jour, le bouvier descendit vers la mer et aperçut un banc de thons en nombre incalculable. Il le fit savoir aux Corcyréens de la ville qui s'efforcèrent, mais en vain, de capturer les thons. Ils consultèrent alors l'oracle de Delphes, sacrifièrent le taureau à Poséidon et, sitôt le sacrifice achevé, ils prirent les poissons. Avec la dîme de cette pêche, ils consacrèrent une offrande à Olympie et à Delphes. »

On ne sera pas surpris, sachant l'importance de la guerre dans le monde grec, de constater que, parmi les *ex-voto* des cités, les plus nombreux se rapportent à des exploits guerriers. Non seulement chaque Etat grec célébrait ses victoires par des consécrations dans ses sanctuaires nationaux, mais encore il tenait à les immortaliser par des offrandes dans les lieux saints panhelléniques, où toute la Grèce pouvait les voir. C'est là que l'orgueil humain jouait le plus grand rôle dans ce qui était pourtant, en principe, un geste de gratitude à l'égard de la divinité. On ne compte pas les consécrations entraînées par les guerres médiques. Athènes avait offert à l'Apollon de Delphes les dépouilles des Perses vaincus à Marathon, alignées sur un socle qui s'appuyait sur le mur sud de son trésor : la dédicace trop peu explicite de cet *ex-voto* a été rapportée par Pausanias au trésor lui-même, qui est probablement antérieur de quelques années. A Delphes aussi s'élevaient en souvenir des défaites perses un deuxième *ex-voto* athénien pour Marathon (à l'entrée même du sanctuaire), des consécrations de Carystos, ville d'Eubée, et de Platées, un mât orné d'étoiles d'or offert par les Eginètes et deux offrandes consacrées en commun par les cités coalisées, un Apollon tenant une proue en souvenir de la victoire de Salamine et un trépied porté par une colonne de bronze pour commémorer celle de Platées. Cette colonne de bronze, formée de trois serpents entrelacés, est partiellement conservée à Constantinople, où Constantin l'avait fait transporter. On y lit encore le nom des trente et une cités qui participèrent à la consécration.

Si nous comprenons aisément le sentiment qui poussait les Hellènes à manifester par un monument leur gratitude envers les dieux qui avaient assuré le salut de la Grèce, nous admettons moins volontiers la fréquence des consécrations qui rappellent la victoire de Grecs sur d'autres Grecs. Pourtant les cités helléniques, qui ne cessaient de s'affronter sur les champs de bataille, célébraient orgueilleusement leurs triomphes fratricides par des offrandes dans les grands sanctuaires. Devant la façade du temple de Zeus à Olympie, les Messéniens installés par Athènes à Naupacte avaient élevé un pilier triangulaire, haut de 9 mètres, que surmontait une statue de Niké, la Victoire, représentée en vol, les ailes éployées, la draperie gonflée par le vent de sa course ou plaquée contre son beau corps de jeune femme. La statue de marbre a été retrouvée, avec son inscription dédicatoire, là où Pausanias la mentionnait : il s'agissait pour les Messéniens de remercier Zeus pour des succès remportés sur leurs voisins d'Acarnanie. L'œuvre, signée du sculpteur ionien Pæonios de Mendé, auteur probable des sculptures du temple, date des années 455-450. A Delphes, dans le sanctuaire d'Apollon, toute la première partie de la voie Sacrée était comme un champ clos où les cités rivales se défiaient : près de l'*ex-voto* athénien pour Marathon, le Lacédémonien Lysandre avait fait élever le groupe commémorant la défaite d'Athènes à Ægospotamos. Mais trente-cinq ans plus tard, en 369, les Arcadiens de Tégée, qui, avec l'aide d'Epaminondas, avaient ravagé la Laconie, plaçaient devant l'offrande de Lysandre un socle portant les statues d'Apollon, de la Victoire et de plusieurs héros arcadiens, en souvenir des revers qu'ils avaient infligés à Sparte. Tout près de là, plusieurs offrandes argiennes rappelaient des succès d'Argos sur Lacédémone. Un peu plus loin, on trouvait le trésor bâti par Thèbes après la bataille de Leuctres (en 371) et celui que les Syracusains avaient consacré après le désastre athénien dans l'expédition de Sicile : ce n'est pas par hasard qu'ils avaient choisi pour élever ce trésor un emplacement tout proche du trésor d'Athènes, plus ancien de près d'un siècle! Toutes ces manifestations de piété envers Apollon étaient autant d'occasions d'exalter la gloire des cités victorieuses et de rabaisser les vaincus.

•

Dans son dialogue intitulé *Euthyphron*, Platon met en scène un devin de ce nom, qui était bien connu pour son érudition en matière religieuse dans l'Athènes de la fin du Vᵉ siècle. Exprimant l'opinion commune, Euthyphron donne la définition suivante de la piété : « La piété consiste à savoir prier et sacrifier en disant et en faisant ce qui est agréable aux dieux : elle assure le salut des familles et des Etats » (14 *b*). Prière et sacrifice, tels étaient donc aux yeux des Grecs les deux actes essentiels du comportement religieux. Nous avons étudié la première, avec l'offrande qui souvent l'accompagne. Le sacrifice, à vrai dire, peut être considéré comme une forme particulière de l'offrande : répondant à Euthyphron, Socrate ne déclare-t-il pas (14 *c*) : « Sacrifier, c'est faire une offrande aux dieux »? Mais en fait le sacrifice, et surtout le sacrifice public, occupe une si large place dans la vie religieuse des Grecs qu'il mérite une étude spéciale et va nous retenir maintenant.

Ce qui distingue le sacrifice de l'offrande ordinaire, c'est l'importance du rôle qu'y jouent les prescriptions rituelles. Chaque sacrifice, public ou privé, est une opération complexe qui obéit à des règles fixées par une longue tradition. Il consiste à offrir solennellement à la divinité, en se conformant aux rites, des biens consommables, graines, végétaux, boissons ou victimes animales. En ce sens, les libations de lait et de vin ou l'oblation de gâteaux sont déjà des sacrifices, à condition qu'elles soient faites selon les rites qui déterminent la nature, l'époque et la procédure de ces offrandes. Mais si les sacrifices sans effusion de sang existent dans un certain nombre de cultes, les sacrifices sanglants, avec égorgement (ou même parfois écartèlement) d'une victime animale, sont de beaucoup les plus nombreux et les plus importants : dans l'acception courante, ces derniers seuls sont envisagés et l'on ne conçoit guère de sacrifice sans victime. Les érudits anciens de basse époque ont cru pouvoir établir une succession chronologique entre les formes non sanglantes du sacrifice, qui seraient primitives, et les formes sanglantes, introduites postérieurement : telle est, par exemple, la théorie longuement exposée par Ovide au livre I de ses *Fastes* (v. 335 à 456). Mais il n'y a là qu'une pure spéculation rationaliste, à laquelle la tradition pythagoricienne, qui réprouvait les sacrifices sanglants, donnait seule quelque apparence de vérité. En fait, nos documents les plus anciens, les poèmes homériques, fournissent déjà des descriptions de sacrifices sanglants : ainsi par exemple, au premier chant de l'*Iliade*, lorsque Ulysse, envoyé des Grecs, remet Chryséis à son père, il débarque en même temps les victimes dont le sacrifice immédiat achèvera d'apaiser la colère d'Apollon.

Dès cette première mention, les principaux moments de la cérémonie sont clairement distingués. Autour d'un autel, on dispose en ordre les animaux à sacrifier : ils forment une *hécatombe*, étymologiquement composée de cent bœufs, mais le mot a pris très anciennement, et déjà chez Homère, un sens moins précis et désigne simplement des victimes nombreuses, qu'il s'agisse de bovins ou de petit bétail. Les assistants se lavent les mains pour se purifier et prennent en main des grains d'orge. Le prêtre d'Apollon prononce une prière, on répand les grains d'orge qui sont une première offrande, puis on égorge les victimes en leur relevant le mufle, de façon que le sang jaillisse en l'air vers l'autel. On dépèce ensuite les animaux morts. Les cuisses sont mises à part, enveloppées de graisse et brûlées dans le feu allumé sur l'autel, tandis que le prêtre y fait des libations de vin. Une fois ces morceaux consumés, le reste de la viande est découpé, mis à la broche et rôti sur-le-champ : après quoi un festin réunit tous les assistants, qui consomment en commun ces viandes. On retrouve dans la plupart des sacrifices sanglants ces caractères essentiels : une ordonnance solennelle, des gestes de purification, une prière, l'égorgement des victimes devant l'autel, la crémation d'une partie de l'animal, des libations, enfin la consommation immédiate du reste des chairs par les assistants.

S'il s'agit là d'une procédure très fréquente, elle n'est pas toujours rigoureusement respectée : la variété des rites est extrême. Dans certains cultes, par exemple, la consommation de la chair des victimes est proscrite et l'animal est entièrement brûlé (c'est ce qu'on appelle une crémation intégrale ou *holocauste*) : c'est le cas, d'ordinaire, dans les sacrifices qui accompagnent un serment, dans certains rites expiatoires, dans les cultes des divinités de la terre et des dieux infernaux et dans la plupart des cultes héroïques et funéraires. Nous avons déjà rencontré à propos de la prière des variations analogues. Certains savants modernes ont interprété ces différences comme un indice que les divinités du polythéisme hellénique appartiendraient à deux grandes catégories principales, celle des divinités du ciel, ou « ouraniennes » et celle des divinités d'en bas, ou « chthoniennes ». Les premières seraient secourables, les secondes redoutables. Le rituel employé pour les unes serait donc un rituel d'hommage confiant et de participation : c'est celui qui a été décrit plus haut. Le rituel chthonien, au contraire, serait un rituel d' « aversion, » destiné à écarter la menace d'une puissance malfaisante ou hostile. De là l'importance du banquet sacrificiel dans le premier, où les fidèles partagent avec le dieu la chair de la victime, tandis que dans le second la victime entière est abandonnée à la divinité.

Que cette dualité existe, cela ne fait point doute. Mais il s'en faut qu'elle revête toujours un aspect aussi rigoureux qu'on l'a dit. Certaines divinités présentent, suivant les lieux, tantôt des caractères ouraniens, tantôt des caractères chthoniens. Zeus, le dieu du ciel par excellence, apparaît comme un dieu de la terre lorsqu'on l'invoque sous le nom de Zeus *Meilichios*, qui a la forme d'un serpent : par Xénophon, qui le signale dans l'*Anabase* (VII, 8, 1), nous savons qu'on lui offrait des holocaustes. Héraclès recevait à Thasos un double culte, l'un conforme au rituel divin (c'est-à-dire, en l'occurrence, ouranien), l'autre selon un rituel héroïque et chthonien Pausanias, toujours attentif aux curiosités cultuelles, signale que, dans un bourg de Phocide appelé Trônis, on sacrifiait au héros local en laissant pénétrer le sang de la victime par une ouverture à l'intérieur du tombeau héroïque, ce qui est propre au rituel funéraire et chthonien, mais qu'en revanche on consommait les chairs de la victime, ce qui est un trait du rituel ouranien. On aurait donc tort de fonder une interprétation trop systématique de la religion grecque sur une distinction qui n'est pas toujours observée dans la pratique. Même si, comme il est possible, les deux grandes catégories de divinités ont été très nettement séparées à l'origine, les raisons qui expliquent cette répartition nous échappent et nous devons nous contenter d'en constater, sans les comprendre vraiment, les survivances dans le détail du rituel.

Là encore, le caractère essentiellement local des cultes doit être souligné. Dans le cadre du schéma général esquissé plus haut pour les sacrifices sanglants du type le plus fréquent, les prescriptions varient sensiblement d'un sanctuaire à l'autre, et même selon les divers aspects d'un même dieu. La nature des victimes peut être précisée soit négativement, soit positivement. A Thasos, plusieurs règlements cultuels du Ve siècle interdisent de sacrifier à certaines divinités des porcs ou des chèvres. La même interdiction se retrouve à Délos. En revanche, à Cyrène on recommande de sacrifier à Apollon *Apotropaios* un chevreau roux. A Lampsaque, sur l'Hellespont, on immolait au dieu local, Priape, des ânes, tandis qu'à Sparte Enyalios, dieu de la guerre, recevait des sacrifices de chiens. Le porc est habituellement choisi pour les cérémonies purificatrices ou expiatoires. La recommandation ultime que fit Socrate avant sa mort, telle que Platon la rapporte dans le *Phédon*, montre qu'on sacrifiait un coq à Asclépios. Par ces quelques exemples on voit l'extrême variété des rites : les transgresser, offrir une victime non conforme à l'usage, c'était commettre un sacrilège, pour lequel des sanctions pécuniaires et religieuses étaient prévues. Même variété dans les libations : le vin, si souvent employé à cet effet, était proscrit dans quelques cultes. Un règlement thasien interdit de chanter le péan, qui ailleurs accompagnait la cérémonie. Décrivant une fête annuelle que les habitants de Sicyone célèbrent dans le sanctuaire rural des Euménides, Pausanias indique qu'ils sacrifient des brebis pleines, qu'ils font des libations d'hydromel et qu'au lieu de se couronner pour la fête (ce qui était un usage très général) ils se contentent d'apporter des fleurs : autant de particularités rituelles que le Périégète a tenu à noter (II, 11, 4).

La complexité même de ces pratiques donne à l'opération sacrificielle un caractère technique très accusé. On comprend que, pour éviter des erreurs tenues pour sacrilèges, on ait recouru à l'intervention de spécialistes. Ce n'est pas un hasard si, en grec, le verbe qui veut dire « sacrifier », *hiereuein*, est étroitement apparenté au nom du prêtre, *hiereus*. Le prêtre ou la prêtresse, généralement unique, est attaché à un sanctuaire pour y veiller à l'exécution du rituel. Choisi par élection ou par tirage au sort parmi les meilleures familles de la cité, il exerce des fonctions analogues à celles d'un magistrat. Il jouit d'un prestige qui se traduit par des places d'honneur dans les cérémonies publiques et bénéficie de certains avantages matériels, comme l'attribution d'une part privilégiée sur la viande des victimes, la perception d'une redevance en argent sur les sacrifices ou des exemptions d'impôts. Au reste, les prêtres sont des citoyens comme les autres et ne forment nullement une caste sacerdotale. Leur sacerdoce est une fonction généralement conférée à terme, rarement à vie. Elle leur impose, certes, des règles de bienséance et de dignité qui peuvent parfois entraîner, par exemple, l'obligation de porter des vêtements blancs ou le respect de la chasteté (cas assez fréquent pour les prêtresses). Mais, dans l'ensemble, c'est à une magistrature à compétence technique qu'il convient d'assimiler la prêtrise. La société hellénique n'a jamais connu de séparation rigoureuse entre le civil et le sacré.

Ces faits mettent en lumière, ici encore, le caractère fondamentalement social de la religion grecque : l'importance capitale attribuée au rituel, legs de la tradition élaborée par les ancêtres, et le rôle joué par le prêtre pour préserver cette tradition montrent que cette religion, à travers ce que nous en connaissons le mieux, c'est-à-dire le culte, est essentiellement l'affaire du groupe. Le groupe familial a ses cultes propres : culte du foyer devant lequel l'Alceste d'Euripide, avant de mourir, adresse une dernière prière à Hestia ; culte d'Apollon Patrôos et de Zeus Herkeios, auxquels les familles des futurs archontes d'Athènes, selon Aristote, devaient prouver qu'elles participaient ; culte d'*Agathos Daimôn*, le « bon démon domestique », représenté sous la forme d'un serpent, auquel on faisait une libation de vin pur à la fin du repas quotidien ; culte d'Hermès ou d'Hécate *Prothyraia*, à la porte de la maison. Le groupement plus large appelé *phratrie* est organisé autour de cultes communs, avec des fêtes particulières, comme celle des Apaturies dans les villes ioniennes : l'appartenance à cette subdivision de la cité et par conséquent la participation à sa vie religieuse sont, dans beaucoup d'Etats grecs (à un moindre degré, il est vrai, à Athènes), une condition formelle pour jouir de la qualité de citoyen. Les tribus, division principale du corps civique, tirent à Athènes leur nom d'un héros local, qu'on appelle pour cette raison le héros « éponyme », et rendent des honneurs religieux à ce patron. Même les dèmes attiques, qui ne sont que des unités administratives à base territoriale dont l'institution fut tardive, ont eu leurs sanctuaires et leurs cultes, tout comme les bourgades des autres Etats grecs, fidèles à leurs antiques traditions.

Quant à la cité elle-même, elle est, comme on l'a dit, « le cadre par excellence » de la vie religieuse. Ses sanctuaires et ses cultes sollicitent l'intérêt du citoyen, qui ne se sent membre du corps civique que dans la mesure où il participe à ses croyances communes. La patrie, pour lui, c'est d'abord la religion transmise par les ancêtres. Le serment des éphèbes athéniens, tel qu'il nous est conservé par une inscription du IVe siècle, le montre clairement : « Je combattrai pour défendre les sanctuaires et la cité (...). J'honorerai les cultes ancestraux. » Même les femmes sont engagées dès l'enfance dans ces obligations religieuses au service de l'Etat. Le chœur des Athéniennes qu'Aristophane met en scène dans sa *Lysistrata* (vers 638-647) rappelle les étapes d'un *curriculum vitae* idéal pour une jeune fille d'Attique : « A peine avais-je atteint l'âge de sept ans que j'étais nommée *arrhéphore**. Quand j'eus dix ans, j'ai préparé les gâteaux sacrés pour la déesse Archégète. Puis j'ai revêtu la tunique safran comme *ourse* aux Brauronies. Enfin, jeune fille, je portais les corbeilles d'offrandes et le collier de figues. » Certes, toutes les filles d'Athènes n'assuraient pas ces fonctions, réservées à un petit nombre d'élues. Mais l'énumération qu'en fait le poète n'en a pas moins une valeur de symbole : toutes et tous se sentent membres d'un même corps social que la religion maintient cohérent.

C'est pourquoi les Grecs attachaient une telle importance aux grandes cérémonies sacrées, dont le sacrifice public est l'élément essentiel. Alors seulement ils avaient le sentiment de participer d'une façon active et complète à la vie de la cité dans ce qu'elle a d'essentiel et de plus précieux. Certes, cette participation s'accompagnait d'avantages concrets non négligeables : en raison de la rareté du gros bétail en Grèce, beaucoup de gens ne mangeaient de viande de boucherie qu'à l'occasion des sacrifices publics, et le banquet sacré, s'il était plantureux, présentait aussi l'agrément d'être gratuit. Mais il y avait aussi autre chose. La solennité et l'éclat des fêtes réjouissaient un public dont les distractions étaient rares et la vie quotidienne austère : le peuple admirait à cette occasion la dignité des magistrats, la prestance des cavaliers qui caracolaient, la beauté des porteuses d'offrandes ou *canéphores* et la bonne apparence des victimes promises au sacrifice.

Toute fête commençait par une procession, qui pouvait avoir une vertu propitiatoire, mais qui surtout offrait aux spectateurs un tableau chatoyant et bien ordonné. Loin d'assister passivement au défilé, les badauds ne se gênaient pas, avec leur verve méditerranéenne, pour en commenter les détails, échangeant au besoin des *lazzi* avec les membres du cortège. Dans certains cas, ces plaisanteries étaient même de règle, comme lors de la procession d'Eleusis, où les spectateurs, groupés autour d'un pont, accablaient les pèlerins d'obscénités traditionnelles, dites *géphyrismes* ou « plaisanteries du pont ». Les « brocards des chariots » lancés du haut des voitures à l'occasion des Anthestéries et des Lénéennes, fêtes de Dionysos en Attique, ont joué un rôle dans les origines de la comédie. Réglées dans leur déroulement par des ordonnateurs, personnages officiels qu'on remarque sur la frise du Parthénon tournés en sens inverse de la marche, ces processions parcouraient rues et places pour aboutir dans le sanctuaire, sur l'esplanade qui entourait l'autel. Le génie de Phidias, inspirant une équipe homogène de sculpteurs, a su merveilleusement traduire dans sa riche complexité l'animation d'un tel cortège, à l'occasion de la fête attique des Grandes Panathénées. Hommes et bêtes, cavaliers et chars, jeunes filles et porteurs d'offrandes, rien ne manque sur la longue frise aux 360 personnages qui court en haut des murs et des porches intérieurs du Parthénon : et, conforme sans nul doute à la ferveur qu'éprouvait le peuple d'Athènes dans la réalité, le sentiment religieux qui anime l'œuvre est si vif et si sincère qu'on trouve tout naturel que les humains débouchent, au-dessus de l'entrée du temple, en présence des dieux assemblés.

Après la procession venait le sacrifice, qui avait lieu près d'un autel. L'autel est destiné à recevoir le feu qui consumera tout ou partie de la victime. Ce peut être simplement un emplacement réservé, ou un trou creusé dans le sol, ou un petit tas de terre en forme de dôme, sans aucun appareil architectural. On l'appelle alors d'ordinaire du même nom que le foyer, *eschara* : c'est la forme habituelle des autels pour les divinités chthoniennes, les héros et les défunts. Mais on trouve aussi ce type très primitif d'autel dans d'autres cultes : ainsi, à Olympie, le grand autel de Zeus, qui n'a laissé aucune trace sur le terrain, était un monticule formé uniquement par l'accumulation des cendres des sacrifices. Pausanias le décrit avec précision comme un tronc de cône dont la circonférence mesurait 37 mètres (125 pieds) à la base et 9,50 mètres (32 pieds) au sommet. Sa hauteur était de 6,50 mètres (22 pieds). Un escalier taillé directement dans le massif de cendres permettait d'accéder à la plate-forme supérieure et d'y transporter combustibles et chairs des victimes, qu'on faisait brûler au sommet. Dans ce sanctuaire panhellénique, qui était en même temps le sanctuaire national des Eléens, il y avait des sacrifices tous les jours, même en dehors de l'époque des panégyries. Les devins (car un oracle était attaché à l'autel), une fois par an, à jour fixe, ajoutaient à l'autel la cendre recueillie pendant l'année, après l'avoir mélangée à de l'eau puisée dans l'Alphée, le fleuve d'Olympie. Ainsi le monticule croissait peu à peu par l'effet de la piété des fidèles. Apollon, dans son sanctuaire de Didymes, près de Milet, possédait aussi un autel de cendres, dont l'édification était attribuée à Héraclès. A Délos, l'autel d'Apollon était plus étrange encore : on l'appelait l'autel de cornes, *Keratôn*, parce qu'il était entièrement composé de cornes de chèvre. La légende, telle que Callimaque la rapporte dans son *Hymne à Apollon*, prétendait que le dieu l'avait bâti lui-même avec les cornes des chèvres sauvages que sa sœur Artémis abattait de ses flèches en chassant à travers l'île.

Mais la plupart des autels étaient en pierre, monolithes ou maçonnés. Ils avaient la forme d'une table, cylindrique ou rectangulaire, dont la face supérieure recevait le feu sacrificiel. A côté des autels modestes, simple cube de pierre portant parfois le nom de la divinité gravé sur une face latérale, il y eut dans les sanctuaires importants des autels monumentaux. Ce sont des constructions de grande taille, composées d'un massif rectangulaire oblong servant de table, surélevé souvent sur un socle de plusieurs marches. Les rebords latéraux de la table peuvent se développer en hautes barrières pleines pour couper le vent ou empêcher les cendres de tomber de l'autel. Un revêtement de marbre, des moulures, des bas-reliefs enrichissent à l'occasion cette architecture. Le fameux Trône Ludovisi, orgueil du musée des Thermes à Rome, n'est sans doute qu'un décor pour la face latérale d'un autel, sculpté par un artiste ionien dans le deuxième quart du ve siècle avant notre ère. Les dimensions de ces autels monumentaux peuvent être considérables. Dès l'époque archaïque, ils atteignent un développement, en plan, de 20 à 30 mètres de long sur 6 à 13 mètres de large : c'est le cas pour les autels de la « Basilique » (temple d'Héra) de Poséidonia-Pæstum, du temple D de Sélinonte, du temple d'Apollon à Cyrène, du temple d'Aphaia à Egine. Aux temps classiques, on retrouve des dimensions du même ordre au temple d'Héra à Agrigente, au temple d'Aléa Athéna à Tégée. A l'Olympicion d'Agrigente, l'autel, aussi colossal que le temple, mesurait 56 mètres sur 12. L'époque hellénistique a encore accru ces dimensions, puisque le roi de Syracuse, Hiéron II, au milieu du IIIe siècle, fit construire dans sa capitale un autel long d'un stade olympique, soit 192 mètres ! Mais, sans aller jusqu'au colossal, l'autel élevé par la ville de Chio devant le temple d'Apollon à Delphes, dans le premier quart du ve siècle, est déjà un monument d'importance ($8,50 \times 2,20$ mètres). Il a été partiellement reconstruit, avec son corps de calcaire sombre, sa base et sa table de marbre blanc. Dominant le dernier lacet de la voie Sacrée, il aide le visiteur moderne à imaginer les cérémonies d'autrefois.

Comme on le voit, l'autel, en règle, est situé en plein air. Il y avait à cela deux raisons : d'abord la fumée des sacrifices eût vite rendu irrespirable l'atmosphère d'un bâtiment clos, et d'autre part il fallait ménager autour de l'autel la place nécessaire pour la foule des assistants. Les autels intérieurs (réserve faite pour les petits autels domestiques) sont donc rares et répondent à des formes de culte exceptionnelles. En revanche, aucun lien rigoureux n'existe entre l'autel et le temple : le plus important des deux, contrairement à ce qu'on croit souvent, n'est pas le second, mais le premier. On ne conçoit pas de temple sans autel, mais les Grecs ont connu des sanctuaires sans temple, où l'on se contentait de sacrifier sur un autel en plein air. Ce fut le cas pour Zeus à Olympie pendant toute l'époque archaïque jusqu'à la construction du temple par l'architecte éléen Libon dans le deuxième quart du

v⁰ siècle. Il en fut de même à Dodone. Si d'ordinaire l'autel se trouve placé
en avant du temple, quand ce dernier existe, ce n'est pas une obligation
rigoureuse, mais simple convenance architecturale : sur l'Acropole d'Athènes,
l'autel d'Athéna n'était situé ni devant le Parthénon, ni devant la *cella* orientale de l'Erechthéion, mais devant l'emplacement autrefois occupé par le
temple archaïque d'Athéna et l'on continua toujours d'y sacrifier jusqu'à
la fin du paganisme.

Autour de l'autel, on laissait libre le plus souvent une esplanade suffisante pour accueillir les acteurs et les spectateurs du sacrifice. En avant de
la table d'autel, on scellait, soit dans le sol, soit dans la dalle même (dite
prothysis) où se tenait le prêtre sacrificateur, un anneau de fer qui servait
à attacher les victimes pour les maintenir au moment du coup fatal. Il arrive
que l'archéologue retrouve en place cet anneau, humble détail qui parle à
l'imagination avec une force singulière. Il aide à évoquer, autour de l'autel
où brûlait le foyer sacré, les animaux de l'hécatombe, le groupe du prêtre,
des magistrats et des serviteurs, puis la foule des citoyens formant cercle.
Spectacle haut en couleur, à la fois solennel et animé : flammes et fumée
montaient dans le ciel clair et l'odeur de l'encens se mêlait à celle des chairs
grésillantes, tandis que le chant de la flûte et les hymnes d'un chœur accompagnaient le déroulement de la cérémonie. Parfois, les murmures du peuple
s'apaisaient pour un bref moment de silence, que troublait seul le mugisse-
ment d'une victime. D'autres fois, tous les assistants reprenaient d'une
seule voix une acclamation rituelle. La façade d'un temple aux frontons
bariolés, les colonnades d'un portique, les offrandes et les statues de bronze
étincelant au soleil, les frondaisons d'un bois sacré, les pentes d'une montagne
proche ou le vaste horizon marin servaient de cadre pour ces fêtes de plein
air que la confiance de la foule en ses dieux et la perspective de la frairie qui
allait suivre maintenaient dans une atmosphère d'allégresse.

Le respect des prescriptions traditionnelles donnait parfois à certains
épisodes de la cérémonie le caractère d'une sorte de jeu sacré, dont les
acteurs se conformaient à un scénario remontant à d'antiques croyances
oubliées. Il en était ainsi, par exemple, aux *Dipolies* d'Athènes, fête en
l'honneur de Zeus *Polieus*, protecteur de la cité, dont le culte était célébré
sur l'Acropole dans un enclos en plein air où ne s'élevait aucun temple.
Aristophane, dans les *Nuées*, en 423, considère déjà cette fête comme typiquement archaïque (vers 984-985). Elle était célébrée au milieu du mois
Skirophorion (correspondant à mai-juin) et comportait un sacrifice qu'on
appelait les *Bouphonies*, ou « meurtre du bœuf ». Voici comment Pausanias

le décrit : « Au sujet de Zeus Polieus, je vais rapporter les usages établis pour lui faire un sacrifice, mais je ne transcrirai pas l'explication qu'on en donne. Sur l'autel, on place des grains d'orge mêlés à des grains de blé et on les laisse sans surveillance. Le bœuf qui a été préparé pour le sacrifice s'approche de l'autel et touche à ces grains consacrés. Alors un des prêtres, qui a reçu le nom de *Tueur de bœuf*, le tue d'un coup de hache et aussitôt, jetant la hache sur place (car telle est la prescription rituelle), il s'enfuit et disparaît. Les autres, feignant d'ignorer qui a tué le bœuf, traduisent la hache en jugement devant le tribunal. » Il est dommage que, cette fois encore, le scrupuleux Pausanias ait respecté la consigne de silence au sujet de l'exégèse secrète que les prêtres proposaient de ce rite singulier : les modernes ont longuement spéculé sur les raisons d'une telle comédie sacrée. Ils y voient volontiers la survivance d'une vieille croyance paysanne, selon laquelle le sacrifice du bœuf de labour, auxiliaire de l'agriculture, même pour une fin religieuse reste un scandale, un véritable meurtre qui doit donner lieu à une réparation judiciaire. Quoi qu'il en soit, nous voyons par là que les cérémonies du culte admettaient aisément une certaine forme élémentaire de fiction dramatique. On la trouve plus développée dans le rituel de Delphes : là, tous les huit ans, se déroulait sur l'aire, espace libre à mi-hauteur de la voie Sacrée, un véritable « mystère », appelé le *Steptérion*, qui commémorait une antique légende delphique, le meurtre du serpent Python par Apollon. L'action, qui comportait l'incendie de la « hutte de Python » édifiée pour la circonstance, était accompagnée par la flûte, dont Plutarque signale les effets imitatifs, rappelant les sifflements du serpent. A Sparte, lors de la fête des Carnéennes, on jouait aussi une sorte de drame sur un thème guerrier comme il convient dans cette cité de soldats : on dressait neuf baraquements, analogues à ceux d'un camp, occupés chacun par neuf hommes, sous les ordres d'un chef qui leur prescrivait les détails de leur rôle. Athénée, compilateur du IIIe siècle de notre ère, tient cet épisode des Carnéennes pour « la représentation d'une expédition militaire ». Dans d'autres cas, c'étaient des danses, plus ou moins chargées d'une signification symbolique, qui accompagnaient le sacrifice.

Aucun culte n'a accordé plus d'importance à ces représentations rituelles que le culte de Dionysos. Ce dieu de la végétation, et plus spécialement de la vigne et du vin, a longtemps passé pour un dieu étranger tardivement introduit en Grèce à partir de la Thrace ou de l'Orient. La surprise fut grande quand son nom apparut dans un document mycénien. On doit le tenir désormais pour un des éléments anciens du panthéon hellénique. Toutefois ce n'est qu'à l'extrême fin de l'archaïsme qu'apparurent dans son culte de véritables représentations dramatiques. Le rituel dionysiaque comportait, comme beaucoup d'autres rituels, des chœurs chantant et dansant, ainsi que des processions. Les chœurs exécutaient en l'honneur du dieu un hymne d'un genre particulier, nommé le *dithyrambe**. Les processions, particulièrement joyeuses et bruyantes, promenaient l'image d'un sexe mâle, le *phallos*, symbole de la fécondité et du renouveau universel. Plus que les autres dieux, Dionysos incitait les fidèles à l'extase mystique, aux contorsions violentes, à l'enthousiasme sans frein : le vin y était certes pour quelque chose, mais aussi une tradition rurale, bien à sa place dans ce culte agraire, la tradition des fêtes gaillardes qui suivent les rudes travaux de l'été et de l'automne. Les membres du cortège (ou *thiase*) dionysiaque s'assimilaient volontiers aux légendaires compagnons du dieu, les *Satyres* ou chèvre-pieds, et en adoptaient le costume, masque barbu et camus, peau de chèvre autour des reins, munie d'une queue et d'un *phallos* postiche. Selon le témoignage d'Aristote (*Poétique*, IV, 1449 *a*), c'est du dithyrambe qu'est issue la tragédie, dont le nom (proprement *chant du bouc*) évoque le bouc, *tragos*, animal consacré à Dionysos. On attribuait au poète attique Thespis*, originaire du bourg d'Icaria, au flanc du mont Pentélique, l'initiative d'avoir fait dialoguer un acteur avec le chœur et son chef, introduisant ainsi dans l'hymne lyrique du dithyrambe un élément dramatique qui se développa rapidement. Le *Marbre de Paros* donne la date de 534 pour la première représentation dramatique à Athènes : ce n'est pas le moindre titre de gloire du gouvernement de Pisistrate. Le théâtre, tel que nous l'entendons comme genre littéraire, était né.

Désormais les principales fêtes dionysiaques à Athènes, les *Grandes Dionysies* ou Dionysies urbaines fin mars et les *Lénéennes* fin décembre, comme les *Dionysies rurales* fin novembre dans les villages de l'Attique, comportèrent des représentations théâtrales, organisées par les magistrats responsables de ces fêtes et donnant lieu à des concours. La nature religieuse de ces cérémonies resta bien nettement marquée jusqu'à la fin de l'époque hellénistique : les installations prévues pour le spectacle, d'abord en bois, puis en dur, sont toujours établies dans un sanctuaire de Dionysos ; l'emplacement circulaire réservé aux évolutions du chœur entoure un autel du dieu ; le prêtre de Dionysos bénéficie d'une place d'honneur qui lui est réservée. Les représentations n'ont lieu qu'à l'occasion des fêtes religieuses et sont précédées d'autres rites, processions, sacrifices, purifications. Par le discours de Démosthène contre Midias, un de ses ennemis qui l'avait frappé alors que l'orateur assumait les fonctions de *chorège*, on voit combien, au milieu du IVe siècle, les concours dramatiques gardaient encore aux yeux du peuple un caractère sacré.

Quant à la comédie attique, qui eut sa place un peu plus tard à côté de la tragédie et de l'antique dithyrambe, elle est sortie, nous dit Aristote, des processions phalliques et des chants et *lazzi* qui les accompagnaient. Les chœurs de satyres, qui, dès le début du VIe siècle, forment sur les vases attiques le cortège de Dionysos, n'ont pas moins favorisé la naissance de la comédie, qui convenait à leur caractère impudent et lascif, que celle de la tragédie. C'est entre les deux guerres médiques, probablement en 486 si l'on accepte le témoignage de la *Souda*, qu'eut lieu le premier concours comique aux Grandes Dionysies, un demi-siècle environ après le premier concours de tragédie. Comme la tragédie, la comédie resta un élément important des fêtes dionysiaques en Attique. Usant fort librement de la licence, que leur accordait la tradition, de faire rire par tous les moyens, même les plus audacieux, les poètes ne se privèrent pas de brocarder à l'occasion le dieu même qui patronnait leur art. Aristophane dans les *Grenouilles*, en 405, fait jouer à Dionysos un personnage ridicule : déguisé en Héraclès, le dieu veut descendre aux Enfers, mais, à la différence du héros dont il a emprunté l'accoutrement, il se montre couard et pusillanime, ce qui lui vaut des mésaventures comiques et même des coups de bâton ! Héraclès lui-même, tout fils de Zeus qu'il soit, est fréquemment dépeint comme un ivrogne et un goinfre : il apparaît sous ce jour dans l'*Alceste* d'Euripide, qui n'est pas à proprement parler une tragédie, mais l'équivalent d'un drame satyrique, c'est-à-dire une pièce où l'élément burlesque a sa place.

Nous avons du mal à admettre que cette façon de mettre en scène les dieux puisse s'allier à une piété sincère, et pourtant il n'en faut point douter. Il y a là une sorte de familiarité populaire avec la divinité anthropomorphe qui ne choquait point les Anciens, réserve faite pour quelques esprits particulièrement exigeants ou délicats. La masse admettait sans peine que la nature divine, participant de la forme humaine, en épousât aussi quelques faiblesses. Mais on n'en révérait pas moins la puissance redoutable des Immortels : c'est parce qu'on se sentait en confiance avec eux qu'on les plaisantait volontiers dans leurs propres fêtes si la tradition l'autorisait. En revanche, lorsque l'occasion s'en présente, le poète comique sait trouver de nobles accents pour invoquer les dieux de la cité : « Maîtresse de notre ville, ô Pallas, ô toi la protectrice de ce pays sacré qui l'emporte sur tous les autres par sa valeur guerrière, par ses poètes et par sa puissance, viens à nous et prends avec toi celle qui fut notre compagne dans les expéditions militaires et dans les combats, la Victoire ! » Ainsi parlent les *Cavaliers* d'Aristophane (vers 581-589). Ailleurs le même poète montre le brave paysan Dicéopolis célébrant la fête des Dionysies rurales (*Acharniens*, vers 241-279) : la scène est d'un grand intérêt, car elle fait saisir sur le vif comment s'exprimait la piété populaire dans ces rites rustiques dont la comédie attique est sortie. En tant que chef de famille, Dicéopolis règle la cérémonie à laquelle participe toute la maisonnée : il prend la tête d'une petite procession, suivi de sa fille qui, portant la corbeille d'offrandes, joue le rôle de *canéphore*, et de ses deux esclaves qui ont pour charge de brandir haut un grand *phallos*, symbole dionysiaque. Il offre au dieu un sacrifice modeste et non sanglant : un gâteau arrosé de purée de légumes. Puis il prononce une prière : « Seigneur Dionysos, puisses-tu prendre plaisir à cette procession que je mène et à ce sacrifice que je t'offre avec toute ma famille ! Puissé-je célébrer heureusement les Dionysies rurales ! » Et la procession se met en marche, tandis que Dicéopolis entonne l'hymne phallique et que sa femme le regarde de la terrasse de leur maison.

•

Les concours dramatiques, dont l'importance a été si considérable pour le développement de la littérature européenne, ne sont qu'un aspect particulier des concours grecs : ces derniers représentent un élément très répandu des fêtes religieuses et leur rôle a été essentiel dans la vie sociale et morale des Hellènes. Ces concours sont d'abord et originairement des compétitions athlétiques : les épreuves musicales, par exemple, n'intervinrent que plus tard. Les premiers jeux qui nous soient connus sont ceux qu'Achille, au chant XXIII de l'*Iliade*, organise à l'occasion des funérailles de Patrocle. D'autres jeux funèbres apparaissent dans les légendes épiques : ainsi les jeux en l'honneur de Pélias, roi d'Iolcos, en Thessalie, auxquels participèrent nombre de héros illustres, étaient figurés sur le célèbre coffret de Cypsélos, que le tyran de Corinthe avait consacré à Olympie dans la seconde moitié du VIIᵉ siècle. C'est pourquoi certains modernes tiennent les compétitions athlétiques en Grèce pour une coutume funéraire à l'origine. Toutefois il faut noter que l'*Odyssée*, au chant VII, nous montre Alcinoüs, le roi des Phéaciens, proposant des concours sportifs à ses sujets pour distraire son hôte Ulysse : ces exercices n'ont en l'occurrence aucun caractère funéraire, ni même religieux. Mais c'est un fait que d'ordinaire les concours grecs sont organisés dans le cadre des cérémonies sacrées.

Il y avait des jeux partout dans le monde hellénique, rattachés aux cultes les plus divers. Ainsi Pindare, vantant les mérites d'un coureur à pied cyrénéen dans la *IXe Pythique*, cite parmi les jeux célébrés à Cyrène des concours en l'honneur d'Athéna, d'autres pour Zeus Olympien, d'autres pour la Terre nourricière, et cette énumération n'est pas limitative. Ces jeux locaux permettaient aux jeunes gens de s'affronter dans des épreuves variées, individuelles ou par équipes. Parfois l'épreuve garde nettement le caractère d'un rite religieux : c'est le cas, par exemple, pour les courses au flambeau, ou *lampadédromies*, courses de relais bien connues à Athènes, ou encore pour la course à la grappe de raisin ou *staphylodromie*, qui faisait partie de la grande fête des Carnéennes à Sparte, en l'honneur d'Apollon *Carneios*, dieu agraire. Mais le plus souvent il s'agit de simples compétitions athlétiques, où la jeunesse fait hommage à la divinité de ses qualités de force et d'adresse. Comme on le voit bien déjà dans Homère, aux yeux des Grecs la victoire aux jeux, tout comme à la guerre, dépend essentiellement de la faveur divine. L'homme fait de son mieux, mais le Destin et la volonté des dieux disposent. A Olympie, nous l'apprenons par Pausanias, on avait élevé, près de la ligne de départ pour la course des chars, plusieurs autels à divers dieux, et en particulier aux *Moires*, ou Destinées, et à *Moiragétès*. « Il est clair, ajoute le Périégète, que c'est là une épithète de Zeus, qui connaît les destins des hommes, ce qui leur est accordé par les Moires et ce qui leur est refusé » (V, 15, 5). Le fait est révélateur d'une attitude d'esprit très générale en Grèce : l'homme a conscience de ses propres mérites, mais il sait qu'en toute entreprise entre en jeu une part de hasard qui risque d'être décisive. C'est cet élément contingent qui rabat sa superbe et qui révèle dans les affaires humaines la souveraine intervention d'une puissance surnaturelle. Dans la compétition athlétique, du moins à haute époque, avant qu'elle ne se dégradât par l'intervention des athlètes professionnels, il y avait une reconnaissance implicite des volontés divines qui lui conférait noblesse et grandeur : on comprend que la poésie d'un Pindare y ait trouvé matière aux plus magnifiques envolées.

Le vainqueur aux jeux apparaît donc comme le favori des dieux autant que comme un individu doué de qualités physiques exceptionnelles : de là l'usage de consacrer une offrande après la victoire dans le sanctuaire du dieu qui patronnait le concours. Or, parmi tous les jeux qui sollicitaient l'ambition des athlètes, il en était dont la renommée dépassait largement les frontières d'un Etat pour s'étendre au monde hellénique tout entier. Quatre d'entre eux attiraient particulièrement les foules : ceux d'Olympie, de Delphes, de l'Isthme et de Némée. Par l'éclat de leurs fêtes, par la qualité des concurrents qui s'y affrontaient, par le nombre et la variété des spectateurs, ils méritaient vraiment le nom de jeux *panhelléniques* par lequel on les désigne d'ordinaire. C'est pour des vainqueurs dans ces compétitions glorieuses que Pindare a composé les odes triomphales ou *épinicies* qui restent les seuls témoignages complets de son génie poétique et que les éditeurs anciens répartissaient déjà, en fonction des divers concours, en *Olympiques*, *Pythiques*, *Isthmiques* et *Néméennes*. Laissant de côté l'aspect technique et sportif de ces jeux, nous n'évoquerons pour l'instant que leur importance religieuse.

Les Jeux Olympiques, en l'honneur du Zeus d'Olympie, étaient les plus célèbres. Depuis 776, d'après la chronologie traditionnelle adoptée par l'historien Timée de Taormine qui répandit l'usage du comput par olympiades, ces jeux étaient célébrés tous les quatre ans en plein été (juillet-août). A l'époque classique, les fêtes duraient sept jours. Depuis 572, elles étaient patronnées par les Eléens, qui dominaient la région et qui désignaient parmi eux le collège des *Hellanodiques* ou « juges des Grecs », chargés de l'organisation des jeux. Ainsi même une cérémonie panhellénique, c'est-à-dire ouverte à tous les Grecs, restait soumise à la responsabilité d'un seul peuple, conformément à la conception politique et religieuse qui subordonnait tout à la cité. Quelque temps avant l'ouverture des jeux, des *spondophores*, étaient envoyés dans toutes les cités grecques pour annoncer l'événement. En l'honneur de Zeus, on observait alors une trêve sacrée qui suspendait les guerres intestines pour la durée des fêtes olympiques. Athlètes et curieux prenaient le chemin de l'Elide, où des installations matérielles étaient prévues pour les recevoir : une ville de tentes et de baraquements s'élevait pour quelques semaines autour du sanctuaire.

Le premier jour des jeux était consacré aux sacrifices et à la prestation du serment olympique par les concurrents. Ceux-ci devaient être Grecs, de naissance libre et indemnes de toute condamnation. Plus que des exigences morales et politiques, il faut voir là des exigences religieuses : les jeux font partie du culte et on ne peut participer pleinement au culte que si l'on appartient à une communauté civique et si l'on est pur de toute souillure. Voilà pourquoi les Barbares, les esclaves et les condamnés sont exclus. C'est aussi une prescription religieuse qui interdisait aux femmes l'entrée du sanctuaire et l'assistance aux épreuves : une seule exception était faite en faveur de la prêtresse de Déméter *Chamyné*, indice révélateur du caractère sacré de l'interdit. La prestation du serment était particulièrement solennelle.

Elle avait lieu sur l'autel de Zeus *Horkios*, protecteur des serments, dont la statue se dressait dans le *Bouleutérion* (siège du Sénat local) et tenait un foudre dans chaque main pour en foudroyer les parjures. Sur les quartiers d'un verrat sacrifié pour la circonstance, les athlètes, leurs pères et leurs frères, liés par la vieille solidarité du clan familial, juraient de respecter les règlements du concours. Pausanias, à qui nous devons ces renseignements, ajoute une remarque symptomatique : « Il ne m'est pas venu à l'idée de demander ce qu'on faisait du verrat après le serment des athlètes : c'est une règle établie depuis les temps les plus reculés qu'une victime sur laquelle on a prononcé un serment ne doit pas servir à la consommation humaine » (V, 24, 10). Au pied de la statue de Zeus Horkios, on pouvait lire sur une tablette de bronze un poème en distiques élégiaques qui rappelait le châtiment réservé aux parjures. En cas de fraude, les Hellanodiques frappaient le coupable d'une forte amende et l'excluaient des Jeux à perpétuité. Avec le produit de l'amende, ils érigeaient une statue de Zeus en bronze ; ces Zeus, les *Zanes*, comme on les appelait dans le dialecte dorien local, étaient alignés dans le sanctuaire, près de l'entrée du stade, au pied de la terrasse des Trésors. On peut voir encore en place quelques-unes des bases qui les portaient.

Après la fin des épreuves, qui duraient cinq jours, la dernière journée était consacrée à la distribution des récompenses. En présence d'une foule immense qui les acclamait, les vainqueurs, qu'on appelait les *olympioniques*, avançaient à l'appel de leur nom pour recevoir leur prix : une simple couronne d'olivier sauvage, tressée avec le feuillage de l'arbre sacré qu'Héraclès, nous dit Pindare, avait rapporté du pays des Hyperboréens pour le planter à Olympie. Ces couronnes étaient disposées sur une somptueuse table à offrandes incrustée d'ivoire et d'or, œuvre de Colotès , disciple et collaborateur de Phidias. Cette table figure comme motif de revers sur une des monnaies commémoratives frappées par les Eléens, en 133 de notre ère, sous l'empereur Hadrien. Aux yeux des Grecs, il n'y avait pas d'honneur plus grand que la couronne olympique, remportée devant la Grèce assemblée dans le sanctuaire du roi des dieux. C'est ce que laissait entendre l'anecdote fameuse, rapportée par Cicéron dans les *Tusculanes* (I, 46, 111), de Diagoras et du Laconien. Diagoras de Rhodes, célèbre pugiliste, avait vaincu à Olympie et fait célébrer son succès par Pindare dans la *VIIᵉ Olympique*. Devenu vieux, il eut la joie de voir ses deux fils triompher à leur tour au cours de la même journée. « Un Laconien s'approcha du vieillard et, le félicitant : « *Meurs maintenant, Diagoras*, lui dit-il, *car tu ne connaîtras plus pareille joie céleste !* »... L'auteur de ce propos estimait qu'avoir produit trois olympioniques était pour une famille un honneur exceptionnel et que Diagoras s'exposerait inutilement aux coups du sort s'il demeurait encore en vie. »

Ainsi le désir de gloire, l'appétit de louanges, l'orgueil national et la piété sincère envers le dieu excitaient à la fois l'ardeur des concurrents. Les spectateurs étaient poussés en outre par la curiosité de voir de près des hommes célèbres, car aux athlètes se joignaient écrivains, philosophes, rhéteurs ou artistes, désireux de profiter de ce grand concours de peuple pour faire connaître leurs ouvrages par des lectures publiques ou pour obtenir des commandes. L'animation, la bousculade, les transactions commerciales accompagnaient nécessairement le déroulement des épreuves sportives et des cérémonies sacrées. Dans l'enceinte de l'*Altis*, le terrain consacré à Zeus, on entendait parler tous les dialectes grecs. Les badauds se désignaient quelque illustre visiteur, un Thémistocle, un Alcibiade, un Platon, dont le passage à Olympie est expressément attesté, et bien d'autres dont on ne nous a pas mentionné la venue. Un Hérodote y lisait ses *Histoires*, aux applaudissements de la foule qui, à cette occasion, nous dit Lucien, donna pour titres aux neuf livres de l'ouvrage les noms des Neuf Muses. Un sophiste comme Gorgias de Léontini y suscitait l'admiration par son éloquence, en souvenir de quoi son petit-neveu lui fit élever une statue que Pausanias a encore vue en place. A se côtoyer pendant quelques jours, à prendre part aux mêmes sacrifices, à vibrer d'un même enthousiasme, des hommes venus de tous les points du monde hellénique apprenaient à mieux se connaître. Ils avaient conscience d'une solidarité profonde par-delà les divergences d'intérêts ou les rivalités d'amour-propre qui séparaient leurs cités respectives. Ils donnaient un contenu plus concret à la notion même d'hellénisme. Celle-ci s'est donc renforcée dans ces grands rassemblements religieux périodiques que les Grecs nommaient des *panégyries*. C'est ce qu'Isocrate, le grand rhéteur athénien du IVe siècle, a parfaitement exprimé dans le discours qu'il publia, sans d'ailleurs l'avoir effectivement prononcé, à l'occasion de la 100e Olympiade, en 380, et que pour cette raison on appelle le *Panégyrique* : « C'est avec raison qu'on loue ceux qui ont institué les panégyries et qui nous en ont légué la tradition. Grâce à eux, en effet, nous nous rassemblons en un même lieu après avoir conclu la trêve et fait taire nos inimitiés. Puis nous offrons ensemble aux dieux des vœux et des sacrifices. et nous ravivons le souvenir de nos origines communes. Nous en retirons pour l'avenir de meilleures dispositions mutuelles, nous renouvelons nos anciennes relations d'hospitalité et nous en formons d'autres. Ni pour la masse du public, ni pour les êtres d'exception, ces rencontres ne sont du temps perdu : en présence des Grecs assemblés, les uns donnent carrière à leurs dons naturels et les autres se plaisent à contempler ces joutes. Nul risque qu'aucun d'eux s'ennuie ! Tous ont de quoi satisfaire leur amour-propre, quand les uns voient les athlètes donner le meilleur d'eux-mêmes pour leur plaire et quand les autres prennent conscience que tout ce peuple est venu pour les admirer. »

Les autres grands jeux panhelléniques fournissaient l'occasion de panégyries du même genre. A Delphes, les Jeux Pythiques avaient été institués en l'honneur d'Apollon après la première guerre sacrée, en 582. Ils s'enrichirent peu à peu des mêmes épreuves athlétiques qu'à Olympie. Mais leur originalité resta d'accorder une place considérable aux concours musicaux, dont la tradition était très ancienne à Delphes : on contait qu'Homère et Hésiode avaient voulu tous deux prendre part au concours et qu'ils en avaient été écartés l'un et l'autre, le premier parce qu'il était aveugle et ne pouvait jouer de la cithare, le second parce que, tout bon poète qu'il fût, il n'était pas assez bon citharède. L'anecdote, rapportée par Pausanias, est évidemment apocryphe, mais montre bien qu'Apollon, dieu des arts, accordait autant d'intérêt aux compositions musicales qu'aux concours athlétiques.

Les fêtes avaient lieu tous les quatre ans, la troisième année de chaque olympiade, donc deux ans après les Jeux Olympiques, vers la fin de l'été (août-septembre). Quelque temps auparavant, les Delphiens envoyaient des délégations, les *théores* (ou *théares*, comme on disait à Delphes), dans les diverses régions du monde grec pour y annoncer officiellement la prochaine ouverture des *Pythia*. Au cours de leur ambassade religieuse, ces théores étaient reçus et logés, dans chaque cité souveraine, par des correspondants officiels chargés de faciliter leur mission et que l'on appelle les *théorodoques*. La liste de ces théorodoques a été gravée à plusieurs reprises dans le sanctuaire et nous en avons conservé un fragment pour la fin du Ve siècle, un texte très étendu pour la fin du IIIe siècle et d'autres fragments pour le milieu du IIe siècle. Ces documents sont très instructifs pour la géographie historique et l'onomastique. Comme à Olympie, le prix de chaque concours était une simple couronne de feuillage. Elle était tressée avec du laurier, l'arbre favori d'Apollon, coupé dans des conditions particulières qui répondaient à des exigences religieuses : un enfant dont le père et la mère étaient encore en vie devait aller en chercher les branches dans la vallée de Tempé, en Thessalie. Le prestige d'Apollon, la renommée de son oracle ajoutaient à l'attrait des Jeux et amenaient à Delphes des foules comparables à celles qui affluaient à Olympie.

Les Jeux Isthmiques et les Jeux Néméens avaient lieu tous les deux ans, en alternance avec ceux d'Olympie et de Delphes, c'est-à-dire la deuxième et la quatrième année de chaque olympiade. Les premiers étaient célébrés en l'honneur de Poséidon dans son sanctuaire de l'isthme de Corinthe, dont les vestiges ont été récemment explorés en partie. Les Corinthiens étaient les organisateurs, mais parmi tous les visiteurs les Athéniens tenaient une place privilégiée. L'époque des jeux était le printemps (avril-mai). On les annonçait officiellement et il y avait à cette occasion une trêve sacrée que l'on respecta même en pleine guerre du Péloponnèse : Thucydide le mentionne expressément pour les jeux de l'année 413. Le prix décerné aux vainqueurs fut d'abord une couronne de pin, bientôt remplacée, dès avant l'époque de Pindare, par une couronne d'ache. D'ache aussi était la couronne des Jeux Néméens, dans le sanctuaire de Zeus à Némée, en Argolide. L'organisation dépendait des habitants de Cléonées, petite cité voisine, jusqu'à l'époque de Pindare, mais les Argiens, dont l'influence s'étendait à toute cette région du Péloponnèse, finirent par les supplanter. Bien que le souvenir du fameux lion tué par Héraclès restât attaché à la petite plaine de Némée, c'est Zeus qu'on y vénérait dans un enclos planté de cyprès. Les concours ressemblaient à ceux d'Olympie et, comme à Olympie, les juges des concours portaient le titre d'*Hellanodiques*. Reconnue comme une panégyrie de tous les Grecs, la fête donnait lieu, elle aussi, à une trêve sacrée.

L'admiration que suscitaient les victoires aux Grands Jeux était particulièrement vive quand un même athlète remportait la couronne dans le cycle des quatre fêtes successivement : il portait alors le titre de *périodonique*, ou « vainqueur du cycle ». La renommée de tels champions traversait les siècles et pouvait, dans des circonstances favorables, faire accéder l'athlète au rang des dieux. L'exemple de Théogénès de Thasos le montre bien. Ce fils d'un prêtre d'Héraclès passait pour avoir pour père véritable le dieu lui-même, légende qu'expliquait sans doute, nous l'avons vu, un rite d'hiérogamie. Boxeur invincible pendant vingt-deux ans, il collectionna les succès : neuf fois vainqueur à Némée, autant de fois à l'Isthme (plus une victoire au pancrace dans la même fête), trois fois couronné aux Jeux Pythiques (dont une fois sans qu'aucun concurrent ait osé l'affronter), il connut l'apogée de sa carrière en triomphant à Olympie en 480 à la boxe et en 476 au pancrace. On lui éleva des statues à Olympie, à Delphes et dans l'île de Thasos, sa patrie. Les bases de ces statues ont été retrouvées, plus ou moins gravement mutilées : celle de Delphes permet de lire encore, avec un catalogue complet des victoires de Théogénès, une épigramme d'une douzaine de vers vantant les mérites vraiment exceptionnels d'un champion qui se targuait de l'avoir emporté dans 1 300 rencontres ! Le souvenir en fut durable : au IIIe siècle avant Jésus-Christ, un épigrammatiste, Posidippe de Pella, rappelle l'appétit prodigieux du boxeur, capable, prétend-il, de dévorer un taureau entier à lui tout seul... Au IIe siècle de notre ère, le rhéteur Dion Chrysostome, le philosophe Plutarque, puis le voyageur Pausanias font encore longuement mention de Théogénès, de son caractère irascible et de ses exploits.

Mais le plus curieux n'est pas tant l'extraordinaire série de ses triomphes sportifs que la promotion religieuse dont il bénéficia après sa mort, dans des circonstances que Pausanias a rapportées en détail : « Quand Théogénès ne fut plus, un de ses ennemis avait l'habitude de venir toutes les nuits battre de verges sa statue de bronze, s'imaginant qu'il maltraitait ainsi Théogénès en personne. La statue mit fin à ces violences en écrasant l'homme, et les enfants de la victime traduisirent en justice la statue pour meurtre. Les Thasiens la firent jeter à la mer, appliquant la loi de Dracon qui, dans le code criminel qu'il rédigea pour les Athéniens, frappe d'exil même les objets inanimés, si d'aventure l'un d'eux écrase un homme. Par la suite, la terre à Thasos fut frappée de stérilité. Les Thasiens députèrent à Delphes et l'oracle leur enjoignit de faire rentrer ceux qu'ils avaient chassés. Mais le retour des exilés, décidé à la suite de cette injonction, ne mit pas fin à la stérilité du sol. Les Thasiens revinrent donc consulter la Pythie, se plaignant que la colère divine continuait à les frapper, bien qu'ils eussent appliqué les conseils de l'oracle. Alors la Pythie leur répondit : « *Du grand Théogénès vous avez négligé la mémoire.* » Ils étaient bien embarrassés, ne sachant par quel moyen récupérer la statue de Théogénès, quand, dit-on, des pêcheurs qui étaient partis pêcher en mer ramassèrent la statue dans leur filet et la ramenèrent au rivage. Les Thasiens la restaurèrent à son emplacement primitif et ils ont gardé la coutume de lui offrir des sacrifices comme à un dieu. » Divers documents épigraphiques, interprétés à la lumière des textes littéraires, sont venus confirmer ce témoignage. C'est à la fin du Ve siècle ou au début du IVe siècle que le culte de Théogénès a dû être institué à Thasos, au moment où on restaura la statue. Plus tard, comme le montrent une inscription du Ier siècle avant notre ère, la suite du récit de Pausanias et un passage de Lucien, Théogénès fut considéré surtout comme un héros guérisseur, spécialement apte à protéger de la malaria, et son culte s'étendit aussi hors de Thasos.

Nous saisissons là sur le vif, à propos d'un illustre athlète, comment la gloire acquise dans les jeux, preuve éclatante de la faveur divine, pouvait, dans des circonstances privilégiées, élever l'homme au rang des dieux : l'hyperbole dont les poètes flattaient leurs clients dans leurs odes triomphales devenait ainsi réalité. Toutefois cette promotion n'intervenait qu'après la mort : c'est que les Grecs considéraient les défunts avec une révérence particulière. A côté de la religion des Olympiens, le culte des morts revêt chez eux une importance considérable. Il nous faut l'étudier maintenant.

●

Dans la société mycénienne, société aristocratique, nous ne connaissons le culte des morts que par les tombeaux et leur mobilier. L'architecture monumentale des tombes à coupoles, la richesse du contenu des tombes à fosse et certains indices révélant l'existence d'un culte funéraire montrent assez quel souci les Mycéniens avaient d'honorer leurs défunts. Mais nous ignorons comment ils se représentaient leur destinée dans l'au-delà. Chez Homère, les rites funèbres sont longuement décrits à propos des funérailles de Patrocle : crémation du cadavre sur un bûcher, sacrifice de prisonniers troyens et d'animaux favoris, chevaux et chiens, offrandes de miel et d'huile, don de leur chevelure fait par les survivants en signe de deuil, banquet funéraire, jeux athlétiques en mémoire du défunt, érection d'un tombeau, le chant XXIII de l'*Iliade* rapporte tout cela en détail. De tels honneurs funèbres ne se concevraient guère sans une certaine croyance à la survie dans l'au-delà. De fait Homère croit à une forme de survie : c'est chez lui que la notion d'âme (*psyché*) apparaît pour la première fois clairement exprimée dans notre civilisation. Distincte du corps, elle s'en sépare au moment suprême pour s'envoler vers le séjour des morts, chez Hadès. Elle est l'image (*eidolon*) de ce que le vivant a été, mais une image sans consistance ni poids, capable pourtant de souffrir encore et de regretter la vie. Le poète la fait apparaître parfois en songe comme celle de Patrocle à Achille; mais elle échappe à l'étreinte vaine de son ami. Seule une opération tenant de la magie, qu'Ulysse effectue au chant XI de l'*Odyssée*, permet l'évocation des morts, la *Nékyia*, que le grand Polygnote* devait représenter plus tard dans le pavillon (*lesché*) des Cnidiens à Delphes : en buvant le sang des victimes recueilli dans une fosse, les âmes retrouvent pour un instant un semblant d'existence humaine. Mais ce n'est qu'une fausse apparence et, si Ulysse peut ainsi échanger quelques mots avec l'âme de sa mère, c'est en vain qu'il lui tend les bras : « Trois fois je m'élançai vers elle : de tout mon cœur je voulais l'embrasser. Trois fois, pareille à une ombre, à un songe, elle s'envola de mes mains. » Ces ombres errent dans une prairie d'asphodèles, quelque part sous la terre, au-delà des portes du séjour des morts, l'Hadès, où règne le dieu du même nom. Les honneurs funèbres, et en particulier la crémation, sont une condition nécessaire pour que l'âme accède à ce séjour et y goûte un morne repos. Une telle conception de l'outre-tombe n'offre guère de consolation aux mortels. Les héros d'Homère aiment la vie et s'affligent à l'idée de la perdre : mais le sentiment de l'inéluctable leur inspire une sorte de pessimisme résigné. L'ombre d'Achille, qui fut le plus beau et le plus vaillant des hommes, prononce des paroles amères : « Ah ! que j'aimerais mieux, simple valet de ferme, servir chez un paysan sans ressources, où l'on ne fait que maigre chère, plutôt que de régner en maître sur le peuple des trépassés ! »

Est-ce seulement pour apporter quelque soulagement à ces âmes désolées ? Est-ce plutôt conscience obscure que les défunts, dans leur étrange survie, disposent d'un pouvoir surnaturel dont les vivants pourraient pâtir ? Quelle qu'en soit la raison, c'est un fait que les nécropoles géométriques et celles du haut archaïsme gardent la trace d'un culte funéraire : dans les cimetières attiques, on trouve des cendres de sacrifices près de la tombe et le grand vase qui la surmonte a servi pour des libations. En outre, une grande pierre plantée dans la fosse ou près d'elle lui sert de marque, *séma*. Cette pierre deviendra la stèle funéraire par une évolution propre au monde hellénique. On inscrivit d'abord le nom du mort sur le bloc à peine dégrossi, comme on le voit par les nécropoles de Théra (Santorin). Puis vers la fin du VIIᵉ siècle, en Attique, on se fit plus exigeant : la stèle bien taillée, haute et étroite, légèrement pyramidante, fut désormais fichée dans une base plus large. Déjà auparavant, vers le milieu du siècle, on avait eu l'idée, en Crète, d'orner les stèles funéraires, comme à l'époque mycénienne, avec une représentation figurée, d'abord gravée en creux : une femme avec un fuseau, un guerrier en armes. Dieu ou mortel ? Il s'agit plus probablement des morts, sous une forme idéalisée, à qui les vivants rendent hommage. Par la suite, de telles représentations se multiplient et leur sens n'est plus douteux. En Attique au VIᵉ siècle les tombeaux les plus luxueux s'ornent de bas-reliefs avec l'image du mort, telle à la fin du siècle la stèle de l'hoplite Aristion, ou mieux encore de statues en ronde bosse, qui forment la belle série des *couroï* (« jeunes gens ») funéraires. L'idéalisation est ici évidente, bien que les inscriptions indiquent clairement qu'il s'agit d'un portrait. Car ce portrait ne vise nullement à la ressemblance physique, qu'à cette époque les Grecs ne songeaient pas à rechercher : il représente idéalement le défunt, dans la plénitude de la force et de la beauté, comme si la mort lui avait conféré une jeunesse éternelle. Des stèles de Laconie, comme le relief de Chrysapha, datant du milieu du VIᵉ siècle, permettent de concevoir plus clairement le sens de ces représentations funéraires : là, un couple de défunts trône sur un siège d'apparat, derrière lequel se dresse le serpent associé aux divinités de la terre. L'homme tient un canthare, la femme une grenade. Deux petits personnages apportent des offrandes à ce couple divin : un coq, une fleur, une grenade, un œuf. Nous avons là une scène de culte funéraire, où les survivants honorent leurs parents disparus, désormais considérés comme des dieux. Le défunt s'est transformé en *héros*, au sens religieux du terme, qui désigne un homme rangé après sa mort parmi les Immortels.

Ce phénomène d'*héroïsation* est capital dans la pensée hellénique. Fondé sur la révérence et la crainte qu'inspire spontanément la mort, il ne fit que se développer depuis le haut archaïsme jusqu'à l'époque hellénistique. Certes, l'idée que tout défunt devient un héros ne se généralisa qu'assez tard, mais elle répondait à une tendance profonde et explique déjà maints aspects du décor funéraire archaïque et classique. Sur un grand vase funéraire en marbre, un bas-relief délicatement sculpté sur la panse représentait la défunte, avec son nom gravé près d'elle, Myrrhiné, conduite aux Enfers par Hermès, le dieu *psychopompe* ou « conducteur des âmes », en présence de trois hommes, ses parents. Or l'artiste athénien qui, vers 430-420, exécuta ce bas-relief a donné à Myrrhiné comme à Hermès une taille supérieure à celle des trois vivants, laissant entendre ainsi qu'elle appartient déjà à la catégorie des Immortels. Les vases attiques d'argile peinte qu'on appelle des *lécythes* (flacons à parfum) funéraires, au Vᵉ siècle, nous montrent de nombreuses scènes d'offrandes près d'un tombeau : les survivants, jeunes femmes ou éphèbes, se rendent auprès du monument funèbre, le décorent de bandelettes, y déposent des fruits, des gâteaux, des parfums, font des libations ou simplement méditent en évoquant le disparu. La série des stèles attiques sculptées s'interrompt entre la fin du VIᵉ siècle et 440 environ : sans doute une loi somptuaire les avait-elle interdites peu après le renversement des Pisistratides. Mais de 440 à la fin du IVᵉ siècle (où le philosophe Démétrius de Phalère les fit interdire de nouveau), c'est par centaines qu'on les compte, avec l'image du défunt assis ou debout, souvent entouré de ses proches, auxquels il serre parfois la main. Avec une discrétion émouvante, elles traduisent bien le sentiment complexe que l'Athénien des temps classiques éprouvait devant la mort : regret de la séparation, résignation à l'inévitable, désir d'affirmer la permanence des liens du sang ou de l'amitié (tel est le sens que prend la poignée de main), mais aussi l'idée que le défunt, dans le monde nouveau auquel il accède, jouit d'une nouvelle dignité. Aristote, dans un passage de l'*Eudémos* qui nous a été conservé par Plutarque, a formulé en termes très clairs cette conviction : « Non seulement nous croyons que les morts jouissent de la félicité des bienheureux, mais encore nous jugeons impie de tenir à leur sujet des propos menteurs ou diffamatoires, parce que nous pensons que c'est outrager des êtres devenus meilleurs et plus puissants. »

Ce titre de « bienheureux » (*makarios*) était-il vraiment réservé à tous ? Il était tentant de le croire, mais non moins tentant de s'assurer par quelque garantie, acquise durant la vie terrestre, que l'on jouirait ainsi du bonheur éternel. Cette précaution bien naturelle explique le succès de l'orphisme et des mystères. L'orphisme est une doctrine philosophique et eschatologique que les Anciens attribuaient au poète mythique Orphée. Bien qu'Hérodote, Euripide, Aristophane et Platon en aient fait mention expressément, cette doctrine reste pour nous très obscure : elle s'exprimait dans des poèmes attribués au chanteur thrace, dont on évoquait la touchante histoire, le génie musical et poétique, la participation avec les Argonautes à la conquête de la Toison d'or, le deuil inconsolable à la mort d'Eurydice et la mort tragique sous la fureur des Ménades du mont Pangée. Il passait pour avoir enseigné aux hommes un idéal de vie ascétique, fondé sur l'abstinence de toute viande, le refus des sacrifices sanglants, l'interdiction d'ensevelir un mort avec un vêtement de laine. En outre, l'orphisme proposait une eschatologie, décrivant le sort qui attend les hommes dans l'autre monde, où les coupables seront rudement châtiés, tandis que les justes jouiront d'un séjour enchanteur dans les *Iles des Bienheureux*. La *IIe Olympique* et un fragment des *Thrènes* de Pindare semblent bien inspirés par cette conception de l'au-delà, que le poète traduit en vers magnifiques. Peut-être l'orphisme enseigna-t-il aussi la migration des âmes ou *métempsycose*. Le philosophe Pythagore* de Samos, qui vécut au VIe siècle à Crotone, en Grande-Grèce, a subi l'influence de l'orphisme et a contribué à le propager à travers sa propre doctrine.

Que ces spéculations sur l'autre monde aient joué un rôle effectif dès l'époque classique, c'est ce que montre une découverte curieuse : à Pharsale, en Thessalie, on a retrouvé dans une tombe une urne de bronze datant du milieu du IVe siècle. Elle contenait, au milieu de cendres et de fragments d'ossements, une lamelle d'or de 5 centimètres sur 1 centimètre ½, portant un texte gravé en écriture cursive. C'est un court poème, déjà connu avec quelques variantes par des documents hellénistiques. En voici le texte : « Tu trouveras à droite du palais d'Hadès une source. Près de cette source se dresse un blanc cyprès. De cette source garde-toi d'approcher ! Plus loin tu trouveras l'onde fraîche qui s'écoule hors du lac de Mémoire : des gardiens se tiennent au-dessus d'elle. Ils te demanderont pourquoi tu es venu. Expose-leur bien la vérité tout entière. Dis : Je suis fils de la Terre et du Ciel étoilé. Stellaire est mon nom. De soif j'ai la gorge sèche : laissez-moi donc boire à la source ! » Le texte de Pharsale ne va pas plus loin, mais une tablette analogue, trouvée à Pétélia en Italie méridionale, nous donne la suite : « Ils te permettront de boire à la source sainte et tu régneras alors parmi les autres héros. » On a mis en doute le caractère proprement « orphique » de ce poème, mais la parenté avec l'eschatologie esquissée plus haut paraît évidente. La tablette de Pharsale est un viatique que le défunt emporte dans son voyage d'outre-tombe : en se conformant aux prescriptions qu'il contient, l'âme devait obtenir à coup sûr une éternelle félicité.

Tel était aussi l'objet poursuivi par l'initiation aux Mystères d'Eleusis, dont le rapprochement avec l'orphisme est nettement marqué par des écrivains anciens comme Plutarque et Pausanias. Ce dernier n'écrit-il pas, à propos du tabou rituel de la fève (I, 37, 4) : « Celui qui a déjà assisté aux cérémonies d'initiation à Eleusis ou qui a lu les poèmes qu'on appelle orphiques, celui-là sait ce que je veux dire »? Les Mystères, rattachés au culte de Déméter, passaient pour avoir été institués par la déesse elle-même. « Lorsque après le rapt de Coré, dit Isocrate dans le *Panégyrique* (IV, 28), Déméter dans sa course errante fut parvenue chez nous, elle se sentit bien disposée à l'égard de nos ancêtres qui lui avaient rendu des services dont seuls les initiés ont le droit d'entendre parler. Elle leur fit alors deux présents, les plus précieux qui soient : l'agriculture, qui nous a permis de vivre autrement que les bêtes sauvages, et les Mystères qui font concevoir aux fidèles de réconfortantes espérances sur ce qui les attend au terme de la vie et dans l'éternité des siècles. » Entre ces deux bienfaits, des rapports étroits s'établissent, car, si mal que nous entrevoyions les secrètes cérémonies de l'initiation, il est sûr que les rites agraires, et en particulier les rites de fécondité, y jouaient un rôle essentiel. A l'initié, qu'on appelait un *myste*, on faisait manipuler des objets et réciter des formules ayant trait à un symbolisme sexuel, puis on présentait un spectacle également symbolique, sorte de drame sacré qui évoquait la quête douloureuse de Déméter errant à la recherche de sa fille disparue, ainsi que diverses autres scènes, parmi lesquelles figurait peut-être une *hiérogamie*, rite de fécondité bien connu ailleurs. La présentation au public d'un épi de blé complétait la cérémonie. Les allusions indignées des Pères de l'Eglise, dont certains, comme Clément d'Alexandrie, avaient peut-être eux-mêmes reçu l'initiation éleusinienne avant de se convertir au christianisme, forment l'essentiel de nos sources sur ces Mystères dont le secret a été fort bien gardé, à travers les siècles, jusqu'à la fin de l'Antiquité. Le caractère polémique de ces indications les rend un peu suspectes. On voit mal, à vrai dire, comment de tels rites parvenaient à réconforter les assistants sur le sort qui les attendait dans l'au-delà. Peut-être tout simplement le fait que Coré, fille de Déméter et, sous le nom de Perséphone, épouse d'Hadès, régnait sur les Enfers donnait-il à qui participait au culte la certitude de trouver en échange un accueil bienveillant dans le monde infernal. En tout cas, cette confiance est un fait attesté : elle éclate particulièrement dans la pièce d'Aristophane, *Les Grenouilles*, jouée en 405, au pire moment de la guerre du Péloponnèse. Le poète y met en scène, dans les Enfers où s'aventure Dionysos, un chœur d'initiés qui dansent allégrement dans les prairies d'outre-tombe « où pour eux seuls le soleil fait luire joyeusement sa lumière, parce qu'ils ont reçu l'initiation et se sont conduits en hommes pieux tant à l'égard des étrangers que de leurs concitoyens » (vers 454-459).

Nous connaissons mieux, en revanche, l'aspect social et non secret de ces cérémonies qui, à l'époque classique, font partie des grandes fêtes d'Athènes. Elles sont réglées par des prêtres qui appartiennent traditionnellement à deux grandes familles éleusiniennes : l'*hiérophante* à celle des Eumolpides, le *dadouque* et le héraut sacré à celle des Kérykes. Elles sont complexes et réparties en Petits Mystères, célébrés à Agra, un faubourg d'Athènes, au bord de l'Ilissos, en février, et Grands Mystères, célébrés à Eleusis en fin septembre. Ces derniers durent plusieurs jours, avec défilés, auxquels participent officiellement les éphèbes, bain des *mystes* dans la mer au Pirée, purifications, prières publiques, transport en procession d'Athènes à Eleusis par la voie Sacrée (c'est alors que prenait place l'épisode des *géphyrismes*, ou plaisanteries du pont), veillée nocturne à Eleusis autour du sanctuaire des Deux Déesses, sacrifice solennel et enfin l'initiation proprement dite. Celle-ci avait lieu dans une salle spécialement construite à cet effet, le *Téles-*

térion. Sur l'emplacement du bâtiment primitif, Pisistrate en avait fait élever un autre qui fut détruit par les Perses en 480. Périclès confia à l'architecte du Parthénon, Ictinos, le soin de construire un nouvel édifice mieux approprié à son objet. Avec le concours d'autres architectes, Ictinos donna les plans du *Télestérion* dont les ruines sont encore visibles aujourd'hui : vaste hall carré de 50 mètres de côté, muni à l'intérieur, sur toutes ses faces, de gradins taillés dans le roc et couvert d'un toit soutenu par six rangées de sept colonnes. Un lanterneau central assurait l'éclairage et l'aération. Au centre de la salle, une petite construction, nommée l'*Anactoron*, abritait les objets sacrés, comme une sorte de « saint des saints ».

Les étrangers (mais non les Barbares !) pouvaient participer aux Mystères au même titre que les Athéniens. Toutefois, le caractère national du culte n'était aucunement perdu de vue : un haut magistrat, l'archonte-roi, avait pour premier devoir d'assurer la célébration des Mystères d'Eleusis, comme l'indique Aristote dans sa *Constitution d'Athènes* (57). L'Etat athénien veillait aussi à procurer au sanctuaire les fonds indispensables pour le service des Deux Déesses : une inscription nous a conservé le texte d'un décret, pris vers l'époque de la paix de Nicias (421). Le peuple y décidait de consacrer à Déméter et à Coré les prémices des récoltes de céréales, dans la proportion de 1/600 pour l'orge, de 1/1 200 pour le blé. Les cités alliées devraient imiter Athènes et on invitait les autres Etats grecs à se joindre à ce geste pieux. Les sommes rapportées par ces prémices serviraient aux dépenses religieuses du sanctuaire. Il ne semble pas que cette initiative pour associer l'ensemble des cités grecques à un culte spécifiquement attique ait rencontré beaucoup de succès. Mais les adhésions individuelles d'étrangers furent nombreuses au cours des siècles et, à en juger d'après la fidélité conservée au secret, elles étaient profondes et sincères.

●

Réserve faite pour les Grands Jeux, dont nous avons déjà parlé, les seuls cultes qui bénéficièrent d'une large audience dans le monde hellénique furent ceux de divinités pourvues de dons oraculaires et, vers la fin de l'époque classique, celui du dieu guérisseur. Le désir de prévoir l'avenir et celui de recouvrer la santé sont tellement naturels au cœur de l'homme qu'ils amenèrent les Grecs, dans quelques cas privilégiés, à surmonter le particularisme traditionnel des cités.

Le grand nombre des oracles et la confiance qu'on accordait à leurs prédictions restent pour notre siècle rationaliste (ou qui se prétend tel !) un sujet d'étonnement. C'est pourtant un fait indiscutable que les Grecs, si volontiers sceptiques et raisonneurs, firent grand usage des consultations oraculaires, tant dans les affaires publiques que pour leurs intérêts privés. Les historiens, même les plus soucieux, comme Thucydide, de reconstituer l'enchaînement logique des faits, ne manquent pas de signaler les oracles et l'influence qu'ils ont exercée sur les actions des hommes. Quant à Hérodote, plus attaché que Thucydide aux croyances traditionnelles, il ne mentionne pas moins de dix-huit sanctuaires dotés d'un oracle et quatre-vingt-seize consultations, dont cinquante-trois pour le seul oracle de Delphes. Son œuvre est donc d'une richesse incomparable pour qui veut étudier cet aspect original de la pensée religieuse hellénique. Les historiens plus récents — Xénophon, Diodore de Sicile, Plutarque et toujours notre bon Pausanias — ajoutent beaucoup, eux aussi, à notre information. Enfin des inscriptions nous ont conservé des réponses oraculaires à partir de la fin du Ve siècle. Voici, par exemple, l'une des plus anciennes, découverte à Trézène et relative au culte d'Asclépios : « Euthymidas a consacré (cette offrande) en souhaitant apprendre à quelles conditions il doit se rendre auprès du dieu quand il aura fait les ablutions rituelles. (*Réponse* :) Après avoir sacrifié à Héraclès et à Hélios, après avoir vu un oiseau favorable. »

On le voit, cette consultation fait allusion à la divination par les oiseaux. Prophétie et divination sont, en effet, étroitement liées, et les Grecs ont pratiqué l'une comme l'autre. La divination, ou science des présages, intervenait chez eux constamment. Une loi sacrée d'Ephèse, datant de la seconde moitié du VIe siècle, donne des indications, malheureusement fragmentaires, sur les règles qui permettaient d'interpréter le vol des oiseaux : non seulement la direction, mais aussi la nature du vol (en droite ligne ou en zigzag, avec ou sans battements d'ailes) modifiaient le sens du présage. Déjà dans Homère les devins Calchas, chez les Grecs, et Hélénos, chez les Troyens, passaient pour fort habiles dans cet art. Ce genre de divination était si populaire que le mot même d'oiseau, *ornis*, avait fini par signifier *présage* : Aristophane joue de cette amphibologie dans un passage de sa comédie des *Oiseaux* (vers 719-721).

Il y avait bien d'autres formes de divination : par les signes célestes, coups de tonnerre, mouvements du sol, ou même une simple goutte de pluie comme celle qui sert de prétexte à Dicéopolis, dans les *Acharniens* (vers 170-171), pour obtenir qu'on suspende la séance de l'Assemblée du peuple et faire obstacle à une décision qui lui déplaît. Par les songes, véhicule

fréquent des apparitions célestes dès l'époque homérique et procédé normal
pour recueillir les conseils du dieu dans plusieurs sanctuaires, ceux d'Asclépios en particulier. Par l'examen des entrailles des victimes, et en particulier
du foie, dont on tirait des indications favorables ou défavorables : dans
l'*Electre* (vers 825 et suivants) d'Euripide, Egisthe est averti de sa mort
prochaine par l'inspection du foie d'un taureau qu'il vient de sacrifier, et,
de fait, Oreste, qui était à ses côtés *incognito*, profite de son trouble pour
l'assassiner. La flamme même qui brûlait sur l'autel fournissait aussi des
présages : les devins d'Olympie avaient pour charge d'interroger le feu du
grand autel de Zeus. La divination sacrificielle, nous l'avons vu, jouait un
rôle important dans la conduite de la guerre. La volonté divine se manifestait
aussi, au dire des Grecs, par d'autres moyens dont la naïveté ou la vulgarité
nous étonne : un mot entendu par hasard et qui, par quelque biais, fût-ce
par un calembour, s'adaptait à la situation présente, ou même un simple
éternuement. Au chant XVII de l'*Odyssée*, c'est un éternuement de Télémaque
qui décide Pénélope à envoyer quérir le mendiant sous les haillons de qui
se cache Ulysse. Dans l'*Anabase* (III, 2, 9), quand les mercenaires grecs,
privés de leur chef, que le Perse Tissapherne a traîtreusement fait mettre
à mort, sont près de céder au découragement, Xénophon, qu'ils viennent
d'élire stratège, cherche à les réconforter par un discours : « Comme il
parlait ainsi, un homme éternua; ce qu'entendant tous les soldats, d'un
seul mouvement, adorèrent le dieu, et Xénophon de reprendre : « *Soldats,*
« *puisque au moment où nous délibérions des moyens de nous sauver, Zeus Sauveur*
« *s'est manifesté à nous par un présage, je propose que nous fassions vœu d'offrir*
« *à ce dieu des sacrifices de gratitude pour notre salut dès que nous serons arrivés*
« *en pays ami.* »

A côté de ces présages matériels et fortuits, les prédictions sous une
forme verbale élaborée ne manquaient pas : elles émanaient d'hommes qui
avaient reçu de la divinité le don de prophétie, « ces gens qui, dit Platon,
sous l'effet d'une divination inspirée, guident si souvent tant d'entre nous
par leurs prédictions sur le chemin de l'avenir » (*Phèdre*, 244 *b*). S'il s'agissait de femmes, on les appelait des Sibylles : Pausanias leur consacre tout
un chapitre (X, 12), dont Michel-Ange a pu s'inspirer en partie pour peindre
au plafond de la chapelle Sixtine les Sibylles de Delphes, d'Erythrées en
Asie Mineure et de Cumes en Italie méridionale. Les prophètes mâles
étaient désignés sous le nom générique de *Bakis*. On colportait les recueils
de leurs prophéties versifiées, que des commentateurs ou *exégètes* se chargeaient d'appliquer aux occasions particulières, comme on fit dans nos pays

pour les prophéties de Nostradamus. On compte parmi ces recueils les fameux livres sibyllins, que Tarquin le Superbe acheta, dit-on, de la Sibylle de Cumes et qui brûlèrent dans l'incendie du Capitole en 83 avant Jésus-Christ. Bien entendu, il y eut parmi eux des imposteurs : sous les Pisistratides, un certain Onomacrite fut exilé d'Athènes pour avoir introduit des oracles de son cru parmi ceux qu'on publiait sous le nom de l'Athénien Musée. Les devins professionnels n'étaient pas toujours bien vus de la population : Aristophane tourne en dérision à plusieurs reprises les diseurs d'oracles ou *chresmologues*. Mais plusieurs d'entre eux jouèrent un rôle important dans la vie politique d'Athènes : ainsi Lampon, collaborateur et ami de Périclès, qui reparaît comme rédacteur d'un amendement au décret sur les prémices d'Eleusis, ou Diopeithès, qui introduisit une action en impiété contre le philosophe Anaxagore, ou encore cet Euthyphron que Platon nous montre s'entretenant avec Socrate sur la définition de la piété dans le dialogue qui porte son nom.

Présages et recueils d'oracles ne pouvaient répondre à tous les besoins. Dans l'embarras, les particuliers, mais aussi les cités s'adressaient aux sanctuaires où fonctionnait un oracle et lui posaient la question qui les préoccupait. De tels oracles, qui prophétisaient sur demande, étaient nombreux dans le monde hellénique et il s'en créa de nouveaux jusqu'à l'époque romaine. Mais tous ne jouissaient pas de la même réputation, loin de là. La plupart n'avaient qu'une audience locale, comme celui qui fonctionnait dans le sanctuaire de Déméter, à Patras, en Achaïe : « Il y a là, dit Pausanias (VII, 21, 12), un oracle véridique. On ne le consulte pas pour n'importe quoi, mais seulement au sujet des malades. On suspend un miroir à une fine cordelette et on le laisse descendre jusqu'à la source, en prenant bien garde qu'il ne s'y enfonce pas, mais qu'il effleure seulement l'eau de son orbe. Puis, après avoir adressé une prière à la déesse et brûlé de l'encens, on regarde dans le miroir, qui montre alors le malade vivant ou mort. » D'autres oracles bénéficiaient d'une renommée plus étendue : tel celui d'Amphiaraos, aux confins de l'Attique et de la Béotie, celui de Trophonios à Lébadée en Béotie, ou celui d'Apollon au sanctuaire des Branchides ou *Didymeion**, près de Milet, en Ionie. Ces trois oracles furent consultés, nous dit Hérodote, en même temps que ceux de Delphes et de Dodone, par Crésus, le célèbre roi de Lydie, qui voulait éprouver leur véracité respective : seul, dit-on, celui d'Amphiaraos*, avec l'oracle de Delphes, lui fournit une réponse satisfaisante.

A Dodone, dans une vallée reculée des monts d'Epire, à une vingtaine de kilomètres au sud-ouest du lac de Janina, Zeus rendait ses oracles au pied du mont Tomaros, par la voix des chênes et du vent. Il ne reste guère de trace des installations de l'époque classique qui devaient être fort sommaires. Le haut chêne sacré qu'Ulysse évoquait dans l'*Odyssée* (XIV, 327-328) a lui aussi disparu : seul un grand noyer se dresse encore non loin des ruines hellénistiques et romaines. Mais les textes nous parlent des prêtres qui desservaient le sanctuaire, les Selles, qui dormaient à même le sol et ne se lavaient jamais les pieds, et des trois prophétesses qui racontèrent à Hérodote une légende sur l'origine égyptienne de l'oracle, légende à laquelle l'historien refuse d'ajouter foi. Zeus *Naios* parlait par l'intermédiaire du feuillage bruissant des chênes, que les prêtres interprétaient. Il y avait aussi un autre moyen de connaître la volonté du dieu : c'est Strabon qui nous le décrit. Les Corcyréens avaient offert au sanctuaire un bassin de bronze porté par une colonne. A côté, sur une autre colonne, se dressait une statue d'enfant tenant un fouet à la triple chaîne de bronze : ces chaînes agitées par le vent venaient frapper le bassin dont les devins traduisaient les vibrations en oracles. C'est pourquoi Callimaque, dans l'*Hymne à Délos*, au vers 286, appelle les Selles « les serviteurs du bassin qui ne se tait jamais ». C'est un peu comme si de nos jours on faisait parler les cloches ! Il faut croire que les réponses de Zeus satisfaisaient les pèlerins puisque, de l'âge homérique à l'époque romaine, Dodone resta un oracle connu et estimé. Certes, sa situation très excentrique et d'accès difficile, au milieu des sauvages montagnes d'Epire, n'engageait guère les cités grecques à envoyer les délégations le consulter. Mais on gardait une révérence particulière à ce très ancien oracle et les gens de la région ne cessèrent de lui poser des questions naïves sur leur humble destin personnel. Les fouilles ont retrouvé, outre de très belles statuettes de bronze, quantité de lamelles de plomb sur lesquelles sont gravées des formules de consultation, allant du IVe siècle à l'époque romaine. On y lit, par exemple, ceci : « Héracleidas demande au dieu s'il aura une descendance de sa femme actuelle Eglé. » La réponse n'a pas été transcrite.

Mais aucun oracle ne pouvait rivaliser avec celui de Delphes. Le sanctuaire d'Apollon, accroché au flanc sud du Parnasse, sous la falaise des roches Phédriades, offre encore au voyageur la vue imposante du « site rocheux en forme de théâtre » que décrivait Strabon (X, 417) : « En face de la ville, du côté du sud, se dresse le mont Kirphis aux pentes escarpées. Entre les deux, le Pleistos coule au fond d'une gorge. » Partout des pentes abruptes ou des rochers à pic : c'est bien *Pythô la rocheuse*, comme l'appelle l'*Hymne homérique à Apollon*. On ne trouve aujourd'hui quelque verdure que sur les pentes en contrebas du sanctuaire, en descendant vers le torrent, là où le labeur séculaire des hommes a planté des oliviers et défriché à la houe quelques champs. Le paysage, avec ses fortes dénivellations, est d'une ampleur grandiose : Delphes est à près de 600 mètres d'altitude, le sommet des Phédriades dépasse 1 200 mètres, et le Kirphis en face atteint presque 900 mètres. Mais l'effet n'a rien d'oppressant : un large ciel s'étend au-dessus de la croupe du Kirphis, qu'escalade en zigzag le chemin d'Antikyra sur le golfe de Corinthe; la haute vallée du Pleistos, vers l'est, s'ouvre largement vers la moderne Arachova, sur la route de Livadie (Lébadée), de Thèbes et d'Athènes; enfin, si la vue vers l'ouest depuis le sanctuaire est barrée par une avancée montagneuse que prolonge, plus bas, le roc énorme qui portait Krissa (aujourd'hui Chrysso), il suffit de monter un peu ou de s'avancer vers l'ouest de quelques centaines de mètres pour gagner un belvédère dominant les montagnes de Locride, la plaine d'oliviers d'Amphissa et le fond de la baie de Galaxidi, où se trouvait, près d'Itéa, dans l'Antiquité comme de nos jours, l'échelle marine desservant la région du sanctuaire. Tel est le site où prospéra l'oracle le plus fameux du monde antique.

Homère n'en parle guère qu'une fois, dans l'*Odyssée* (VIII, 79-81). Mais dès le VIIe siècle le rôle de Delphes devint considérable. C'est le moment de la colonisation et, par scrupule religieux, les futurs colons ne tentent pas l'aventure sans avoir sollicité les conseils d'un dieu. « Est-il une seule colonie grecque, dira plus tard Cicéron dans le *De divinatione* (I, 3), qui ait été fondée sans l'intervention de l'oracle de Delphes, ou de Dodone, ou d'Ammon ? » Delphes fut de beaucoup le plus achalandé, comme on a pu le voir par l'histoire de Battos à Cyrène ou de Phalantos à Tarente. Les fouilles n'ont révélé pour l'époque mycénienne et l'époque géométrique que des bâtiments très modestes, de grossières statuettes de terre cuite représentant une divinité féminine étendant les bras (les « idoles en croissant »), quelques petits bronzes figurant des personnages masculins et de la céramique d'usage courant. En revanche dès le VIIe siècle les découvertes deviennent plus importantes : boucliers de bronze à reliefs et à décor incisé, casques, ustensiles de bronze et en particulier des *trépieds*, chaudrons de bronze montés sur un support à triple tige, qui devinrent bientôt l'offrande traditionnelle à l'Apollon de Delphes. La première guerre sacrée (600-590), en libérant Delphes de l'emprise phocidienne et en assurant au sanctuaire la protection de l'Amphictyonie, accrut encore le rayonnement de l'oracle.

La seconde partie, dite *Suite pythique*, de l'*Hymne homérique à Apollon*, a dû être composée juste après ces événements. Un temple en pierre avait été construit au VIIe siècle. Il brûla en 548. Mais déjà, autour de lui, une bonne dizaine de bâtiments peuplaient le sanctuaire; c'étaient, pour la plupart, des trésors bâtis par des cités grecques. Pour relever le temple, on fit appel à la générosité publique, qui se manifesta avec éclat. Les souscriptions affluèrent de partout, et celles de la courtisane Rhodopis, pour qui le frère de Sapho s'était ruiné à Naucratis, furent reçues au même titre que les dons du pharaon philhellène Amasis : la réputation de l'oracle, auquel Crésus avait déjà, auparavant, envoyé de somptueuses offrandes, dépassait largement les frontières du monde grec. Une puissante famille athénienne, celle des Alcméonides, alors en exil, prit en charge la reconstruction de l'édifice et l'acheva, vers 510, plus magnifiquement qu'il n'était prévu.

Pendant les guerres médiques, l'oracle fut miraculeusement préservé, dit-on, de l'invasion et du pillage et s'enrichit des *ex-voto* des Grecs victorieux. On a vu ailleurs comment, au cours des luttes fratricides qui suivirent, l'orgueil des cités se manifesta à Delphes par des offrandes rivales. Au IVe siècle, une nouvelle catastrophe, sans doute un glissement de terrain, détruisit le temple des Alcméonides en 373 : cette fois encore, la solidarité des Grecs se manifesta par les contributions volontaires des cités et des particuliers. Interrompue ou retardée par les troisième et quatrième guerres sacrées, la restauration se poursuivit jusqu'à l'époque d'Alexandre : le nouveau temple, peu différent de celui qu'il avait remplacé, devait durer jusqu'à la fin de l'Antiquité. C'est celui qu'a vu Pausanias et dont quelques colonnes ont été relevées sur place par les archéologues français. Au IVe siècle encore, malgré le pillage des richesses du dieu par les Phocidiens, les offrandes continuèrent à embellir le sanctuaire : Thèves et Cyrène, notamment, firent bâtir des trésors d'une architecture raffinée, qui s'ajoutèrent à ceux que les autres cités grecques avaient élevés au cours des siècles précédents.

Cette esquisse sommaire d'une histoire que textes, monuments et inscriptions permettraient de suivre dans le détail, fait du moins comprendre ce que fut le prestige de Delphes à l'époque archaïque et classique. Le dieu n'eut pas seulement à intervenir dans les entreprises de colonisation, mais aussi dans les affaires religieuses, qui souvent touchaient de près aux affaires politiques. Quand le réformateur Clisthène eut à donner un nom aux dix tribus qu'il avait instituées à Athènes en remplacement des quatre tribus traditionnelles, c'est à l'oracle de Delphes qu'il s'en remit du soin de choisir dix noms parmi les cent héros proposés pour devenir les patrons (les *éponymes*) de ces tribus nouvelles. Même dans les relations entre cités, l'oracle eut souvent son mot à dire : c'est pourquoi ceux que ses prédictions n'avantageaient pas l'accusèrent parfois de partialité intéressée soit au profit des Perses au moment des guerres médiques, soit en faveur de Sparte dans la seconde moitié du Ve siècle, soit enfin au bénéfice de Philippe de Macédoine. On insinuait alors que la Pythie « médisait », « laconisait » ou « philippisait ». Toutefois, qu'elles fussent ou non fondées, ces accusations n'entamèrent guère la renommée de l'Apollon delphique. Son rôle, en matière proprement politique, fut plutôt d'apporter une caution aux entreprises des puissants que d'intervenir directement dans les affaires. Quand il y fut plus étroitement mêlé, ce fut par l'intermédiaire de l'Amphictyonie, à l'occasion des guerres sacrées. En dehors de ces circonstances particulières, Delphes ne fut qu'un témoin, non un acteur.

Apollon, dieu de toute science, resta la plus haute autorité religieuse et morale, celle qui indiquait les moyens efficaces de mettre fin à quelque calamité nationale en effaçant les traces de la souillure qui la causait : ainsi fit-il pour Thasos à propos de Théogénès, dont nous avons déjà parlé. Souverain mainteneur des traditions religieuses, expert en rites de purification, l'oracle prit en outre à son compte une certaine forme de sagesse. Deux maximes étaient inscrites dans l'entrée du temple : *Connais-toi toi-même* et *Rien de trop*. Conseils de morale pratique ? Utile rappel des limites que la faiblesse de l'homme impose à la satisfaction de ses ambitions et de ses appétits ? Mise en garde contre la démesure, l'*hybris* à laquelle succombèrent tant de tyrans ? Ou pensée plus profonde, préconisant l'introspection et l'ascèse ? Ce n'est pas auprès du clergé de Delphes ni dans les réponses de l'oracle qu'il faut chercher des éclaircissements sur le sens véritable de tels préceptes. Il suffit à la gloire de l'Apollon Delphique que Socrate et Platon, après Eschyle et Pindare, aient médité sur ses maximes : le dieu s'est montré par là, comme on l'appelle dans la *République* (IV, 427 c), « le directeur de conscience traditionnel de tous les hommes ».

Comment consultait-on l'oracle ? Nous ne le savons encore qu'imparfaitement. On n'avait licence de le faire qu'à certains jours favorables, assez peu nombreux pour qu'on fît queue dans le sanctuaire. Les Delphiens pouvaient accorder, en échange de services rendus au dieu ou à leur cité, le privilège de la *promantie*, c'est-à-dire de la priorité pour la consultation : c'était une faveur appréciée, que les bénéficiaires rappelaient volontiers par une inscription, comme celle que les gens de Chio firent graver au IVe siècle sur l'autel du grand temple, dont ils avaient fait les frais. Les consultants acquittaient une somme d'argent, le *pélanos*, ainsi nommée parce qu'elle remplaçait le gâteau rituel (sens propre du mot *pélanos*) qui avait servi primitivement d'offrande préalable. Cette taxe pouvait varier d'une cité à l'autre, suivant les conventions passées avec les Delphiens. Elle était sensiblement plus lourde quand la consultation était faite pour une cité et non pour un particulier. Puis on offrait un sacrifice, une chèvre selon Plutarque. Avant de l'immoler, on l'aspergeait d'eau froide : si elle ne tremblait pas sous cette douche, on considérait que le dieu refusait de répondre et la consultation n'avait pas lieu. Dans le cas contraire, les consultants, après avoir remis par écrit le texte de la question qu'ils souhaitaient poser au dieu, étaient introduits dans le temple où l'oracle allait être rendu.

L'état de destruction dans lequel se trouve le temple n'a pas permis de reconnaître avec précision la disposition des lieux. On sait seulement qu'il y avait, comme dans la plupart des grands temples grecs, un vestibule et une grande salle, au fond de laquelle s'ouvrait le local oraculaire, mais celui-ci n'a laissé aucune trace sur le terrain. Il était situé en contrebas, puisque les textes nous disent qu'on y descendait. S'agissait-il vraiment d'un souterrain ou descendait-on seulement quelques marches ? Aucun indice sûr ne permet d'en décider. Il semble que les consultants n'accédaient pas à la partie la plus reculée, qui était proprement l'*adyton*, le lieu d'accès interdit, où se tenait la Pythie. Le rôle de cette prophétesse, qui était l'instrument du dieu, n'est pas entièrement éclairci. Choisie parmi les Delphiennes, elle vivait chaste et retirée, à partir du moment où on l'avait désignée pour cette fonction. Lors des consultations, elle s'asseyait dans l'*adyton* sur un trépied, auprès d'une pierre sacrée en forme de dôme qu'on appelait le « nombril » (*omphalos*) et qui passait pour marquer le centre de la terre. Dans l'*adyton* se trouvait une fente du rocher dont, selon certains auteurs, serait sortie une exhalaison propre à susciter le délire prophétique. A vrai dire, la réalité même de cette exhalaison est fort sujette à caution : il est probable qu'elle n'a jamais existé que dans l'imagination des assistants, qui l'associaient à l'intervention divine. Assise sur le trépied, la Pythie mâchait des feuilles de laurier et buvait l'eau d'une source sacrée, Cassotis, qui jaillissait à quelque distance au-dessus du temple et qui, selon Pausanias, passait pour reparaître dans l'*adyton* après un parcours souterrain. Puis la prophétesse entrait dans une sorte de transe et balbutiait des mots confus. Comme la plupart des oracles delphiques qui nous ont été conservés sont en vers, force est bien d'admettre que les vaticinations de la Pythie subissaient une élaboration ultérieure avant d'être transmises aux intéressés.

On suppose que les responsables de cette mise en forme étaient des fonctionnaires sacerdotaux qu'on appelait les *prophètes*. Une copie de chaque oracle était gardée dans les archives du sanctuaire.

Nombre de ces prophéties sont formulées d'une manière obscure ou ambiguë : elles justifient le surnom de *Loxias*, l'Oblique, qui fut donné à l'Apollon de Delphes. Cette obscurité même, comme l'emploi de la forme versifiée, souligne bien l'originalité de l'oracle, à savoir son caractère fondamentalement verbal. Même si, parmi nos textes, beaucoup sont des faux forgés *post eventum* (et il n'est pas toujours facile de le démontrer), ces faux n'auraient reçu aucune créance s'ils n'avaient pas été conformes au type habituel des oracles rendus à Delphes. Nous devons donc admettre que la procédure esquissée plus haut était la procédure normale des consultations pythiques. A côté de celle-ci, il en existait d'autres, comme on l'a montré récemment d'après un document épigraphique explicite qui révèle une consultation par tirage au sort. Dans ce cas, le dieu choisissait entre deux solutions (parfois entre plusieurs) préalablement formulées par le consultant. La Pythie intervenait-elle aussi dans cette affaire ? Ce n'est nullement assuré.

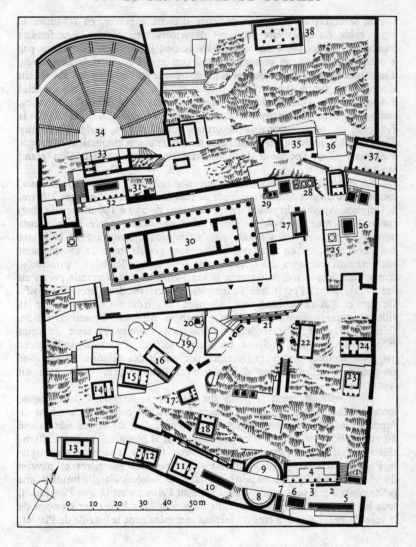

Si le secret de la Pythie demeure difficile à percer, en revanche la topographie du sanctuaire nous est désormais bien connue. Les fouilles françaises, depuis 1892, ont dégagé les ruines, jusqu'alors recouvertes par le village de Kastri, et ont mis au jour un grand nombre de sculptures, d'inscriptions et de petits objets. Elles ont porté en outre sur les abords du sanctuaire et sur le sanctuaire d'Athéna, situé à quelque distance de celui d'Apollon, vers l'est. Grâce aux enseignements tirés de ces recherches, confrontés avec la description donnée par Pausanias au livre X de la *Périégèse*, on peut reconnaître désormais sur le terrain, malgré beaucoup d'incertitudes de détail, les principaux monuments qui entouraient le temple d'Apollon. C'est l'occasion de nous faire une idée concrète d'un grand sanctuaire grec.

Le sanctuaire est essentiellement une portion de terrain (*téménos*) consacrée au dieu et délimitée soit par de simples bornes, soit par une clôture. A Delphes, Apollon dispose d'un quadrilatère de 130 à 190 mètres de côté, enclos d'un mur (*péribole*) solide et bien appareillé, percé de plusieurs portes. Le terrain, qui s'étend jusqu'au voisinage immédiat de la falaise des Phédriades, est en forte pente. Plusieurs grands murs de soutènement ont permis d'aménager des terrasses que relie entre elles la voie principale, dite « Voie Sacrée ». Elle traverse le sanctuaire depuis la grande porte, en bas à l'est, jusqu'à l'esplanade du temple, en décrivant deux lacets successifs. De part et d'autre de cette voie s'alignent les « trésors » construits par les villes grecques, Sicyone, Siphnos, Thèbes, Athènes, Syracuse, Cnide, Corinthe, Cyrène, d'autres encore, auxquels s'ajoutaient ceux de deux villes étrusques, Caeré et Spina. En outre, une foule d'offrandes sollicitaient par leurs sculptures et leurs inscriptions l'intérêt des pèlerins. Nous avons évoqué déjà celles qui se défiaient mutuellement près de l'entrée du sanctuaire.

Le temple dominait la pente du haut de sa terrasse à deux étages, soutenus chacun par un mur. Le mur du bas, dit *polygonal* en raison de l'appareil adopté pour son parement extérieur, date de la seconde moitié du VIᵉ siècle. Il est couvert d'inscriptions, pour la plupart des actes d'affranchissement d'esclaves, gravés à basse époque. Contre sa face sud s'appuyait le Portique des Athéniens, abritant des dépouilles guerrières et navales du Vᵉ siècle. En face de ce portique, la voie Sacrée s'élargit, formant une petite place à peu près ronde, qu'on appelait l'*Aire* : c'est là que l'on jouait, tous les huit ans, le drame sacré du *Steptérion*. Par le dernier tronçon de la voie Sacrée, passant à côté du trépied commémorant la bataille de Platées, on parvenait à l'esplanade du temple, bordée d'*ex-voto* : les quatre trépieds d'or consacrés vers 480-470 par Gélon et Hiéron, tyrans de Syracuse, et par leurs frères (ils furent transformés en monnaie d'or par les Phocidiens au cours de la troisième guerre sacrée), le palmier de bronze dédié par les Athéniens après la victoire de l'Eurymédon, l'Apollon colossal appelé *Sitalcas*, statue de bronze haute de plus de 15 mètres, et des dizaines d'autres offrandes, parmi lesquelles la statue dorée de la courtisane Phryné par son amant Praxitèle. En face de l'entrée du temple, à laquelle on accédait par une rampe, se dressait l'autel offert par la ville de Chio. Le temple lui-même, d'un type courant en Grèce, était entouré d'une colonnade dorique avec 6 colonnes en façade et 15 sur les longs côtés, formant un quadrilatère de 24 mètres sur 60. Chaque colonne avait environ 11 mètres de haut. Réserve faite pour les dispositions mal connues qui étaient prévues au fond de la *cella* pour la consultation de l'oracle, le plan intérieur est conforme au type habituel : une antichambre ou *pronaos* s'ouvrant par un porche à deux colonnes entre les murs latéraux, puis une grande salle ou *cella*, où se trouve la statue de culte. Cette pièce est l'élément essentiel de l'édifice, puisque le rôle du temple est d'abriter la statue du dieu. Enfin, vers l'arrière, l'*opisthodome*, sorte de porche symétrique du *pronaos*, mais sans communication avec la *cella*. Dans le temple, partout des offrandes, dont certaines avaient une histoire, comme le fauteuil de fer où s'asseyait Pindare ou la statue en bronze d'Homère, portant gravé sur son socle l'oracle obscur qui aurait été rendu au poète désireux de savoir quelle était sa patrie. En outre, et par exception, la *cella* contenait deux autels, un autel de Poséidon (l'*Ebranleur du sol*, comme les Grecs l'appelaient, était honoré à Delphes où la terre tremble fréquemment), l'autre d'Apollon lui-même.

Au-dessus du temple s'étendait une région qui a particulièrement souffert de la catastrophe de 373 : les glissements de terrain et les chutes de rochers qui détruisirent le temple des Alcméonides avaient en même temps ravagé tout le nord du sanctuaire. C'est là, derrière le mur de soutènement construit après la catastrophe pour protéger le nouveau temple, qu'on a retrouvé les fragments du groupe dont faisait partie le célèbre *Aurige*, lui-même demeuré presque intact par un singulier coup de fortune. Plus haut, l'angle nord-ouest du sanctuaire fut occupé au début de l'époque hellénistique par le théâtre que nous voyons aujourd'hui sous l'aspect que lui donna une restauration d'époque romaine. A côté, vers l'est, un petit *téménos* avec une chapelle était consacré à Poséidon, au milieu des blocs que ses colères avaient fait tomber des Phédriades, et plus loin encore, dans un autre *téménos* enclavé lui aussi dans celui d'Apollon, on vénérait le tombeau de Néoptolème, le fils d'Achille, mort à Delphes sous les coups des Delphiens, comme il est raconté dans l'*Andromaque* d'Euripide (vers 1085 et suivants). Enfin tout en haut du sanctuaire, contre le mur nord, le pavillon ou *lesché* des Cnidiens abritait des peintures célèbres de Polygnote que Pausanias nous a décrites minutieusement.

Tel se présentait un grand sanctuaire grec classique où, autour de la divinité principale, plusieurs autres cultes trouvaient d'ordinaire asile. De nombreuses constructions s'élevaient autour du ou des temples : autels, trésors, abris pour les pèlerins, bâtis au cours des âges, dans un désordre qui trahit l'absence de tout plan d'ensemble. Chaque monument est conçu pour lui-même et non comme une partie d'un tout. Seules les convenances religieuses et les nécessités pratiques sont prises en considération. Le souci de faire beau répond d'abord au désir d'honorer le dieu, ensuite à celui d'éblouir le spectateur et d'éclipser les monuments voisins sans aucune préoccupation de s'harmoniser avec eux. Ce n'est qu'à l'époque hellénistique, et d'abord sous l'influence des architectes de Pergame, que les principes d'un urbanisme monumental commenceront à se dégager : à l'Acropole d'Athènes, en pénétrant dans le sanctuaire au sortir des Propylées, on ne voyait du Parthénon que le haut de la façade postérieure, tout le reste étant dissimulé par des bâtiments secondaires aujourd'hui disparus. Même la fameuse frise que nous admirons de près aujourd'hui dans nos musées était à peine visible et fort mal éclairée en haut du mur extérieur de la *cella*, dans l'ombre de la colonnade du péristyle : on s'en rend compte par la frise ouest, encore en place au-dessus de l'entrée de l'opisthodome. Elle n'en avait pas moins été sculptée avec un soin jaloux : il s'agissait de plaire à la déesse ! Même remarque pour les offrandes qui se pressaient en foule dans tous les espaces disponibles, sans aucun souci de composition systématique. Nous avons peine à imaginer la profusion de ces *ex-voto*, pour la plupart des bronzes qui se comptaient par centaines : ils ont tous été pillés par les Barbares ou détruits par les chrétiens et la survivance d'une statue comme l'Aurige est tout à fait exceptionnelle (encore les chevaux et le char ont-ils presque complètement disparu). Mais les énumérations très détaillées de Pausanias, bien que ne représentant qu'un choix parmi les monuments qu'il avait eus sous les yeux, nous permettent d'imaginer dans une certaine mesure l'extraordinaire fouillis d'un sanctuaire encombré d'offrandes, où l'œil était sollicité de toutes parts tantôt par l'éclat doré des bronzes, qu'un nettoyage systématique, bien connu par les inscriptions, préservait de toute patine, tantôt par les sculptures en marbre, peintes de couleurs vives, qui animaient frontons, métopes ou frises sur les principaux édifices. Ajoutons-y la cohue des pèlerins, les éventaires des petits marchands, les ânes et les mulets, les animaux de sacrifice, les nombreux oiseaux qui nichaient dans la toiture des temples et que le jeune Ion, au début de la pièce d'Euripide, pourchasse de ses flèches. Ajoutons-y enfin les guirlandes de fleurs, les parfums d'encens, l'odeur des viandes grillées, les appels et les cris, et nous aurons restitué l'aspect de ces enceintes sacrées où le peuple grec se donnait rendez-vous, pour y trouver auprès des dieux que saluait sa foi naïve un avis pour quelque entreprise ou un soulagement à ses maux.

L'espoir de la guérison a toujours été un des plus puissants motifs de la croyance religieuse. Les Grecs, en cas de maladie, se tournaient naturellement vers leurs dieux. Le dieu local, quel qu'il fût, représentait un premier recours. Mais Apollon, plus spécialement, apparaissait comme un guérisseur et plusieurs de ses épithètes cultuelles, *Paean, Epikourios, Alexikakos, Akésios*, font allusion à cette qualité. Certains héros jouèrent aussi ce rôle : il y avait en Attique au IVe siècle un *Héros Médecin* qui n'était connu que sous ce nom. A partir de la fin du Ve siècle, la vogue de ces guérisseurs fut éclipsée par une divinité spécialisée dans cet office, Asclépios. Le succès du nouveau dieu apparaît bien par l'exemple de Sophocle : il était prêtre d'un héros guérisseur, fort peu connu de nous, qu'on appelait *Alcon*, ou peut-être *Amynos*, puis il devint aussi un zélateur du culte d'Asclépios, composa un péan en l'honneur de ce dieu et hébergea chez lui sa statue lorsqu'en 421 les Athéniens la firent venir d'Epidaure, avant de l'installer dans un sanctuaire aménagé près du théâtre de Dionysos, sur le flanc sud de l'Acropole. Ainsi déjà à cette époque Asclépios se trouvait promu au rang des dieux, alors que Pindare, en 474, quand il composait la *IIIe Pythique*, n'en parlait que comme d'un héros, fils d'Apollon, élevé dans l'étude de l'art médical par le centaure Chiron et finalement foudroyé par Zeus pour avoir violé la loi de nature en ressuscitant un mort. C'est à son sujet que le poète thébain formulait l'admirable maxime : « N'aspire pas, ô mon âme, à une vie immortelle, mais épuise le champ du possible ! »

Vénéré à Epidaure, en Argolide, dans un sanctuaire d'Apollon, Asclépios y prit bientôt la première place. Sa renommée grandit grâce à des guérisons spectaculaires. C'est alors, dans les trente dernières années du Ve siècle, que la médecine clinique se constitue grâce à Hippocrate de Cos. D'Epidaure le nouveau culte se répand dans le monde grec avec une étonnante rapidité : à Athènes et au Pirée (où Aristophane dans le *Ploutos*, joué en 388, situe la guérison de Ploutos aveugle), à Delphes, à Pergame, à Cyrène (où l'*Asclépieion* de Balagrai fut fondé dès le IVᵉ siècle), à Cos, la patrie d'Hippocrate, où se développe une importante école de médecine. Epidaure*, le sanctuaire d'origine, resta le plus célèbre et le plus fréquenté : un beau temple, une mystérieuse rotonde due à l'architecte Polyclète le Jeune, un théâtre construit par le même architecte et de nombreuses installations cultuelles témoignent de sa prospérité au IVᵉ siècle. La foi des pèlerins et leurs espérances se renforçaient à la lecture des cures miraculeuses accomplies par le dieu, telles qu'elles étaient rappelées par des inscriptions du IVᵉ siècle que Pausanias a vues et qui ont été retrouvées en partie : 66 miracles d'Asclépios nous sont ainsi rapportés en détail, allant de la guérison d'une fille muette ou de la délivrance d'une femme grosse depuis cinq ans à l'évacuation d'un calcul ou d'un ver solitaire. On voit même le dieu pousser la bienveillance jusqu'à réparer miraculeusement un vase brisé dans une chute ! Peu de textes sont plus évocateurs de la naïve piété grecque que ces historiettes édifiantes rédigées par un fonctionnaire inconnu qui puise dans les archives du sanctuaire ou glose à partir d'offrandes anciennes dont il ne saisit pas toujours le sens.

•

Cette revue sommaire des principaux actes du culte nous a montré combien le peuple grec, à l'époque archaïque et classique, se sentait proche de ses dieux. Ceux-ci, dans leur pluralité presque infinie, se manifestaient partout à lui, dans les forces de la nature comme dans la vie sociale. Chaque divinité d'un lieu ou d'un groupe, avec une remarquable plasticité, répondait aux besoins essentiels de l'homme et se montrait accueillante à ses requêtes variées. Cette polyvalence de la divinité est un des traits du polythéisme hellénique que la mythologie rationaliste, en aménageant un Olympe hiérarchisé et en spécialisant systématiquement les fonctions divines, a le plus obscurci à nos yeux. Toutefois, elle apparaît bien dans le cas des grandes divinités civiques, ou, comme on dit, *poliades*, qui occupent le premier rang dans les cités. A Athènes, c'est Pallas ; à Argos et à Samos, c'est Héra ; à Sparte, à Milet, à Cyrène, c'est Apollon ; à Ephèse, c'est Artémis ; à Thasos, c'est Héraclès ; à Lampsaque, c'est Priape ; etc. Cette primauté locale répond à des contingences historiques, mais on constate qu'à travers la variété des légendes et des traditions cultuelles, la divinité majeure, quelle qu'elle soit, assume à peu près partout les mêmes fonctions essentielles de protectrice du groupe social. Cela se traduira, à l'époque hellénistique, par la participation personnelle du dieu à l'administration de la cité, lorsqu'en l'absence de tout citoyen capable de pourvoir aux frais de la magistrature suprême, le dieu lui-même (avec son trésor sacré) revêtait cette magistrature éponyme et figurait à ce titre, pour un an, en tête des documents officiels.

Mais cette prééminence n'existe pas toujours, et même là où elle est manifeste, elle ne nuit pas à la prolifération des cultes. Le calendrier même, qui règle la vie des Etats et qui varie de l'un à l'autre, est essentiellement un calendrier de fêtes religieuses dont la célébration régulière marque le retour des saisons. Comme la ville et la campagne sont jalonnées de sanctuaires, ainsi le cours des mois est jalonné de cérémonies sacrées qui sont autant de repères pour apprécier la fuite du temps. Quand d'aventure, par suite de calculs astronomiques défectueux, un décalage trop sensible s'établit entre le calendrier officiel et la course du soleil, c'est un grand embarras, comme à Athènes, vers 430, lorsque l'astronome et géomètre Méton réforma le calendrier. « Vous autres Athéniens, dit Aristophane dans les *Nuées*, vous n'êtes pas capables de respecter la suite normale des jours, mais vous la bousculez cul par-dessus tête ! » (vers 615-616). Si bien que Thucydide, esprit précis, n'a pas voulu situer les faits qu'il rapporte en fonction d'un calendrier incertain, mais seulement par référence au début des saisons.

Ainsi, pour l'homme grec, l'univers matériel comme l'univers mental sont tout pénétrés de sacré. La variété des manifestations divines permet à chacun de retenir celle qui convient à son tempérament, à ses traditions et aux circonstances. A côté des grands dieux panhelléniques, dont le nom s'impose à tous, mais que leurs épithètes rendent propres à remplir une fonction particulière, il y a la multitude des dieux mineurs, attachés à un coin de terre, et dont la renommée ne dépasse guère les bornes du canton. Parmi eux, les héros forment une catégorie nombreuse et originale. On a longtemps discuté pour savoir s'il s'agissait d'anciens dieux déchus de leur statut divin ou de mortels qui avaient accédé à la condition des Immortels. Suivant le cas, l'une ou l'autre explication est la bonne; toutefois, à l'époque historique, le phénomène de l'héroïsation d'un mortel est bien attesté par de multiples exemples. Les fondateurs des cités coloniales reçurent fréquemment des honneurs héroïques, qu'on leur rendait près de leur tombeau, souvent placé au centre de la ville, sur l'agora. Le cas d'Amphipolis est caractéristique : lorsque les troupes de Brasidas eurent enlevé la ville aux Athéniens et que Brasidas fut tombé en la défendant victorieusement contre une expédition commandée par Cléon, les Amphipolitains ensevelirent Brasidas sur la grand-place, « délimitèrent un sanctuaire autour de son tombeau et lui rendirent des honneurs héroïques, avec des jeux et des sacrifices annuels », le considérant désormais comme le véritable fondateur de leur cité (Thucydide, V, 11). Avec le temps, on en vint à proposer de tels honneurs à des vivants. C'est ce que les gens de Thasos voulaient faire pour Agésilas, ce qui leur valut, nous dit Plutarque, une réponse ironique de ce roi : « Les Thasiens, à qui Agésilas avait rendu de grands services, lui élevèrent un temple et le placèrent au rang des dieux, puis ils lui envoyèrent une ambassade pour l'en informer. Agésilas lut le détail de ces honneurs, que les ambassadeurs lui avaient apporté, et leur demanda si leur patrie avait le pouvoir de transformer les hommes en dieux. Comme ils répondaient que oui : « *Eh bien*, leur dit-il, *transformez-vous vous-mêmes en dieux!* « *Et si vous y parvenez, alors je veux bien croire que de moi aussi vous pouvez* « *faire un dieu!* » (*Moralia, Apophtegmes lacédémoniens*, 210 d.) La réaction d'Agésilas, Spartiate attaché aux traditions, montre que l'apothéose des vivants répugnait à la conscience religieuse des Grecs classiques. Mais plus tard, à l'époque hellénistique, le procédé se généralisa, traduisant l'évolution du sentiment public.

Autre moyen d'enrichir un panthéon déjà foisonnant : la divinisation des allégories. Le Grec, très attaché au langage et fort doué pour l'abstraction, était naturellement porté à personnifier la notion abstraite en faisant du mot un nom propre. Chez Homère déjà apparaissent des figures divines de ce genre comme les *Moires* ou Destinées, ou *Eris*, la Discorde. Hésiode accorda une attention spéciale à cette catégorie de dieux : on sait quelle place tiennent dans son œuvre *Diké*, la Justice, ou *Mnémosyne*, la Mémoire. La tendance à diviniser les abstractions ne fit que croître aux temps classiques et l'on éleva des temples à *Thémis*, la Loi divine, à *Némésis*, la Vengeance divine, comme on consacra des autels à *Eiréné*, la Paix, et à son fils *Ploutos*, la Richesse. Il est remarquable qu'Aristophane, si étroitement lié par les tendances de son esprit aux croyances traditionnelles, ait fait la part si grande aux allégories divinisées : sur ce point Platon n'agira pas différemment. La création la plus heureuse, dans ce domaine, fut sans doute *Eros*, l'Amour, conçu d'abord comme un adolescent ailé, puis rajeuni et présenté comme un enfant : avec ses compagnons *Himéros* et *Pothos*, personnifications du Désir amoureux sous deux aspects légèrement différents, et avec *Peithô*, la Persuasion, il appartient au cortège d'Aphrodite et a fourni aux poètes comme aux artistes de riches thèmes d'inspiration.

Une foi religieuse si accueillante à des formes nouvelles de la divinité ne devait pas se montrer hostile aux divinités étrangères, sauf dans la mesure où leur intervention mettait en danger les fondements mêmes de l'Etat. De fait, les Grecs, au cours de leur longue histoire, n'ont guère cessé d'accueillir de nouveaux dieux, depuis les origines jusqu'à l'établissement du christianisme. Mais, à l'époque archaïque et classique, ces adoptions supposaient une assimilation aux modes habituels de la pensée religieuse hellénique. C'est un trait bien remarquable de cette pensée que son aptitude extraordinaire à retrouver le connu sous l'inconnu, à reconnaître sous l'exotique le familier. Nul ne manifeste plus clairement cette tendance que l'historien Hérodote quand il se penche avec une curiosité sympathique sur les coutumes religieuses des Barbares. Il ne lui vient pas à l'idée que ces peuples puissent adorer d'autres dieux que ceux du panthéon hellénique : il lui suffit de découvrir l'équivalence profonde qui ne saurait échapper malgré la différence des noms et la singularité des rites. C'est pourquoi, par exemple, il croit reconnaître le culte d'Athéna chez des peuplades de Libye (IV, 180 et 189). C'est pourquoi surtout il nous présente, au livre II de ses *Histoires*, un si curieux tableau de la religion égyptienne où chaque divinité est aussitôt assimilée, sans aucune hésitation, à un dieu grec : pour Hérodote, Neith, c'est Athéna ; Bastit, c'est Artémis ; Isis, c'est Déméter ; Râ, c'est Hélios ; Outo, c'est Léto ; Seth, c'est Arès ; Osiris, c'est Dionysos ; Khonsou, c'est Héraclès ; Hathor, c'est Aphrodite ; Amon, c'est Zeus. C'est pourquoi les Grecs ont adopté sans peine, à partir du Ve siècle, le culte de Zeus Ammon, conséquence d'une assimilation entre le dieu suprême des Egyptiens, tel qu'il était révéré dans son sanctuaire oraculaire de l'oasis de Siwah, et le dieu suprême des Grecs, tel que les colons de Cyrène l'avaient introduit dans leur résidence en Libye. Même opération avec la déesse thrace Bendis, qui est assimilée par Hérodote à une Artémis (IV, 33) et qui devait sitôt après, dès 429-428, recevoir à Athènes un culte officiel destiné à une belle fortune.

Lorsqu'une équivalence avec un dieu grec préexistant ne se laissait pas découvrir, une divinité étrangère pouvait encore trouver accès dans le panthéon hellénique à condition que son aspect ne heurtât point les habitudes de l'œil, sinon de la pensée. Il en fut ainsi pour la déesse carienne Hécate, admise par les Grecs comme gardienne des portes dès l'époque archaïque, révérée pour ses pouvoirs magiques et chantée par les poètes, depuis Hésiode jusqu'à Euripide : de grands artistes comme Alcamène ont fixé sa triple image. Le culte de la Grande Mère, importé de Phrygie, qui comportait des mystères, s'introduisit à Athènes, non sans rencontrer des résistances, en bénéficiant de certaines analogies avec les cultes d'Eleusis : mais son succès fut décisif au Vᵉ siècle, puisque l'édifice qui lui fut consacré se trouvait sur l'agora même et servit en même temps de dépôt officiel pour les archives de la cité. C'est Phidias, ou peut-être son disciple Agoracrite, qui fut chargé de tailler la statue de marbre qui précisa pour l'imagination athénienne l'aspect de la Mère des dieux : une femme drapée assise sur un trône, la tête couverte d'un haut bonnet cylindrique, une patère à libations dans la main droite, un tympanon dans la main gauche, tandis que deux lions couchés l'encadrent. Une fois fixé, le type plastique devait inspirer des *ex-voto* de petite taille par centaines jusqu'à la fin de l'Antiquité. En revanche, un autre culte phrygien, celui de Sabazios, qui lui aussi comportait des mystères et qui se rapprochait du culte de Dionysos, fut toujours regardé avec défiance, au moins à l'époque classique : Aristophane le raille à maintes reprises et Démosthène, dans son discours *Pour la Couronne* (259 et suivants), reproche violemment à son rival Eschine de s'y être adonné dans sa jeunesse.

Enfin, dernier aspect d'un polythéisme dont on aurait bien tort de vouloir définir les éléments multiples avec trop de rigueur logique, outre les dieux traditionnels, les héros, les allégories et les dieux étrangers, les Grecs faisaient aussi une place dans leurs croyances à ce qu'ils appelaient les *démons*. Pas de terme religieux qui soit moins précis que celui-là. Le mot *démon* peut très bien s'appliquer à un dieu et apparaît parfois, chez des écrivains récents aussi bien que chez Homère, comme un simple équivalent de *théos*, « dieu », surtout lorsqu'il s'agit de désigner une notion générale ou collective de la divinité. Mais il sert aussi et surtout pour qualifier des êtres surnaturels peu différenciés et d'un rang inférieur par rapport aux grands dieux traditionnels : chez Hésiode, les hommes de l'âge d'or, ailleurs tel ou tel mort divinisé, ou encore l'*Agathos Daimôn*, démon favorable du foyer familial, que l'on représente volontiers sous la forme d'un serpent. Ainsi s'offre un large champ à l'imagination créatrice en matière de foi religieuse. A côté et en dessous des cultes traditionnels, aux solides assises rituelles, le monde divin admet toutes sortes de croyances individuelles sous la seule réserve qu'elles ne risquent pas d'ébranler les assises du corps social. Cette variété, cette imprécision, ces incertitudes n'ont certainement pas peu contribué à la vitalité de la religion grecque, qui pouvait aisément renouveler ou enrichir son contenu spirituel tout en bénéficiant de la permanence des rites : elle repose sur des traditions, mais elle ne connaît pas de dogmes.

●

On conçoit que, dans ces conditions, de grandes hardiesses de pensée en matière religieuse aient pu se manifester de bonne heure sans soulever trop de scandale, dans la mesure où elles restaient confinées dans le domaine spéculatif. Dans une religion sans dogmes, sans caste sacerdotale, sans livres sacrés, une grande liberté est laissée à l'appréciation individuelle. Les Grecs ne se firent pas faute d'en profiter. Nous avons déjà signalé, chez les poètes, une grande indépendance à l'égard des mythes traditionnels, qu'ils modifient sans hésiter au gré de leur fantaisie ou de leurs préférences morales. Nous avons vu aussi combien la familiarité extrême dans laquelle le peuple grec vivait avec ses dieux l'incitait à les brocarder sans égard à la majesté divine : caricatures et comédies en témoignent abondamment. Mais la réflexion spéculative n'a pas montré moins d'audace et elle n'a soulevé de réprobation que lorsqu'elle est apparue comme dangereuse pour l'ordre social. Tant qu'elle se cantonnait dans le domaine des idées, elle ne choquait que les penseurs et non les politiques. Platon, dans les *Lois*, châtie l'athéisme avec la dernière énergie parce qu'il le considère comme une erreur intellectuelle qui met en danger les principes mêmes de la cité idéale. Mais dans la réalité historique on n'a guère mis en cause les athées que dans la mesure où ils entendaient se soustraire aux obligations qui s'imposaient au citoyen. L'incroyance ne devenait un crime que lorsqu'elle tournait à l'impiété.

Ainsi s'explique l'extraordinaire liberté des critiques que le polythéisme a suscitées de la part de quelques penseurs dès avant l'époque classique. Au VIᵉ siècle, Xénophane de Colophon, contemporain de Pythagore et comme lui établi en Grande-Grèce (il y fonda, à Elée, en Lucanie, l'école dite *éléate*, qu'illustrèrent Parménide et Zénon), montre en quelques vers décisifs que l'anthropomorphisme n'est qu'un naïf reflet de la faiblesse humaine : « Si les bœufs, les chevaux ou les lions avaient des mains, s'ils savaient peindre de leurs mains et exécuter des ouvrages comme le font les hommes, les chevaux peindraient des images des dieux pareilles à des chevaux et les bœufs pareilles à des bœufs, chacun donnant aux dieux la forme de son propre corps. » Ou encore, en un autre passage : « Les Ethiopiens disent que les dieux ont le nez camus et la peau noire, les Thraces qu'ils ont les yeux bleus et les cheveux roux. » Et Xénophane, refusant l'ânthropomorphisme, sinon le polythéisme lui-même, estime que la pluralité des dieux, si elle existe, se trouve subordonnée à un principe divin à la fois éternel et vague.

. Plus tard, au Vᵉ siècle, à Athènes, Anaxagore* de Clazomènes, l'ami de Périclès, fut condamné pour avoir mis en doute la divinité des astres en professant que le soleil était un globe ardent dont la lune reflétait la lumière : c'est qu'il risquait par ces révélations de rendre le public moins crédule à l'égard de la divination par les signes atmosphériques. Aussi les devins de métier, et singulièrement Diopeithès, l'attaquèrent-ils avec passion, après avoir fait adopter par le peuple un décret autorisant à traduire en justice ceux qui ne croiraient pas aux dieux ou qui prétendraient enseigner la nature des phénomènes célestes. Les ennemis de Périclès en profitèrent pour chercher à l'atteindre à travers un de ses familiers : Anaxagore alarmé quitta la ville. Et pourtant bien des Athéniens à cette époque, à commencer par Alcibiade, ne dissimulaient pas le scepticisme religieux que leur avaient inspiré les leçons d'un Anaxagore ou d'un Protagoras : ils ne furent pas poursuivis pour autant. Pour exciter la colère de l'Etat en matière de religion, il fallait soit une raison politique à laquelle l'incrédulité ne fournissait qu'un prétexte, soit un sacrilège effectif, comme la parodie des mystères d'Eleusis à laquelle participa Alcibiade, ou la mutilation des hermès qui déchaîna la colère des Athéniens à la veille du départ pour l'expédition de Sicile. Dans ces cas-là, la justice athénienne sévissait avec rigueur : elle poursuivit ainsi Diagoras de Milo, en 415, pour sacrilège envers les mystères et mit sa tête à prix après qu'il eut quitté Athènes. On sait par un discours célèbre de Lysias qu'un châtiment sévère frappait tout homme qui détruirait, fût-ce involontairement, un des oliviers consacrés à la déesse Athéna : Aristote nous apprend qu'à l'origine la loi prévoyait même la peine de mort. La conscience populaire avait le sentiment que la profanation commise par le coupable, si elle n'était pas punie d'une manière exemplaire, provoquerait la colère divine et que toute la cité en pâtirait. Plus qu'un délit d'opinion, c'est donc un crime contre la solidarité civique qu'on entendait frapper.

Tel fut aussi le cas dans le procès de Socrate, en 399. Le philosophe fut accusé, on s'en souvient, de corrompre la jeunesse, de ne pas croire aux dieux de la cité et d'introduire des divinités nouvelles. L'accusation était soutenue par un jeune homme sans notoriété, Mélétos, assisté d'un homme politique, Anytos, qui avait joué un rôle important dans le parti démocratique au cours des années précédentes. Socrate fut condamné par 280 voix contre 220, le tribunal étant composé de 500 juges : à 30 voix près, il était acquitté. Pourquoi cette condamnation d'un sage que la Pythie avait désigné comme le plus savant des hommes ? Comment expliquer une décision de justice, qui, depuis les pamphlets de Platon et de Xénophon en faveur de Socrate, passe pour la honte inexpiable de la démocratie athénienne? La considération des circonstances du procès permet de répondre aisément.

Les honnêtes bourgeois qui composaient le tribunal de l'Héliée, et dont le Philocléon d'Aristophane, dans les *Guêpes*, est d'avance la caricature, ont retenu, non sans hésitation, contre Socrate le grief d'avoir contribué par ses conversations et son amitié à former quelques-uns des froids ambitieux dont Athènes avait tant souffert depuis quinze ans : Alcibiade, le promoteur de l'expédition désastreuse de Sicile, puis le conseiller trop habile de Lacédémone contre sa propre patrie; Critias, le cynique et avide chef des Trente, qui fit périr tant d'Athéniens après avoir renversé la démocratie. Les relations qui les unissaient l'un et l'autre à Socrate étaient connues de tous et les juges étaient excusables de reporter en partie sur le maître la responsabilité des erreurs commises par les disciples. D'autant que, durant leurs années de jeunesse, les amis de Socrate n'avaient nullement dissimulé des goûts que le bon peuple d'Athènes appréciait peu : des préjugés en faveur de Sparte, considérée comme une cité mieux gouvernée qu'Athènes; une curiosité philosophique et une virtuosité dialectique que l'exemple de leur maître avait largement développées et qui leur conférait dans le dialogue une supériorité si nette que l'interlocuteur en prenait forcément ombrage; une liberté de jugement, qui, jointe à leur fougue juvénile, les conduisait à remettre en cause les certitudes les mieux assises; enfin — et ce n'était pas le moins important — une tendance avouée à la pédérastie, l'amour « dorien » si en honneur à Lacédémone, dont on s'entretenait volontiers dans leur petit groupe, comme le montre trop clairement le *Banquet* de Platon, et qu'on y pratiquait sans aucune gêne. Or l'Athénien moyen, comme il apparaît bien à la lecture d'Aristophane, éprouvait pour ce vice autant d'horreur que de mépris : il y voyait, non sans raison, outre le dérèglement de l'esprit et des sens, le signe de ralliement d'une « fraternité » aristocratique, d'un compagnonnage à visées politiques dont la démocratie devait à bon droit se défier. Tous ces jeunes gens trop contents d'eux, pour la plupart issus des familles les plus riches d'Athènes, n'excitaient guère la sympathie de qui n'appartenait pas à leur cercle. On reportait sur Socrate, qu'ils entouraient d'une vénération peu intelligible au profane, l'hostilité qu'ils inspiraient. Ainsi l'accusation de corrompre la jeunesse paraissait reposer sur des bases sérieuses : à travers l'honnête Xénophon et Platon auréolé de tout son génie, nous n'entendons plus aujourd'hui qu'une des deux parties au procès.

Outre ces circonstances qui représentent peut-être moins des justifications que des excuses, il y avait le procès religieux, qui était en même temps un procès civique. Et ici il faut regarder la réalité en face sans épouser trop vite la rancœur indignée des disciples frappés dans leur admiration pour un maître qui avait su les séduire. Socrate représentait-il un danger pour l'équilibre moral et politique de la démocratie athénienne? On peut sans hésiter répondre que oui. A lire les premiers dialogues de Platon, plus encore qu'à travers la médiocre hagiographie des *Mémorables,* Socrate apparaît comme un très habile sophiste, capable de mettre en échec les plus retors, un Protagoras, un Gorgias, par l'emploi d'une dialectique supérieure, qui n'est pas exempte elle-même de procédés discutables, comme l'équivoque sur les diverses acceptions d'un terme, par exemple. De cette arme qu'il manie en virtuose, Socrate se sert pour mettre son interlocuteur en contradiction avec lui-même et lui démontrer qu'il n'est plus sûr de rien, position peu confortable qui est peut-être le point de départ nécessaire de toute vraie philosophie, mais qui, imposée à un esprit insuffisamment vigoureux, peut l'inciter au scepticisme ou au découragement, ou même à rejeter tout scrupule. Après avoir détruit, il faudrait reconstruire : or Socrate ne conclut jamais. Il conduit à douter, mais ne propose aucune certitude. Certes sa noble vie de penseur et de citoyen, sa participation sans réticence au service militaire et aux charges civiques (comme dans l'affaire des Arginuses), son désintéressement, sa pauvreté, son respect religieux de la loi, son attachement à la pensée droite et à la vérité, fût-ce au prix de sa propre tête, offrent des exemples admirables que les générations n'ont pas fini de méditer. Mais qui, parmi ses contemporains, le voyait tel, à l'exception de ses intimes? Le public retenait de lui l'apparence extérieure, la pittoresque silhouette évoquant un Silène, l'habileté à manier les questions embarrassantes, le doute perpétuellement soulevé, l'absence régulière de toute conclusion positive. Il le confondait aisément avec les philosophes de la nature, comme Anaxagore, autrefois condamné pour impiété, ou avec les sophistes, comme Protagoras, lui aussi banni en raison de son scepticisme destructeur. Socrate faisait, il est vrai, fréquemment allusion à cette voix intérieure, à ce démon familier qui le conseillait dans les circonstances difficiles et dont il considérait l'intervention comme la manifestation d'un dieu. Mais l'idée même de cette communion intime et secrète avec la divinité, en dehors de tout rite concret, déconcertait le vulgaire : on y suspectait je ne sais quelle menace pour la religion traditionnelle, comme si les protecteurs antiques de la cité devaient un jour céder la place à ce dieu inconnu.

Comment les cadres de l'Etat, qui tous reposaient sur l'exacte et bénévole participation aux cultes, pourraient-ils subsister si les citoyens de demain, ébranlés dans leurs convictions par l'enseignement de Socrate, se mettaient à douter de tout, sans disposer d'autre recours que cette étrange voix secrète qu'un seul vieillard prétendait entendre dans son cœur?

Je ne sais si ces arguments furent mis en avant par Mélétos, Anytos et Lycon devant les juges de l'Héliée. Mais on peut tenir pour probable que nombre de ces juges les prirent en considération, au long des plaidoiries, avant de mettre dans l'urne de bronze, où étaient recueillis les votes, le jeton à tige pleine qui acquitte ou le jeton à tige creuse qui condamne. Que 220 d'entre eux, sur les cinq cents membres du tribunal, aient préféré la tige pleine, aimant mieux libérer un juste que de faire un exemple apparemment utile à l'Etat, c'est à l'honneur de la démocratie athénienne. Quant aux autres, ils ont cru servir la cité, sans doute à tort, et à coup sûr il était trop tard : car l'esprit de libre examen, pour lequel Socrate a tant fait, avait gagné déjà trop de têtes pensantes pour que la vieille religion survive avec l'ordre social dont elle était la garantie et le reflet.

CHAPITRE VII

LE CITOYEN DANS LA CITÉ

S I le Grec des temps archaïques et classiques est un soldat, c'est pour répondre à l'appel de sa cité. S'il participe à la religion de ses pères, c'est essentiellement dans le cadre de la cité. Cette forme d'organisation sociale apparaît aux penseurs grecs classiques (réserve faite pour quelques sophistes) comme le caractère distinctif de l'homme civilisé. Cette conception s'exprime au mieux dans le préambule de la *Politique* d'Aristote, où le philosophe, au soir d'une vie consacrée pour une large part à l'étude des systèmes politiques du monde grec, définit l'homme « un être qui vit en cité » et montre que « si la cité fut créée pour lui permettre de vivre, une fois constituée elle lui permet de vivre bien », en lui fournissant les moyens d'être indépendant. Vue théorique sans doute, mais qui vise à rendre compte d'une réalité qu'Aristote, mieux encore que son maître Platon, connaissait à merveille dans sa complexité concrète. La notion de cité, création originale et vivace du peuple grec, a dominé toute son histoire et toute sa pensée. Transmise à Rome, remodelée par elle et enrichie à son usage, elle fut léguée à l'Europe tout entière qui en tira, pour une large part, la conception moderne de l'Etat. C'est assez dire quelle est son importance dans l'histoire de notre civilisation.

Le mot de « cité », *polis*, a déjà chez Homère trois sens différents. Il désigne tantôt l'agglomération urbaine, tantôt l'unité politique qui constitue un Etat, tantôt l'ensemble des citoyens considérés en corps; trois sens qui seraient respectivement traduits par les mots latins *urbs*, *civitas* et *cives*. Dans la langue classique cette ambiguïté demeure, au point que le mot *polis* est employé à l'occasion par Hérodote ou par Xénophon pour désigner des villes barbares. Néanmoins, sitôt qu'un auteur grec pense en termes politiques, la valeur qu'il attribue à la notion de *polis* est bien claire : c'est l'unité politique et sociale qui sert de base au monde hellénique et qui, jointe à l'originalité de la langue, le distingue du monde barbare. Essayons d'analyser le contenu de cette notion.

Selon Aristote, la cité est le résultat de l'union politique réalisée entre plusieurs villages. Des exemples historiques célèbres illustrent bien cette thèse, comme le fameux *synœcisme* ou réunion des bourgs de l'Attique pour en faire la cité d'Athènes, opération que l'historiographie grecque attribuait à Thésée. La conséquence habituelle en était la formation d'un centre urbain plus important, siège du nouvel Etat. C'est pourquoi on identifie d'ordinaire la cité politique avec la ville dont elle porte le nom. Mais il pouvait très bien arriver qu'aucune concentration urbaine n'accompagnât l'accord réalisé entre les villages : la cité n'en était pas moins réalisée aux yeux des Grecs par la volonté commune de ses habitants. Cela ressort bien d'un passage de Pausanias (X, 4), où il mentionne une misérable cité de Phocide : « A vingt stades (environ 4 km) de Chéronée se trouve la cité des Panopéens, si l'on peut vraiment donner le nom de cité à des gens qui n'ont ni locaux administratifs, ni gymnase, ni théâtre, ni place publique, ni adduction d'eau alimentant une fontaine, et qui habitent là, sur la berge d'un ravin, dans des huttes à demi creusées dans le sol, comme des cabanes de montagnards. Pourtant leur territoire est délimité par rapport à celui de leurs voisins, et ils envoient des délégués à l'assemblée fédérale de Phocide. Enfin ils racontent que le nom de leur cité dérive de celui du père d'Epeios. » Cet Epeios*, dont le père s'appelait Panopée, fut le constructeur du Cheval de Troie. On voit par ce texte quelles étaient les conditions nécessaires en toute rigueur pour définir une cité : un territoire commun bien délimité, un minimum d'organisation politique reconnu par les cités voisines et enfin, ce qui aux yeux des Grecs n'était pas le moins important, un embryon d'histoire, c'est-à-dire au moins une légende de fondation avec un culte qui s'y rattache. Toutefois la surprise même de Pausanias à la vue de la pauvre bourgade montre que, d'ordinaire, la notion de cité impliquait l'existence d'une agglomération urbaine munie des commodités et des services essentiels d'une ville grecque.

L'exiguïté du territoire des cités grecques a été déjà signalée : sauf pour les plus considérables, Sparte et Athènes en Grèce propre, Rhodes dans les îles, Syracuse ou Cyrène outre-mer, il ne s'agit guère que d'un petit bassin cultivable autour de l'agglomération principale, avec quelques pacages de montagne ou quelques îlots côtiers. Très souvent on peut embrasser tout le territoire, ou peu s'en faut, d'un seul coup d'œil. Les frontières ne sont nettement précisées que dans les régions de culture. En montagne elles restent vagues et donnent lieu à de fréquents conflits entre bergers. La campagne est mise en valeur soit par des paysans libres groupés en villages et cultivant leurs propres terres, soit par la main-d'œuvre servile d'un grand domaine rural, comme celui dont Ischomaque expose la gestion dans l'*Economique* de Xénophon. Le régime foncier varia beaucoup suivant les régions et les époques. Nous avons vu comment en Attique Solon, puis Pisistrate prirent des mesures favorables au maintien de la petite propriété, sans pour autant faire disparaître les grands domaines. Un Cimon, un Périclès possédaient des terres fort étendues qui leur rapportaient des revenus considérables. Ces riches propriétaires résidaient d'ordinaire à la ville, bien qu'ils eussent sur leurs terres des maisons comme celle d'Ischomaque, assez semblables aux manoirs des seigneurs homériques. Probablement construites en briques crues, elles n'ont pas laissé de traces appréciables sur le terrain et il faut les imaginer d'après des textes peu précis. Exposée au midi, la maison comporte plusieurs pièces de séjour et une chambre à coucher pour les maîtres, avec les pièces de service pour la cuisine et le bain; des magasins aménagés pour y conserver les fruits des récoltes, céréales, légumes secs et grains; des locaux séparés pour les esclaves hommes et femmes; enfin des abris pour le cheptel mort et vif. Les fermes des paysans libres étaient évidemment bien plus modestes. Mais nous savons par les évocations d'Aristophane que la vie rude qu'on y menait n'était pas sans charme.

Dans certaines régions, où la sécurité était mal assurée, villages et manoirs devaient se fortifier : c'est le cas, par exemple, en Cyrénaïque, où l'on redoutait les incursions des pillards libyens venus des steppes de l'intérieur. Une simple tour de pierre formant fortin pouvait suffire à décourager l'agresseur : nous avons vu qu'elles sont fréquentes en Grèce dans les territoires frontières. Le paysan libre, toujours soumis aux obligations militaires, gardait chez lui ses armes et pouvait répondre aussitôt aux ordres de mobilisation.

On cultivait partout les céréales, orge surtout, blé si possible. La terre grecque s'y prête mal, mais l'idéal de la cité étant l'autarcie économique; on désirait d'abord tirer du sol les galettes, les bouillies et le pain qui représentaient la base de l'alimentation. Des fèves, des lentilles, des pois chiches, quelques légumes verts, de l'ail et des oignons, voilà les produits du jardin. Le verger était planté de figuiers, qui prospéraient particulièrement en Attique, de cognassiers, de poiriers, de pommiers. L'olivier, arbre sacré d'Athéna, fournissait olives et huile en abondance, comme aujourd'hui encore dans la Grèce entière. Les plantes aromatiques, thym, cumin, basilic, origan, étaient appréciées pour la cuisine. La vigne tantôt s'élevait en treilles, tantôt s'alignait en rangs, libre ou soutenue par des échalas de deux coudées, comme ceux que Trygée se propose de tailler dans le bois des lances que la paix aura rendues inutiles. Moutons et chèvres paissaient dans la montagne. Quelques vaches et bœufs, rares et d'autant plus jalousement réservés pour les grands sacrifices, aidaient le cultivateur dans sa tâche. Les ruches fournissaient le miel, qui tenait lieu de sucre.

D'autres entreprises rustiques avaient pour objet l'exploitation des ressources naturelles à des fins artisanales, sinon industrielles. C'est le cas pour les bûcherons qui fournissaient le bois de charpente et pour les charbonniers qui transformaient en charbon de bois les taillis de chênes verts. Aristophane les a mis en scène avec verve et sympathie dans ses *Acharniens*. Résine et poix provenaient des forêts de résineux, ainsi que le bois pour les navires : mais la production de la Grèce propre ne suffisait pas aux besoins des constructions navales et il fallait faire largement appel à l'importation. On faisait pousser du lin en Elide, seule région de la péninsule assez arrosée pour cette culture : ailleurs on devait importer le lin d'Asie Mineure ou d'Egypte. Pour la laine, les troupeaux grecs fournissaient l'essentiel : chaque maison filait et tissait ses vêtements d'usage, et c'était l'occupation principale des femmes. Seuls les produits de luxe venaient de l'étranger et faisaient l'objet d'un commerce. Il en était de même pour les cuirs : sandales ou manteaux en peaux de bique, bonnets contre la pluie, outres et sacoches étaient fabriqués dans la famille, sauf en ville, où l'on s'adressait aux artisans spécialisés.

A la campagne les exploitations les plus importantes étaient les carrières et les mines. Les gisements d'argile d'Attique ou de Corinthie fournissaient la matière première à de nombreux ateliers de potiers. Les carrières de marbre du mont Pentélique près d'Athènes, celles d'Aliki dans l'île de Thasos étaient exploitées à l'air libre. Celles de l'île de Paros, dans les Cyclades, étaient surtout souterraines et pénétraient profondément dans la montagne : leur marbre, d'une blancheur et d'une transparence exceptionnelles, était fort recherché pour la statuaire et fit l'objet d'un commerce actif. On l'appelait *lychnitès*, de *lychnos*, « lampe », moins sans doute parce qu'il était lumineux que parce que l'extraction se faisait à la lueur des lampes. Les diverses pierres à bâtir donnaient lieu à une exploitation analogue : on connaît les fameuses carrières ou *latomies* de Syracuse, qui virent l'agonie des prisonniers athéniens après le désastre de Sicile. Près de Cyrène, en Libye, on voit encore en maint endroit les bancs de calcaire coquillier dont furent détachés les blocs destinés aux monuments de la grande ville africaine.

Les mines de fer et de cuivre sont mal connues. En revanche, on est mieux renseigné sur les mines de métaux précieux, qui ont retenu l'attention des écrivains anciens en raison des convoitises qu'elles éveillaient et du rôle qu'elles jouèrent dans la politique internationale. Elles firent la prospérité de Thasos et valurent à la petite île de Siphnos, dans les Cyclades, une notoriété qui dura peu, mais qui lui permit, vers 530, d'élever à Delphes un trésor somptueusement sculpté. Sur le mont Pangée en Thrace, les mines d'or de *Scapté-Hylé*, la « Forêt affouillée », étaient exploitées par les indigènes, mais pour le compte de Grecs : Thucydide, qui possédait plusieurs d'entre elles, vécut là durant son exil et en tira l'essentiel de ses revenus pendant qu'il écrivait son *Histoire*. Mais les mines les plus importantes furent celles du Laurion*, à l'extrémité sud-est de l'Attique. On y voit encore les galeries basses et étroites où, courbés en deux, les esclaves mineurs progressaient le long des filons de plomb argentifère. Plusieurs milliers de travailleurs serviles étaient employés à l'extraction et au traitement du minerai, dont on tirait sur place des lingots de plomb et de l'argent assez épuré pour servir à la frappe des célèbres monnaies d'Athènes, les « chouettes du Laurion », ainsi nommées à cause du type habituel qui orne leur revers. Un des ateliers monétaires était installé directement sur place.

Si la cité tire sa subsistance du labeur des campagnards, c'est néanmoins à la ville que se traitent les affaires importantes, pour les particuliers comme pour l'Etat. C'est pourquoi dès l'âge archaïque, et malgré la force d'un sentiment de la nature qui fut toujours très vif chez les Hellènes, la civilisation grecque est d'abord urbaine : elle est née d'hommes vivant en groupes denses et met au premier plan les rapports sociaux. Comment se présente une ville grecque à l'époque archaïque et classique ? Si modeste qu'elle soit, elle apparaît comme la capitale d'un Etat : elle abrite donc les principaux services qui sont la raison d'être de l'Etat et leur offre des installations appropriées. On y trouve des sanctuaires pour les cultes publics, des fortifications assurant la défense des citoyens contre les attaques du dehors (qu'il s'agisse d'une acropole aménagée en réduit défensif, ou d'une enceinte fortifiée entourant la ville entière, ou des deux à la fois), une grand-place ou *agora*★ servant de marché pour les transactions commerciales et de lieu de réunion pour les assemblées politiques, des fontaines pour l'alimentation en eau, indispensable à toute vie, et enfin des bâtiments spéciaux destinés aux divers organismes administratifs et judiciaires. Autour de ces bâtiments publics, dont la plupart sont concentrés sur l'acropole ou autour de l'agora, se développe le réseau des rues, dans un désordre qui, avant le Ve siècle, révèle l'absence totale de tout plan d'ensemble. C'est seulement après les guerres médiques et à l'image de ce qui se passa pour la reconstruction de Milet (détruite par les Perses en 494) que l'on vit apparaître les premières préoccupations d'urbanisme avec l'emploi du plan orthogonal, dit aussi en damier. On attribue dans cette évolution un rôle déterminant à l'architecte Hippodamos★ de Milet, qui fournit le plan du Pirée, à la demande de Thémistocle, et participa à la fondation de Thourioï en 444-443. Aristote, dans sa *Politique* (1267 b), le montre préoccupé de philosophie politique et non seulement d'architecture, et il est certain que cette tendance à rationaliser l'implantation des villes se rattache au mouvement de pensée d'inspiration mathématique créé par Thalès de Milet et développé par Anaximandre et Anaximène, d'où le nom d'*école milésienne* qu'on lui donne à juste titre. Toutefois, ces innovations n'intervinrent que dans les villes nouvelles et ne modifièrent pas la physionomie des anciennes cités.

Au reste, l'extrême diversité des sites urbains ne favorisait guère au départ l'adoption généralisée d'un tracé logique. Les villes de plaine se sont généralement développées autour ou auprès d'une hauteur servant d'acropole : d'où des difficultés topographiques pour établir une liaison entre la ville haute et la ville basse. Les villes de montagne, comme Delphes, présentaient de fortes dénivellations. Peu de cités de Grèce propre sont

---

(D'après A. von Gerkan et R. Martin.) Les urbanistes milésiens reconstruisirent la ville au Ve siècle d'après des principes rationnels qui firent école. La longue presqu'île (près de 2 km) fut divisée en trois quartiers principaux séparés par les profondes indentations des deux ports. Au point de jonction des trois quartiers, une région basse fut affectée (1) aux monuments publics et à l'agora principale (dite du Sud). Le port le plus largement ouvert (2) est encadré par le théâtre appuyé aux pentes de la colline et par le sanctuaire d'Athéna au sud. L'autre port (3), plus étroit, dit Port aux Lions, dessert un marché auprès duquel se dresse le sanctuaire (4) d'Apollon Delphinios. Les constructions hellénistiques et romaines, qui figurent sur le plan ci-contre, n'eurent pas de peine à trouver leur place dans le cadre conçu par les architectes du Ve siècle. La muraille d'enceinte suit généralement un tracé à crémaillère. La grande voie rectiligne (5) qui en part obliquement vers le sud-est allait rejoindre le fameux sanctuaire d'Apollon à Didymes.

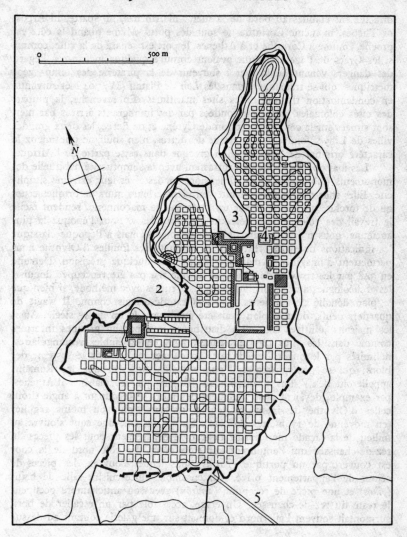

0   500 m

N

3

4

2

1

5

directement établies au bord de la mer : ni Athènes, ni Sparte, ni Argos, ni Thèbes, ni même Corinthe ne sont des ports. Même quand la côte est proche, comme à Corinthe et à Athènes, le port est séparé de la ville, comme si les Grecs de l'âge archaïque avaient éprouvé quelque méfiance à l'égard des dangers venant de la mer : souvenir de la piraterie des temps géométriques, qui se transmuera dans les *Lois* de Platon (IV, 704 *b* et suivants) en condamnation théorique des sites maritimes. En revanche, la plupart des cités coloniales, ayant été fondées par des immigrants arrivés par mer, sont situées sur la côte. L'exception de Cyrène et de Barcé, les deux grandes villes de Libye, fondées à l'intérieur des terres, n'en souligne que mieux le caractère original de l'implantation grecque dans cette partie de l'Afrique.

Les maisons particulières contrastent avec la somptuosité habituelle des monuments publics par leurs dimensions modestes et leur extrême simplicité. Elles sont rarement construites en pierre : leurs murs de briques crues ou de torchis, qui reposent sur un socle bas de maçonnerie, rendent facile le travail des voleurs ou « perceurs de murailles ». Pour l'époque la plus ancienne, nous n'avons guère de renseignements, mais à l'époque classique les indications tirées des textes et les résultats des fouilles d'Olynthe nous permettent d'imaginer la maison grecque avec quelque précision. Détruite en 348 par les troupes de Philippe, la ville n'a pas été réoccupée depuis : les archéologues américains ont dégagé ses ruines avec méthode, si bien que le plan détaillé de plusieurs quartiers est désormais connu. Il s'agit de quartiers neufs, dont le plan avait été établi vers la fin du Ve siècle. Aussi les maisons jointives sont-elles distribuées non pas en groupes informes comme dans les cités plus anciennes, mais en ensembles rectangulaires, délimités par le quadrillage de rues en damier : c'est déjà le système des blocs, qui se généralisera à l'époque hellénistique et que les Romains appelleront des « îlots », ou *insulae*. Tandis que les maisons d'Athènes, par exemple, devaient avoir rarement des murs se recoupant à angle droit, celles d'Olynthe dessinent en général un carré plus ou moins régulier (en moyenne de 17 mètres de côté). Sur ce terrain, une cour s'ouvre au milieu de la façade méridionale et sert de dégagement pour les pièces du rez-de-chaussée qui l'entourent sur trois côtés. Le côté nord de la cour est couvert par un portique *(pastas)* sous lequel s'ouvrent les pièces de séjour de l'appartement privé. Un ensemble office-cuisine-salle de bains *(oikos)* et une pièce de réception *(andrôn)* avec son antichambre occupent le reste du rez-de-chaussée. Un étage, accessible par un escalier de bois, surmontait souvent l'aile nord et donnait sur une galerie courant au-dessus

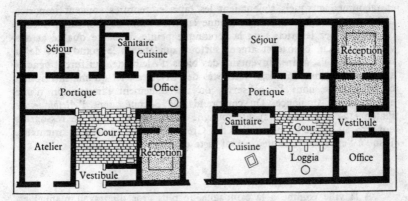

(D'après R. Martin.) Ces deux maisons, dégagées par les archéologues américains au cours des fouilles d'Olynthe, appartiennent à deux blocs différents. On reconnaît sur les plans du rez-de-chaussée, les parties principales de l'habitation : une cour pavée à laquelle on accède depuis la rue par un vestibule ; un portique ou une loggia ouvrant sur cette cour ; des salles de séjour ou de réception et des salles de service, en particulier un bloc cuisine et bains.

de la *pastas*. La couverture n'était pas en terrasse, comme dans les villes de Grèce propre, mais en tuiles rondes sur toit à double pente, à cause du climat pluvieux de la Chalcidique. Il semble, d'après les textes, que les pièces de l'étage aient été l'appartement des femmes.

La maison individuelle était la règle dans la Grèce classique. Certes, les textes mentionnent dans l'Athènes du IVe siècle quelques immeubles collectifs qu'on appelait *synoikia*, par opposition à la maison ordinaire, *oikia*. Mais c'était l'exception et la haute maison à plusieurs étages ne se développera qu'à Rome. Quelques privilégiés de la fortune occupaient de grandes villas aux pièces nombreuses, vastes cours à portiques et jardins, comme celle de Callias, chez qui Socrate va rencontrer Protagoras, dans le dialogue de Platon. Mais là encore le luxe était discret : les mosaïques de sol qu'on a dégagées à Olynthe dans les plus riches maisons et qui sont les plus anciennes que l'on connaisse sont faites de cailloux noirs et blancs, sans aucune recherche. Les parois étaient blanchies à la chaux ou décorées d'un enduit de couleur aux motifs simples. Il fallait être Alcibiade, et un personnage aussi riche qu'excentrique, pour faire orner de fresques les murs de sa maison. Le mobilier se composait de coffres, lits, tables, sièges et tabourets, auxquels s'ajoutaient les tapis et tentures souvent importés d'Orient. Outre la vaisselle commune en terre cuite de fabrication locale, on voyait chez les riches de la céramique peinte de haute qualité et des vases de métal, bronze et argent surtout, qui étaient le grand luxe de la table. Toutefois, à lire l'inventaire des biens d'Alcibiade, qui furent vendus après sa condamnation dans le procès des Mystères, tel qu'une inscription contemporaine nous l'a conservé, on n'a nullement l'impression d'une extraordinaire opulence. On comprend que Socrate, dans l'*Alcibiade* de Platon (123 *b* et suivants), ait souligné l'énorme différence de ressources qui séparait même les plus riches des Grecs d'avec les monarques orientaux. Jusqu'à l'époque classique, le vrai faste est réservé aux dieux.

●

A la ville comme à la campagne, le plus gros du travail manuel est exécuté par les esclaves. Tout d'abord ils effectuent l'essentiel des tâches ménagères dans chaque maison, où un minimum de personnel servile apparaît comme indispensable : seul un gueux (ou, à partir du IVe siècle, un philosophe cynique) ne possède aucun esclave. Outre ces besognes domestiques, ce sont aussi des esclaves qui assurent la marche des entreprises artisanales, puisqu'on ne peut guère parler d'industrie que dans quelques cas très rares. On cite comme un exemple exceptionnel l'atelier d'armurerie qu'exploitaient à Athènes, à la fin du Ve siècle, l'orateur Lysias* et son frère Polémarque. Au moment où, sous les Trente Tyrans, la fortune des deux frères fut confisquée, ils employaient 120 esclaves et avaient en stock 700 boucliers, au dire de Lysias lui-même (*Contre Eratosthène*, 19). Déjà leur père, le Syracusain Céphalos, passait pour un des hommes les plus riches d'Athènes, comme l'indique Platon qui le met en scène au début de la *République*. En revanche, chez la grande majorité des artisans ou des commerçants, quelques esclaves suffisaient à la besogne. L'homme qui, comme l'invalide de Lysias, exerce un petit métier sans aucune main-d'œuvre servile est vraiment proche de la pauvreté.

Au reste, un certain mépris s'attache au travail manuel : le terme même d'ouvrier, *banausos*, est affecté d'une nuance défavorable, comme l'est, plus encore, celui de *kapélos*, qui désigne le petit commerçant. Qui exerce une activité de cette sorte, même si elle touche à l'art authentique, ne jouit guère de considération dans la société grecque, même dans la plus démocratique comme celle d'Athènes. La véritable occupation digne d'un homme libre, on le voit bien dans Platon, c'est de participer aux affaires publiques : les jeunes gens des grandes familles qui entouraient Socrate n'avaient pas d'autre ambition et l'éducation « libérale » qu'ils recevaient n'avait d'autre objet que de les y préparer — ou du moins elle y prétendait, ce que Socrate mettait en doute. Hérodote, quelques années plus tôt, remarquait que les Hellènes, à l'imitation, croyait-il, des Egyptiens, tenaient pour peu honorable l'exercice d'un métier manuel (II, 167) : à Lacédémone, précise-t-il, ce préjugé était le plus fort, tandis qu'il était le plus faible à Corinthe. Il est vrai qu'à Athènes une loi de Solon édictait des peines contre tout citoyen oisif : mais nous ne savons pas exactement comment on définissait l'oisiveté et il ne semble pas que cette loi ait modifié le sentiment public à propos du travail manuel. Les idées reçues avaient évolué depuis l'âge homérique : à maintes reprises, en effet, l'*Odyssée* met en lumière l'habileté technique d'Ulysse, dont l'esprit fertile en ressources se déploie aussi bien à fabriquer un lit qu'à commander en guerre, sans qu'aux yeux du poète et de ses auditeurs le roi d'Ithaque ait l'air ainsi de déroger, bien au contraire ! Sans doute ne s'agissait-il pas là d'un travail rétribué, que l'opinion des Grecs classiques tenait pour peu honorable, mais d'une activité indépendante. Comparons toutefois l'admiration qu'inspirent à Homère le radeau ou le lit d'Ulysse avec le mépris que professe Calliclès, dans le *Gorgias* de Platon (512 *c*), pour les capacités techniques de l'ingénieur, et nous verrons combien les temps avaient changé.

Ainsi, et contrairement à ce qu'on pourrait croire, dans la pratique, une cité « démocratique » comme Athènes n'accordait guère plus de considération au travail artisanal que des cités aristocratiques. Sans doute Périclès, dans le fameux discours que lui prête Thucydide (II, 40), insiste-t-il sur le fait que sa patrie permet aux artisans et aux ouvriers, s'ils sont citoyens, de participer à la gestion des affaires de l'Etat : mais le même Périclès, en instituant l'usage de payer une indemnité journalière (*misthos*) à tout citoyen chargé d'une fonction publique, qu'il s'agisse de magistrats, de membres du Conseil, de juges ou de soldats en campagne, contribua largement à détourner ses compatriotes du travail productif pour leur faire rechercher ces charges modestement rétribuées, mais suffisantes pour assurer l'existence au jour le jour. Aussi à Athènes, les métiers manuels furent-ils de plus en plus abandonnés aux esclaves et aux étrangers domiciliés, ou *métèques*, dont le nombre était considérable : en étudiant les comptes relatifs à la construction du temple dit *Erechthéion* sur l'Acropole, comptes qui nous sont connus par des inscriptions, on constate que parmi les ouvriers, au nombre de 107, qu'on a pu identifier, figurent seulement 14 citoyens, le reste étant formé de métèques et d'esclaves.

On voit par là le caractère essentiellement aristocratique de la cité grecque, même quand elle se proclame un Etat populaire. Les notions de démocratie et d'aristocratie ne se conçoivent chez les Hellènes que rapportées au seul corps des citoyens, qui participent plus ou moins largement aux affaires de l'Etat. Or ce corps des citoyens, loin d'englober la majeure partie des habitants, représente en fait une minorité privilégiée, sauf peut-être dans quelques cités montagnardes où l'on était trop pauvre pour acheter et entretenir beaucoup d'esclaves. Mais toutes les grandes cités grecques offrent le même tableau. Les citoyens sont seuls titulaires non seulement des droits politiques, mais aussi des principaux droits civils, comme le droit de posséder des biens immobiliers, terres ou maisons. A côté d'eux, les étrangers domiciliés, les « cohabitants » (c'est le sens propre du mot *métèque*), jouissent d'un statut spécial leur assurant certaines garanties : ils participent aux charges financières et militaires qu'impose l'Etat, mais n'ont aucun droit politique. Sparte n'autorise pas les étrangers à résider sur son sol; en revanche, Athènes les accueille volontiers et ils y jouent un rôle important dans l'industrie, le commerce et la vie intellectuelle. Enfin la population servile est souvent aussi nombreuse que les citoyens et parfois davantage.

A côté des esclaves proprement dits, on trouve en Thessalie, en Crète, et dans l'Etat lacédémonien une classe de serfs attachés à la terre. A Sparte, ce sont les *hilotes*, descendant, semble-t-il, des populations soumises par les Doriens à leur arrivée en Laconie ou lors de la conquête de la Messénie : réduits à une complète servitude, ils cultivaient les lots de terre que l'Etat attribuait à leurs maîtres spartiates. Chaque année, on proclamait l'état de guerre avec les hilotes, pour entretenir chez ces exploités une crainte salutaire : les jeunes Spartiates, lorsqu'ils étaient soumis à l'épreuve de la *cryptie*, avaient le droit de tuer tout hilote rencontré au-dehors pendant la nuit. Cette autorité discrétionnaire, maintenue avec une détermination farouche, permettait aux citoyens d'être déchargés de toute tâche autre que la préparation à la guerre. Toutefois, autour des riches cultures de Laconie et de Messénie, réservées aux seuls Spartiates et mises en valeur par les hilotes, les régions frontières de l'Etat lacédémonien étaient occupées par des habitants appelés les *périèques* (« ceux qui habitent alentour ») : ils n'étaient pas citoyens, mais pouvaient librement s'adonner aux travaux agricoles, à l'artisanat et au commerce, à la différence des Spartiates, sous la seule obligation de servir aux côtés de ces derniers dans l'armée lacédémonienne. Le détail de leur condition juridique est mal connu, mais ils semblent avoir bénéficié des droits civils (à la différence des métèques dans les autres cités grecques) et se montrèrent en général de loyaux sujets de Sparte. L'existence de *périèques* est attestée dans d'autres cités grecques, à Elis, en Argolide, en Crète, à Cyrène, mais nous sommes fort mal renseignés sur la nature exacte de ces populations.

La condition des esclaves est en principe partout la même, quoique les mœurs puissent introduire quelques différences dans la pratique. Suivant l'expression d'Aristote (*Politique*, I, 3, 1253 b), qui reflète l'opinion courante, l'esclave n'est qu'un « instrument animé » à la disposition de son maître. Les textes juridiques, comme les actes d'affranchissement que nous possédons en grand nombre pour l'époque hellénistique, le désignent par les termes « un corps masculin » ou « un corps féminin », comme si c'était bien un objet, et non une personne. C'est qu'en perdant la liberté il a perdu la qualité d'être une personne, et cela quelle que soit son origine, grecque ou barbare. C'est pourquoi on n'admet son témoignage en justice que s'il est soumis à la torture : la contrainte de la souffrance paraît indispensable pour lui faire dire la vérité. Depuis les poèmes homériques, les témoignages se multiplient qui montrent que la condition servile, qu'elle vienne de la naissance ou du malheur, avilit l'homme et lui fait perdre toute dignité. L'esclave n'a ni vie personnelle ni vie familiale. Les femmes servent au plaisir de leur maître sans réserve ni scrupule : les captives troyennes, Briséis, Andromaque, Cassandre, ont subi cette humiliation, et Aristophane parle avec une verve gaillarde de l'accorte servante thrace que l'on culbute allègrement au coin d'un bois. Certes les mœurs athéniennes, peut-être plus par économie bien entendue que par souci d'humanité, introduisirent dans la loi quelques mesures de protection garantissant les esclaves contre des violences excessives. D'autre part, certaines formes de la religion leur étaient accueillantes : ils pouvaient se faire initier à Eleusis. Sur ce point, et fort discrètement, la piété éleusinienne ouvrait la porte à l'avenir. Mais dans l'ensemble la distinction entre l'homme libre et l'esclave resta dans la société grecque une distinction fondamentale. Comme, en raison des risques entraînés par la guerre, la menace de l'esclavage pesait sur tout homme libre (Platon lui-même en 388 connut cette disgrâce, dont il ne fut tiré que par l'intervention généreuse du Cyrénéen Annikéris), la destinée humaine, déjà soumise par nature à tant de périls redoutables, en paraissait plus pathétique encore aux yeux des Grecs : leurs poètes ne se sont pas privés d'exploiter cette source du tragique.

Esclaves ou hilotes, métèques ou périèques, citoyens avec leur famille, nous ne sommes guère en mesure de chiffrer le pourcentage de ces divers éléments dans la population des cités. Comme toujours en histoire ancienne, les données statistiques font presque entièrement défaut. Voici toutefois, pour donner un ordre de grandeur, les évaluations approximatives pour Athènes et Sparte, chacune envisagée à l'époque de sa plus grande prospérité. Ces chiffres s'inspirent des calculs établis très soigneusement par V. Ehrenberg, qui a lui-même clairement indiqué quelle importante marge d'incertitude ils comportaient. Athènes, au début de la guerre du Péloponnèse, vers 432, devait compter environ 40 000 citoyens (soit, avec leurs familles, près de 150 000 personnes), 10 000 à 15 000 métèques (soit, avec les familles, 40 000 personnes) et près de 110 000 esclaves, sur une population totale de 300 000 âmes. L'État lacédémonien, juste après les guerres médiques vers 480-470, comptait sans doute 5 000 Spartiates (soit 15 000 personnes avec les familles), 50 000 périèques et 150 000 à 200 000 hilotes, donc environ 250 000 âmes. Beaucoup de cités moyennes devaient avoir un nombre de citoyens proche de ce chiffre de 10 000 qu'Aristote, en se fondant sur les données de l'expérience, considère comme un idéal. Compte tenu du fait que, parmi ces habitants privilégiés, plus d'un se trouvait écarté des affaires par la négligence, l'incapacité ou la maladie, on voit quel cadre restreint était celui de la cité grecque : au milieu d'une population composée en grande partie de personnes civilement et politiquement incapables, tous ceux qui jouaient un rôle, si minime fût-il, se connaissaient au moins de vue.

●

Considérons maintenant ces citoyens seuls dépositaires des droits qui, aux yeux des Grecs, permettent à l'homme d'être vraiment un homme. Ils tiennent de leur naissance leur qualité de citoyen : leur père au moins, parfois aussi leur mère, comme l'exigeait pour Athènes une loi de Périclès, appartenaient déjà au corps privilégié. C'est donc le sang qui confère le droit de cité, en règle générale; la vieille tradition d'un clan auquel on appartient par la naissance se maintient par là d'une façon durable dans le cadre de la cité. La collation de ce droit à des étrangers reste un privilège dont les Etats grecs ne se montraient pas prodigues : elle récompensait des mérites éminents ou s'expliquait par des circonstances exceptionnelles. Ainsi le peuple d'Athènes admit dans ses rangs, en 409, l'homme qui avait tué Phrynichos, un chef du parti oligarchique qui s'était fait détester : le fait est rappelé par Lysias dans son plaidoyer *Contre Agoratos* (70-72) et une inscription retrouvée le confirme. Un peu plus tard, en 406, pour récompenser les métèques qui avaient servi comme rameurs à la bataille des Arginuses, un décret leur conféra en bloc la citoyenneté. Enfin en 405, dans le désarroi qui suivit la défaite d'Ægospotamos, les Athéniens accordèrent le droit de cité aux Samiens, qui leur restaient fidèles dans ces temps difficiles. Mais ce ne furent là que cas particuliers ou expédients de détresse. D'ordinaire, à Athènes comme ailleurs, le peuple est jaloux de ses prérogatives civiques et, loin d'en étendre volontiers la jouissance à des catégories nouvelles d'habitants, il tient au contraire à en prévenir l'extension : ainsi s'explique la loi de Périclès mentionnée plus haut, qui restreignait le droit de cité aux Athéniens nés de père et de mère eux-mêmes athéniens. A ce titre, Thémistocle, par exemple, né d'une servante thrace, n'aurait pas été citoyen ! Périclès dut d'ailleurs plus tard solliciter lui-même une mesure spéciale en faveur du fils qu'il avait eu de la Milésienne Aspasie : le peuple eut le bon goût de ne pas refuser. Quant à Sparte, elle se montrait beaucoup plus rigoureuse encore. Hérodote déclare que le devin d'Elis Teisaménos et son frère sont les seuls hommes au monde qui aient jamais reçu à Sparte le droit de cité (IX, 35), et il fallut pour cela la confiance extrême que les Lacédémoniens plaçaient dans l'oracle de Delphes, qui prédisait à Teisaménos cinq grandes victoires : moyennant quoi, désireux de se l'attacher, ils en passèrent par les exigences du devin en lui accordant pour lui et pour son frère le privilège exorbitant qu'il réclamait.

La naissance, à elle seule, ne suffit pas : encore faut-il que l'enfant soit reconnu officiellement par son père et admis dans les cadres sociaux de la cité. Tant que cette formalité n'est pas accomplie, on peut toujours l'abandonner en l'exposant. L'usage était de placer le bébé qu'on abandonnait dans une marmite de terre, en y joignant quelques objets, bracelets ou colliers, qui pourraient éventuellement servir à le faire reconnaître s'il avait la chance de survivre : les poètes de la Comédie Nouvelle, après Euripide, et les romanciers de basse époque ont fait grand usage de ces reconnaissances dues à ce que nos littérateurs, imitant les Anciens, ont appelé « la croix de ma mère ». A Sparte, la décision de laisser vivre le nouveau-né n'appartenait même pas au père, mais à un conseil d'anciens de la tribu qui, après examen de l'enfant, autorisaient à l'élever s'il leur semblait vigoureux et bien conformé; sinon, ils le faisaient jeter dans un gouffre du Taygète. A Athènes, la cérémonie des *Amphidromies*, qui avait lieu le 5e jour (selon la *Souda*) ou le 7e (selon Hésychius) après la naissance, marquait l'entrée officielle du nouveau-né dans la famille : les femmes de la maison, qui avaient assisté à la naissance, prenaient l'enfant dans leurs bras et le portaient en courant autour du foyer domestique. C'était à la fois un rite de purification pour la souillure entraînée par l'accouchement et un rite d'admission du bébé dans le culte familial. Un peu plus tard, le 10ᵉ jour, l'enfant recevait son nom, à l'occasion d'un banquet où l'on conviait la famille et les amis. A ces cérémonies domestiques s'ajoutait une première présentation à ce groupement mi-religieux, mi-politique, intermédiaire entre la famille et la tribu, que l'on appelle la *phratrie*. Désormais l'enfant avait une existence légale.

L'éducation qu'il va recevoir varie du tout au tout selon qu'il s'agit de Sparte ou d'Athènes (sur les autres cités, nos renseignements sont très insuffisants). Le jeune Spartiate, sitôt atteint l'âge de sept ans, entre dans un système complexe d'éducation collective organisé par l'Etat. Il passe de classe d'âge en classe d'âge, dirigé par des maîtres et des moniteurs, soumis à des exercices réguliers, à des épreuves souvent pénibles et à une discipline rigoureuse qui tend à développer la résistance physique et la force morale, afin de faire du jeune homme un soldat. Cette éducation se prolongeait jusqu'à l'âge de trente ans : même le mariage ne dispensait pas le jeune Spartiate de la vie en commun avec ses camarades. La place accordée à la formation intellectuelle dans ce système était évidemment réduite : elle se bornait au chant choral, à l'étude des poètes nationaux, Alcman*, Terpandre*, Tyrtée, et à l'enseignement d'une morale civique exigeante et limitée. D'où une défiance à l'égard de la rhétorique qui surprenait les autres Grecs, si portés à cultiver l'art de la parole, et qui les remplissait d'admiration pour ces sentences brèves et ramassées qu'on appelait les apophtegmes lacédémoniens.

Le jeune Athénien, vers l'âge de six ou sept ans, échappe à l'exclusive compagnie des femmes dans le gynécée et se rend à l'école, accompagné par un esclave qu'on appelle le *pédagogue*. Les lois de Solon faisaient un devoir au père de famille de veiller à l'éducation de ses fils : dans la célèbre prosopopée des lois que Platon a introduite dans le *Criton* (49 *d*), elles revendiquent le mérite d'avoir prescrit au père de Socrate de lui faire enseigner la musique et la gymnastique. Les maîtres d'école sont établis à leur compte et reçoivent des parents de l'enfant le prix de leurs services. Le *grammatiste* enseignait à lire, à écrire et à compter, puis faisait apprendre par cœur les poèmes d'Homère, d'Hésiode, de Solon ou de Simonide : les dialogues de Platon montrent quelle importance on attribuait à la connaissance des poètes pour la formation intellectuelle et morale. Le maître de musique enseignait à toucher de la lyre et même de la cithare, celle-ci d'un maniement plus complexe, qui requiert une compétence technique peu compatible avec les traditions d'une éducation libérale. La double flûte (*aulos*), un moment introduite dans les écoles et fort appréciée du public athénien, en fut bannie par la suite, nous dit Aristote (*Politique*, VIII, 6, 1341 *a-b*), parce qu'elle éveillait des émotions trop fortes, qui troublaient l'âme au lieu de la discipliner. En tout cas, la musique jouait un rôle capital dans l'éducation du jeune Grec. Enfin le maître de gymnastique ou *pédotribe*, dans des bâtiments spécialement aménagés à cet effet qu'on appelait les *palestres**, enseignait à l'enfant les principaux exercices athlétiques. A partir de quinze ans, le jeune homme fréquente les *gymnases** publics, à l'Académie, au Lycée ou au Cynosarges, où il trouve à sa disposition des installations analogues à celles des palestres privées, avec en outre une piste de course, des jardins et des salles de réunion où philosophes et sophistes se plaisent à rencontrer leurs disciples après les exercices du corps. Après les deux années d'éphébie, les jeunes gens continueront à venir au gymnase, lieu favori d'entraînement, de délassement et de rendez-vous. Des dispositions législatives fort anciennes édictaient des règles pour l'administration des établissements athlétiques, fixant les heures d'ouverture et de fermeture, réprimant avec une rigueur exemplaire les tentatives de vol et réservant aux hommes libres l'usage de ces installations.

On ne peut éviter ici une allusion à un trait de mœurs qui doit à une partie de la littérature grecque une douteuse célébrité : les relations amoureuses entre très jeunes gens et hommes faits, que l'on désigne sous le nom de pédérastie. Cette perversion sexuelle et mentale a joui dans le monde hellénique d'un certain prestige, en raison de la qualité sociale de ses adeptes et du talent d'un Platon. On se tromperait gravement toutefois en croyant qu'un tel vice était généralement répandu dans la société grecque et qu'il n'y soulevait aucune réprobation. Certes, la morale sexuelle des Hellènes n'a jamais été rigoureuse, sauf en ce qui concerne l'épouse adultère et son complice. Mais si les mœurs admettaient sans réserve l'entretien d'une concubine ou la fréquentation des courtisanes, elles n'étaient pas partout aussi indulgentes lorsqu'il s'agissait d'amour contre nature. Il faut reconnaître ici une différence entre les Etats. Dans certaines cités doriennes, à Sparte, en Crète, ainsi qu'à Thèbes, où les adolescents étaient confiés aux soins d'adultes chargés de les former au métier des armes, cette « camaraderie militaire » favorisait, depuis une époque fort ancienne, la naissance d'amitiés « particulières » qui s'accompagnaient trop aisément de privautés physiques. Ces liens personnels furent parfois encouragés pour renforcer la cohésion morale des troupes d'élite : c'était le cas, par exemple, dans le « bataillon sacré » des Thébains, à l'époque d'Epaminondas. Les philosophes ont cherché par la suite une explication utilitaire à cet étrange usage : Aristote, dans sa *Politique* (II, 10, 1272 *a*), imagine que c'est pour remédier à la surpopulation que la législation, en Crète, autorisait l'homosexualité. Mais à Athènes et dans le reste du monde grec ce vice était le privilège d'une petite minorité que l'opinion condamnait très vigoureusement. Aristophane fustige à tout propos ceux de ses compatriotes dont la perversion était notoire : il ne l'eût pas fait aussi volontiers s'il n'avait été assuré de rencontrer l'audience favorable du public. La pédérastie sévissait dans l'aristocratie et non dans le peuple. C'est pour flatter cette riche clientèle que les potiers attiques, vers la fin de l'archaïsme, inscrivirent sur leurs vases des acclamations en l'honneur de quelques beaux garçons. On sait qu'Harmodios et Aristogiton étaient liés par un goût réciproque et que le meurtre du tyran Hipparque eut pour raison directe une offense amoureuse et non l'amour de la liberté : ce qui n'empêcha pas la démocratie d'honorer les *Tyrannoctones*. A l'époque de la guerre du Péloponnèse, c'est dans les sociétés secrètes ou *hétairies* aristocratiques que l'homosexualité recrutait des adeptes. Le procès de Socrate, nous l'avons vu, reflète l'hostilité et le mépris que le peuple d'Athènes éprouvait à l'égard de ces jeunes dévoyés. Toute la séduction d'un Platon et ses pirouettes mentales à propos des bienfaits supposés de ces amours perverses ne sauraient dissimuler la répugnance naturelle qu'elles inspiraient à la majeure partie de l'opinion. Les lois d'Athènes étaient sévères pour l'incitation des adolescents à la débauche : le viol même d'un esclave était puni comme celui d'un enfant libre, tant c'était l'acte lui-même que la morale publique condamnait. Lorsqu'en 345 l'orateur Eschine voulut discréditer Timarque, ami de Démosthène, qui se préparait à lui intenter un procès politique, il l'accusa de mœurs infâmes et obtint sa dégradation définitive devant la loi comme devant l'opinion : la lecture du *Contre Timarque*, après celle d'Aristophane, suffit à nous instruire des sentiments réels que le peuple athénien professait à l'égard de la pédérastie. Aussi bien sur ses vieux jours le divin Platon, loup devenu berger, cherchat-il à bannir de la cité des *Lois* (VIII, 836 *b* et suivants) l'amour contre nature, ayant enfin compris qu'il était peu propre à l'acquisition de la vertu !

•

La cité grecque a une double essence, géographique et humaine : elle correspond à la fois à un territoire déterminé, généralement d'un seul tenant, et à un groupe d'hommes, le corps des citoyens. De ces deux aspects d'une même entité politique, le second est le plus important : il y a là une différence sensible avec la notion moderne de la patrie, qui apparaît à nos yeux comme étroitement liée à la terre. La cité grecque, en revanche, c'est d'abord l'ensemble des hommes qui la composent. C'est pourquoi le nom officiel qu'elle porte dans les textes n'est pas un nom de pays ou de ville, mais un nom de peuple : on ne dit pas Athènes, mais les Athéniens; Sparte, mais les Lacédémoniens; Corinthe, mais les Corinthiens, et ainsi de suite. Cela ne veut pas dire que les Grecs n'aient pas ressenti comme nous cette forme élémentaire du patriotisme qui est l'attachement au sol ou à la ville natale : leurs orateurs et leurs poètes ont donné à ce sentiment une expression touchante ou magnifique qui nous sert encore de modèle. Mais dans des circonstances exceptionnelles ils estimaient que l'essentiel n'était pas la terre, mais les hommes, et ils tenaient la cité pour sauve, même après la perte du territoire, si le corps civique était préservé et pouvait faire renaître ailleurs ses traditions et ses cultes. Quand le général chargé par Cyrus de soumettre l'Ionie, Harpage, eut mis le siège devant Phocée, les Phocéens, nous dit Hérodote (I, 164 et suivants), voyant la résistance impossible, « mirent à l'eau leurs pentécontores, y embarquèrent enfants et femmes et tous leurs meubles, ainsi que les statues des dieux tirées des sanctuaires et toutes les offrandes, à l'exception des sculptures de bronze et de pierre et des tableaux peints. L'embarquement achevé, ils montèrent eux-mêmes à bord et partirent pour Chio. » De là ils allèrent fonder une nouvelle cité en Occident, à Alalia, sur la côte orientale de la Corse. Les gens de Téos firent de même et s'installèrent en Thrace, sur le site d'Abdère, ancienne colonie de Clazomènes que les premiers colons avaient dû abandonner. Au moment où les Perses occupèrent Athènes en 480, Thémistocle, au nom des Athéniens réfugiés à Salamine, menaça l'amiral spartiate Eurybiade, qui commandait la flotte grecque, d'abandonner la coalition s'il se refusait à livrer bataille : « Si tu ne fais pas ce que je propose, nous allons sans délai partir avec nos familles pour Siris en Italie, ville qui depuis longtemps est nôtre et où, selon les oracles, il nous faut fonder une colonie. » Le chantage réussit et eut pour conséquence la victoire de Salamine. Mais si les Athéniens avaient mis leur projet à exécution, ils n'auraient pas eu le sentiment que leur corps civique avait été dissous : la cité athénienne aurait seulement changé de territoire et par conséquent de nom, mais les hommes qui la composaient auraient gardé sur cette nouvelle terre la dignité de citoyens d'une cité grecque.

En principe, chaque citoyen avait une part dans la conduite de l'Etat et se sentait directement lié à lui par des obligations impératives. Il s'en faut toutefois que la cité et l'individu aient entretenu dans tous les cas des rapports directs et sans intermédiaires. En fait, le citoyen participait, dans chaque cité, à des groupes plus restreints, dont le rôle était à la fois religieux et politique et qui servaient de relais entre l'Etat et les particuliers. Au-delà de la famille, au sens étroit du terme, il y avait les clan traditionnels, à caractère nobiliaire, qui se rattachaient à un ancêtre plus ou moins mythique et qui trouvaient leur cohésion dans des cultes communs. Certes, à Athènes au moins, l'évolution qui aboutit à la cité classique s'était faite essentiellement contre l'autorité autrefois toute-puissante des chefs de clan : c'est ainsi, on l'a vu, qu'on doit interpréter la législation de Dracon sur le meurtre. Les diverses lois somptuaires qui proscrivirent tout luxe excessif dans les funérailles avaient pareillement pour objet d'empêcher les familles nobles de rivaliser dans l'étalage de leurs ressources à l'occasion de chaque deuil. Toutefois, l'appartenance à un *génos* illustre resta dans l'Athènes de l'époque classique un titre de gloire et d'orgueil. Périclès par son père Xanthippe était membre du *génos* des Bouzyges et par sa mère Agaristé se rattachait au clan des Alcméonides, qui avait lutté contre Pisistrate au siècle précédent et dont un membre, Clisthène, avait réformé la démocratie athénienne. Au IVe siècle, l'orateur Lycurgue, qui joua le premier rôle à Athènes pendant douze ans après la bataille de Chéronée, appartenait au *génos* des Etéoboutades, autre clan familial très ancien qui possédait par tradition reconnue le sacerdoce de Poséidon Erechtheus (que Lycurgue exerça personnellement) et celui d'Athéna Polias, c'est-à-dire le service des deux divinités honorées dans l'Erechthéion, le sanctuaire le plus vénérable d'Athènes. On voit par ces exemples quel prestige possédaient encore à l'époque les familles qu'on désignait sous le nom générique d'Eupatrides, les « nobles ».

Tous les citoyens n'appartenaient pas, loin de là, à un *génos*. Mais tous étaient groupés dans des associations à caractère religieux et civique, que nous connaissons fort mal : « compagnonnages » ou *hétairies*, que l'on rencontre en Crète, à Théra, à Cyrène, et qu'il ne faut pas confondre avec les associations politiques de ce nom qui jouèrent un rôle à Athènes lors de la guerre du Péloponnèse; « fraternités » ou *phratries*, qui sont plus généralement répandues et qui, nous l'avons vu, veillent à Athènes sur le droit de cité : le père fait inscrire ses fils légitimes ou adoptifs sur le registre de la phratrie et le jeune marié présente sa femme aux membres de ce groupement. Toutefois, la constitution athénienne de Clisthène, sans retirer aux phratries leurs privilèges, avait créé, à côté de ces associations, une subdivision de la cité à base territoriale, les *dèmes**, quartiers urbains ou cantons ruraux, qui devinrent l'élément fondamental de l'organisation civique. Dès lors, l'appartenance à la cité se définit officiellement par l'inscription sur les livres d'un dème, qui jouèrent le rôle d'état civil. Cette formalité a lieu lorsque le jeune homme atteint ses dix-huit ans et elle est sanctionnée par un vote des citoyens qui composent le dème, les *démotes* : après avoir été inscrit, le jeune Athénien devient éphèbe. Son nom officiel est désormais composé de son nom propre, suivi du nom de son père au génitif et d'un adjectif (le *démotique*) qui indique son dème, certifiant ainsi sa qualité de citoyen : Périclès, fils de Xanthippe, du dème de Cholargos (dans la banlieue est d'Athènes); Démosthène, fils de Démosthène, du dème de Péanie (aujourd'hui Liopési, en Mésogée).

Au-dessus de la répartition en phratries ou en dèmes, la plupart des cités grecques ont conservé la vieille répartition de l'ensemble des citoyens en tribus. Comme son nom l'indique, la tribu (*phylé*) a une origine ethnique ou gentilice. Elle représente souvent l'ancienne division du peuple grec avant son arrivée devant le Bassin Egéen : ainsi chez les cités doriennes on retrouve fréquemment les trois tribus doriennes avec leurs noms traditionnels, les Hylléens, les Dymanes et les Pamphyles. Parfois d'autres tribus s'y ajoutent, représentant primitivement la population non dorienne : c'est le cas, par exemple, à Sicyone, où existait une quatrième tribu, celle des Egialéens. Hérodote nous raconte (V, 68) qu'au début du VIe siècle le tyran Clisthène, qui appartenait à cette dernière tribu, changea son nom en celui de « tribu des Chefs » (*Archelaoi*), et imposa aux trois tribus doriennes des noms injurieux, formés sur les deux noms grecs du porc (*Hyatai* et *Choiratai*) et sur celui de l'âne (*Oneatai*) : ces noms nouveaux restèrent en usage plus de soixante ans après la mort du tyran, avant qu'on reprît les appellations antérieures. Dans les cités ioniennes, ce sont les quatre tribus ioniennes qui reparaissent le plus souvent (les *Géléontes*, les *Argadeis*, les *Aigikoreis* et les *Hoplètes*), parfois accompagnées, comme à Milet, de tribus supplémentaires. Athènes, jusqu'à la fin du VIe siècle, n'a connu que les quatre tribus ioniennes. Mais après la chute des Pisistratides l'Alcméonide Clisthène, descendant du tyran de Sicyone, les remplaça par dix tribus fondées sur un principe territorial, qui n'étaient que des groupements de dèmes. L'oracle de Delphes, en désignant les héros éponymes de ces nouvelles tribus, apporta sa caution à une réforme dont la portée politique était grande, puisqu'elle brisait les anciens cadres et les solidarités traditionnelles pour fondre le peuple attique tout entier dans la nouvelle organisation. Ce même procédé avait déjà servi à d'autres réformateurs : quand au milieu du VIᵉ siècle Démonax de Mantinée avait été appelé pour donner des lois à Cyrène, il avait substitué aux tribus doriennes établies depuis la fondation de la colonie trois tribus nouvelles entre lesquelles il répartit les éléments d'origine variée qui composaient alors la population de la grande ville africaine.

Le rôle de la tribu dans la cité archaïque et classique, partout où cette division existe, est extrêmement important. Non seulement les membres de la tribu sont unis par la célébration de cultes communs, comme celui du héros éponyme, mais surtout la répartition des charges publiques, politiques, judiciaires, militaires ou fiscales, se fait dans le cadre de la tribu. C'est à Athènes que nous saisissons le mieux cette organisation interne de l'Etat. La grande majorité des magistratures y est collégiale, et chaque collège compte un nombre de magistrats égal à celui des tribus (10 depuis Clisthène), ou qui en est un multiple. Même règle pour la constitution des tribunaux. Le recrutement de l'armée, depuis un temps immémorial, reposait aussi sur cette division du corps civique, qui était soigneusement maintenue dans les unités d'infanterie ou de cavalerie : c'est ainsi que l'escadron fourni par chaque tribu s'appelle lui-même une « tribu », *phylé*, commandée par un *phylarque*. Déjà chez Homère on pouvait entendre dans la bouche de Nestor conseillant la bataille à Agamemnon : « Ordonne nos guerriers, Agamemnon, par peuples et par phratries, pour qu'un front cohérent s'établisse de phratrie à phratrie et de peuple à peuple » (*Iliade*, II, 362-363). La solidité d'une armée grecque dans l'action (réserve faite pour l'emploi des mercenaires) apparaissait comme liée au maintien des cadres civiques dans les formations militaires. Dans le domaine fiscal, c'est par tribu qu'est organisée la répartition de la plupart des charges directes qui pèsent sur les particuliers et que l'on appelle des *liturgies*★ : ces dépenses publiques dont les citoyens riches font les frais à tour de rôle engagent d'ailleurs le prestige des tribus lorsqu'il s'agit d'un concours qui les met en compétition en la personne de leurs gymnasiarques ou de leurs chorèges. Ainsi dans la vie quotidienne le citoyen se trouve constamment rappelé à la solidarité avec les membres de son groupe. En ce sens, l'enclos des héros éponymes, sur l'Agora, où les patrons des dix tribus se dressaient côte à côte en effigie, était comme le symbole de l'Etat athénien : c'est là qu'on affichait les convocations officielles, aussi bien militaires que civiles. Enfin quand la cité honorait par des funérailles solennelles ceux qui avaient péri dans les combats, chaque tribu rassemblait les restes des siens dans un seul cercueil en bois de cyprès et c'est dans l'ordre des tribus qu'on faisait graver sur le marbre les noms des morts pour la patrie.

Ainsi solidement encadrés dans des corps intermédiaires, les citoyens participent plus ou moins largement, suivant les cités, au gouvernement de l'Etat. A l'époque classique, la vieille monarchie des temps homériques a presque partout fait place à un régime aristocratique ou populaire. Seules se sont perpétuées des dynasties nationales chez des peuples peu évolués, sur les confins de l'hellénisme, en Macédoine ou en Epire. Un phénomène en apparence aberrant comme la monarchie des Battiades, qui dure à Cyrène jusqu'au milieu du Ve siècle, s'explique par le caractère tyrannique qu'a pris la dynastie sous les trois derniers rois : en agissant comme les tyrans contemporains, ils prolongèrent de trois quarts de siècle la survie d'un régime qui, sans cette mutation, eût été parfaitement anachronique. Partout ailleurs, exception faite pour le cas très spécial de Sparte, le souvenir de la royauté ne subsiste que dans le titre porté par quelque magistrat, comme l'archonte-roi à Athènes, dont les fonctions ont un caractère honorifique et sont plus religieuses que civiles. L'exercice du pouvoir est partagé entre l'assemblée des citoyens, le ou les conseils et les magistrats. Ces trois éléments fondamentaux du système politique grec reparaissent dans la plupart des cités, avec des prérogatives variables, quel que soit le régime politique, aristocratie, oligarchie, démocratie. Ce sont les modalités de recrutement de ces corps et les principes régissant leur participation au gouvernement qui déterminent le caractère de ce régime dans un Etat déterminé.

L'assemblée (ecclésia) groupe en principe tous les citoyens jouissant de leurs droits politiques. Comme elle ne peut se réunir que rarement, un Conseil restreint a pour rôle de suivre les affaires : il porte habituellement le nom de boulé*. Quand il est composé des anciens de la cité (gérontes), on l'appelle la gérousie. Il peut même arriver que boulé et gérousie coexistent. Quant aux magistrats, ils assurent l'administration des divers services publics et ils font exécuter les décisions de l'assemblée et du conseil. Ils sont souvent, nous l'avons vu, constitués en collège sur la base de la représentation des tribus. En théorie, ce système combine une forme de gouvernement direct (décisions prises par l'assemblée) avec un embryon de gouvernement semi-représentatif (action du conseil), les magistrats étant soumis au contrôle constant du conseil et intermittent de l'assemblée. Le monde grec classique, comme on l'a montré clairement, n'a guère connu le système proprement représentatif, où des mandataires délégués par le peuple ont tout pouvoir pour. agir en son nom sans être soumis à la reddition des comptes : seuls de rares États fédéraux, comme la Confédération béotienne, ont pu pratiquer un système de ce genre. Mais dans la plupart des cités la réalité du pouvoir appartient soit à un ou plusieurs conseils restreints (le régime a alors un caractère aristocratique ou oligarchique), soit à l'assemblée plus ou moins efficacement guidée par la *boulé* (c'est le cas des régimes démocratiques comme celui d'Athènes).

Bien que les théoriciens, à la suite d'Aristote, aient cherché à classer de leur mieux les différentes constitutions des cités grecques, aucune d'elles ne pouvait représenter l'un de ces régimes à l'état pur. C'est plutôt une question de tendance et de philosophie politique qui permettait de les définir à travers leur infinie variété. On sait que les disciples du Péripatétique et leur maître avaient consacré des monographies à 158 constitutions d'États grecs ou barbares. A en juger par la *Constitution d'Athènes*, qui nous a été conservée grâce à un papyrus, chacun de ces traités comportait une histoire des institutions antérieures, puis une description de leur état actuel. On saisit par là combien le jeu des institutions a dû être complexe à travers les siècles dans un monde hellénique compartimenté à l'extrême. S'il se trouve que nous connaissons d'assez près le fonctionnement de celle d'Athènes et moins précisément celle de Sparte, nous ne devons jamais perdre de vue que les constitutions de toutes les autres cités, qui en majeure partie nous échappent, avaient chacune leur originalité et que chacune a suivi une évolution qui lui fut propre.

Il y aurait sans doute abus à vouloir définir une tendance générale que le progrès de nos connaissances risquerait d'infirmer. Disons seulement que les régimes aristocratiques réservaient aux représentants des familles nobles l'accès aux divers conseils et préféraient que les membres de ces conseils fussent nommés à vie : tel était le Conseil de l'Aréopage, à Athènes, avant la réforme de Solon. Le rôle de l'assemblée du peuple est alors réduit à l'approbation plus ou moins spontanée des décisions prises par les conseillers. Au reste, des mesures sont prévues pour limiter le nombre des citoyens de plein exercice, en excluant, par exemple, comme ce fut le cas à Thèbes, tout citoyen qui avait vendu des denrées sur l'agora depuis moins de dix ans, c'est-à-dire en pratique tous les petits propriétaires ruraux. Les régimes oligarchiques ne diffèrent des précédents que par la méthode employée pour choisir la minorité qui, à l'intérieur du corps civique, se réserve l'essentiel du pouvoir : ce n'est plus l'origine sociale qui compte, mais la richesse, ce qui autorise un certain renouvellement des élites. Des conditions de cens sont fixées pour accéder au Conseil et aux magistratures et même pour faire partie de l'Assemblée. Suivant que le problème social se trouvait posé ou non avec acuité, l'oligarchie prenait un caractère violent ou modéré et les mesures restreignant le nombre des citoyens privilégiés étaient plus ou moins rigoureuses. Aristote a énuméré les artifices destinés à détourner l'élément populaire de s'intéresser aux affaires publiques : ils font honneur à l'imagination des penseurs politiques qui avaient conçu cette forme de pseudo-démocratie recouvrant une oligarchie de fait.

La démocratie véritable peut avoir et possède en effet d'ordinaire des institutions assez analogues à celles des régimes aristocratiques ou oligarchiques, mais ces institutions fonctionnent dans un esprit très différent. L'*ecclésia* se réunit régulièrement, tous les citoyens y ont accès et disposent d'une entière liberté de parole; elle contrôle étroitement l'action des magistrats et du conseil; elle décide de toutes les affaires importantes par des décrets votés à main levée après discussion publique; elle pratique donc le gouvernement direct, guidée par les avis des orateurs qui orientent sa politique. C'est à ce système seul que s'applique la remarque de Fénelon : « Chez les Grecs, tout dépendait du peuple, et le peuple dépendait de la parole. » Dans l'Etat athénien, que nous connaissons le mieux, les réunions de l'assemblée ont lieu, à l'époque classique, quatre fois par *prytanie*. On appelle *prytanie* la période de 35 ou 36 jours pendant laquelle les cinquante *bouleutes* (ou membres du Conseil) d'une même tribu servent de commission permanente à la Boulé et portent le titre de *prytanes* : comme il y a dix tribus, l'année légale se divise en dix prytanies. Ainsi l'*ecclésia* est convoquée régulièrement tous les 9 ou 10 jours, sous réserve des fêtes ou du mauvais temps qui peuvent perturber ce rythme. Une telle fréquence explique et la part prépondérante prise par l'assemblée dans la gestion des affaires et la faible proportion des citoyens qui pouvaient se libérer pour assister à des séances aussi nombreuses. Il n'y avait pas de quorum requis, sauf dans des cas exceptionnels comme pour la procédure d'ostracisme : il fallait alors qu'il y eût 6 000 suffrages exprimés (sur environ 40 000 citoyens). Mais l'assistance était d'ordinaire bien moins nombreuse. On voit par là, une fois de plus, combien la « démocratie » antique est une fiction : en dépit d'expédients comme le *misthos ecclésiasticos*, jeton de présence institué au IVe siècle pour attirer les citoyens à l'assemblée en les dédommageant du travail perdu, malgré l'intervention des agents de police (des archers scythes) qui rabattaient les passants vers la Pnyx* avec une corde enduite de vermillon, et bien qu'en théorie un citoyen ne puisse avoir mieux à faire que de s'occuper du gouvernement de l'Etat, ce dernier n'en est pas moins livré à une minorité d'oisifs urbains qu'attirent le souci de l'intérêt public, le prestige d'un orateur ou l'appât d'une indemnité.

Si peu représentative qu'elle soit en fait de l'ensemble du corps civique, cette minorité n'en est pas moins jalouse des prérogatives que la constitution démocratique accorde au peuple; c'est dans le peuple que réside toute souveraineté comme toute justice. Aussi sa volonté doit-elle exercer l'une et dispenser l'autre.

Pour faciliter l'exercice de la volonté populaire, Clisthène ou un de ses successeurs avait imaginé une institution qui fut employée pour la première fois en 487, l'*ostracisme* : chaque année, à la sixième prytanie, l'*ecclésia* décidait s'il y avait lieu ou non de faire jouer cette mesure. En cas de réponse positive, on procédait à un vote pour lequel on employait en guise de bulletins des tessons de poterie (*ostraca*), d'où le terme même d'*ostracisme*. Chaque votant inscrivait sur son tesson le nom d'un homme politique qu'il souhaitait proscrire. Celui que la majorité avait désigné était banni d'Athènes pour dix ans, laissant ainsi le champ libre à ses adversaires. Au cours du Ve siècle, l'ostracisme fut appliqué à plusieurs chefs politiques influents, mais minoritaires, parmi lesquels Aristide, Thémistocle, Cimon et Thucydide, fils de Mélésias, dont l'exil en 443 laissa Périclès gouverner Athènes à sa guise. On a retrouvé, principalement dans les fouilles de l'Agora, plus de 6 000 tessons inscrits, portant soixante noms divers, parmi lesquels figurent ceux de tous les ostracisés connus. Ces humbles documents témoignent de la vivacité des luttes politiques dans l'Athènes du Ve siècle, et aussi du degré d'instruction atteint par la moyenne des citoyens, presque tous capables d'écrire correctement un nom au pinceau ou à la pointe. L'ostracisme tomba en désuétude après 417, lorsqu'il devint évident que les intrigues des partis en faussaient le jeu régulier.

Le rôle des tribunaux démocratiques n'était pas moins considérable que celui de l'assemblée : maître de son vote au tribunal, le peuple devient par le fait même maître de toute la vie politique dans la cité, comme le remarque justement Aristote dans sa *Constitution d'Athènes* (IX, 1). Le sentiment général des démocrates s'exprime au mieux dans les cris de la multitude lors de la triste affaire du jugement des stratèges vainqueurs aux Arginuses : « C'est un scandale si l'on veut empêcher le peuple de faire ce qui lui plaît. » L'honnête Xénophon se fait ici l'écho fidèle des démagogues de son temps (*Helléniques*, I, 7, 12). Seul un Socrate, alors prytane, eut la fermeté d'opposer jusqu'au bout l'autorité de la loi à la fureur populaire. Mais ce fut

en vain, et les Athéniens devaient par la suite expier cruellement ce mouvement de passion sans contrôle, dont ils s'étaient presque aussitôt repentis,
mais trop tard.

Le danger du système était évidemment dans la versatilité et la crédulité
d'une foule que des orateurs habiles pouvaient manœuvrer à leur guise, au
moyen d'arguments grossiers ou de sentiments sommaires. Une politique
cohérente et suivie ne pouvait guère obtenir l'adhésion d'une telle assemblée
que si cette politique s'incarnait dans un homme apte à capter la bienveillance de la multitude et à la conserver : le mérite exceptionnel de Périclès
fut précisément d'y parvenir pendant près de trente ans, durant lesquels
il porta la puissance et la prospérité d'Athènes à leur apogée. Mais ce
miracle ne se renouvela pas et l'on vit par la suite le plus riche des Etats
grecs connaître la défaite et la servitude faute d'avoir su adopter et maintenir
une ligne politique déterminée. L'histoire de son conflit avec Philippe
illustre cruellement l'incapacité de la démocratie athénienne, telle qu'elle
avait pris forme au IVe siècle, à faire face à un grave danger extérieur. Tandis
que le souverain de Macédoine, pendant vingt ans, poursuit son dessein
avec ténacité, employant tantôt la ruse et tantôt la force, au gré des circonstances, sachant à l'occasion céder ou négocier pour reprendre ensuite
aussitôt sa marche vers le but qu'il se propose, le peuple d'Athènes, sollicité
par des conseils contradictoires, passe de l'indifférence à l'inquiétude et de
l'inquiétude au découragement; il se flatte de parer par des demi-mesures
à un péril auquel il ne veut croire qu'à moitié; longtemps il ne sait pas
choisir entre l'amitié redoutable du prince et la rivalité ouverte; et quand,
après avoir fermé les yeux pendant tant d'années sur la menace qui grandis-
sait contre ses intérêts et son indépendance, il se résout enfin à combattre,
cette décision courageuse vient trop tard et ne peut aboutir qu'au désastre.
Et pourtant, à n'en juger que par la supériorité des moyens dont elle disposait,
dans la lutte contre Philippe comme dans la guerre du Péloponnèse, Athènes
eût logiquement dû l'emporter, si le mécanisme de ses institutions ne l'avait
condamnée à l'impuissance.

Conscients des inconvénients de la démocratie, nombre d'orateurs et de
philosophes, à Athènes même, se plaisaient à opposer à la faiblesse ou à la
légèreté de leur propre peuple le sérieux et le civisme éprouvé des Spartiates,
modelés par des institutions immuables depuis qu'à une époque fort reculée,
peut-être vers la fin du IXe siècle, le légendaire Lycurgue avait rédigé pour
ses concitoyens la *rhétra*, ou loi fondamentale, définissant les principaux
traits du système. Même si, dans la réalité, les choses se sont passées moins

vite et moins simplement que la tradition ne le rapporte, la permanence des institutions lacédémoniennes à l'époque classique est un fait établi. Cette constitution a précisément pour objet de prévenir tout changement et elle y parvient en effet.

L'organisation politique de Sparte est fondée sur la domination totale et exclusive d'une caste guerrière, les Spartiates proprement dits, sur les périèques et les hilotes. Ces privilégiés s'appellent eux-mêmes les *Egaux* : seuls citoyens, ils tirent leur subsistance des meilleures terres de Laconie et de Messénie, que les hilotes cultivent pour eux. Chaque Spartiate perçoit les revenus du lot de terres, ou *cléros*, qui lui est affecté. Formé dès l'enfance à une rigoureuse discipline collective, le citoyen reste soumis, après sa majorité, à des obligations strictes : il vit en commun avec sa classe d'âge jusqu'à trente ans, n'ayant droit qu'à une vie conjugale restreinte au minimum. Après trente ans, il dispose d'une liberté plus grande et possède un foyer personnel : mais il lui faut encore prendre un repas par jour avec les hommes de son unité militaire et participer comme auparavant, jusqu'à soixante ans révolus, à l'entraînement intensif de l'armée. On conçoit qu'une emprise sociale aussi constamment maintenue ait donné aux bataillons lacédémoniens la cohésion tactique et morale qui fit l'admiration universelle et qui leur valut si souvent la victoire.

La constitution de Sparte associait des éléments empruntés aux divers régimes connus des Grecs, monarchie, aristocratie, démocratie. Deux rois héréditaires, appartenant aux deux familles des Agides et des Eurypontides, disposent en principe du pouvoir exécutif. Mais leur autorité ne s'exerce librement que dans le domaine militaire, où l'armée en opérations est d'ordinaire placée sous le commandement d'un des deux rois. Pour les décisions politiques capitales, un conseil de 28 vieillards, la *Gérousie*, partage les responsabilités du pouvoir et sert de Haute Cour de justice. Les *Gérontes* qui le composent ont plus de soixante ans et sont désignés à vie par les citoyens réunis en assemblée : le volume des acclamations qui saluent chaque candidat permet à un jury de décider quels sont les élus. L'assemblée des Spartiates, ou *Apella*, qui désigne les magistrats selon cette procédure rudimentaire, se réunit régulièrement pour entendre les rapports qui lui sont faits par les autorités de l'Etat et pour approuver les décisions qu'elles proposent : l'*Apella* ne discute pas, elle manifeste son accord avec ses chefs qui peuvent ainsi dans les circonstances difficiles se prévaloir de l'appui moral donné par l'ensemble des citoyens.

Réserve faite pour la survivance d'une double royauté héréditaire, nous reconnaissons dans les éléments du système spartiate le Conseil et l'Assemblée des autres cités grecques. C'est dans l'application que l'originalité de Lacédémone apparaît. L'*Apella*, en pratique, ne peut mettre en échec la volonté des magistrats. Tout est prévu pour assurer l'exercice d'une autorité ferme, qui était primitivement entre les mains des deux rois et que, depuis Lycurgue, la Gérousie partage avec eux. Mais, en outre, une magistrature collégiale et annuelle, les *éphores*, joue un rôle décisif dans l'Etat. Les cinq éphores ou « surveillants » ont été créés après Lycurgue. Elus par l'*Apella* et choisis dans son sein, ils ont à surveiller au nom du peuple tout entier à la fois l'action des rois, qui ont juré devant eux de gouverner selon les lois, et la docilité des citoyens à la tradition dans les mœurs privées ou publiques. Responsables de la sécurité de l'Etat, ils ont tout pouvoir pour l'assurer par des décisions sans recours : instructions aux magistrats, blâmes, sanctions diverses. Tout tremble et plie devant eux qui ne rendent de comptes à personne, sauf à leurs successeurs dans cette magistrature suprême : au reste, ils semblent avoir longtemps agi, quelle qu'ait été leur rigueur impitoyable, en conformité avec les aspirations profondes de leurs concitoyens.

Cette société fermée, orgueilleuse, étroite, résolument conservatrice, voulut se préserver à tout prix des contagions du dehors. Elle refusa, à partir du milieu du VIᵉ siècle, toutes les séductions de l'art et de l'architecture. Tendue par sa volonté de survivre pareille à elle-même, elle proscrivit le commerce et jusqu'à l'emploi de la monnaie d'argent. Elle borna son ambition à maintenir sous son autorité la Messénie, grenier qui nourrissait sa caste militaire, à dominer le Péloponnèse au prix d'opérations toujours recommencées contre Argos ou les cités d'Arcadie, enfin à briser par la force toute tentative d'hégémonie en Grèce propre, qu'il s'agisse de l'invasion perse, de l'impérialisme athénien ou de la politique d'Epaminondas, contre qui elle s'épuisa. Ces desseins suivis, fermes, mais singulièrement limités, furent longtemps couronnés de succès : mais ils n'entraînaient avec eux ni rayonnement économique, ni prestige culturel. En outre, par une lente et insinuante dégradation, la base même de l'Etat spartiate ne cessa de se corrompre et de se restreindre : le principe d'égalité entre les citoyens, fondé sur la possession par chacun d'eux d'un lot de terres d'égale valeur, souffrit de nombreuses atteintes. Les victoires mêmes de Sparte avaient entraîné un afflux de richesses extraordinaire. Comme le rappelle Socrate au jeune Alcibiade, dans le dialogue de Platon qui porte ce nom (123 *a*), « on peut dire de l'argent qui entre à Lacédémone ce que dit le renard au lion dans la fable d'Esope : les traces tournées vers la ville sont bien nettes, mais on chercherait en vain celles de l'argent qui sort ». En dépit des sévères enseignements de la tradition, l'appétit de posséder, dissimulé sous une austérité apparente, séduisit bien des Spartiates. A l'aurore du V⁵ siècle, le Milésien Aristagoras, soucieux d'obtenir l'appui militaire de Sparte pour les révoltés de l'Ionie, cherche à acheter le roi Cléomène par des présents considérables et par la perspective du butin : il fallut un signe des dieux — en l'espèce un mot d'enfant échappé à sa propre fille — pour décider Cléomène à chasser le solliciteur. Le désir grandissant d'accroître les fortunes particulières finit par provoquer la concentration de la propriété foncière entre des mains de moins en moins nombreuses, au détriment de l'égalité prescrite par la loi. Un grand nombre de Spartiates, incapables de verser les cotisations destinées aux repas en commun, tombèrent de la caste des Egaux dans celle des Inférieurs. Le nombre des citoyens de plein exercice décroît sans cesse au cours du V⁵ et du IV⁵ siècle : de 5 000 environ après les guerres médiques, il passe à moins de 3 000 à l'époque de la bataille de Leuctres, en 371, d'après les estimations de V. Ehrenberg. Cette lente, mais constante déperdition de substance du corps civique apparaissait déjà aux observateurs de l'Antiquité comme la maladie mortelle dont Sparte était atteinte, l'*oliganthropie* ou manque d'hommes. A elle seule, cette carence eût interdit toute politique d'envergure, même si la traditionnelle étroitesse de vues du gouvernement lacédémonien avait permis d'en concevoir une.

•

Oligarchiques ou démocratiques, les régimes politiques qu'ont connus les cités grecques étaient conçus pour des communautés restreintes et ne permettaient guère, comme l'histoire le montre à l'évidence, la poursuite de vastes desseins ni la formation de grands Etats. En revanche, ces régimes, à travers leur diversité extrême, ont pour la première fois défini clairement les rapports entre l'Etat et le citoyen, posant ainsi les bases mêmes de tous les systèmes politiques modernes. Ces rapports sont fondés sur la loi, que celle-ci soit écrite ou orale, qu'elle soit rapportée par la tradition à une intervention divine ou qu'elle relève de l'initiative humaine. Seuls les tyrans, au sens que ce mot a pris à l'époque classique, gouvernent en dehors des lois : c'est même l'absence de référence aux lois traditionnelles, bien plus que la rudesse ou la cruauté du pouvoir, qui caractérise la tyrannie. En revanche, toute cité policée, quel que soit son régime, vise à réaliser l'idéal d'une vie commune réglée par de bonnes lois : cet idéal s'appelle *Eunomia*, l'harmonie dans la loi, le bon ordre inspiré par la sagesse. Que la réalité ait rarement approché de cette idéale perfection n'empêche pas que les Grecs y aient sincèrement aspiré par des moyens divers, mais qui tous supposaient un élément fondamental, l'adhésion sincère de chaque citoyen aux principes essentiels de la cité. Ces principes s'expriment dans les cultes civiques et dans les lois ou *nomoi*, et celles-ci participent de la vénération religieuse qu'on éprouve pour ceux-là. Certes, les notions juridiques primitivement tenues pour sacrées ont eu tendance à se séculariser peu à peu. Mais il y a toujours eu, dans l'esprit des Grecs classiques, une parenté étroite entre la notion d'illégalité et celle d'impiété. On voit par la célèbre prosopopée des Lois, dans le *Criton* de Platon, combien les esprits les plus vigoureux d'Athènes, à l'aurore du IVe siècle, étaient encore portés à révérer les lois comme étant d'essence divine.

Les lois ont pour objet de soustraire les rapports humains à la violence et à l'arbitraire. Elles doivent faire régner dans l'État la Concorde, *Homonoia*, et la Justice, *Diké*, pourvu que chaque citoyen se soumette à leur empire. Assurément, il y a eu des sophistes pour mettre en cause les notions mêmes de Justice et de Loi, pour opposer la Nature et la Coutume, pour soutenir que la légalité, fruit de la convention, est un obstacle au jeu des forces naturelles et pour tirer en divers sens la formule de Pindare : « La Loi règne sur tous les êtres, les mortels comme les Immortels. » Mais ces subtilités, qui fournissaient aux philosophes ample matière, portaient peu sur le grand public, et les orateurs du IVe siècle, dans leurs discours politiques comme dans les débats judiciaires, ne cessent de proclamer leur respect des lois, gardiennes des bonnes mœurs et de la sécurité des citoyens.

La variété de ces lois est extrême : la distinction du droit public et du droit privé n'est guère sensible dans la Grèce archaïque et classique. Tout acte du citoyen peut intéresser la cité qui, en la personne de ses législateurs, intervient dans les domaines les plus divers. Elle se préoccupe moins d'ailleurs d'édicter des principes que de prévoir des mesures pratiques pour résoudre un problème précis. Aussi la cohérence de ces mesures n'est-elle pas toujours parfaite. Non que les Grecs n'aient pas su compiler des codes : nous possédons l'un d'eux dans son texte original presque complet grâce à la monumentale inscription de Gortyne* en Crète, gravée en grandes lettres sur les énormes blocs d'un mur appareillé, au cours de la première moitié du Ve siècle. D'autres recueils sont mentionnés dans des textes : on sait, par exemple, que les codes athéniens, celui des lois de Solon ou le code dit de Nicomachos (qui fut gravé à la fin du Ve siècle), pouvaient être consultés sur des inscriptions et non pas seulement dans les archives. En règle générale, toute loi nouvelle était transcrite sur une stèle. Ainsi la législation restait aisément accessible au public. Et pourtant, les Grecs classiques, moins juristes que n'ont été les Romains par la suite, n'ont pas cherché à unifier systématiquement l'ensemble de ces textes disparates. Les logographes*, qui composaient les discours prononcés par les plaideurs devant les tribunaux, les synégores*, qui venaient apporter gracieusement à leurs amis le concours de leur éloquence, et les orateurs qui soutenaient une proposition devant une assemblée ont été fort habiles à jouer des textes de lois pour appuyer leurs démonstrations. Mais ils ont laissé aux philosophes le soin d'échafauder des systèmes, inspirés d'ailleurs de fort près des réalités contemporaines, comme c'est le cas pour les *Lois* de Platon. Là encore le compartimentage du monde hellénique en tant d'unités politiques indépendantes a joué un rôle décisif : le particularisme juridique des cités rendait moins nécessaire l'unification du droit à laquelle la constitution d'un grand Etat eût pu naturellement conduire.

Parmi ces mesures juridiques, la plupart concernent le statut des personnes et des biens, consacrant ainsi la position privilégiée des citoyens de plein exercice par rapport aux femmes, qui sont toujours mineures, aux citoyens ou habitants de statut inférieur (quand il y en a, comme à Sparte), aux étrangers et aux esclaves. Elles précisent les droits et les obligations des individus par rapport à la collectivité civique. Elles fixent les sanctions pénales et la procédure pour régler les litiges entre particuliers comme pour châtier les crimes contre l'Etat. Mais, outre ces dispositions d'ordre civil, politique ou judiciaire, la cité légifère aussi dans le domaine économique. Elle tient pour une de ses prérogatives essentielles de battre monnaie* : l'émission de monnaies particulières à chaque cité atteste son indépendance, et les types originaux qu'elle adopte lui servent d'emblèmes : on a pu parler à ce sujet de véritables « blasons » des villes. De là l'extrême variété de la numismatique grecque.

C'est aussi la cité qui règle la métrologie sous tous ses aspects. Elle fixe le calendrier*, qui change de ville à ville, et dont les principaux points de repère sont les solennités religieuses que célèbre la collectivité. Les noms des mois sont d'ordinaire empruntés au nom des dieux ou des principales fêtes. En dépit d'une attention extrême aux phénomènes astronomiques, les Grecs n'ont jamais réussi à résoudre la difficulté qu'offre le décalage entre calendrier lunaire et calendrier solaire : les artifices pour rétablir entre les deux une concordance sans cesse remise en cause connurent peu de succès et Aristophane se moque des *météorologues* qui, loin de remettre de l'ordre dans la suite normale des jours, ont tout laissé sens dessus dessous (*Nuées*, vers 615). Les choses se compliquaient encore quand un calendrier administratif, comme celui des *prytanies* à Athènes, venait se superposer au calendrier astronomique et religieux.

Grande complexité aussi dans les poids* et mesures, que les autorités civiques s'attachent à définir pour la commodité des échanges et la loyauté des marchés. On a retrouvé, au hasard des fouilles, des poids modèles et des unités types pour les mesures de capacité, dont l'interprétation est souvent difficile. Les Grecs avaient imaginé divers systèmes métriques, combinant d'ordinaire les rapports décimaux et les rapports sexagésimaux, ces derniers empruntés à la métrologie orientale : ainsi le *stade*, mesure courante des grandes distances, vaut 600 *pieds*. Mais la valeur du pied varie entre 0,27 m et 0,35 m, et donc celle du stade entre 162 et 210 mètres. Une autre unité, la *coudée*, est fréquemment employée comme mesure de longueur : elle vaut 1 pied et demi. Quant au pied lui-même, il se divise en 16 « doigts » ou *dactyles*. On voit la difficulté des calculs avec un tel système, auquel il faut encore ajouter des mesures d'origine étrangère, comme la *parasange* perse, qui vaut 30 stades (un peu plus de 6 km) et qu'Hérodote ou Xénophon emploient volontiers. Les mesures de poids et de capacité n'étaient pas moins compliquées ni moins variables de ville à ville. Toutefois, les exigences du commerce donnèrent à certains systèmes, comme le système éginétique et plus tard le système attique, une prépondérance de fait qui joua surtout dans le domaine monétaire : qu'il s'agisse de simples unités de compte (comme le *talent* ou la *mine*) ou de monnaies réelles (comme la *drachme** ou l'*obole*), les noms des unités monétaires étaient ceux des unités pondérales correspondantes.

Pour contrôler toutes ces mesures, la cité employait des fonctionnaires spécialisés, comme les *métronomes*, vérificateurs des poids et mesures à Athènes. Ce n'était, d'ailleurs, qu'un aspect de l'intervention de l'Etat dans la vie économique : à travers quelques textes, qui mentionnent des *agoranomes*, surveillants du marché, des *sitophylaques*, commissaires aux grains, ou des *épimélètes* (inspecteurs) du port commercial, on saisit l'importance de cette intervention dans le cadre de l'Etat athénien. Ailleurs, des documents isolés ou fragmentaires laissent entrevoir tout un système de taxes ou de mesures protectionnistes, comme c'est le cas à Thasos pour le commerce des vins.

S'ensuit-il que le monde hellénique ait connu une véritable économie d'échange ? Nous n'avons pas lieu de le penser. Il faut ici marquer une fois pour toutes combien nous sommes mal renseignés sur les réalités économiques de l'antiquité grecque. Même dans des cas privilégiés, comme pour l'approvisionnement en céréales de l'agglomération athénienne, les documents sont rares, mutilés et d'interprétation difficile. L'historien qui s'attache à ces recherches décevantes est constamment tenté d'extrapoler à partir de renseignements insuffisants. Il convient donc d'être fort réservé au sujet des relations commerciales dans la Grèce archaïque et classique. Un point doit, en tout cas, être souligné : ce commerce est essentiellement maritime. Les petits navires de fret dont disposaient les marins grecs étaient, vu l'absence de routes carrossables, le seul moyen de transport utilisable pour des échanges de quelque importance. Encore leur tonnage était-il fort réduit : leur charge, en général, variait de 80 à 250 tonnes métriques. En outre, la saison propice à la navigation ne s'ouvrait guère qu'en avril, pour s'achever fin octobre. Les épigrammes funéraires pour des naufragés font souvent allusion aux dangers des tempêtes du solstice d'hiver, lors du coucher des Chevreaux, ou de l'équinoxe de printemps, après le lever vespéral d'Arcturus. Hésiode, au VIIe siècle, limitait même à cinquante jours, au fort de l'été, le temps où l'on pouvait prendre la mer. La voile carrée des vaisseaux de charge, qui à la différence des trières n'utilisaient pas l'aviron, ne permettait guère les manœuvres. Il n'y eut pas de phares avant les débuts de l'époque hellénistique et les cartes marines, excessivement sommaires, rendaient moins de services que les portulans ou *périples** dont les pilotes pouvaient disposer.

Tout cela explique que les tonnages des marchandises transportées n'aient jamais été très considérables. Les céréales destinées aux grandes cités venaient des riches terres arables de l'Egypte, de la Cyrénaïque ou de la Russie méridionale : on évalue les importations annuelles d'Athènes, pour le IVe siècle, à 500 000 hectolitres. Le bois et le marbre, les lingots de cuivre ou de plomb représentaient les autres marchandises pondéreuses.

Mais il y avait en outre les marchandises de haute valeur vénale, produits élaborés de l'agriculture ou de l'artisanat helléniques : vins de qualité, comme ceux de Chalcidique, de Thasos ou de Chio ; huile d'Attique ; parfums ; tissus de Milet, de Samos ou d'Orient ; vases d'argile peinte, dus aux potiers de Corinthe ou d'Athènes, et souvent exportés avec leur contenu ; bronzes de Corinthe ; silphion de Cyrénaïque ; argent monnayé ou en lingots ; ivoire ; orfèvrerie. Sous un faible volume, ces cargaisons étaient d'un grand prix. Elles permettaient aux armateurs et aux banquiers de réaliser des fortunes et elles portaient au loin le renom des ouvriers grecs. Le grand cratère en bronze trouvé à Vix, en Côte-d'Or, dans une tombe hallstattienne, est venu d'un atelier grec d'Italie méridionale ou du Péloponnèse, à l'extrême fin du VIᵉ siècle. A Koul-Oba, près de Kertch, en Crimée, on a découvert des médaillons d'or reproduisant l'effigie d'Athéna Parthénos, chef-d'œuvre de Phidias : ce sont des pièces d'orfèvrerie athénienne de la fin du Vᵉ ou du début du IVᵉ siècle. Dans une pyramide funéraire de Méroé, près du cours supérieur du Nil, une terre cuite attique du Vᵉ siècle, représentant une Amazone à cheval, témoigne de relations anciennes, par l'intermédiaire de l'Egypte, entre la Grèce et la Nubie.

Ces documents, si curieux et suggestifs qu'ils soient, ne doivent pourtant pas faire illusion. De tels échanges étaient suffisants pour entretenir la prospérité d'un certain nombre de négociants et de marins; ils faisaient de quelques cités privilégiées, Athènes, Corinthe, Tarente, Syracuse, Cyrène ou Naucratis, le siège de transactions importantes pour l'époque. Mais la plupart des cités grecques n'y participaient guère et se bornaient à un commerce local, fondé sur les produits du cru et conforme à l'idéal d'autarcie qui inspirait les législateurs : on sait quelle sévère condamnation Platon a portée contre les villes maritimes, où le voisinage de la mer, « en entretenant le négoce et les trafics financiers, fait naître dans les âmes l'inconstance et la fourberie » (*Lois*, 705 *a*). En fait, la tradition paysanne est plus forte chez les Grecs que la tentation maritime : s'ils aiment voir la mer, c'est surtout depuis la côte, et les marins intrépides leur ont toujours inspiré moins d'admiration que les hoplites. Quand ils ont quitté la terre ferme à l'époque de la colonisation, ce fut sous la pression de la nécessité, et non par goût de l'aventure : ce sont des terres nouvelles plutôt que des marchés qu'ils allaient chercher outre-mer.

●

Ce cadre étroit de la cité, dans lequel l'homme grec vit, travaille, exerce ses droits civiques et rend un culte à ses dieux, cette entité politique aux dimensions restreintes, pour laquelle il est appelé à combattre et à mourir, convenait à merveille à ses exigences et à ses goûts. Avant que le génie d'un Philippe et d'un Alexandre, sans pour autant faire disparaître la vieille notion de la cité, ait imposé au monde hellénique une conception différente de l'Etat, les Grecs n'ont pas cherché à élargir leurs vues ni à rassembler plusieurs cités sous une forme organique et durable. Les rares tentatives qu'ils ont faites dans ce sens ont été passagères ou inefficaces.

Certes la religion représentait un principe d'unité : elle permit de former quelques groupes régionaux ayant pour centre un grand sanctuaire. Il en fut ainsi, par exemple, pour la Ligue des villes ioniennes, fondée peu après la colonisation de l'Asie Mineure : elle rassemblait plusieurs cités (d'abord 12, puis 9 seulement) unies dans une commune vénération autour du sanctuaire de Poséidon Héliconios, au cap Mycale, près de Milet, qui portait le nom de *Panionion*. Cette ligue réussit à coordonner dans une certaine mesure les efforts de ses membres au moment de la révolte de l'Ionie contre Darius, entre 499 et 494. Mais les liens organiques qui les unissaient n'étaient pas assez forts pour que cet ensemble fût vraiment efficace et la révolte échoua, entraînant la dissolution de la ligue. Une association du même genre, l'*Hexapole*, avait rassemblé les cités doriennes de Carie autour du sanctuaire d'Apollon Triopien, dans la presqu'île de Cnide. Dans les Cyclades, une confédération religieuse, qui portait le titre d'*amphictyonie*, groupait les Ioniens autour du sanctuaire d'Apollon à Délos. Après les guerres médiques, Athènes, nous l'avons vu, la détourna à son profit.

Le plus illustre de ces groupements religieux, celui dont nous connaissons le mieux l'histoire, est l'*Amphictyonie* proprement dite, celle de Delphes. Cette organisation a en réalité deux centres cultuels, mais d'inégale renommée, le sanctuaire de Delphes et celui des Thermopyles, que l'on appelait tout simplement les *Pyles*, ou « portes ». S'y rassemblent les délégués de douze peuples, pour la plupart installés en Grèce centrale, Thessaliens, Phocidiens, Béotiens, Locriens, d'autres encore, auxquels se joignent les Doriens et les Ioniens, seuls à représenter le reste du monde grec. Chaque peuple envoie deux délégués, ou *hiéromnémons*, au Conseil amphictyonique, ce qui permet à Athènes de disposer régulièrement d'une des deux voix ioniennes tandis que Sparte n'est représentée par une des deux voix doriennes que de loin en loin. On saisit par là le caractère local et archaïque de l'Amphictyonie, qui ne saurait prétendre à représenter tout l'hellénisme ! Son rôle est d'administrer par l'intermédiaire des hiéromnémons les affaires financières de l'Apollon Delphien, d'organiser les Jeux et les fêtes traditionnelles du sanctuaire, enfin de préserver les intérêts du dieu contre toute entreprise. C'est ce dernier devoir qui conduisit l'Amphictyonie à proclamer les différentes guerres sacrées. Sauf dans ces circonstances exceptionnelles, les cités amphictyoniques ne sont guère liées que par une solidarité morale assez lâche, dont le serment juré par elles formulait les obligations : elles s'engageaient à ne pas se détruire mutuellement de fond en comble, en cas de guerre, et à châtier qui outragerait le dieu de Delphes. Aucun lien politique solide n'existait entre elles, et l'Amphictyonie, dans le domaine de la politique internationale, fut l'instrument d'ambitions particulières plutôt qu'un principe d'unité entre les Etats grecs.

Il y eut toutefois dans certaines régions un effort pour constituer des fédérations locales dotées d'institutions politiques permanentes établissant une solidarité effective entre les cités voisines : en Thessalie, en Arcadie, par exemple, on vit se former au IVe siècle une ligue ou communauté (*koinon*) des Thessaliens ou des Arcadiens, avec une assemblée fédérale et des magistrats fédéraux. En Béotie, Thèbes, qui jouissait d'une suprématie indiscutable sur les autres cités de la région, constitua sous son autorité, à deux reprises, en 447 et après 379, une fédération solidement organisée. En Chalcidique, Olynthe créa en 432 une ligue des cités chalcidiennes. Ces tentatives, dont la durée et le succès furent variables, montrent que l'on ressentait un certain besoin d'unité, mais aucune d'elles n'aboutit à la formation d'un véritable Etat : l'attachement des Hellènes à leur petite patrie entretenait toujours des sentiments centrifuges dans les cités qui participaient à ces ligues ou fédérations.

Il en fut de même, à plus forte raison, lorsque l'un ou l'autre des principaux Etats voulut rassembler sous sa direction ou, comme on disait, sous son hégémonie une alliance centralisée. Tel fut le cas pour la ligue péloponnésienne, qui s'appelait officiellement « les Lacédémoniens et leurs alliés » et qui consacrait la prépondérance militaire de Sparte dans le Péloponnèse : il ne s'agissait guère que d'une alliance offensive et défensive qui laissait aux cités participantes, chacune liée à Sparte par un traité spécial et un serment, son entière autonomie interne. Bien plus audacieuse apparaît la Ligue de Délos, organisée par les Athéniens après les guerres médiques. L'institution du tribut, le transfert de la caisse fédérale à Athènes même, l'installation de clérouquies sur le territoire des alliés, la surveillance exercée chez eux par des fonctionnaires athéniens (*épiscopoi*), les mesures économiques destinées à favoriser le commerce attique, autant de traits qui firent bientôt de la ligue un empire et qui rendirent le joug d'Athènes insupportable aux cités sujettes. Les défections et les révoltes de ses alliés furent pour beaucoup dans l'échec que connut en définitive l'impérialisme conçu par Périclès. La seconde Confédération maritime de Délos, instaurée en 377, chercha à éviter ces inconvénients, mais n'y réussit pas entièrement, puisqu'elle n'empêcha pas une guerre entre Athènes et ses alliés en 357-355. Ainsi tous les efforts pour donner quelque cohérence à un ensemble de cités réunies par des liens organiques échouèrent successivement : la poigne du

Macédonien Philippe fut nécessaire pour donner à la Ligue de Corinthe un véritable caractère fédéral.

Devant cette répugnance tenace à s'unir au-delà du cadre étroit de la cité, on peut légitimement se demander ce qui, aux yeux des Grecs eux-mêmes, leur permettait néanmoins de proclamer qu'ils appartenaient à un même peuple. Car cette solidarité, en dépit de toutes les rivalités intestines, s'imposait à eux comme une évidence lors des grandes fêtes religieuses panhelléniques ou quand un danger mortel venu du dehors menaçait l'existence même du monde grec : on le vit bien contre la Perse, contre les Etrusques et contre les Carthaginois. Ce sentiment de solidarité était fondé sur la communauté de langue et de religion, sur la tradition légendaire et sur les œuvres qui en assuraient la transmission, à savoir les créations des écrivains et des artistes. Plus que d'autres peuples, le peuple grec a eu besoin de sa littérature et de son art pour prendre conscience de lui-même. La prodigieuse richesse de l'une comme de l'autre reflète, avec les dons exceptionnels qui furent accordés aux Hellènes, l'attention passionnée qu'ils portèrent, comme mus par une nécessité vitale, aux ouvrages de la main et de l'esprit.

CHAPITRE VIII

PENSEURS ET POÈTES

Nous connaissons le nom d'environ deux mille écrivains grecs anciens. Même rapporté à la longue durée qui sépare Homère du triomphe du christianisme, ce nombre est considérable et illustre bien l'extraordinaire fécondité de la littérature hellénique. Cette littérature, dans sa très grande majorité, a disparu dans les trois grandes épreuves que furent pour l'héritage de l'Antiquité l'incendie de la bibliothèque d'Alexandrie, la substitution du *codex** en parchemin au *volumen* en papyrus, et enfin la crise de l'Empire byzantin à l'époque de l'iconoclasme, soit aux VIIe et VIIIe siècles de notre ère. Pourtant ce qui en subsiste, fruit tantôt du hasard, tantôt du choix effectué par les érudits ou les maîtres d'école, représente encore une masse énorme d'ouvrages de toutes sortes, trop souvent fragmentaires ou imparfaitement conservés, mais où les lettres de l'Occident n'ont pas fini de trouver des modèles. Les plus grands parmi ces écrivains ou penseurs remontent à l'époque archaïque et classique, dont la richesse fut sans égale. Il ne saurait être question d'esquisser ici une histoire de cette littérature, même sommaire et réduite aux chefs-d'œuvre, pas plus qu'il n'est possible de le faire pour l'art. Du moins voudrait-on marquer brièvement ce qui fut un grand fait de civilisation : la naissance des principaux genres littéraires, que nous devons à l'initiative des Grecs.

Cette littérature, dès ses premiers monuments conservés, est une littérature écrite. Nous l'avons vu en étudiant Homère : on admet aujourd'hui que l'*Iliade* et l'*Odyssée* n'ont pu voir le jour, sous la forme approximative où nous les connaissons, sans le secours de l'écriture alphabétique, seule capable de fixer avec précision des compositions aussi complexes et aussi élaborées.

Il faut nous représenter le poète transcrivant son œuvre sur ces parchemins en peau de mouton ou de chèvre que les Grecs appelaient *diphthères* et dont ils ont gardé le nom par la suite, nous dit Hérodote (V, 58), pour désigner par catachrèse les rouleaux de papyrus. A ce qu'il semble, c'est seulement vers le milieu du VIIe siècle, près d'un siècle après l'*Iliade*, que l'usage du papyrus se répandit dans le monde grec, quand le premier pharaon saïte, Psammétique, eut ouvert au commerce hellénique l'accès du Delta. Désormais, c'est sur les « volumes » de papyrus que les Grecs devaient lire les ouvrages de leurs écrivains. La longue bande de papyrus, composée de fibres de cette plante collées côte à côte, sur deux épaisseurs, l'une avec les fibres horizontales (recto), l'autre avec les fibres verticales (verso), s'enroulait sur deux tiges de bois formant manche, fixées chacune à une extrémité de la bande. Le texte, écrit en majuscules, sans séparation entre les mots ni signes de ponctuation, était disposé en colonnes parallèles, transversalement à la longueur du rouleau. Chaque rouleau (en grec *tomos*) pouvait contenir une soixantaine de colonnes de texte, de trente lignes environ chacune. On déroulait la largeur d'une colonne, puis, pour passer à la suivante, on enroulait la première sur le manche tenu dans la main gauche, on déroulait la deuxième colonne du reste du rouleau tenu dans la main droite. Ce n'est qu'à l'époque romaine que le système du *codex* avec des pages écrites sur les deux faces et réunies en cahiers, puis ces cahiers en livres, se substituera à celui du *volumen* (nom latin par lequel on désigne d'ordinaire le rouleau de papyrus).

L'écriture sur papyrus, empruntée à l'Egypte, était certainement un gros progrès par rapport aux *diphthères* du haut archaïsme. L'emploi du *volumen* présente néanmoins certains inconvénients : chaque rouleau est encombrant et la constitution de grandes bibliothèques en fut retardée. D'autre part, la manipulation d'un *volumen* n'est pas commode quand il s'agit de rechercher une citation : avant de la retrouver, il faut dérouler toute la partie du volume qui la précède. Il n'est pas non plus très facile de prendre des notes puisqu'on tient le *volumen* avec les deux mains. Ces considérations pratiques expliquent en partie pourquoi, dans la Grèce antique, on attachait tant d'importance à l'éducation de la mémoire et pourquoi les écrivains citent volontiers les textes de mémoire et sans vérification. On avait moins que de nos jours le respect du détail de l'expression et l'on admettait aisément des variantes, si le sens général n'en était pas défiguré.

D'autre part il faut considérer que la lecture, chez les Grecs, était en règle générale une lecture à haute voix. La plupart des œuvres littéraires ont été conçues chez eux pour être entendues : elles sont destinées à la récitation psalmodiée, au chant choral, à la représentation dramatique ou à la lecture publique devant un cercle d'auditeurs, plutôt qu'à la délectation et à la réflexion d'un lecteur solitaire. Bien des caractères de la littérature grecque s'expliquent par là : la part si importante faite à la poésie, puis à l'éloquence; la forme volontiers didactique que revêtent les ouvrages en prose, comme s'il s'agissait de conférences ou de leçons; le souci de marquer très fortement les transitions par des indications verbales, là où nos langues modernes se contentent de signes de ponctuation; enfin le grand succès qu'a rencontré le genre du dialogue, création originale du génie grec. Servis par une langue extraordinairement riche, tant dans le domaine du vocabulaire que dans celui de la syntaxe, ayant à leur disposition les ressources de plusieurs dialectes pour varier les effets littéraires et les tons, appuyés sur une tradition qui les soutenait sans les asservir, les écrivains et les penseurs de ce temps ont créé ou développé les principaux genres littéraires tandis qu'ils exploraient avec une hardiesse jusqu'alors inégalée les directions où pouvait s'engager la pensée logique. De cette pensée même ils définirent pour la première fois clairement la démarche et les principes. Convaincus qu'elle ne peut s'affirmer et se saisir elle-même que par l'intermédiaire des mots, ils s'attachèrent à perfectionner sans cesse leur admirable outil verbal, au point d'en faire le moyen d'expression le plus merveilleusement subtil et délié qui se puisse concevoir. Poésie épique, poésie lyrique, art dramatique, histoire et géographie, philosophie, éloquence, tels sont, dans l'ordre approximativement chronologique où les Grecs se mirent à les cultiver, les différents domaines où s'exerça leur maîtrise. Nous allons les passer en revue successivement.

●

L'épopée homérique, nous l'avons vu, apparaît soudain dans l'histoire sous sa forme achevée et les deux chefs-d'œuvre d'Homère ont d'emblée fourni des modèles dont ses émules ont toujours désespéré d'approcher. Cette perfection même suppose que l'*Iliade* et l'*Odyssée* ont été préparées par maints essais poétiques antérieurs, entièrement tombés dans l'oubli. Dans la guerre de Troie, la *Colère d'Achille* n'était qu'un épisode; le *Retour d'Ulysse* ne rapportait les aventures que d'un seul héros après la prise de la ville. Une longue tradition épique, essentiellement orale, avait dû se constituer peu à peu, grâce aux chanteurs ou *aèdes*, semblables au Démodocos que l'*Odyssée* nous montre à la cour d'Alcinoüs, le roi des Phéaciens. Homère fut-il le premier à élaborer une partie de cette riche matière en une œuvre de longue haleine et vigoureusement composée, grâce au secours de l'écriture alphabétique ? Sans qu'on puisse absolument l'affirmer, l'absence totale de toute indication relative à des épopées plus anciennes rend du moins cette hypothèse assez vraisemblable. En revanche, les imitateurs pullulèrent. Si leurs ouvrages, tenus sans doute avec raison pour inférieurs à ceux d'Homère, ne sont pas parvenus jusqu'à nous, du moins connaissons-nous plusieurs titres, avec quelques noms d'auteurs, et le résumé du sujet traité.

Autour de l'*Iliade* se développèrent les poèmes du Cycle Troyen, appelé couramment le *Cycle* par excellence : ils rapportaient les épisodes antérieurs à la Colère d'Achille. La *Chrestomathie*, ou résumé scolaire, composée par un certain Proclos, soit au IIᵉ, soit au Vᵉ siècle de notre ère (on hésite encore sur la date), et partiellement conservée, fournit à leur sujet des indications assez précises : les *Chants Cypriens* évoquaient les événements antérieurs à l'*Iliade*, depuis les noces de Thétis et de Pélée et le Jugement de Pâris jusqu'à l'enlèvement d'Hélène et aux premiers épisodes du siège de Troie. L'*Ethiopide*, composée peut-être à la fin du VIIᵉ siècle par Arctinos de Milet, se rattachait directement à l'*Iliade* : on y voyait le roi des Ethiopiens, Memnon, fils de l'Aurore et de Tithon, un frère de Priam, venir au secours de son oncle; il succombait sous les coups d'Achille, qui tuait aussi la reine des Amazones, Penthésilée, une autre alliée des Troyens; Achille lui-même périssait à son tour, frappé d'une flèche par l'archer Pâris, aidé d'Apollon. Une autre épopée d'Arctinos, intitulée la *Destruction de Troie* (*Ilioupersis*), rapportait la prise de la ville. Le poète Leschès, de son côté, avait composé une *Petite Iliade*, destinée elle aussi à compléter celle d'Homère, et où il traitait à sa manière les mêmes thèmes qu'Arctinos. Parallèlement à l'*Odyssée*, Hagias de Trézène avait composé une épopée, les *Retours* (*Nostoi*), narrant les aventures des chefs achéens autres qu'Ulysse après la guerre de Troie. Quant à Ulysse lui-même, sa destinée tragique était le sujet de la *Télégonie*, due à Eugammon*, qui vivait à la cour des rois de Cyrène, Battos II et Arcésilas II, vers 570-560 : après son retour à Ithaque, Ulysse repartait en expédition dans les montagnes d'Epire puis, de nouveau rentré dans son île, il y trouvait la mort de la main même d'un fils, Télégonos, qu'il avait eu de Circé, la magicienne, et qui, à la recherche de son père, le tuait d'un coup de lance sans l'avoir reconnu.

A côté du cycle troyen, il y avait un cycle thébain, consacré à la légende d'Œdipe et de ses descendants. Cinéthon de Lacédémone passait pour l'auteur d'une *Œdipodie*, à laquelle faisait suite une *Thébaïde*, parfois rapportée à

Homère lui-même, qui racontait le siège infructueux de Thèbes par les Sept Chefs et le duel fratricide d'Etéocle et de Polynice. Une troisième épopée, les *Epigones*, était consacrée à l'expédition victorieuse dirigée contre la ville par les fils des Sept, dix ans plus tard. Pisandre de Camiros avait chanté les *Travaux d'Héraclès*. Créophylos de Samos avait composé une *Prise d'Œchalie*, autre aventure d'Héraclès : comme nous l'apprend une spirituelle épigramme de Callimaque, on attribuait parfois ce poème à Homère, dont Créophylos aurait été le contemporain et l'ami. Les légendes corinthiennes étaient chantées dans les *Corinthiaques* d'Eumélos, celles de Naupacte dans les *Naupactiques* de Carcinos. Au début du Ve siècle encore, Panyassis d'Halicarnasse, oncle d'Hérodote, avait composé une *Geste d'Héraclès* en 14 chants qui, paraît-il, n'était pas sans mérite.

Comme celle d'Homère, l'œuvre d'Hésiode eut des imitateurs. La *Théogonie* s'achève par la promesse de chanter les mortelles qui, amantes des dieux, ont donné naissance à d'illustres lignées. Nombre de poèmes, que l'Antiquité attribuait volontiers à Hésiode lui-même, ce que les modernes mettent en doute, ont chanté ces amours illustres : ils étaient rassemblés dans le *Catalogue des Femmes*, qu'on appelait aussi les *Ehées* (nom tiré de deux mots grecs, toujours les mêmes, par lesquels chacun de ces poèmes commençait). Beaucoup d'auteurs postérieurs, à commencer par Pindare, ont puisé dans ce riche fonds légendaire.

Homère, Hésiode et leurs émules avaient par leur exemple défini les règles du genre épique et fixé la langue artificielle dont l'emploi s'imposa désormais pour toute composition de ce style. Certes, l'épopée proprement dite ne devait plus après eux reparaître dans les lettres grecques sous la forme de grands chefs-d'œuvre : ni les *Persiques* de Choirilos de Samos à la fin du Ve siècle, ni la *Thébaïde* d'Antimachos de Colophon, dans la première moitié du IVe siècle, n'ont mérité de survivre. Mais les *Hymnes* dits *homériques*, ceux-là surtout qui chantent Apollon, Hermès ou Déméter, sont de bons modèles d'une poésie religieuse en style épique et ont inspiré utilement les poètes alexandrins. Et, par l'intermédiaire de Virgile, les littératures d'Occident ont toutes hérité d'Homère leur conception de l'épopée.

●

Plus et mieux que par la postérité immédiate des poèmes homériques, l'âge archaïque s'est illustré dans les lettres par la floraison du lyrisme, ou poésie chantée, sous la double forme que les Anciens reconnaissent à ce genre littéraire : le chant choral d'une part et la *monodie* (c'est-à-dire le chant en solo) d'autre part. Ces compositions poétiques, dont il ne nous reste malheureusement que des vestiges souvent infimes, ont connu alors une grande vogue. Elles répondaient au goût très vif que les Grecs ont toujours manifesté pour la musique, considérée par eux comme un élément fondamental de l'éducation. Ces chants étaient en règle générale accompagnés sur la lyre, instrument à sept cordes, muni d'une caisse de résonance formée primitivement par la carapace d'une tortue : on en attribuait l'invention à Hermès, comme en fait foi l'*Hymne homérique* à ce dieu. Diverses modifications ou perfectionnements permirent de donner plus de volume au son : la cithare est une lyre munie d'une caisse en bois, plus ample que le résonateur en écaille. On employait aussi la flûte* (*aulos*), non pas la flûte traversière qui est une invention moderne, mais une flûte droite, sorte de flageolet, généralement double, dont les deux tuyaux étaient réunis à l'embouchure. Chant et musique restaient étroitement liés : les rythmes poétiques que nous analysons encore grâce aux données fournies par les métriciens anciens comme Héphestion (fin du Iᵉʳ siècle — début du IIᵉ siècle de notre ère) ne prenaient toute leur valeur qu'en fonction de la musique d'accompagnement, aujourd'hui perdue.

Cette poésie lyrique était fort variée. Au lieu d'avoir un langage spécial, comme l'épopée, elle admettait l'emploi de tous les dialectes, selon l'origine du poète et le public auquel il s'adressait. Les thèmes traités répondaient aux préoccupations les plus diverses : hymnes liturgiques comme les *nomes*, chants sacrés comme les *péans* ou les *dithyrambes**, chants de marche pour les processions, chœurs pour les danses, élégies guerrières, chants de victoire (ou *épinicies*) célébrant les vainqueurs aux Jeux, chansons d'amour, lamentations funèbres, refrains à boire, exhortations civiques, tous les sentiments de l'homme trouvaient à s'exprimer au moyen du lyrisme grec. Certes, comme on peut s'y attendre, la plupart de ces sentiments sont en rapport avec la cité et ses dieux. Mais les passions de l'individu, la haine ou l'amour, sous les formes les plus liées à la personne, inspirèrent aussi les poètes : dans une certaine mesure, les Grecs ont déjà donné au lyrisme le sens de poésie personnelle que nous lui attribuons aujourd'hui.

La plupart de ces écrivains ne survivent que par des fragments mutilés. Au VIIᵉ siècle, Terpandre, originaire de Lesbos, plus célèbre comme musicien que comme poète, s'illustra par sa virtuosité sur la lyre à sept cordes et composa surtout des *nomes*. Le Lydien Alcman de Sardes écrivit des hymnes pleins de noblesse et de grâce pour les fêtes de Sparte, où le chant choral

était fort en honneur, tandis que Tyrtée encourageait les hoplites lacédémoniens de ses martiales élégies. L'Ionien Mimnerne de Colophon, habile
joueur de flûte, chanta l'amour et les plaisirs de la vie, avec des accents
déjà épicuriens. Archiloque de Paros, dont de récents travaux ont mieux
fait connaître la figure, participa aux luttes des colons grecs de Thasos
contre leurs adversaires grecs ou barbares : dans ses élégies et ses autres
poèmes lyriques, d'une métrique raffinée, il se laisse aller avec une entière
liberté à la violence de ses passions. Au dire de Platon, Socrate le mettait
sur le même plan qu'Hésiode, sinon Homère. A travers les misérables
restes de son œuvre, la vivacité du ton nous frappe encore aujourd'hui.

Un peu plus tard, à la charnière du VIIe et du VIe siècle, le Lesbien
Arion de Méthymne fréquenta la cour du tyran de Corinthe Périandre :
sa figure a été obscurcie par la légende qui le montrait sauvé du naufrage
par un dauphin, mais il semble avoir transformé et enrichi le genre du
dithyrambe, lié au culte de Dionysos. C'était aussi l'époque de Solon, le
législateur d'Athènes, qui adressa à ses compatriotes des élégies d'une haute
inspiration civique. Son contemporain Stésichore d'Himère, en Sicile,
développait dans des hymnes les légendes mythologiques, traçant ainsi la
voie au lyrisme de Pindare. C'est lui qui, ayant mal parlé d'Hélène dans un
de ses poèmes, fut frappé de cécité et ne recouvra la vue qu'après avoir
réparé ses torts, dans un nouveau poème, ou *Palinodie*, où il réfutait ses
assertions précédentes contre l'illustre héroïne. A la même génération
appartiennent enfin les deux lyriques de Lesbos, Alcée et Sapho, dont
l'œuvre nous est connue par des fragments plus étendus. Tandis que le
premier mêle à ses chants d'amour ou de table des préoccupations politiques,
comme les invectives qu'il adresse au tyran Pittacos de Mytilène, Sapho
n'évoque dans ses vers brûlants que la passion que lui inspirent ses jeunes
compagnes et la peinture qu'elle en donne garde à nos yeux toute sa force.

Plus tard, dans le cours du VIe siècle, prennent place l'Ionien Hipponax
d'Ephèse, dont les ïambes sont violemment satiriques, et l'Occidental Ibycos
de Rhégion, en Grande-Grèce, disciple de Stésichore, qui introduisit dans
la poésie chorale de son maître des préoccupations plus personnelles. Ibycos
fut en relations avec Polycrate, le tyran de Samos, qui attira aussi à sa cour
Anacréon de Téos, un Ionien, plus tard choyé par les Pisistratides. Les
poèmes érotiques et bacchiques d'Anacréon restèrent le modèle du lyrisme
gracieux. En pays dorien, à Mégare, le poète Théognis, sous le nom de
qui nous sont parvenus quelque 1 400 vers élégiaques d'une authenticité
souvent douteuse, traduisit en maximes amères les sentiments d'un aristo-

crate aigri par les luttes partisanes. En revanche, Simonide★ de Céos, qui connut successivement les faveurs des Pisistratides, des maisons princières de Thessalie et des tyrans de Sicile et de Grande-Grèce, donna, avant Pindare, sa forme achevée à l'ode triomphale, en même temps qu'il passait pour un maître dans l'art de composer les épigrammes, ces courts poèmes destinés à être gravés sur des monuments funéraires ou commémoratifs. On lui attribue plusieurs de celles que les guerres médiques ont inspirées.

De tous ces poètes, le seul que nous puissions vraiment juger sur pièces est Pindare★, qui vécut dans la première moitié du Ve siècle. Malgré la disparition de la plus grande partie de son œuvre, les quatre livres d'*Epinicies* qui subsistent illustrent assez la puissance de son génie. A propos de victoires athlétiques aux Jeux, dont nous savons combien elles étaient glorieuses aux yeux des Grecs, le grand lyrique thébain sait évoquer dans des raccourcis saisissants tels mythes appropriés, qu'il charge d'une haute signification religieuse et morale. Jamais langue poétique ne fut plus dense ni plus fulgurante que la sienne. En dépit d'une obscurité qui tient plus à la texture serrée de la pensée qu'au choix des mots ou à la syntaxe, Pindare a fixé pour l'éternité quelques formules éclatantes et pures comme : « L'homme est le rêve d'une ombre » ou l'adjuration pathétique qu'il s'adresse à lui-même : « N'aspire pas, ô mon âme, à l'immortalité, mais épuise le champ du possible ! »

Après de tels sommets, le genre lyrique ne pouvait guère que décroître. Contemporain de Pindare, Bacchylide★ de Céos, dont nous possédons quelques odes, lui est fort inférieur. A la fin du Ve siècle, Timothéos de Milet, dont un papyrus nous a conservé un poème appelé les *Perses*, fit revivre en le modernisant le *nome* autrefois illustré par Terpandre, tandis que Philoxénos de Cythère composait des dithyrambes. L'un et l'autre ont fortement subi l'influence du théâtre attique, qui à cette époque est la seule forme de poésie vraiment vivante. Au IVe siècle, peu de noms s'offrent à la mémoire : Antimachos de Colophon, qui écrivit une épopée intitulée *La Thébaïde*, employa le mètre élégiaque pour chanter dans un long poème, sous le titre *Lydé*, des histoires d'amours malheureuses. Il apparaît comme le premier en date des poètes érudits et fraie ainsi la voie à la littérature hellénistique, qui manifesta à son égard des sentiments opposés : si Callimaque le critique violemment, d'autres l'estimaient beaucoup. Mais nous n'avons rien conservé de lui. En revanche, une poétesse rhodienne, Erinna, qui mourut jeune, fit revivre à sa façon les accents de Sapho dans un poème en hexamètres, la *Quenouille*, dont un papyrus a rendu des fragments, et dont l'inspiration, sinon la forme, mérite d'être appelée lyrique.

Il fallait cette longue et sèche énumération pour rendre sensible l'exceptionnelle richesse du lyrisme grec à l'époque archaïque et classique. Comme pour l'épopée, le génie hellénique a fixé les lois du genre sous ses aspects les plus divers. Sans doute la littérature ultérieure, dans le monde alexandrin et à Rome, enrichira-t-elle encore les ressources de la poésie personnelle. Mais, en élargissant le champ de son inspiration, elle restera fidèle pour l'essentiel aux formes poétiques dont les premiers poètes grecs avaient été les initiateurs.

●

Chronologiquement, la tragédie et la comédie sont nées sensiblement plus tard que les autres genres poétiques. Nous l'avons vu, c'est à Athènes, sous Pisistrate, qu'elles sont sorties, l'une du dithyrambe, l'autre des chants phalliques, dans le cadre du culte de Dionysos, auquel les représentations dramatiques sont restées liées par la suite. On comprend pourquoi les plus brillants poètes tragiques ont été des Athéniens.

Le premier grand nom de la tragédie est celui de Phrynichos*, dont les œuvres sont perdues, mais étaient toujours appréciées à la fin du Vᵉ siècle. Il n'utilisait encore qu'un acteur dialoguant avec le chœur : c'est dire que ses pièces avaient plutôt le caractère d'un oratorio que celui d'un véritable drame. Il eut le mérite de chercher le premier son inspiration dans l'histoire contemporaine : sa *Prise de Milet* évoquait l'échec de la révolte de l'Ionie en 494, ses *Phéniciennes*, représentées vers 476-475, avaient pour thème les conséquences de la bataille de Salamine. Eschyle s'en souvint quatre ans plus tard quand il écrivit *Les Perses*. Toutefois, Phrynichos tira d'ordinaire ses sujets du riche répertoire des légendes épiques : ses successeurs firent de même, sans jamais se sentir liés par une tradition mythologique qui n'apparaissait nullement comme un dogme.

Les trois grands poètes attiques du Vᵉ siècle représentent à nos yeux toute la tragédie grecque : Eschyle*, l'aîné des trois, dans la première moitié du siècle, Euripide*, le plus jeune, dans la seconde moitié, Sophocle*, qui vécut quatre-vingt-dix ans, couvrant le siècle presque entier depuis le lendemain des guerres médiques. A travers leurs œuvres, dont nous n'avons gardé qu'un choix restreint inspiré aux grammairiens de basse époque par des considérations scolaires, nous voyons évoluer peu à peu la conception de la tragédie. Le rôle du chœur, d'abord très important, diminue progressivement, en même temps que la place d'abord prépondérante donnée à l'élément lyrique. Le dialogue se développe et s'anime. Eschyle introduit un deuxième acteur dans le drame, puis, à l'imitation de Sophocle, son cadet, un troisième. Comme chacun de ces acteurs, moyennant un changement de costume et de masque, peut jouer des personnages successifs, les ressources de la scène deviennent grandes et l'action, primitivement réduite à peu de chose, prend une importance croissante. Chez Euripide, le rôle du chœur n'est plus guère que celui d'un témoin discret, dont les interventions servent surtout pour séparer les principaux moments de la tragédie, en occupant l'*orchestra* et l'attention des spectateurs durant ce qui correspondait à nos entractes. En revanche, la progression dramatique, les coups de théâtre, la peinture évolutive des sentiments des personnages, les duels oratoires entre protagonistes accaparent l'intérêt du poète et du public. L'auteur nous raconte une histoire, il sollicite notre émotion, il éveille chez nous la crainte et la pitié, il se comporte désormais comme un vrai poète tragique : là aussi les écrivains grecs ont défini les règles d'un genre et les ont léguées à la littérature européenne.

Plus encore qu'une technique littéraire, la tragédie moderne doit aux tragiques grecs ce qui fait toujours sa noblesse et sa grandeur : l'angoissant problème du Destin. Chez Eschyle comme chez Sophocle et chez Euripide, ce qui se joue sur le théâtre, c'est le sort de l'homme, tel que des puissances surnaturelles en décident. Eschyle, animé par une foi religieuse nourrie aux sources traditionnelles du sacré, montre les mortels soumis à la *Némésis*, à la vengeance des dieux jaloux qui châtient toute démesure, toute violation de la loi rituelle : pourtant, déjà un sentiment élevé de la justice, dont la cité d'Athènes sait se faire l'instrument par la voix de l'Aréopage, vient tempérer dans l'épilogue de l'*Orestie* la rigueur de ces condamnations. Sophocle se plaît à nous intéresser aux victimes d'une cruelle destinée, dont les retours imprévus viennent décevoir les calculs et la présomption des hommes : de cette impuissance dérisoire naît le poignant pathétique d'*Œdipe-Roi*. Mais une haute conception de la loi morale, comme dans *Antigone*, grandit à nos yeux ces victimes prédestinées quand elles se sacrifient à un idéal. Euripide, le plus complexe des trois poètes, donne volontiers dans la phraséologie et semble parfois en prendre à son aise avec l'intervention des dieux : il n'en multiplie pas moins les péripéties dramatiques et les retournements inattendus pour susciter notre compassion aux malheurs de ses personnages en butte à tous les coups du Destin. Plusieurs de ses tragédies s'achèvent par le même couplet significatif : « Ce qui nous vient d'en haut prend des formes diverses. Diverse et décevante est l'action des dieux. Ce que l'on prévoyait ne s'est pas accompli. La volonté divine a des voies imprévues. Telle est la leçon de la pièce. » Ainsi ballottés par des forces qui les dépassent, les pauvres humains souffrent de maux sans nombre, dont ils sont parfois responsables et que leur grandeur d'âme sait parfois surmonter. La matière n'a pas fini de susciter notre admiration et notre sympathie.

Plus éloignée de nos conceptions modernes est la comédie grecque classique. Dès la fin du VIᵉ siècle, le Sicilien Epicharme* avait composé en dialecte dorien des comédies que nous connaissons mal, mais que les Anciens, Platon tout le premier, prisaient fort, en raison de la vérité d'observation qui s'y faisait jour et de la valeur des maximes qui les émaillaient. C'est aussi en terre dorienne, à Mégare, proche d'Athènes, que la tradition de sketches comiques, apparemment fort grossiers, était solidement établie. L'influence de ces premiers essais, combinée en Attique avec les chants fort libres et les *lazzi* qui accompagnaient les processions dionysiaques, fit naître la comédie dite ancienne, qui eut bientôt sa place à côté de la tragédie dans les concours officiels organisés lors des fêtes de Dionysos. On comptait environ 40 auteurs de comédies « anciennes », ce qui montre bien le succès de ce genre littéraire typiquement athénien durant le Vᵉ siècle. Cratinos*, qui commença à produire vers 455, Eupolis* et Aristophane*, au cours du dernier quart du siècle, en furent les plus illustres représentants. Du dernier seulement nous avons conservé des pièces complètes qui donnent une idée fort précise de ce que le public d'Athènes appréciait.

La comédie « ancienne » est toujours une œuvre de circonstance et de combat, qui se soucie fort peu de la vraisemblance et cherche surtout à faire rire par des inventions bouffonnes et des allusions incessantes à l'actualité. Le thème en est d'ordinaire une entreprise fantastique ou grotesque, conduite par l'acteur principal en présence d'un chœur de personnages pittoresquement déguisés, hommes, animaux ou abstractions personnifiées. Plusieurs épisodes montrent comment le héros parvient à ses fins en dépit des obstacles. Puis, après un intermède où le chœur s'adresse au public, sans aucun rapport avec l'intrigue, pour lui exprimer les sentiments de l'auteur sur tel ou tel sujet d'actualité, une nouvelle série de sketches fait apparaître les conséquences de la situation ainsi créée jusqu'à la procession finale où le chœur quitte le théâtre en célébrant Dionysos. A partir de ce schéma type, les poètes avaient toute latitude pour amuser le public au gré de leur fantaisie : du calembour jusqu'à la parodie littéraire raffinée, de la scatologie et de l'obscénité jusqu'à la poésie la plus subtile, de l'injure personnelle brutale jusqu'au comique d'observation et de caractère, tout était permis, tout était apprécié. La variété des tons est extrême chez Aristophane et l'aisance avec laquelle il passe du plus grossier au plus délicat confond le lecteur moderne. Mais si nous sommes choqués par des plaisanteries trop lourdes ou décontenancés par des allusions politiques qui nous échappent, nous restons séduits par une verve que les siècles n'ont nullement affadie et par un élan poétique et un sentiment de la nature agreste qui gardent à nos yeux autant de fraîcheur que de séduction. Nulle œuvre ne nous met plus directement en contact avec le peuple d'Athènes à l'époque de Socrate, d'Alcibiade et de Thucydide, nulle ne nous donne au même degré l'impression d'être à la fois un témoignage sur l'auteur et sur son temps.

Les dernières pièces d'Aristophane, écrites au début du IVe siècle, sont sensiblement différentes des premières : avec l'*Assemblée des Femmes* ou le *Ploutos*, le poète s'oriente vers une nouvelle forme de comédie, qu'on appelle la comédie « moyenne ». Le rôle du chœur y est réduit, la fantaisie y est moins libre. La satire des individus fait place à la satire sociale, les attaques personnelles à la peinture des types humains, l'invention bouffonne à l'emploi parodique du mythe. Les successeurs d'Aristophane, comme Antiphanès ou Alexis de Thourioï, semblent avoir été des écrivains féconds, auxquels on attribuait des centaines de pièces. Mais nous ne savons presque rien d'eux et la comédie grecque, comme la tragédie, n'enfanta plus de chefs-d'œuvre au IVe siècle avant l'apparition de Ménandre, qui appartient déjà à l'époque hellénistique.

●

On ne doit pas s'étonner que, dans la littérature grecque, les premiers prosateurs soient sensiblement postérieurs aux premiers poètes. C'est là un phénomène assez général et les Anciens en avaient eux-mêmes pris conscience : Plutarque le montre avec bonheur dans un passage célèbre de son dialogue *Sur les oracles de la Pythie*. L'emploi de la simple prose, dépouillée de tous les ornements du style poétique et du soutien que le vers apporte à la mémoire, marque un progrès sensible dans l'exercice de la pensée rationnelle et traduit le souci primordial de rechercher et d'exposer la vérité. Cette recherche se dit en grec *historia* : elle s'applique d'abord aux événements humains et au cadre naturel où ils se déroulent. D'où le nom même de l'histoire, dont dans les premiers temps on ne sépara pas la géographie.

Les Grecs tenaient Homère pour le premier des historiens et de fait au début on ne distinguait pas entre l'histoire et l'épopée. Les premiers ouvrages où transparaissent des préoccupations d'ordre historique sont encore des poèmes épiques, comme la *Fondation de Colophon*, composée au VIᵉ siècle par le philosophe Xénophane. La tradition fut maintenue au début du siècle suivant par le poète Panyassis, l'oncle d'Hérodote, dont nous avons déjà parlé, qui consacra ses *Ioniques* à rapporter la fondation des premières cités d'Ionie par Codros et Néleus, à une époque très reculée. De même la curiosité toujours vive des Ioniens s'enchantait des récits fantastiques d'un voyage dans les contrées inconnues au nord de la mer Noire, le *Poème des Arimaspes*, dont on attribuait la paternité à un personnage à demi légendaire, Aristéas de Proconnèse, qui aurait vécu au milieu du VIIᵉ siècle.

Hécatée* de Milet, qui joua un rôle politique important à la fin du VIᵉ siècle et lors de la révolte de l'Ionie, rompit avec cette tradition en rédigeant en prose ionienne des *Généalogies*, ou recueil de légendes interprétées à la lumière d'un rationalisme naïf, et surtout une description d'ensemble de la terre habitée, intitulée la *Périégèse*, dont Hérodote s'est beaucoup servi. A travers les fragments qui survivent, on voit qu'il portait un intérêt très vif à l'ethnographie et qu'il manifestait déjà un certain esprit critique. « Je rapporte ici, déclare-t-il, ce que je crois être la vérité : car les récits des Grecs sont fort divers et, à mon avis, ridicules. » Il perfectionna l'emploi des cartes géographiques inventées auparavant par Anaximandre. Il eut plusieurs imitateurs au Vᵉ siècle, comme Acousilaos d'Argos, Charon de Lampsaque, Hellanicos de Mytilène et l'Athénien Phérécyde, mais aucun n'atteignit au renom d'Hérodote d'Halicarnasse, le premier prosateur dont nous ayons conservé l'œuvre intégrale, celui que Cicéron appelait à juste titre le « Père de l'histoire ».

Avec Hérodote*, en effet, ce genre littéraire apparaît désormais défini pour l'essentiel. Il s'agit d'exposer les recherches de l'historien pour sauver de l'oubli les grandes actions des hommes. L'ouvrage vise à la fois à distraire et à instruire, mais ces préoccupations sont implicites, l'objectivité du récit étant la règle. En cas de divergence entre les sources ou d'invraisemblance évidente de la tradition, l'auteur exerce sa critique et fait son choix, en fonction des critères qui lui semblent valables. Bien entendu, ces critères ne sont pas obligatoirement ceux qui nous paraissent les meilleurs aujourd'hui, mais l'important est qu'ils aient en principe un caractère rationnel. Etablir consciencieusement la vérité, dégager la relation des effets et des causes, peindre les mœurs des nations, fixer les traits des individus remarquables, évoquer des scènes pittoresques et animées, consigner les hauts faits dignes de mémoire, suggérer des réflexions utiles, piquer à l'occasion la curiosité par un détail étrange ou surprenant, voilà ce que se propose Hérodote et il y parvient à merveille grâce à sa vaste information, fondée à la fois sur des lectures étendues et sur une enquête personnelle approfondie, grâce à la sympathie allègre que lui inspirent les peuples et les hommes, sans préjugé de race ni de civilisation, grâce à la vivacité d'une intelligence qui se défie des fables tout en révérant les lois morales et les dieux. Monde grec et monde barbare revivent dans ses *Histoires*, pour notre enseignement et pour notre plaisir, par la vertu d'un art inimitable, tantôt prolixe et tantôt elliptique, où le conteur, variant ses effets au gré de son intérêt ou de sa fantaisie, se laisse aller à des digressions parfois fort longues, développe les détails qui l'amusent, puis revient à son thème principal avec désinvolture, dans une démarche nonchalante qui réclame la complicité du lecteur. En outre, ce premier échantillon de la prose grecque garde une merveilleuse fraîcheur, comme si vraiment, pour reprendre les termes d'un érudit byzantin, le « rossignol d'Halicarnasse » avait su « parer son beau style de toutes les fleurs du langage ionien ».

Hérodote était un contemporain de Périclès, qu'il connut d'ailleurs à Athènes. L'Athénien Thucydide* appartient à la génération suivante, celle qui vit se dérouler la guerre du Péloponnèse. Après en avoir été un des acteurs, car il fut stratège à Thasos et sous les murs d'Amphipolis quand la ville fut prise par Brasidas, il se trouva écarté des affaires à la suite de cet échec et dut se résigner à n'être plus qu'un spectateur. Mais il suivit les péripéties du conflit avec une attention sans relâche et s'en fit le narrateur fidèle. Son ouvrage contraste avec celui d'Hérodote moins sans doute par le dessein que l'auteur se propose et la méthode qu'il adopte pour l'accomplir que par le tempérament de l'homme et les tendances profondes de sa pensée. Ayant à rapporter, comme le « Père de l'histoire », la confrontation militaire capitale de deux peuples, Thucydide s'interdit toute nonchalance. Peu de digressions, peu d'anecdotes. Un récit chronologique rigoureux, rythmé par les saisons, faute d'un calendrier civil bien établi. Une tension d'esprit constante, avec la volonté de comprendre les événements, de mettre en lumière leur enchaînement logique et leurs causes, que celles-ci tiennent aux individus, aux sociétés, à la nature ou à l'économie. Une précision sans complaisance dans l'énoncé des faits, vus par l'œil froid du tacticien ou du stratège, sans aucune recherche du pittoresque ou de l'agrément. Le pathétique naît parfois — rarement d'ailleurs — de cette sécheresse même, comme dans le tableau de la peste d'Athènes ou de la captivité des Athéniens après le désastre de Sicile. Au service de cette intelligence lucide, un style travaillé et subtil, fuyant la symétrie, ne refusant pas l'anacoluthe, habile à suggérer beaucoup en peu de mots : ce premier monument de la prose attique montre, en particulier dans les discours, quel admirable outil intellectuel le dialecte propre d'Athènes allait être désormais.

En reprenant le récit des événements à la date de 411, au point où Thucydide l'avait laissé, pour conduire sa narration par la suite jusqu'en 362 et à la bataille de Mantinée, l'Athénien Xénophon*, un des disciples de Socrate, s'affirmait dans ses *Helléniques* le continuateur de Thucydide. Pourtant ni dans cet ouvrage d'ailleurs utile, ni dans l'*Anabase* consacrée à l'expédition des Dix Mille à laquelle il avait pris part, ni dans le roman historique sur l'éducation du roi perse Cyrus connu sous le nom de *Cyropédie*, ce brillant polygraphe ne soutient la comparaison avec ses devanciers. Certes il est aimable, clair, vivant, assez bien informé. Mais les exigences de son esprit apparaissent moindres : il ne scrute guère les causes profondes, sa psychologie est sommaire, il idéalise volontiers les personnages qui lui plaisent, bref l'histoire qu'il nous propose manque de densité et de profondeur : on n'en voit que plus nettement combien les principes généraux posés implicitement par Hérodote et Thucydide étaient définitivement reconnus valables, puisque avec des qualités bien moindres Xénophon mérite incontestablement le titre d'historien, pour avoir honnêtement cherché à les suivre.

A côté de ces trois grands noms de l'historiographie grecque au Ve et au IVe siècle, nous connaissons par de simples mentions ou par des citations plus ou moins longues un assez grand nombre d'auteurs ou d'ouvrages. Ctésias de Cnide écrivit au début du IVe siècle une *Histoire des Perses* que Dinon de Colophon acheva. Théopompe de Chio, né vers 377, composa un résumé d'Hérodote et une histoire de Philippe II de Macédoine. Des papyrus nous ont rendu les fragments d'un ouvrage anonyme, dit les *Helléniques d'Oxyrhynchos*, apparemment écrit dans la première moitié du IVe siècle : ils traitent des événements de l'année 396-395. Ephore de Cymé, qui rédigea la majeure partie de son œuvre après 350, fut le premier à concevoir une histoire universelle, où il rassemblait les résultats d'une vaste compilation : Diodore de Sicile, trois siècles plus tard, en a fait grand usage dans sa *Bibliothèque historique*. Enfin plusieurs historiens mineurs, qu'on connaît sous le nom générique d'*Atthidographes*, ont consacré leurs travaux à l'histoire de l'Attique comme l'avait fait auparavant Hellanicos.

●

La naissance et le développement de l'histoire ne sont qu'un aspect, il est vrai privilégié, des débuts de la pensée rationnelle et de la réflexion scientifique, dont les Grecs de l'époque archaïque et classique sont essentiellement responsables. Parallèlement à la recherche particulière sur les sociétés humaines et leur évolution, on voit en effet apparaître en Ionie, à partir du début du VIᵉ siècle, l'enquête scientifique et la philosophie. Les noms de Thalès* de Milet et de Pythagore* de Samos (ensuite exilé à Crotone) illustrent, l'un au début, l'autre dans la seconde moitié du VIᵉ siècle, les premières spéculations de la mathématique et de l'astronomie, liées chez Pythagore à une forme d'ascèse mystique dont l'influence fut profonde et durable. D'autres Milésiens, Anaximandre, contemporain de Thalès, et son disciple Anaximène ont pareillement médité sur la nature et sur son essence véritable. Xénophane de Colophon, dès la fin du siècle, développa en vers une théologie du dieu unique impersonnel, en critiquant le polythéisme anthropomorphique. Parménide d'Elée, qui devait former dans sa ville natale son disciple Zénon, et Empédocle d'Agrigente, vers le même temps, emploient aussi la forme poétique, avec plus d'éclat que Xénophane, pour exposer leurs conceptions ontologiques. Leur contemporain Héraclite* d'Ephèse, qui écrit en prose, proclame que tout est perpétuel conflit, mouvement et devenir. La vigueur et l'originalité de ces premiers penseurs nous sont encore sensibles à travers les fragments assez nombreux que les citations des écrivains nous ont conservés.

Au Vᵉ siècle, Anaxagore* de Clazomènes, qui fut à Athènes l'ami de Périclès, tient pour principe essentiel du monde l'Esprit qui ordonna le Chaos primitif. En outre, il appliquait la critique rationaliste à plusieurs préjugés répandus, comme celui de la divinité des astres, ou même à certaines formes de divination : ce goût du libre examen lui valut d'être exilé d'Athènes, à la suite d'une accusation d'impiété. Démocrite* d'Abdère, un peu plus jeune qu'Anaxagore, inventa la notion d'atome, dans laquelle il trouvait l'explication de toutes choses, y compris les dieux. Hippocrate* de Cos, d'une famille de médecins qui pratiquait le culte d'Asclépios, appliqua à son art les principes d'une observation rationnelle : il fonda par ses travaux la médecine clinique en même temps qu'il fixait les devoirs des médecins dans le célèbre serment qui reste encore aujourd'hui leur règle d'or. En même temps, Athènes accueillait avec enthousiasme, quitte à leur intenter ensuite un procès d'impiété, l'enseignement des sophistes, qui venaient y donner contre argent comptant des leçons d'éloquence et de dialectique. A travers les dialogues de Platon, nous apprécions la virtuosité d'un Gorgias* de Léontini ou d'un Protagoras* d'Abdère, habiles à susciter le doute en maniant des idées contradictoires.

De la spéculation cosmogonique au scepticisme rationnel, tel est, en gros, l'itinéraire qu'avait suivi la pensée philosophique grecque depuis les origines jusqu'au moment où, vers 430, l'enseignement de Socrate commence à porter ses fruits. L'influence que ce moraliste exerça par sa parole et par son exemple fut si décisive qu'on appelle aujourd'hui tous les philosophes antérieurs des présocratiques. « L'homme, avait dit Protagoras, est la mesure de toutes choses. » Socrate mit l'étude de l'âme humaine au centre de ses préoccupations et proposa à chacun de s'efforcer d'abord de se connaître soi-même, conformément à l'interprétation qu'il donnait d'une célèbre maxime delphique. Observation psychologique et réflexion morale, tels étaient ses constants soucis. A partir d'humbles exemples pris dans la vie quotidienne, son intelligence rompue aux habiletés verbales de la sophistique savait les employer pour progresser d'une démarche lente, mais sûre, dans la connaissance de la vérité et de la vertu. « Socrate le premier, dit Cicéron dans les *Tusculanes* (V, 10), fit descendre du ciel la philosophie, l'installa dans nos villes, l'introduisit même dans nos maisons et l'obligea à s'occuper de la morale pratique, du problème du bien et du mal. » Nous avons vu ailleurs pourquoi ses mérites éminents de citoyen et de penseur ne le protégèrent pas d'une accusation capitale. Mais il avait déjà joué son rôle d'initiateur et donné le branle au génie philosophique de Platon.

Si Socrate n'a rien écrit, son disciple Platon* fut d'une admirable fécondité et il est significatif que dans le grand naufrage des lettres antiques son œuvre abondante ait tout entière survécu. Plus que par un hasard heureux, ce privilège exceptionnel s'explique par le sentiment largement répandu que les ouvrages de Platon, à côté des poèmes d'Homère, représentaient la fine fleur de l'hellénisme. Ses nombreux dialogues, sans compter les apocryphes, ont été classés chronologiquement par les modernes, d'après des critères stylistiques parfois discutables. En gros cette répartition doit cependant correspondre à la réalité et permet de suivre approximativement l'itinéraire spirituel du philosophe depuis le *Lachès* jusqu'aux *Lois*, tout au long d'une longue existence qui connut bien des péripéties. Les premiers dialogues sont fidèles à la méthode de Socrate et nous rendent, semble-t-il, une juste image de son enseignement. Puis la personnalité de Platon s'affirme et ce sont ses propres thèses qu'il expose par la bouche de son maître, qui reste l'interlocuteur principal de ses dialogues. Aux préoccupations surtout morales — définir le courage, la piété, la vertu ou la justice, à partir d'une enquête sur le langage et le comportement du commun — s'ajoutent désormais des recherches plus vastes et plus ambitieuses : comprendre le système de l'univers (et ici Platon rejoint les spéculations ontologiques des philosophes présocratiques) par la théorie des Idées ; saisir la nature de l'âme immortelle et ses relations avec le corps ; et enfin formuler les lois qui doivent régir la cité idéale, car pour Platon métaphysique et psychologie aboutissent fatalement à la politique, qui doit traduire en action la justesse de la pensée.

Cette réflexion perpétuellement renouvelée est d'une richesse inépuisable. L'expérience que l'auteur tirait de ses lectures, de ses voyages, de ses contacts avec les hommes publics, les savants, les écrivains et les autres philosophes, explique la variété des problèmes qu'il évoque, celle aussi des personnages qu'il met en scène pour qu'ils exposent dans chaque controverse, avec une force et une vérité admirables, les diverses thèses en présence. La forme du dialogue favorise cette pluralité, sans empêcher Platon de conclure. Et son art lui permet de donner la vie à toutes ces créations de son génie, grâce à un style d'une merveilleuse souplesse, aussi propre à l'ironie qu'à l'abstraction, à l'évocation poétique d'un paysage ou d'un mythe qu'au pastiche d'un sophiste ou d'un orateur. La langue de Platon reste un modèle inégalé de prose attique : jamais sans doute un outil verbal plus raffiné n'a été mis au service de la pensée humaine.

Le rayonnement de Platon s'exerça à la fois par ses ouvrages et par son enseignement, qu'il dispensa à partir de 387 dans le gymnase consacré au héros Académos, à quelque distance au nord-ouest de la porte du Dipylon, près d'Athènes : de là le nom d'Académie qui fut donné à cette école. Elle ne doit pas faire oublier que d'autres disciples de Socrate s'engagèrent dans des directions différentes : l'Athénien Antisthène, auteur de nombreux dialogues ou traités perdus, fonda l'école Cynique, dont le nom est tiré du gymnase du Cynosarges, quartier d'Athènes où il enseignait, tandis que le Cyrénéen Aristippe, théoricien du plaisir, frayait la voie à ce qui sera l'épicurisme. Quant aux élèves de Platon lui-même, ils furent tous éclipsés par l'écrasante personnalité d'Aristote, législateur de la pensée occidentale. Mais, bien que ce philosophe soit l'exact contemporain de Démosthène, on ne saurait le séparer de l'équipe qui travailla sous ses ordres et dont l'œuvre collective, orientée par l'action du maître, relève du monde hellénistique.

•

Si l'entreprise platonicienne s'achève en politique, comme le fera aussi celle d'Aristote, c'est qu'aux yeux d'un Grec tout aboutit à la cité. Comme on ne peut agir sur ses concitoyens que par la parole, il n'est pas surprenant que les Grecs aient les premiers fondé l'éloquence en codifiant la rhétorique. Parmi tous les genres littéraires, celui-ci, étroitement lié à l'évolution de la démocratie politique et judiciaire, ne se développa qu'avec elle et apparut le dernier en date dans l'histoire des lettres classiques. Certes dès la fin du VIᵉ siècle, à en juger par le témoignage d'Hérodote, les Ioniens d'Asie avaient d'habiles orateurs, comme Aristagoras de Milet par exemple. Puis les luttes partisanes, dans l'Athènes de Thémistocle et de Périclès, firent la part belle à ceux qui s'entendaient à bien parler. Si les discours que Thucydide prête à Périclès ne sont pas rigoureusement authentiques, du moins l'historien déclare-t-il (I, 21) qu'il s'est tenu, pour le sens général, « le plus près possible de ce qui avait été dit effectivement » : la noblesse d'inspiration et la logique vigoureuse que nous y admirons sont donc bien le propre de l'orateur et non une invention de l'historien. Mais cette éloquence restait moins consciente que spontanée : Périclès n'avait pu recevoir, lors de son éducation, les leçons des sophistes qui n'apparurent guère à Athènes que dans les derniers temps de sa vie.

Née en Sicile au début du Vᵒ siècle, la sophistique était proprement la science du raisonnement, orientée vers des fins utilitaires : elle devint vite la pratique du raisonnement spécieux, fortifié de toutes les ressources verbales propres à entraîner la persuasion. Nous avons vu le rôle qu'elle a joué dans la philosophie. Elle fut plus importante encore pour développer la rhétorique. Les Gorgias, les Protagoras, les Prodicos définirent les premiers avec rigueur et précision les exigences de la parole et du style. Ils trouvèrent à Athènes un auditoire de choix qui sut tirer profit de leurs leçons : le sophiste Antiphon, qui fut aussi un chef politique et périt condamné par ses concitoyens en 411 après la chute des Quatre-Cents, nous a laissé des modèles scolaires de discours fictifs et quelques plaidoyers judiciaires. Le métèque Lysias, ruiné par les exactions des Trente, gagna sa vie en fournissant aux plaideurs, contre rémunération, des discours tout faits qu'ils n'avaient plus qu'à lire au tribunal : ceux que nous avons conservés brillent par la pureté de la langue, l'habileté de l'argumentation et leur parfait naturel.

Le rhéteur Isocrate*, qui mourut presque centenaire en 338, fut de tous ces orateurs celui qui réfléchit le plus sur son art. La faiblesse de sa voix et la délicatesse de sa santé lui interdisant de parler lui-même, il composa, comme Lysias, des plaidoyers pour autrui, mais surtout il se consacra à l'enseignement de la rhétorique, où il réussit brillamment, balançant auprès des jeunes Athéniens l'attrait qu'exerçait sur eux l'Académie de Platon. Dans les discours d'apparat qu'il publia sans les prononcer, comme le *Panégyrique* (ainsi nommé parce qu'il était destiné à la *panégyrie* ou rassemblement des Grecs à l'occasion des Jeux Olympiques de 380), il manie avec éclat les lieux communs qu'il pare de tous les prestiges d'une langue harmonieuse et cadencée : l'éloge qu'il fit de sa patrie Athènes dans le *Panégyrique* eut un tel succès que le titre même du discours prit par la suite le sens d'*éloge* que nous lui donnons aujourd'hui. En outre, Isocrate eut une pensée politique originale. Conscient que la Grèce s'épuisait en luttes intestines, il estimait qu'elle devait faire cesser ses querelles pour entreprendre sous un commandement unique la conquête de l'Asie perse. Quand il eut reconnu qu'Athènes n'était pas en mesure de jouer le rôle directeur qu'il avait d'abord rêvé pour elle, il tourna ses espoirs vers Philippe de Macédoine : dans une vision vraiment prophétique, il avait conçu par avance le grand dessein d'Alexandre.

On ne saurait rêver opposition plus complète que celle d'Isocrate et de Démosthène*. L'un est un homme de cabinet, l'autre est un homme d'action. L'un cisèle à loisir des périodes raffinées, l'autre se laisse emporter par une éloquence pleine de flamme. L'un crut longtemps que le roi de Macédoine sauverait l'hellénisme de la décadence, l'autre s'opposa à la politique de Philippe avec une farouche énergie. Tous deux étaient attachés, quoique différemment, à la grandeur de leur patrie commune. L'histoire en fin de compte donna raison au professeur contre le politique : et pourtant on dit qu'Isocrate mourut du choc moral que lui donna la nouvelle de Chéronée, tandis que Démosthène, ferme devant la défaite, recevait l'honneur insigne de prononcer l'éloge funèbre des soldats morts dans la bataille. Le sombre et fier héraut de l'indépendance athénienne a trouvé au cours de la lutte quelques-uns des plus beaux accents que l'amour de la patrie et la passion du bien public aient jamais inspirés à un homme : il importe peu à sa gloire qu'il se soit trouvé en définitive dans le camp des vaincus. Lorsqu'en paroles brûlantes il fustigeait la lâcheté, la mollesse, l'esprit de jouissance et l'aveugle légèreté de ses concitoyens, il léguait aux nations futures un exemple qu'elles auront toujours profit à méditer.

Auprès de cette éloquence directe et parfois foudroyante, toute nourrie qu'elle est d'un art parfaitement assimilé, les œuvres des autres orateurs politiques contemporains pâlissent, quel que soit leur mérite : Eschine*, le grand rival de Démosthène, Hypéride* et Lycurgue*, dont nous avons quelques ouvrages, sont à l'occasion habiles, diserts, vifs ou même passionnés. Aucun ne nous touche, à beaucoup près, comme le fait Démosthène. Il est bon que nous achevions par lui cette brève revue des lettres grecques au temps où leur grandeur était liée à l'autonomie de la cité : au moment où cette autonomie va décroître, cet homme en combattant pour elle lui permit de jeter ses derniers feux.

CHAPITRE IX

UN ART
A LA MESURE DE L'HOMME

LES chefs-d'œuvre de la littérature et de la pensée grecques ne demeurent accessibles à la plupart de nos contemporains que très imparfaitement, à cause de la barrière de la langue. En revanche, les chefs-d'œuvre de l'art réunis dans les musées, où on les présente souvent avec un raffinement admirable, permettent un contact direct avec le génie hellénique qui les a conçus et exécutés. Depuis les premiers enthousiasmes de Winckelmann et de ses émules, sculptures, céramiques, « médailles » ou bijoux grecs n'ont pas cessé d'exercer sur les amateurs une séduction qui se traduit d'éloquente façon, de nos jours, par les prix élevés qu'atteignent les objets passant en vente publique. Le moindre vase mycénien, la plus humble statuette géométrique, une monnaie d'argent, une intaille s'enlèvent à prix d'or sur les marchés de Londres, de Bâle ou de New York. Que dire alors des pièces majeures, marbres ou bronzes archaïques et classiques, vases à figures rouges peints par un artisan connu ? Leur valeur est aujourd'hui sans prix. Un tel engouement montre combien l'art grec parle encore à notre goût et à notre sensibilité. Mais il ne faut pas croire pour autant qu'il nous apporte sur la civilisation dont il est issu un témoignage aisé à déchiffrer. S'il se présente à nous sous des formes familières, cette facilité d'accès n'est qu'apparence. La pure jouissance que l'œuvre grecque procure à notre œil formé à la comprendre par des siècles de tradition classique ne nous fait pas pénétrer du même coup le message intelligible dont elle est d'ordinaire chargée. Car cette œuvre d'art a un sens : elle n'a pas été destinée, en règle, à la seule satisfaction esthétique, mais à une fin pratique ou religieuse à laquelle elle devait répondre en premier lieu. Il convient donc d'abord de saisir l'intention profonde de l'artiste, sans quoi nous risquons d'interpréter son œuvre à contresens. Deux exemples suffiront, portant sur des monuments bien connus.

Le célèbre bas-relief de l'*Athéna mélancolique*, qui date du milieu du Ve siècle, a fait couler beaucoup d'encre depuis sa découverte sur l'Acropole d'Athènes en 1888. Que d'exégèses variées n'a-t-il pas suscitées ? La déesse, casque en tête, appuyée sur sa lance, est penchée en avant, vers un petit pilier rectangulaire qu'elle considère avec une attention quelque peu nonchalante. On a supposé qu'Athéna lisait (à vrai dire dans une position mal commode) une stèle inscrite, compte des trésoriers du trésor sacré ou liste de soldats morts au champ d'honneur; d'autres ont imaginé qu'un objet ou un personnage avait été représenté, reposant sur le pilier, mais seulement peint sur le marbre lisse au lieu d'être sculpté comme le reste de la scène, et que ce détail essentiel se serait effacé avec le temps; un autre a voulu reconnaître dans le prétendu pilier une image simplifiée du mur de l'Acropole tel que Cimon venait de le reconstruire partiellement; d'autres enfin l'ont considéré comme une borne du sanctuaire de la déesse, qui marquerait ainsi de sa lance la limite assignée à son terrain sacré. Toutes ces explications étaient erronées, comme on l'a montré récemment en faisant appel à la seule méthode sûre, celle qui consiste à replacer le monument dans une série de documents analogues et bien identifiés. De nombreuses peintures de vases contemporaines du bas-relief permettent en effet d'interpréter sans risque d'erreur le pilier en question comme la borne ou *terma* qui, sur un stade, marque la ligne de départ et la ligne d'arrivée pour la course de vitesse. C'est ce *terma* qui retient l'attention d'Athéna, en l'honneur de qui on célébrait les Jeux Panathénaïques et qui, selon la légende, avait elle-même pratiqué la course à pied. La déesse n'est donc aucunement mélancolique et le monument n'est pas autre chose qu'un *ex-voto* où un vainqueur à la course du stade avait fait représenter la divine patronne de ces jeux devant le *terma*, symbole de l'épreuve dans laquelle il avait triomphé. Cette exégèse fort prosaïque modifie évidemment du tout au tout notre attitude mentale à l'égard de ce bas-relief, désormais dépouillé du mystère qui piquait notre curiosité. Il n'est plus permis de rêver sur la prétendue mélancolie d'Athéna : mais ne vaut-il pas mieux comprendre le vrai sens d'une œuvre que de se laisser bercer par quelque fallacieuse imagination?

Autre exemple non moins frappant. La fameuse statue de bronze du Musée d'Athènes qu'on appelle l'*Ephèbe de Marathon* n'a guère cessé d'exciter l'intérêt et l'admiration des connaisseurs, depuis que des pêcheurs la ramenèrent dans leur filet, sur la côte nord-est de l'Attique, quelques années après la première guerre mondiale. On y voit un adolescent, très jeune encore, dans une attitude instable, la main gauche étendue à plat, paume en l'air, supportant un objet aujourd'hui disparu, la main droite levée, pouce et index joints. Qui donc, dieu ou mortel, était représenté dans ce chef-d'œuvre de la statuaire du IVe siècle, d'une élégance un peu molle qui fait déjà songer à Praxitèle ? Est-ce un garçon qui s'amuse à faire agir de sa main droite le fil de ce jouet fait de deux disques accolés, déjà connu des Anciens, qui a porté dans les temps modernes les noms éphémères d'émigrette, de bandalore ou de yo-yo ? Est-ce un jeune vainqueur aux jeux, tirant d'une main la bandelette, symbole de sa victoire, d'un coffret placé sur son autre main ? Fait-il tourner avec une ficelle une toupie reposant sur le plat de sa main gauche ? Est-ce un cueilleur de fruits ou un échanson verseur ? La solution correcte avait été formulée peu de temps après la découverte et vient d'être confirmée par des arguments décisifs : il s'agit du jeune Hermès qui, conformément au texte de l'*Hymne homérique* en l'honneur de ce dieu, vient de trouver sur son chemin une tortue ; il l'a posée à plat sur sa main gauche et fait claquer en l'air les doigts de la main droite levée, geste expressif que les Grecs modernes emploient encore spontanément pour traduire la joie. Songeant que dans un instant il va inventer la lyre, dont la carapace de la tortue fournira la caisse de résonance, le jeune dieu se laisse aller au naïf enthousiasme de l'imagination créatrice. Cette interprétation, qu'assurent maintes observations concordantes, permet de commenter précisément la statue par l'*Hymne homérique à Hermès* et restitue autour d'elle l'atmosphère poétique et sacrée où elle a été conçue : l'œuvre ne se borne plus à charmer nos yeux, elle est en outre un témoignage sur la pensée religieuse de son temps.

L'exemple de l'*Athéna mélancolique* et celui de l'*Hermès de Marathon* montrent bien que l'art grec, à l'époque archaïque et classique, ne doit pas être seulement goûté, mais compris. Ce n'est nullement un art gratuit, divertissement des raffinés, visant à la simple délectation de l'esprit et des sens. L'œuvre d'art a une signification, elle répond à des besoins et à des intentions précises. La qualité esthétique lui est donnée par surcroît et nous commettons une grave erreur d'optique en croyant que l'artiste a visé d'abord à créer de la beauté. En fait, il a voulu fabriquer un objet qui soit propre à la fin à laquelle il est destiné : un temple est la maison du dieu avant d'être un monument d'architecture ; une statue est une offrande avant d'être une œuvre plastique ; une coupe est d'abord un vase à boire, auquel la matière et le décor ajoutent seulement du prix. Stendhal l'a dit fort bien : « Chez les Anciens, le beau n'est que la saillie de l'utile. » L'art pour l'art est une théorie étrangère à la conscience hellénique.

•

On en trouve confirmation lorsqu'on examine la place occupée par les artistes dans la société grecque. La célébrité de quelques-uns d'entre eux, les plus illustres, les Phidias*, les Ictinos*, les Zeuxis*, les Praxitèle* ne doit pas ici faire illusion. Gardons-nous d'attribuer aux contemporains un jugement qui est surtout le fait de la postérité ! Nous connaissons essentiellement les grands maîtres de l'art classique par les ouvrages des compilateurs qui écrivaient à l'époque romaine, comme Pline l'Ancien ou Pausanias, et qui s'inspiraient eux-mêmes des érudits hellénistiques. Cette critique d'art — si même nous avons le droit de l'appeler ainsi ! — reflète le sentiment d'un âge où le goût des œuvres d'art, nourri par une longue tradition, avait pris un caractère académique et volontiers rétrospectif : on a remarqué que, dans sa *Périégèse* ou « Voyage en Grèce », composée au IIe siècle de notre ère, Pausanias, qui mentionne tant de noms d'artistes, n'en signale aucun qui soit postérieur au IIe siècle avant Jésus-Christ. Cette curiosité d'antiquaire nous renseigne imparfaitement sur la façon dont les Grecs archaïques et classiques considéraient les artistes de leur vivant. Seuls les rares témoignages que fournissent les auteurs des Ve et IVe siècles, Hérodote, Platon, Xénophon, permettent quelques conclusions sûres, qui pourront surprendre d'abord.

Une première remarque s'impose : dans le chœur des Neuf Muses, filles d'Apollon, qui président aux nobles loisirs de l'esprit, il n'en est aucune qui ait en charge l'architecture et les arts plastiques. Une telle absence est révélatrice : elle signifie qu'aux yeux des Grecs la tâche de l'architecte, du peintre ou du sculpteur ne relève pas du même genre d'activité créatrice que celle du poète, de l'astronome ou du musicien. L'artiste dépend trop de la matière qu'il élabore pour être placé sur le même plan que ceux qui mettent en œuvre des sons et des mots. Quelque admiration qu'on éprouve pour les produits de son travail, on ne lui accorde aucunement le privilège de l'inspiration divine que l'on reconnaît aux favoris des Muses : l'artiste est considéré d'abord comme un artisan.

De cela nous avons un autre témoignage, que l'art plastique lui-même nous fournit. On sait qu'à l'époque romaine, les riches amateurs (Cicéron ou Pline le Jeune nous en sont garants) s'entouraient volontiers des portraits des grands philosophes, des poètes ou des orateurs. On en décorait les bibliothèques et les jardins. Aussi copia-t-on en grand nombre les effigies réelles ou supposées d'Homère ou de Platon, de Socrate ou d'Euripide, de Démosthène ou d'Epicure, telles que les sculpteurs grecs du IVe siècle ou de l'époque hellénistique les avaient autrefois fixées. Beaucoup de ces portraits ont été conservés et forment une galerie très attachante de visages illustres. Or dans cet ensemble très riche ne figure ni un peintre ni un sculpteur. On conte que Phidias se serait représenté lui-même sur le bouclier de l'Athéna Parthénos, qu'il avait décoré de reliefs, dans le personnage du sculpteur légendaire Dédale, à côté de Thésée à qui il aurait donné les traits de Périclès : mais les Athéniens auraient été scandalisés par une telle liberté, qu'ils traitèrent de sacrilège. L'anecdote est sans doute apocryphe et les efforts qu'on a déployés pour découvrir à partir des copies du fameux bouclier un portrait authentique de Phidias n'ont pas abouti. En fait, nous ignorons tout du visage des grands artistes grecs. Aucun, à notre connaissance, n'avait fait son propre portrait ressemblant, ni celui d'un de ses émules. Nul n'avait songé à le leur demander, non plus qu'à dresser leur effigie avec honneur en un lieu public. L'admiration très vive qu'on éprouvait pour leurs ouvrages ne s'étendait pas à leurs personnes.

Cette attitude, qui peut paraître surprenante, s'accorde au contraire parfaitement avec la hiérarchie des valeurs sociales telle que la concevaient les Grecs. Puisque l'artiste est à leurs yeux essentiellement un ouvrier ou, comme on dit en grec, un *banausos*, il ne peut prétendre à la considération que mérite la spéculation désintéressée. Quand Socrate, dans Platon, parle de Phidias, il lui applique le terme de *démiourgos*, qui signifie « artisan », « homme de métier », et quand il fait allusion aux peintres ou aux sculpteurs, c'est pour les comparer aux hommes habiles dans les divers travaux manuels ou dans les techniques. Platon nous apprend ailleurs que le sophiste Protagoras, qui faisait payer fort cher ses leçons, avait gagné à lui tout seul autant d'arge. t que Phidias et dix autres sculpteurs mis ensemble. Or les sophistes eux-mêmes, quelle que fût leur réputation, étaient regardés avec quelque mépris parce que leur activité n'était pas désintéressée. On voit par là combien les artistes étaient loin d'occuper le premier rang dans la société grecque. Pourtant leur rang modeste, loin de nuire à la qualité de leur art, a plutôt contribué à la servir. Si l'art est essentiellement une technique, l'artiste doit se montrer savant en son métier : il ne saurait imaginer un divorce entre l'inspiration et l'habileté manuelle, ni que celle-ci puisse jamais nuire à celle-là. Sa condition sociale le préserve ainsi des tentations de l'ébauche ou du primitivisme dont nous ne voyons que trop aujourd'hui les dangers.

•

A cette primauté du métier, universellement reconnue par les artistes comme par les profanes, on doit attribuer l'extraordinaire qualité moyenne des œuvres grecques dites de *bonne époque*. Certes la Grèce d'alors ne comptait pas seulement des maîtres de premier plan. Nos musées renferment dans leurs réserves des foules d'œuvres médiocres, qu'il s'agisse de sculpture ou de céramique. Mais même ces œuvres médiocres se distinguent par une certaine franchise d'exécution qui reflète la bonne volonté entière de l'ouvrier et la sûreté de ses tours de main. De là vient aussi la qualité des grands ensembles de sculpture décorative que nous ont légués les Grecs et qui représentent la grosse masse des ouvrages authentiques de la grande époque : frise et fronton du trésor de Siphnos, métopes du trésor des Athéniens à Delphes, métopes et frontons du temple de Zeus à Olympie, métopes, frise et frontons du Parthénon, frise de Bassæ-Phigalie, décor du mausolée d'Halicarnasse. Il est bien clair que des ensembles aussi importants sont des œuvres collectives, dues à toute une armée d'exécutants : les sculptures du Parthénon furent achevées en l'espace de quinze ans, de 447 à 432, pendant lesquels on sculpta les 92 métopes, les 160 mètres de la frise (avec 360 personnages) et les 40 statues colossales des frontons. On imagine quels problèmes d'organisation un tel travail dut poser au maître d'œuvre, en qui nul ne doute plus aujourd'hui qu'il faille reconnaître Phidias lui-même. Ce sont des centaines d'ouvriers qui travaillaient sur le chantier de l'Acropole, marbriers et maçons, peintres et orfèvres, chacun avec ses apprentis ou ses esclaves. Et pourtant tous ces exécutants, d'âges et de talents sans doute fort inégaux, ont su se plier à une discipline commune et assimiler assez efficacement le style de Phidias pour que, dans la frise du moins, il ne subsiste guère de disparate, mais au contraire une extraordinaire impression d'unité. Une telle réussite, qui nous confond, n'était possible que si chaque artiste abandonnait au bénéfice de l'œuvre commune toute recherche d'originalité. Nous pouvons conjecturer sans grand risque d'erreur que cet effort ne leur coûta guère : chacun considérait qu'il avait à faire son métier, c'est-à-dire à réaliser sa part de l'ouvrage conformément aux directives du maître d'œuvre, et non à faire éclater son propre génie au détriment de ses voisins.

Même succès éclatant au temple de Zeus à Olympie, vingt ans plus tôt, où l'artiste inconnu qui conçut métopes et frontons sut imposer à son équipe la cohésion nécessaire pour mener à bien l'entreprise : de là ces prodigieuses compositions de marbre où frémit toujours l'écho d'Eschyle et de Pindare et dont il faut peut-être faire honneur à celui qui sculpta plus tard à Olympie la *Victoire* consacrée par les Messéniens, Pæonios de Mendé. Plus curieux encore peut-être est, au milieu du IVe siècle, le cas du mausolée d'Halicarnasse, pour lequel on avait réuni, suivant nos sources, quatre sculpteurs illustres, Scopas*, Léocharès*, Timothéos* et Bryaxis*. Chacun était venu avec son atelier pour participer à la décoration du grand tombeau monumental. Or depuis plus d'un siècle la sagacité des archéologues s'essaie vainement à répartir en lots homogènes les fragments retrouvés dans les ruines du monument, pour les attribuer à l'un ou à l'autre des quatre chefs de l'entreprise : tant ces artistes pourtant célèbres, et à coup sûr pourvus chacun d'une « manière » très personnelle, ont su plier leur propre génie aux exigences de la collaboration nécessaire ! Sens du travail d'équipe et respect du métier, telles sont les qualités premières du sculpteur grec.

Le respect du métier exclut dans l'exécution toute hâte intempestive. Lorsqu'il s'agit de bien faire, le temps ne doit pas compter. Des documents authentiques permettent d'apprécier le soin que les artistes grecs apportaient à leur ouvrage. Nous possédons partiellement les comptes des dépenses engagées pour les sculpteurs de la frise de l'Erechthéion, sur l'Acropole d'Athènes, à la fin du Ve siècle. Pour l'un des groupes conservés, composé de deux figures en très haut relief, un jeune homme accroupi et un homme debout, l'artiste a reçu une somme de 120 drachmes, soit, à une drachme par jour, qui est le salaire moyen de l'ouvrier hautement qualifié, quatre mois de salaire : or le groupe a une hauteur de 0,58 mètre seulement et le marbre était fourni à l'ouvrier. On mesure ainsi la lenteur et la minutie du travail. Même conscience attentive dans l'exécution des grands bronzes : l'examen détaillé de l'*Aurige* de Delphes a révélé l'importance extrême des retouches apportées à la statue après la fonte, pour faire disparaître par martelage les défauts superficiels dus aux bulles d'air ou aux scories et pour donner de l'accent au modelé par le travail à froid du burin.

En architecture, on retrouve ce souci de rigoureuse perfection : les colonnes d'un édifice dorique n'étaient cannelées qu'après mise en place des tambours. Ainsi obtenait-on une exacte correspondance entre les fines arêtes de pierre du haut en bas de la colonne. Au temple de Ségeste*, en Sicile, qui date de la fin du Ve siècle, des événements imprévus ont interrompu la construction avant cette phase du travail et les colonnes ont gardé leur forme lisse. Lorsqu'un mur était particulièrement soigné, il subissait aussi un ravalement du haut en bas, après mise en place des assises. On sait quelle technique raffinée présidait à la construction de ces murs : chaque bloc était relié aux autres par des crampons de métal et les faces de joint s'adaptaient sans le moindre jeu, grâce aux cadres soigneusement préparés au ciseau sur tout le pourtour de chacune d'elles. C'est au point que dans tel mur écroulé les archéologues peuvent aujourd'hui assigner presque à coup sûr à chaque pierre sa place primitive.

Cette minutie consciencieuse n'apparaît pas moins dans les arts dits mineurs, où la Grèce archaïque et classique excella. Les graveurs poussèrent à la perfection l'art de graver en creux, soit dans la pierre dure pour les intailles, soit dans le métal pour les coins monétaires. Leur acuité visuelle et leur sûreté de main expliquent le caractère vraiment monumental de ces chefs-d'œuvre minuscules qui peuvent être agrandis cent fois par la photographie sans perdre ni la justesse de leurs proportions ni l'accent de leur modelé : épreuve que bien peu d'autres œuvres d'art pourraient subir sans dommage !

Des travaux récents ont permis de mieux comprendre la complexité d'une technique à laquelle l'art grec des VIe et Ve siècles doit nombre de ses produits les plus séduisants. Chimistes et archéologues allemands et anglo-saxons, unissant leurs efforts dans un bel exemple de collaboration des disciplines, ont percé enfin le mystère du fameux « vernis » noir qui donne aux vases attiques leur exceptionnelle qualité. En fait, il ne s'agit pas d'un vernis : la mince pellicule noire est obtenue au moyen d'une simple solution d'argile dans de l'eau. Cette solution colloïdale est préparée à partir d'une argile extrêmement pure et on la laisse évaporer jusqu'à ce qu'elle ait la consistance d'une sorte de gelée liquide, de couleur brun sombre, qu'on étend au pinceau sur la terre glaise du pot avant cuisson. C'est au cours de la cuisson que cet enduit deviendra noir par une série d'opérations successives aujourd'hui bien connues. Dans le four porté d'abord à 800° centigrades environ, une oxydation se produit avec formation d'oxyde ferrique, qui donne à l'argile sa couleur rouge. Commence alors la seconde phase de la cuisson avec un phénomène chimique de réduction : le potier bouche plus ou moins la cheminée d'aération et la température monte à environ 945°; sous l'influence de l'oxyde de carbone produit alors en abondance, l'oxyde ferrique rouge se transforme en oxyde ferreux ou en oxyde magnétique de fer, l'un et l'autre de couleur noire ; la présence de vapeur d'eau, produite par du bois vert dans le foyer ou par un bol de liquide introduit dans le four, facilite la réaction. Si on arrêtait alors l'opération, les vases seraient entièrement noirs, comme le *bucchero* étrusque. Mais une troisième phase intervient, avec réoxydation partielle et léger refroidissement de 945° à 875° environ : on débouche l'orifice de sortie des gaz en permettant à l'air d'entrer de nouveau dans le four. Partout où la glaise est poreuse, l'oxyde ferreux ou l'oxyde magnétique de fer absorbent de l'oxygène et redeviennent de l'oxyde ferrique rouge, mais ce processus ne joue pas pour les parties du vase recouvertes d'enduit. Car ce dernier, en raison de l'extrême finesse des particules qui le composent, a une consistance compacte qui ne laisse pas l'oxygène pénétrer de nouveau ; la réoxydation ne se produit donc pas et l'enduit reste noir. Quand la cuisson est achevée, le corps du vase est rouge, sauf aux endroits recouverts d'enduit, qui sont restés d'un beau noir lustré. Une opération aussi délicate, que les potiers du Céramique durent mettre au point empiriquement et d'une manière progressive, garda toujours à leurs yeux un caractère mystérieux, même quand ils eurent appris à la mener à bien avec une parfaite sûreté. On comprend que ces artisans du feu aient appelé sur leurs travaux la protection divine d'Héphaïstos et d'Athéna, unis par un culte conjoint dans le temple, aujourd'hui appelé à tort le Théseion, qui dominait alors leur quartier.

C'est dans la statuaire d'or et d'ivoire, dite *chryséléphantine*, que se marquait le mieux le goût des Grecs pour la haute virtuosité technique. Elaborée au cours de l'archaïsme, cette forme d'art aujourd'hui disparue atteignit à son apogée avec les colosses de Phidias : le Zeus d'Olympie et l'Athéna Parthénos de l'Acropole. Ces immenses statues atteignaient 12 mètres de haut. La carcasse en était creuse et maintenue par une armature en charpente. Dans le dallage du Parthénon, on voit encore le logement du madrier central qui soutenait l'armature de l'Athéna Parthénos. Le corps même de la statue était en bois, reposant sur cette charpente et sculpté déjà dans le détail. On y appliquait ensuite l'ivoire et l'or, l'ivoire en plaques minces, collées à chaud pour les parties nues, l'or en feuilles, décorées au repoussé et clouées ensuite sur le bois, pour les vêtements, la chevelure et les accessoires. Des incrustations en pierres précieuses ou semi-précieuses venaient rehausser l'éclat des yeux ou enrichir certains détails de la parure. On imagine quelles difficultés de toutes sortes l'artiste rencontrait à chaque instant au cours d'un travail aussi complexe, qui faisait appel à une compétence d'orfèvre et de joaillier autant que de sculpteur. En outre, une fois la statue achevée, il fallait l'entretenir avec un soin extrême pour empêcher les assemblages de jouer, les matériaux divers de se détacher ou de se ternir, les rats et les termites d'attaquer la charpente. Des précautions avaient été prévues dès la mise en place : on arrosait le sol d'eau ou d'huile pour éviter que le bois ne se dessèche. A Olympie, une famille qui prétendait descendre de Phidias était chargée de l'entretien du Zeus : il n'en fallut pas moins entreprendre des restaurations, comme celle que le sculpteur Damophon* de Messène effectua au IIe siècle avant notre ère.

Les prouesses techniques suscitaient l'admiration du public dans tous les domaines : jamais les peintres grecs n'ont été plus prisés que pour des effets illusionnistes ou de trompe-l'œil qui prouvaient l'habileté de leur pinceau. On vantait, par exemple, la figure allégorique de l'Ivresse (Méthé), que Pausias*, au IVe siècle, avait représentée sous la forme d'une femme dont le visage transparaissait à travers le grand verre dans lequel elle buvait : le rendu de cette transparence ravissait d'aise les connaisseurs. Il est notable qu'à la même époque les sculpteurs de Cyrène se soient attachés, dans certaines statues funéraires, à rendre avec une habileté impressionnante l'aspect d'un visage de femme vu à travers un voile ténu qui le recouvre à demi.

Ainsi l'artiste grec nous apparaît avant tout comme un homme de métier, amoureux du bel ouvrage et formé par une longue pratique aux traditions d'atelier. Loin de prétendre innover, il est fier d'avoir eu un maître et se plaît à le rappeler : deux sculpteurs d'Argos, qui, vers la fin du VIe siècle, dans le sanctuaire d'Olympie, inscrivent leurs signatures sur la base d'une de leurs statues, se glorifient expressément d'avoir appris leur art de leurs prédécesseurs. Lorsque les historiographes anciens viennent à mentionner un artiste, ils tiennent à indiquer de qui il fut l'élève : la notion d'école, à laquelle l'archéologie moderne attribue parfois une valeur excessive, vient en partie de là. La fidélité au passé traduit l'insertion solide de l'artiste dans le milieu social. Libre travailleur parmi ses concitoyens, membre de la classe moyenne, celle des artisans et des petits propriétaires, qui fait souvent la force de la cité, il est tout à fait apte à exprimer les sentiments et les aspirations d'une société où il trouve naturellement sa place.

●

Cette société lui demande d'abord de répondre à ses besoins dans le domaine du sacré. Une religion anthropomorphique, où le culte est étroitement lié au simulacre divin, exigeait beaucoup de l'artiste. Il avait pour tâche de donner une forme concrète à l'image mentale que ses concitoyens se faisaient de la divinité. Il fut ainsi conduit à étudier le modèle humain, puisque les dieux sont semblables aux hommes, et à lui conférer par l'entremise de son art cette beauté parfaite qui seule paraissait convenable pour les dieux. Recherche naturaliste et idéalisation sont donc dans l'art grec deux tendances complémentaires, et non pas antagonistes. La première se traduit par un effort, constamment soutenu depuis le haut archaïsme, vers la vérité et l'exactitude anatomique : dans la peinture de vases et dans la sculpture, on peut suivre avec précision les progrès dans le dessin de l'œil, dans le rendu de la paroi ventrale ou dans le modelé du genou. Mais en même temps l'artiste se montre soucieux de pénétrer par une démarche intellectuelle les secrets de ce corps qu'il étudie : il est persuadé que la beauté réside dans des rapports mathématiques, rationnels ou irrationnels, dont notre intelligence peut retrouver la loi. D'où l'importance des notions de *rythme* ou de *symétrie*, dont le contenu véritable aujourd'hui nous échappe, faute de définition précise; mais les textes nous sont garants que ces notions servirent de critères esthétiques et excitèrent au plus haut point l'intérêt des artistes eux-mêmes.

A ces préoccupations se rattachent les tentatives pour définir un système de proportions idéales s'appliquant à la figure humaine. Ainsi fit le sculpteur Polyclète*, lorsqu'il rédigea son ouvrage appelé le *Canon*, c'est-à-dire la « Règle », et qu'il l'illustra en exécutant une statue conforme à ce système, statue qui était peut-être le fameux *Doryphore* ou « Porteur de lance », dont il subsiste des copies. La statuaire athlétique, que Polyclète pratiqua assidûment, offrait pour de telles recherches un champ très favorable. En représentant des athlètes nus, le sculpteur était naturellement amené à exalter la forme humaine dans sa perfection. Polyclète a su exprimer ce sentiment d'admiration réfléchie qui animait les Grecs devant la beauté virile, où se conjuguent la vigueur physique et la maîtrise de soi. L'idéal plastique ainsi défini répondait à l'aspiration d'une société pour qui la mesure humaine était celle de toutes choses et aux yeux de qui l'homme ne s'accomplissait jamais mieux que dans la discipline intelligente du stade. Cet idéal baigné d'intellectualité reste étroitement lié au réel, qu'il embellit et sublime en le soumettant à la loi des nombres.

Est-ce à dire que cette perfection formelle ait entièrement satisfait les

Grecs ? Tout en l'admirant, ils n'en méconnaissaient pas les limites : le rhéteur latin Quintilien, qui écrit au Ier siècle de notre ère, mais qui s'inspire d'auteurs grecs antérieurs, disait à ce propos : « Si Polyclète sut donner à la forme humaine une beauté surnaturelle, il ne paraît pas pour autant avoir complètement rendu la majesté divine. » Ce jugement prend tout son sens quand on le rapproche de celui que le même Quintilien porte sur Phidias qui, selon lui, « a en quelque sorte enrichi la religion traditionnelle ». A partir du modèle humain que l'un et l'autre de ces deux artistes ont pris comme point de départ, l'un parvient à une rigoureuse perfection formelle, qui apparaît néanmoins un peu froide et comme désincarnée, l'autre hausse l'homme au-dessus de sa condition en lui donnant l'appréhension directe d'une grandeur surnaturelle. Le simulacre anthropomorphe traduit ainsi tantôt l'idéal humaniste, tantôt la transcendance divine. Toute la richesse de l'hellénisme est là.

Si la statue de culte est l'œuvre majeure du sculpteur, comme le temple est celle de l'architecte, d'autres tâches sollicitent aussi les artistes, auxquelles ils s'adonnent avec ardeur et conscience. Le décor des édifices sacrés, celui des monuments funéraires, celui du mobilier cultuel réclamaient leur concours et, compte tenu du programme établi par l'autorité responsable, excitaient leur imagination. Le trésor des mythes ancestraux leur fournissait une ample matière qu'ils utilisaient aussi pour les œuvres profanes. S'adressant à un public à qui ces mythes étaient familiers, ils n'avaient pas besoin d'être prolixes : quelques traits caractéristiques, ou à défaut une inscription, suffisaient à désigner un personnage. Certain d'être compris en raison de cette complicité préliminaire avec son public, l'artiste pouvait aller droit à l'essentiel. D'où le dépouillement des œuvres grecques, où chaque détail compte et dont la force expressive tient à leur sobriété. Deux couples de guerriers suggèrent une bataille devant Troie, comme une pomme dans la main d'Héraclès rappelle tout l'épisode des Hespérides, ou un tronc ébranché représente une forêt. Ce peuple intelligent savait comprendre à demi-mot : il appréciait pleinement un art riche d'allusions et de symboles, qui faisait constamment appel au concours actif du spectateur, voulait dire beaucoup avec une grande économie de moyens et faisait grand usage de la métonymie et de la litote. Cet art se nourrit d'observation quotidienne, mais il aspire à exprimer ce qui dure. Il admet la violence, mais refuse la gesticulation. S'il s'entend à merveille à narrer une histoire, il se plaît davantage encore à saisir l'essence permanente d'un être : rien n'exprime mieux la Grèce classique qu'une figure isolée, assise ou debout, nue ou vêtue, homme ou femme, qui médite ou qui rêve, ou mieux qui, sans être requise par aucune pensée ou action particulière, vit éternellement d'une vie calme, disponible, souveraine. Sans mépriser l'anecdote, dont les peintres de vases ont su tirer un excellent parti, l'art grec classique vise d'ordinaire plus haut. C'est un art frémissant et coloré sans doute : n'oublions pas que toutes les statues de marbre étaient peintes, pour en accentuer l'impression de présence. Mais en sollicitant les sens, il s'adresse à l'esprit et c'est l'esprit qu'au-delà de l'agrément des sens il vise à satisfaire.

•

Au service d'un individu ou d'une cité qui reste à la mesure de l'homme, l'artisan grec acquiert et fortifie le sentiment de sa propre individualité. L'art hellénique fut le premier à mettre en pleine lumière la personnalité de l'artiste. Dès les origines, la légende s'attacha au nom prestigieux de Dédale , ancêtre et patron des sculpteurs, dont Socrate se vantait plaisamment de descendre. Un autre artiste légendaire, Epeios*, passait pour le constructeur du Cheval de Troie. De l'un comme de l'autre on montrait encore des œuvres à l'époque classique. A partir de ces illustres ancêtres, la lignée des sculpteurs est ininterrompue : à la fin du VIIᵉ siècle, les Crétois Dipoinos* et Scyllis se proclamaient « Dédalides », comme le firent aussi leurs élèves Tectaios et Angélion, auteurs du colossal Apollon de Délos, que Callimaque a vu et chanté. C'est en Grèce que les sculpteurs prirent l'habitude de signer leurs ouvrages : leurs signatures conservées sont si nombreuses qu'on les a rassemblées dans des recueils spéciaux, devenus une source essentielle pour l'histoire de l'art. Leur témoignage enrichit ou confirme celui de Pausanias qui avait soigneusement relevé le nom des artistes célèbres dont on lui montrait les statues. L'usage s'étendit des sculpteurs aux potiers : dans le cours du VIᵉ siècle, les céramistes attiques se mirent à signer leurs plus beaux vases, tantôt comme peintres, tantôt comme potiers. Là encore les documents sont si nombreux qu'ils fournissent aux archéologues une base solide pour leurs classements chronologiques et stylistiques. Définir avec précision quelle était la « manière » des principaux artistes fut toujours l'ambition des érudits : que cet effort se soit révélé particulièrement fructueux dans la céramique peinte, où les peintres n'étaient que d'humbles artisans, montre combien la société hellénique favorisait l'éclosion du talent personnel.

Est-ce à dire que nous parvenions à distinguer aisément ces talents dans tous les domaines? Malheureusement il n'en est rien. Ainsi, pour la sculpture, les œuvres qui subsistent sont généralement anonymes et les signatures retrouvées figurent d'ordinaire sur des socles vides, tandis que les textes littéraires nous ont transmis quelques indications sur les grands maîtres. On s'efforce bien de faire coïncider les pièces du puzzle, mais les lacunes restent immenses et les résultats incertains. Quant à la grande peinture, illustrée au Vᵉ siècle par les noms de Polygnote* et de Parrhasios*, au IVᵉ siècle, avant Alexandre, par ceux de Zeuxis,* d'Euphranor* ou de Pausias*, elle nous échappe plus complètement encore : les lointaines et imparfaites imitations qu'on en devine sur des fresques ou des mosaïques d'époque romaine font cruellement regretter qu'un art si brillant, si unanimement admiré par les Anciens, ait disparu sans nous laisser une seule œuvre authentique. En revanche, le hasard nous a rendu plusieurs intailles et monnaies signées : elles prouvent que, comme les potiers, les graveurs étaient fiers de leur virtuosité technique et tenaient parfois à garder la paternité de leurs ouvrages. De fait, Evainétos, Cimon et Eucleidas, à qui l'on doit les belles monnaies de Syracuse à la fin du Vᵉ et au début du IVᵉ siècle, ne le cédaient en rien aux meilleurs sculpteurs de leur temps.

La notoriété à laquelle parvenaient certains artistes leur valait des commandes qui dépassaient largement le cadre de leur cité d'origine ou même le cadre régional. Dès l'époque archaïque, c'est là un fait bien établi : Sparte, au VIᵉ siècle, fait appel à un architecte de Samos, Théodoros*, et au sculpteur Bathyclès* de Magnésie, tous deux Ioniens. Inversement Milet, un peu plus tard, demande à un Sicyonien, Canachos*, de sculpter la statue de culte pour son temple d'Apollon. La ville dorienne de Cyrène apprécie beaucoup l'art attique. Les tyrans de Syracuse font exécuter leurs offrandes par les artistes les plus divers. Les sanctuaires panhelléniques, Delphes ou Olympie, attiraient les sculpteurs de toute origine en quête de travaux fructueux et jouaient le rôle d'expositions permanentes d'œuvres d'art. Les objets d'art mineur, bronzes, orfèvrerie, terres cuites, vases, tapisseries, circulaient d'un bout à l'autre du monde grec, favorisant la diffusion des styles et leurs réactions réciproques. On comprend que l'originalité des écoles locales soit dans ces conditions bien difficile à définir : elle s'efface bien souvent devant l'évolution générale du style, qui marche un peu partout du même pas, et devant l'influence personnelle des grands maîtres, qui s'exerce au hasard des rencontres. En définitive, plus que le goût propre de telle ou telle cité, c'est l'intérêt généralement porté à l'art qui nous frappe.

Certes, le rayonnement de certains centres, en particulier celui d'Athènes, a été déterminant pour la formation d'une esthétique commune. Mais il est remarquable que la diffusion de cette esthétique ait été si rapide et si efficace : en des points aussi éloignés que Cyrène, Sélinonte ou Posidonia-Pæstum, on a retrouvé des chefs-d'œuvre comparables aux meilleurs ouvrages de la Grèce propre. Dans le domaine de l'art comme dans celui des lettres, en dépit de ses divisions politiques, l'hellénisme avait tôt pris conscience de son unité.

CONCLUSION

O N voudrait que les pages qui précèdent aient au moins fait sentir la richesse et la complexité d'une civilisation dont les traits tendent d'ordinaire à se simplifier à l'excès dans notre souvenir. Pas plus que le monde grec ne se réduit à la seule cité d'Athènes, l'hellénisme ne saurait se réduire au siècle de Périclès, un « siècle » qui, à vrai dire, ne dura que trente ans. Des poètes mycéniens, prédécesseurs d'Homère, à Platon et à Démosthène, de Dédale, ancêtre mythique des sculpteurs, à Praxitèle et à Scopas, des potiers attiques du XIVe siècle à ceux du « style de Kertch », la route est longue et variée : dix siècles d'efforts et d'épreuves, d'explorations et de batailles, de rivalité et d'émulation. Dix siècles pendant lesquels un petit peuple, à la fois un et divers, a su élaborer patiemment, en dépit des discordes intestines et des menaces de l'étranger, une culture originale, neuve, complète, où les principaux aspects de la condition humaine ont simultanément reçu leur place : la foi religieuse et la confiance en l'homme, le sens du mystère cosmique et la volonté de comprendre la nature, l'idée de hiérarchie et celle d'égalité, le respect du groupe social et l'intérêt porté à l'individu. Que ces exigences contradictoires aient suscité d'incessants conflits dans les esprits comme dans les Etats, cela n'est pas pour surprendre. Mais ces conflits mêmes ont été plus d'une fois générateurs de progrès.

Nous retrouvons ici la pensée d'Héraclite sur *la Guerre, mère de toutes choses*. Dans l'ordre de l'esprit comme dans celui des rapports humains, la Grèce archaïque et classique illustre bien le mot d'un de nos poètes : « ceux qui vivent, ce sont ceux qui luttent ». Aux yeux des Grecs, en effet, la qualité majeure de l'homme n'est pas l'intelligence, chez eux si répandue, mais le courage, dont le nom dans leur langue, *arétè*, comme *virtus* en latin, a pris le sens général de vertu. Leurs héros préférés sont Achille, le plus vaillant des hommes, et Ulysse, dont l'esprit fertile en ressources ne vaudrait rien sans son cœur intrépide. Dans la fiction comme dans la vie, les Hellènes n'ont rien mis au-dessus de la fermeté d'âme : témoin le Prométhée d'Eschyle ou l'Antigone de Sophocle, Léonidas ou Phocion, Socrate ou Démosthène. En ce sens la Grèce de Plutarque, malgré son ton moralisateur, répond mieux qu'on ne croit à la vérité historique. Ce qu'Hérodote écrit dans le prologue de ses *Histoires*, tous ses contemporains le pensaient avec lui : « Il faut que les exploits admirables accomplis par Grecs et Barbares ne disparaissent pas dans l'oubli. » Sans doute comptait-il au nombre de ces exploits les chefs-d'œuvre de l'art ou de la technique. Mais il plaçait plus haut encore les vertus du guerrier et du chef politique, qui affrontent non plus la matière, mais les hommes. Aussi lorsque Renan, dans la *Prière sur l'Acropole*, écrit superbement : « Puis ils iront à Sparte maudire cette maîtresse d'erreurs sombres et l'insulter parce qu'elle n'est plus », il méconnaît gravement l'âme antique : pour les Grecs d'autrefois, le souvenir d'un noble exemple n'avait pas besoin, pour survivre, d'être fixé par un monument, et le renom d'une haute vertu, transmis de génération en génération avec les vers de Simonide ou de Tyrtée, défiait aisément les siècles. Athéna, la Vierge guerrière, avait un temple de bronze à Lacédémone : elle n'eût pas compris qu'on méprisât Sparte et ses soldats.

Gardons-nous donc de transporter dans ce lointain passé nos préjugés et nos chimères! Les savants français qui, relatant la guerre du Péloponnèse, se laissent entraîner par leur sympathie pour Athènes, qu'ils assimilent à tort aux démocraties modernes, ne commettent pas une moindre erreur que les savants allemands du IIIe Reich qui révéraient dans Sparte la préfiguration du fascisme. Autres temps, autres mœurs : Renan ici nous rappellerait justement que « la véritable admiration est historique ». Pourtant, si les sociétés changent, l'homme demeure semblable à lui-même. C'est pourquoi la leçon de la Grèce est moins une leçon politique qu'une leçon morale. Leçon de modestie et de lucidité qui met l'homme à sa juste place : apte à beaucoup comprendre, mais sachant aussi ignorer; aimant la vie, mais la sachant précaire; usant de son intelligence avec délices, sans oublier que l'avenir appartient aux dieux, ces dieux conçus à son image et par qui la mesure humaine, sous sa forme idéale, fournit la référence suprême à l'univers. Ce Grec éprouve les passions de l'homme. Il sait que rien ne s'obtient sans lutte. Mais, conscient de sa propre faiblesse, il ne méprise pas l'adversaire. Tandis que sur leurs reliefs triomphaux les monarques de l'Orient se font représenter écrasant sous leur char des foules accablées et tremblantes, l'art hellénique évoque les grands exploits de l'histoire ou de l'épopée sous l'aspect de combats égaux, qu'il s'agisse des Centaures et des Lapithes, des Grecs et des Troyens, des Athéniens et des Amazones. L'ennemi n'y a pas toujours le dessous et sa défaite, quand elle arrive, ne le prive pas du droit à la pitié. Ce n'est pas un hasard si les Troyens Priam, Hector et Andromaque sont les figures les plus émouvantes de l'*Iliade*. On racontait qu'Achille s'était épris d'amour pour la guerrière Penthésilée au moment même où, sur le champ de bataille, il lui portait un coup mortel. L'anecdote, qu'illustre une belle coupe attique à figures rouges, est pleine de sens : le plus vaillant n'est qu'un jouet aux mains de la Destinée.

Pour définir la pensée grecque, on emploie souvent le mot d'*humanisme* et l'on cite à bon droit le fameux chœur des vieillards thébains dans l'*Antigone* de Sophocle : « Que de merveilles au monde, mais nulle n'est plus merveilleuse que l'homme! » Rappelons toutefois que, pour cet humanisme, l'homme est un point de départ et une mesure nécessaire, et non une limite ou une fin. Mais toute spéculation trop générale reste un peu vaine : le legs de la Grèce archaïque et classique s'apprécie mieux au contact direct des œuvres. Celles-ci sont assez riches et assez belles pour que chacun de nous, en les abordant par lui-même, y trouve, outre les traits éternels de l'homme, la part d'héritage qui lui convient.

INDEX
DOCUMENTAIRE

A

ACHARNES.
Bourg de l'Attique, situé au pied du mont Parnès, à une dizaine de kilomètres au nord d'Athènes. Aristophane a mis en scène les paysans de cette région, fabricants de charbon de bois, dans sa pièce *Les Acharniens*.

ACROPOLE.
Région haute d'une ville antique, servant de réduit fortifié pour la défense. D'importants cultes civiques y sont d'ordinaire installés.

ÆGOSPOTAMOS.
Fleuve de la Chersonèse de Thrace. Bataille navale d'Ægospotamos en 405.

ÆGOSTHÈNE.
Cité de Mégaride située au bord du golfe de Corinthe, au pied du Cithéron.

AGALMA.
Image du dieu, et en particulier statue de culte.

AGÉSILAS.
Né en 444, roi de Sparte en 401, il mène des campagnes brillantes contre les Perses en Asie Mineure, puis, rappelé en Grèce, il défait Thèbes et Athènes à Coronée en 394. Après la paix d'Antalcidas (386), il affermit l'hégémonie spartiate en soutenant dans toute la Grèce les régimes oligarchiques ; mais il ne peut empêcher l'hégémonie de Thèbes. En 361 il se met au service des princes égyptiens Tachos et Nectanébo, révoltés contre le roi de Perse, et il meurt pendant le voyage de retour en 360. Plutarque lui a consacré une de ses *Vies parallèles*.

AGORA.
Place publique. Lieu de cultes en rapport avec l'histoire mythique de la cité (héros fondateurs, dieux tutélaires) et de fêtes religieuses (premières représentations théâtrales à Athènes), elle est aussi le centre de la vie politique, sert de lieu de réunion à l'assemblée et se couvre d'édifices publics (*bouleutérion*, bureaux des magistrats, tribunaux, archives) et de monuments honorifiques. Sa fonction commerciale se développe surtout à l'époque classique.

AGORANOMES.
Fonctionnaires athéniens chargés de la police des marchés et du contrôle des poids et mesures. Voir Aristote, *Constitution d'Athènes*, 51.

AGRIGENTE.
Cité grecque sur la côte méridionale de la Sicile, fondée par Géla vers 580 sur un large plateau incliné vers la mer, au rebord duquel s'alignaient les principaux temples. Elle fut prise et pillée par Carthage en 406, et repeuplée au IVe siècle.

ALASIOTAS.
Surnom d'Apollon à Chypre.

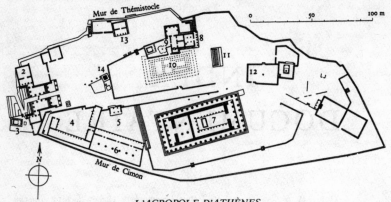

L'ACROPOLE D'ATHÈNES

(*D'après Dinsmoor.*) *1. Propylées de Mnésiclès. — 2. Pinacothèque des Propylées. — 3. Sanctuaire et temple d'Athéna Niké. — 4. Sanctuaire d'Artémis Brauronia. — 5. Cour de la Chalcothèque. — 6. Chalcothèque. — 7. Parthénon. — 8. Erechthéion. — 9. Sanctuaire de Pandrose.* — *10. Emplacement du vieux temple d'Athéna. — 11. Grand autel d'Athéna. — 12. Sanctuaire et autel de Zeus Polieus. — 13. Maison des Arrhéphores. — 14. Base de l'Athéna Promachos.*

ALCÉE.

Poète lyrique, né à Lesbos vers 630 dans une famille aristocratique ; il est mêlé à la lutte contre le tyran Pittacos et doit s'exiler en Thrace et en Égypte ; il rentra ensuite dans sa patrie. Les fragments conservés de ses œuvres gardent les traces de ces luttes politiques. Il écrivit aussi des hymnes et des scolies destinés aux banquets.

ALCIBIADE.

Athénien, fils de Clinias, né vers 450, pupille de Périclès, disciple et ami de Socrate. Aristocrate de naissance et de goûts, séduisant par son intelligence et sa beauté, mais égoïste, vaniteux et dénué de scrupules, il étonna ses compatriotes par sa munificence et joua bientôt un grand rôle politique. Stratège en 417 avec Nicias, il proposa en 415 l'expédition de Sicile ; désigné comme un des chefs de l'armée, il fut accusé d'avoir parodié les mystères d'Éleusis et mutilé les Hermès, et refusa de rentrer à Athènes pour se justifier. Condamné à mort par contumace, il se réfugia auprès des Spartiates à qui il conseilla de soutenir Syracuse et d'occuper Décélie en Attique. En butte à la jalousie des généraux spartiates, il se retira auprès du satrape Tissapherne (412), puis il renoua avec les factions politiques d'Athènes, se fit reconnaître pour chef par les escadres de Samos et de l'Hellespont restées fidèles à la démocratie en 411 et obtint son rappel à la chute des Quatre-Cents. Vainqueur à Abydos (411) et à Cyzique (410), maître de Byzance (409), il rentra triomphalement à Athènes en 407. Mais il échoua dans d'autres expéditions et dut s'exiler en Thrace (406) où il fut assassiné à l'instigation des Trente (404). Plutarque lui a consacré une de ses *Vies parallèles.*

ALCMAN.

Poète lyrique, originaire de Sardes, qui vécut à Sparte dans la seconde moitié du VIᵉ siècle ; auteur d'hymnes destinés à des chœurs de jeunes filles (*Parthénées*).

ALCMÉONIDES.
Famille aristocratique d'Athènes dont les représentants les plus illustres furent Mégaclès et Clisthène. Périclès était apparenté à cette famille par sa mère.

AMASIS.
Pharaon de la dynastie saïte, connu pour son philhellénisme. Il régna de 568 à 526.

AMPHIARAOS.
Un des chefs argiens de l'expédition des Sept contre Thèbes. Il fut englouti par la terre avec son char. Honoré comme devin et héros guérisseur près d'Oropos, dans le nord de l'Attique, un oracle était attaché à son sanctuaire.

AMPHICTYONIE.
On appelait ainsi une ligue ou confédération de peuples habitant la même région et qui se réunissaient autour d'un sanctuaire commun. Les membres du conseil de la ligue s'appelaient des *Amphictyons* ou *Amphictions* : cette dernière orthographe, moins habituelle dans nos textes littéraires, est celle des monnaies et des inscriptions et répond mieux au sens étymologique du mot, «ceux qui sont installés autour». L'Antiquité grecque a connu plusieurs organisations qui ont porté ce nom, par exemple celle de Délos dans les Cyclades ou celle de Calaurie en Argolide. La plus illustre fut celle qui groupa autour des sanctuaires de Déméter à Anthéla (près des Thermopyles) et d'Apollon à Delphes douze peuples de la Grèce septentrionale et centrale. Ses décisions entraînèrent parfois de graves conséquences politiques. Les réunions bisannuelles des délégués des peuples adhérents, ou *hiéromnémons*, avaient lieu au printemps à Anthéla et à l'automne à Delphes.

AMPHIDROMIES.
Cérémonie par laquelle l'enfant nouveau-né est associé au culte familial.

AMPHIPOLIS.
Colonie athénienne en Thrace, sur le bas Strymon, fondée en 436. Assiégée et prise par Brasidas en 422. Prise par Philippe en 357.

ANACRÉON.
Poète lyrique, né à Téos en Ionie vers le milieu du vie siècle. Ayant fui devant la conquête perse, il séjourna à la cour de Polycrate, puis,

après 522, à celle des Pisistratides ; à la mort d'Hipparque (514), il se retira en Thessalie.

ANAXAGORE.
Né à Clazomènes, en Ionie, vers 500, il fut peut-être l'élève du philosophe milésien Anaximène. Il s'installa à Athènes où il eut pour disciples Périclès, Euripide et peut-être Socrate. Accusé d'impiété par les adversaires politiques de Périclès, il s'exila et mourut à Lampsaque sur l'Hellespont en 428.

ANAXIMANDRE.
Philosophe originaire de Milet, qui vécut dans la première moitié du vie siècle.

ANAXIMÈNE.
Philosophe milésien, élève d'Anaximandre (première moitié du vie siècle).

ANDOCIDE.
Homme politique et orateur athénien, né d'une famille aristocratique vers 440. Compromis en 415 avec Alcibiade dans l'affaire de la parodie des Mystères et de la mutilation des Hermès, il est privé de ses droits politiques et religieux et doit s'exiler. Rentré en 411, il est chassé de nouveau et revient avec Thrasybule en 403. Discours conservés : *Sur les Mystères* (399), *Sur la Paix* (391).

ANTALCIDAS.
Spartiate qui négocia avec la Perse la paix de 387, dite Paix d'Antalcidas.

ANTHESTÉRIES.
Fêtes de Dionysos en Attique.

ANTIMACHOS.
Poète originaire de Colophon. Il fleurit à la fin du ve et au début du ive siècle. Il avait composé une épopée, *La Thébaïde*, et un long poème en vers élégiaques, la *Lydé*, qui racontait un amour malheureux. Très goûté de Platon, Antimachos fut violemment critiqué par la suite, en particulier au iiie siècle par Callimaque. Nous n'avons gardé de son œuvre que des fragments insignifiants.

ANTIPHON.
Orateur athénien, né vers 480. Il joua un rôle de premier plan dans la révolution des Quatre-Cents, négocia avec Sparte et, accusé de trahi-

son par Théramène, fut condamné à mort en 411. Il a laissé quelques discours judiciaires. Professeur de rhétorique, il fut le maître de Thucydide.

ANTISTHÈNE.
Philosophe, né à Athènes vers 445 d'un citoyen et d'une esclave. Élève des sophistes et de Socrate, il fonde la secte des Cyniques, ainsi nommée d'après le gymnase du Cynosarges où il donne son enseignement. Il meurt vers 365.

APELLA.
Nom de l'assemblée du peuple à Sparte.

ARCHÉGÈTE.
Héros fondateur d'une cité.

ARCHÉLAOS.
Roi de Macédoine de 413 à 399. De nombreux poètes, en particulier Euripide, et artistes grecs, comme Zeuxis, séjournèrent à sa cour de Pella.

ARCHILOQUE.
Poète lyrique, né à Paros au début du VII⁰ siècle. Il participa à la colonisation de Thasos et aux luttes entre colons et Barbares. On n'a conservé de lui que des fragments (*ïambes*), d'un ton souvent violent.

ARCHONTE.
Nom générique (*celui qui gouverne*) donné à certains magistrats. A Athènes, après le milieu du V⁰ siècle, les neuf archontes n'ont plus guère que des fonctions religieuses et judiciaires. L'*archonte éponyme* donne son nom à l'année, règle le calendrier, préside les Grandes Dionysies, s'occupe des successions, des veuves et des orphelins ; le *roi* dirige la vie religieuse ; le *polémarque* préside les funérailles des citoyens morts à la guerre et s'occupe des métèques et des étrangers ; les six *thesmothètes* président les tribunaux. Les archontes sont tirés au sort entre des candidats élus parmi les citoyens des trois premières classes, à raison d'un par tribu ; à leur sortie de charge, ils entrent au Conseil de l'Aréopage. Cf. Aristote, *Constitution d'Athènes*, 55 et suiv.

ARCTINOS.
Poète épique originaire de Milet, auteur de l'*Ethiopide* et de l'*Ilioupersis* (VII⁰ siècle).

ARÉOPAGE.
Le premier tribunal d'Athènes, fondé, selon la légende, par Athéna pour juger Oreste. Il siège sur la colline d'Arès (*Aréopage*) qui lui a donné son nom. Il se compose des archontes sortis de charge. Doté à l'origine d'une grande influence politique, il se réduit depuis la réforme d'Ephialte (462) à des fonctions judiciaires : affaires d'empoisonnement, de meurtre avec préméditation, d'incendie, de sacrilège. Voir Aristote, *Constitution d'Athènes*, 25 et 57.

ARGINUSES (Iles).
Entre Lesbos et la côte d'Asie Mineure. Bataille navale en 406.

ARGOS.
Cité d'Argolide, située dans la plaine, à quelque distance de la mer (golfe de Nauplie), au pied des deux collines de l'Aspis et de la Larissa. Elle hérita de la prépondérance exercée d'abord par Mycènes sur le riche bassin agricole qui sert de centre à cette région du Péloponnèse. Sa prospérité s'accrut à la fin du VIII⁰ siècle sous l'autorité du roi Phidon, qui passait pour l'inventeur de la monnaie. Par la suite, tout en conservant une puissance suffisante pour exercer son autorité sur les villes voisines, Argos dut lutter sans cesse contre les entreprises de Sparte dont elle fut la grande rivale dans le Péloponnèse. Argos fut naturellement l'alliée d'Athènes au cours des luttes du V⁰ et du IV⁰ siècle. Le souvenir des princes mycéniens, dont la légende avait transporté la capitale de Mycènes à Argos, et le renom de ses sculpteurs au VI⁰ et au V⁰ siècle (en particulier du fameux Polyclète) contribuèrent à rendre la ville célèbre dans le monde hellénique.

ARION.
Poète lyrique né à Méthymne dans l'île de Lesbos à la fin du VII⁰ siècle. Il passait pour avoir été sauvé de la noyade par un dauphin.

ARISTIDE.
Homme politique athénien, né vers 540 dans une famille aristocratique apparentée aux Kérykes d'Eleusis. Son intégrité le fit surnommer *le Juste*. Stratège à Marathon, archonte en 489, il s'opposa à Thémistocle et fut ostracisé en 483. Rappelé lors de la seconde invasion perse, il prend part aux batailles de Salamine et de Platées, aux opérations navales de Chypre et de

Byzance, et règle avec équité la répartition du tribut entre les alliés. Il meurt en 468.

ARISTOCLÈS.
Sculpteur attique de la fin du VIᵉ siècle, connu par deux signatures dont l'une figure sur la célèbre stèle représentant le guerrier Aristion.

ARISTOGITON.
(Voir Harmodios.)

ARISTOPHANE.
Le plus grand des poètes comiques athéniens, représentant typique de la comédie ancienne. Fils de Philippos, il naquit vers 445 et donna sa première pièce en 427, à 18 ans, sous un nom d'emprunt. D'une grande fécondité d'inspiration et d'une verve inégalée dans l'invention comique et la virtuosité verbale, il était l'auteur d'une quarantaine de pièces dont onze sont conservées. Ce sont *Les Acharniens* (425), *Les Cavaliers* (424), *Les Nuées* (423), *Les Guêpes* (422), *La Paix* (421), *Les Oiseaux* (414), *Les Thesmophories* et *Lysistrata* (411), *Les Grenouilles* (405), *L'Assemblée des Femmes* (392 ?) et le *Ploutos* (388). La plupart de ces pièces sont des œuvres d'actualité, pleines d'allusions contemporaines et de satire politique. Les premières, antérieures à la paix de Nicias, attaquent souvent le démagogue Cléon et réclament la conclusion de la paix avec Sparte, pour rendre les paysans à leurs travaux champêtres. Socrate dans *Les Nuées*, Euripide dans *Les Acharniens* et *Les Grenouilles* sont aussi l'objet de critiques acerbes. *Laudator temporis acti*, Aristophane vante volontiers l'excellence des mœurs d'autrefois par opposition aux mœurs de son temps. Il fustige en les nommant par leur nom les politiciens corrompus, les fonctionnaires prévaricateurs, les vicieux et les débauchés. Ses deux dernières pièces conservées, traitant de problèmes plus généraux (le gouvernement des femmes et le communisme, le rêve d'une juste distribution des richesses), fraient la voie à la comédie moyenne.

ASCLÉPIOS.
Dieu médecin qui avait son sanctuaire à Epidaure.

ARRHÉPHORES.
Fillettes de la haute société athénienne qui, au nombre de deux, vivaient pendant un an sur l'Acropole dans une maison qui leur était réservée. Elles participaient au culte d'Athéna Polias. Après l'accomplissement d'un rite secret (transport d'objets sacrés), elles étaient remplacées au bout d'un an.

ATHÈNES (Topographie).
La plaine d'Athènes, communiquant par des passages faciles avec les autres régions de l'Attique (collines du nord, plaine de la Mésogée à l'est, plaine d'Eleusis à l'ouest), est délimitée par l'Hymette, le Pentélique, le Parnès, l'Ægaléos et la mer. Au milieu de ce vaste espace, l'Acropole, élément d'une chaîne de hautes collines, encadrée par les cours du Céphise et de son affluent l'Ilissos, offrait une excellente position de défense, à environ 5 km de la côte. Occupée dès l'époque mycénienne, elle devait rester au cours des siècles, avec l'Agora, le centre principal de la cité.
L'ancienne Agora se trouvait entre l'Acropole et la colline de l'Aréopage. La nouvelle s'installa, à l'époque de Solon, au début du VIᵉ siècle, au nord de l'Aréopage, dans une dépression où se croisaient des axes de circulation et qui, jusqu'au VIIIᵉ siècle, avait servi de cimetière. Les principaux édifices se trouvaient du côté ouest, au pied de la colline dite *Kolonos Agoraios* : c'étaient la *Tholos*, édifice circulaire où les prytanes et les hôtes officiels prenaient leurs repas et qui abritait le foyer sacré de la cité ; le *Bouleutérion* où se réunissait le Conseil des Cinq-Cents ; le temple d'Apollon Patrôos ; le temple de la Grande Mère édifié à la fin du Vᵉ siècle sur l'emplacement d'un premier *Bouleutérion* ; le portique de Zeus *Éleuthérios* ; et enfin le *Portique Royal*. A quelque distance vers l'est s'élevait l'autel des Douze Dieux. Sur la colline, vers le milieu du Vᵉ siècle, on commença le temple d'Héphaïstos (appelé à tort *Théséion*). Devant le *Bouleutérion* se dressaient les statues des héros éponymes des tribus. Au centre de la place le groupe des *Tyrannoctones* d'Anténor, puis celui de Critios et Nésiotès occupèrent l'endroit réservé sous Pisistrate aux fêtes des Grandes Dionysies. Au sud s'élevaient un tribunal, un portique et deux fontaines ; au nord le portique du Pœcile, décoré à l'intérieur de peintures du milieu du Vᵉ siècle, on commença Polygnote (Sac de Troie) et Panainos (Bataille de Marathon). Autour de l'Acropole et de l'Agora s'étendaient les quartiers d'habitation, développés sans aucun souci de régularité. Ils for-

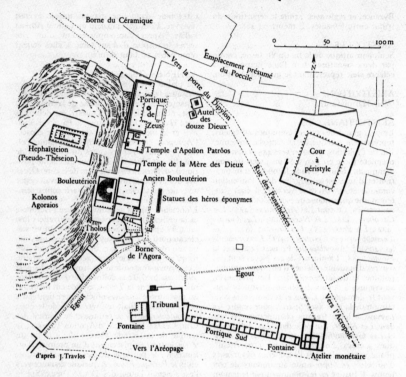

Borne du Céramique

Emplacement présumé du Poecile

Vers la porte du Dipylon

Portique de Zeus

Autel des douze Dieux

Hephaïsteion (Pseudo-Théseion)

Temple d'Apollon Patrôos

Temple de la Mère des Dieux

Cour à péristyle

Bouleutérion

Ancien Bouleutérion

Kolonos Agoraios

Statues des héros éponymes

Rue des Panathénées

Tholos

Borne de l'Agora

Egout

Egout

Egout

Vers l'Acropole

Tribunal

Fontaine

Vers l'Aréopage

Portique Sud

Fontaine

Atelier monétaire

d'après J. Travlos

L'AGORA D'ATHÈNES AU Vᵉ SIÈCLE AVANT J.-C.

(D'après J. Travlos.) C'est au début du VIᵉ siècle que l'Agora devint le centre politique de la cité. C'était une dépression bordée à l'ouest par la colline du Kolonos Agoraios, au sud par les pentes de l'Aréopage et de l'Acropole. Les principaux édifices civiques et religieux furent construits sur une esplanade aménagée en contrebas du Kolonos Agoraios. Le portique Royal, celui de Zeus, le temple de la Mère des Dieux, les deux bâtiments destinés aux séances du Conseil, la Tholos où siégeaient les Prytanes, sont dominés par le grand temple bâti au sommet de la colline en l'honneur d'Héphaïstos

(c'est l'édifice faussement appelé Théseion). Au nord de la place, Cimon avait fait construire le portique du Poecile (entièrement disparu), décoré de peintures célèbres. Au sud, un grand portique construit sous Périclès, deux fontaines et des bâtiments utilitaires s'alignaient au pied de l'Aréopage. La rue empruntée par le cortège des Panathénées traversait obliquement la place. Elle passait près de l'autel des Douze Dieux, point de départ des routes de l'Attique. Près du Bouleutérion sur une longue base commune, se dressaient les statues des héros éponymes des dix tribus.

maient les différents dèmes urbains. On y trouvait d'autres sanctuaires et édifices publics.

A l'ouest de l'Acropole, sur l'Aréopage, siégeait en plein air le plus ancien tribunal d'Athènes ; au pied du rocher, le sanctuaire des Érinnyes. Plus loin vers l'ouest, il y avait la colline des Nymphes et la Pnyx, où l'Assemblée se réunissait, depuis Clisthène, dans un hémicycle à gradins de bois entourant une tribune taillée dans le rocher pour l'orateur et l'autel de Zeus *Agoraios*. La route du Pirée longeait le flanc nord de l'Aréopage. Au nord de l'Acropole se trouvaient l'*Éleusinion* urbain (sanctuaire de Déméter et Coré), le *Cyloneion* (consacré en expiation du meurtre des complices de Cylon), le sanctuaire de Thésée (où furent déposés ses restes ramenés de Scyros) et le Prytanée. La rue des Trépieds, bordée de monuments chorégiques (monument de Lysicrate), contournait l'Acropole vers l'est et débouchait près du sanctuaire de Dionysos et du théâtre. Plus à l'est se trouvait l'emplacement de l'*Olympieion*, temple de Zeus entrepris par Pisistrate sur le modèle des grands temples ioniques d'Asie Mineure, mais dont la construction fut abandonnée jusqu'au IIᵉ siècle de notre ère. Plus loin vers le sud-est, on rejoignait l'Ilissos, au bord duquel s'élevait un sanctuaire d'Apollon *Pythios*. Au nord de la ville se trouvaient les quartiers de l'artisanat et du commerce ; le plus important, le Céramique, où travaillaient les potiers, débordait l'enceinte au-delà du *Dipylon* (double porte) ; le Céramique extérieur était divisé en deux par une avenue bordée de tombeaux officiels (personnages honorés par l'État, soldats tombés au combat) qui menait vers l'Académie. Deux autres routes allaient à Éleusis et à Colone.

Le mur d'enceinte, construit après les guerres médiques en briques crues sur un socle de calcaire, puis complété par Cléon au Vᵉ siècle et par Conon au IVᵉ siècle, était flanqué de tours carrées ; les portes les plus importantes étaient celles du Pirée à l'ouest, du Dipylon au nord-ouest et d'Acharnes au nord. Les faubourgs formaient une ceinture de villas et de jardins dont quelques-uns abritaient des gymnases et des écoles philosophiques. Près de l'Ilissos se trouvaient le *Métrôon* d'Agrai, petit temple ionique de la fin du Vᵉ siècle, le Stade aménagé par Lycurgue en 330 et la colline de l'Ardettos où les héliastes prêtaient serment. Plus au sud, on rencontrait le gymnase du Cynosarges, centre de l'école cynique. Vers le nord-est, c'étaient la colline abrupte du Lycabette et le gymnase du Lycée. Au nord-ouest du Dipylon se trouvait l'Académie, avec un sanctuaire des Muses, où enseigna Platon.

Athènes était reliée à ses ports, le Pirée et Phalère, par trois *Longs Murs*, construits après les guerres médiques, qui se raccordaient à l'enceinte près de la colline des Muses.

ATTHIDOGRAPHES.
Historiographes de l'Attique.

B

BACCHYLIDE.
Poète originaire de Céos, neveu de Simonide de Céos. Il fleurit dans la première moitié du Vᵉ siècle, en même temps que Pindare dont il fut le rival. Auteur d'hymnes, d'épinicies et de dithyrambes, il chanta, comme Pindare, les victoires remportées dans les Grands Jeux par Hiéron de Syracuse. Un papyrus a rendu d'importants fragments de ses œuvres.

BATHYCLÈS.
Architecte et sculpteur originaire de Magnésie du Méandre, en Ionie. Son activité prend place dans la seconde moitié du VIᵉ siècle. Il fut appelé à Sparte pour construire et décorer l'ensemble monumental, appelé le *Trône d'Apollon*, qui entourait la statue de ce dieu dans le sanctuaire d'Amyclées.

BOULÉ.
Conseil à compétence politique recruté selon des modalités qui varient d'une cité à l'autre. Il joue un rôle essentiel dans l'administration de la plupart des cités grecques. A Athènes, où nous sommes assez bien renseignés à son sujet, il fut créé par Solon et comportait alors 400 membres, à raison de 100 pour chacune des quatre tribus traditionnelles. A partir des réformes de Clisthène, la *Boulé* compte 500 membres âgés de plus de trente ans, tirés au sort à raison de 50 par tribu, pour un an. Outre ses réunions quotidiennes, la *Boulé* est représentée par une commission permanente, les *prytanes*, formée par les bouleutes d'une tribu qui siègent en permanence pendant un dixième de l'année (*prytanie*) dans l'ordre régulier des tribus. Les prytanes sont présidés par un *épistate*, tiré au sort

chaque jour, qui, détenteur du sceau officiel et des clefs du trésor, est le véritable chef de l'État. Les prytanes sont nourris aux frais de l'État dans la *Tholos*. Ils préparent l'ordre du jour des réunions, convoquent la *Boulé* et l'Assemblée, prennent les mesures d'urgence. La *Boulé* étudie les projets de lois et de décrets qu'elle présente au vote de l'Assemblée. Elle contrôle l'administration intérieure et la politique étrangère. Voir Aristote, *Constitution d'Athènes*, 8 et 43 et suiv.

BOULEUTÉRION.
Local où se réunit la *Boulé*. Le type ancien est une salle allongée à colonnade centrale ; l'entrée est sur un long côté. Un type nouveau se développe à Athènes à la fin du Ve siècle : c'est un bâtiment carré abritant des gradins disposés en U. Ce type de salle d'assemblée, déjà utilisé pour des fins religieuses au *Télestérion* d'Eleusis, connut un grand succès dans l'Antiquité.

BRASIDAS.
Général lacédémonien, aussi habile que brave, qui remporta de grands succès en Chalcidique et en Thrace de 424 à 422. Il mourut en défendant victorieusement contre Cléon la ville d'Amphipolis, qu'il avait enlevée à l'alliance d'Athènes.

BRYAXIS.
Sculpteur athénien du IVe siècle qui travailla au mausolée d'Halicarnasse (après 352).

C

CADMÉE (La).
Citadelle de Thèbes, ainsi nommée d'après le héros Cadmos, fondateur mythique de la ville.

CALAURIE.
Ile d'Argolide, sur le golfe Saronique. Elle renfermait un sanctuaire de Poséidon qui fut le centre d'une amphictyonie qui, à l'époque archaïque, groupa pendant quelque temps des cités d'Argolide, Athènes, Égine et Orchomène de Béotie. On est fort mal renseigné sur l'histoire de cette organisation qui disparut très tôt. C'est dans le sanctuaire de Calaurie que Démosthène, poursuivi par les soldats macédoniens, s'empoisonna en 322.

CALENDRIER.
Variable selon les cités. A Athènes l'année compte 12 mois lunaires : 6 mois *creux* (29 jours), 6 mois *pleins* (30 jours), et parfois un mois intercalaire de 30 jours pour rétablir l'accord avec l'année solaire (il y eut pour cela différents systèmes : cycle de 8 ans, avec trois années allongées ; cycle de 19 ans, avec sept années allongées, inventé au Ve siècle par Méton). Les mois athéniens se nomment (de juillet à juin approximativement) : *Hécatombaion, Métageitnion, Boédromion, Pyanepsion, Maimactérion, Posidéon, Gamélion, Anthestérion, Elaphébolion, Mounichion, Thargélion, Skirophorion* ; le mois intercalaire, entre *Posidéon* et *Gamélion*, est éventuellement *Posidéon II*. Chaque mois était divisé en trois périodes de dix jours (neuf seulement pour la dernière période dans les mois *creux*). Les années étaient distinguées par le nom de l'archonte *éponyme*, qui figurait en tête des textes officiels.

CALLIAS.
Riche Athénien de la famille des Kérykes, beau-frère de Cimon dont il avait épousé la sœur Elpinicé. Il conduisit à Suse la délégation athénienne qui conclut avec le Grand Roi la paix dite paix de Callias (449-448).

CALLIMACHOS.
Polémarque athénien qui périt en combattant à Marathon. On conserve à Athènes une *Victoire* en marbre, offrande posthume de ce général, avec une épigramme dédicatoire gravée sur la colonne qui la portait.

CALLISTRATOS.
Homme politique athénien de la première moitié du IVe siècle. Il organisa la deuxième Confédération maritime athénienne (377), préconisa l'entente avec Sparte et avec la Perse, mais fut condamné à mort en 362-361 et s'enfuit en Macédoine auprès du roi Perdiccas qu'il aida à réorganiser ses finances. Rentré à Athènes en suppliant vers 355, il n'en fut pas moins exécuté conformément à la sentence antérieurement prononcée contre lui. C'était un bon orateur, un homme d'État avisé et un excellent financier.

CANACHOS.
Sculpteur de Sicyone, en activité à la fin du VIe siècle et au début du Ve siècle. Son

chef-d'œuvre était l'Apollon *Philesios* de Milet, enlevé par Darius comme butin de guerre en 494.

CANÉPHORES.
Porteuses de corbeilles qui participent aux processions.

CARNÉENNES.
Fêtes célébrées à Sparte et dans certaines cités doriennes.

CHABRIAS.
Général athénien de la première moitié du IVe siècle. Il remporta des succès sur mer dans les Cyclades et sur la côte de Thrace en 376-375. Il mourut à Chios pendant la Guerre Sociale en 357. Il avait été lié d'amitié avec Platon.

CHALCIDIQUE.
Presqu'île de la Grèce du Nord, avec ses trois prolongements de la Pallène, de la Sithonie et de l'Acté. Colonisée au VIIIe siècle par les Eubéens.

CHŒUR.
Groupe de chanteurs et de danseurs (*choreutes*) auxquels se joignent au besoin des acteurs.

CHORÉGIE.
Une des plus importantes liturgies attiques. Elle consiste à faire les frais d'un chœur destiné à une représentation publique à l'occasion d'une cérémonie. Le chorège doit payer les choreutes, leur instructeur (qui est souvent en même temps l'auteur du texte, poème, tragédie ou comédie, et de la musique), le ou les musiciens et éventuellement les costumes et les décors. Comme il y a d'ordinaire un concours entre plusieurs chorèges, chacun représentant sa tribu, l'amour-propre du citoyen investi de ce coûteux honneur est engagé vivement dans la compétition. En cas de succès, le chorège reçoit un prix (souvent un trépied) et divers honneurs. Il célèbre volontiers son succès en consacrant une offrande (monument chorégique). La rue des Trépieds, à Athènes, devait son nom aux trépieds votifs qui la bordaient, juchés sur des monuments commémoratifs érigés par des chorèges, comme le monument de Lysicrate (daté de 334 avant J.-C.) qui est encore debout, bien que le trépied qui le surmontait ait disparu.

CHYPRE.
Cette grande île de la Méditerranée orientale a connu très tôt, dès le IVe millénaire, une civilisation préhistorique originale, sur laquelle se sont exercées ensuite des influences venues d'Asie Mineure, puis de Syrie et de Palestine. C'est aux XIVe et XIIIe siècles que les relations avec la civilisation grecque commencent, comme en témoignent les nombreux vases mycéniens découverts dans les nécropoles chypriotes. Sous le nom d'Alasia, l'île est soumise longtemps à l'autorité de l'Égypte du Nouvel Empire. Elle joue alors un rôle important comme place de transit entre le monde égéen et le monde asiatique. La ville chypriote d'Enkomi fait face au comptoir syrien d'Ougarit (Ras-Shamra), où Chypriotes et Égéens sont installés à demeure. Au début du XIIe siècle, une vague d'immigrants achéens correspond aux légendes du retour après la guerre de Troie (fondation de Salamine de Chypre par Teucer) ; un siècle plus tard, une nouvelle vague d'Achéens venus de Grèce est consécutive aux invasions doriennes. La civilisation de Chypre devient nettement hellénique jusqu'au VIIIe siècle, époque où les Phéniciens s'installèrent dans la partie sud-est de l'île. Il y eut dès lors côte à côte à Chypre des villes phéniciennes (Amathonte, Cition) à côté des cités grecques (Salamine, Courion, Paphos, Marion, Soles, Kerynia). Soumise à la domination assyrienne dans la seconde moitié du VIIe siècle, l'île fut conquise peu après 569 par le pharaon Amasis, puis se soumit à l'autorité du Grand Roi. Elle était divisée en plusieurs royaumes, grecs pour la plupart, qui conservèrent leur autonomie sous réserve de payer tribut. Le roi de Salamine entraîna les autres villes (sauf Amathonte) dans la révolte de l'Ionie, mais les Perses avaient rétabli leur autorité sur l'île dès 497. Au cours du Ve siècle, la flotte athénienne opéra souvent dans les eaux de Chypre, sans parvenir à la libérer définitivement (mort de Cimon sous les murs de Cition en 449). En 411 Évagoras Ier devint roi de Salamine et chercha, au cours d'un long règne (il mourut en 374-373), à unir sous son autorité l'île entière en la dégageant de la domination perse. Malgré l'appui intermittent d'Athènes, il échoua dans son projet. Une nouvelle tentative d'indépendance ne fut pas plus heureuse en 351-344. C'est seulement sous Alexandre que les Grecs de Chypre devinrent libres.

L'hellénisme chypriote occupe une place à part dans la civilisation grecque. Sa céramique est caractérisée par des tendances originales, surtout aux époques mycénienne, géométrique et archaïque, à la fois pour les formes et le décor. La sculpture, essentiellement en calcaire local et en terre cuite, a subi l'influence de l'Asie, de l'Égypte, puis de l'Ionie, avant d'être marquée par l'art classique à prédominance athénienne. Un système d'écriture dérivé du Linéaire B (mais le détail de la filiation n'est pas clair) se conserva jusqu'au IIIᵉ siècle : ce *syllabaire chypriote* est bien connu et servit, concurremment avec l'écriture alphabétique, à transcrire le dialecte grec local et aussi une langue encore inconnue, dite *étéochypriote*.

CIMON.
Homme politique et général athénien, fils de Miltiade et d'une princesse thrace. Après une jeunesse difficile, il retrouve son rang dans Athènes avec l'aide de son riche beau-frère Callias. Il est stratège en 479, allié d'Aristide contre Thémistocle. Il dirige plusieurs expéditions en Thrace, à Byzance, à Scyros d'où il rapporte les ossements de Thésée. La mort d'Aristide et l'exil de Thémistocle le laissent seul maître de la politique athénienne. Il bat la flotte perse à l'Eurymédon (468). A Athènes, il fait aménager l'Agora et reconstruire le mur sud de l'Acropole. Il réduit en 463 la révolte de Thasos. Favorable à Sparte durant la révolte messénienne de 462, il est ostracisé en 461, puis il est rappelé en 457 à la demande de Périclès. En 450 il commande les opérations navales contre la Perse et meurt en 449 au siège de Cition de Chypre.

CLAZOMÈNES.
Ville d'Ionie, sur la côte sud du golfe de Smyrne. Patrie du philosophe Anaxagore. Au VIᵉ siècle, on y fabriquait de grands sarcophages en terre cuite peinte, avec des scènes figurées en silhouettes noires sur fond clair.

CLÉOMÈNE.
Roi de Sparte, fils d'Anaxandridas. Il succéda à son père vers 520 (son demi-frère Dorieus s'exila). Ambitieux et actif, il aida les Alcméonides à chasser d'Athènes les Pisistratides en 510, mais échoua en 508 dans sa tentative d'aider contre Clisthène le parti aristocratique athénien dirigé par Isagoras. Il repoussa la demande

d'alliance formulée par Aristagoras, chef des Ioniens révoltés, en 499. Il fit déposer son collègue, le roi Démarate, qui se réfugia auprès de Xerxès. Devenu fou, il se tua (vers 490). Son successeur fut son frère Léonidas.

CLÉON.
Homme politique athénien. Il dirigeait une tannerie. A la mort de Périclès, qu'il a violemment attaqué, il prend la tête du parti démocratique : partisan de la guerre à outrance, il réprime brutalement les révoltes des alliés ; malgré un succès brillant à Sphactérie (425), il est violemment critiqué par Aristophane dans *Les Cavaliers* (424). Il est envoyé en Chalcidique contre Brasidas et meurt, en même temps que son adversaire, devant Amphipolis (422).

CLÉROUQUIE.
Colonie envoyée par Athènes en territoire ennemi ou allié ; c'est à la fois un poste militaire et une colonie de peuplement, composée de citoyens pauvres, qui reçoivent un lot de terre *(cléros)* ; ils restent citoyens athéniens.

CLISTHÈNE.
1º Tyran de Sicyone qui régna environ de 600 à 570. Sa fille avait épousé un Athénien, l'Alcméonide Mégaclès.
2º Législateur athénien, petit-fils du précédent. Après la chute des Pisistratides, il dirige la défense de la démocratie contre les aristocrates aidés par Sparte ; évincé par Isagoras, il soulève le peuple, repousse le roi de Sparte Cléomène et rétablit la constitution de Solon, en la modifiant dans un sens plus démocratique. Ses réformes établirent les cadres politiques durables de la démocratie athénienne.

CNIDE.
Ville grecque d'Asie Mineure, située à l'extrémité d'un long promontoire rattaché à la côte de Carie. De langue dorienne, elle possédait un sanctuaire d'Apollon Triopien où se rassemblaient avec les Cnidiens les Doriens d'Halicarnasse, de l'île de Cos et des trois cités de l'île de Rhodes. Vers 550, elle éleva à Delphes un trésor en marbre de Paros et plus tard une salle de réunion *(lesché)* que Polygnote décora de peintures. C'est dans les eaux de Cnide que Conon, à la tête de la flotte perse renforcée de mercenaires grecs, infligea une lourde défaite à la flotte lacédémonienne (394). Vers le milieu du

IVe siècle, Praxitèle exécuta pour un sanctuaire de Cnide sa célèbre statue d'Aphrodite.

CNOSSOS.

Principale cité de la Crète minoenne, prise et occupée par les Achéens au XVe siècle.

CODEX.

Nom latin (pluriel : *codices*) donné à tout livre formé par un ou plusieurs cahiers de papyrus ou de parchemin. Vers la fin de l'Antiquité, l'usage du *codex* en parchemin, beaucoup plus commode, se substitua à celui du *volumen* en papyrus. Toutes les œuvres littéraires qui ne furent pas transcrites sur un *codex* ont été perdues (sauf rarissimes exceptions dues aux découvertes papyrologiques).

CONON.

Général athénien. Il commença à jouer un rôle dans les dernières années de la guerre du Péloponnèse. Bloqué dans Mytilène, il fut délivré par la victoire des îles Arginuses (406). Vaincu par Lysandre à Ægospotamos (405), il se réfugia à Chypre, se mit au service de la Perse et battit la flotte lacédémonienne près de Cnide (394), puis il ravagea les côtes du Péloponnèse et rentra triomphalement à Athènes. Il releva les Longs Murs. Envoyé en mission diplomatique en Carie, il fut mis en prison par les Perses et mourut sans doute à Chypre. On lui éleva des statues à Athènes et dans plusieurs villes d'Ionie.

CORCYRE (Corfou).

Ancienne colonie d'Erétrie (début du VIIIe siècle) occupée par Corinthe en 733. Son conflit avec Corinthe en 433 entraîna une intervention athénienne : ce fut une des causes de la guerre du Péloponnèse. On y a retrouvé les ruines d'un temple d'Artémis avec d'importantes sculptures (début du VIe siècle).

CORINTHE.

Cité du nord du Péloponnèse, située au bord du golfe du même nom, sur un site habité dès l'époque néolithique. D'abord soumise à Argos, elle devient indépendante au VIIIe siècle. Elle est dirigée par une oligarchie terrienne, les *Bacchiades*, qui exercent collégialement le pouvoir, choisissant parmi eux un magistrat chargé des fonctions royales. C'est alors que sont fondées les colonies de Corcyre et Syracuse. Les Bacchiades sont chassés au milieu du VIIe siècle et Cypsélos instaure une tyrannie que prolongeront Périandre et Psammétique. C'est la période la plus brillante dans l'histoire de Corinthe ; fondation de nouvelles colonies en Épire, en Acarnanie, en Chalcidique ; essor de l'industrie et du commerce (bronze, céramique, parfums, pourpre, tissus) ; invention de la trière ; vitalité des arts (peinture, sculpture). Au milieu du VIe siècle, Athènes commence à évincer Corinthe du marché de la céramique. Mais Corinthe garde la primauté dans l'artisanat du métal : les *bronzes de Corinthe* jouissent d'un grand prestige jusqu'à l'époque romaine. Affaiblie par les guerres de Corcyre (434), du Péloponnèse (431-404) et de Corinthe (395-387), la cité reste neutre dans les démêlés des Grecs avec Philippe ; celui-ci en fait le centre de la Ligue de 338 et lui rend ainsi quelque importance.

La ville était dominée par une acropole rocheuse, haute de 573 m, l'Acrocorinthe. Elle avait un port à l'ouest, Léchaion, et un autre port sur le golfe Saronique, Cenchrées. Le *diolcos* faisait communiquer les deux mers. De l'époque ancienne subsistent : le temple d'Apollon, périptère dorique (6 × 15 colonnes au fût monolithe, en calcaire tendre finement stuqué), du milieu du VIe siècle (un des plus anciens de Grèce) ; des éléments anciens (réservoirs et bassins) des fontaines Pirène et Glauké ; une agora réorganisée au IVe siècle avec un long portique ; une fabrique de tuiles datant du VIe siècle. Plus à l'est, au milieu des terres, s'élevait le sanctuaire de Poséidon, où avaient lieu les Jeux Isthmiques.

CORONÉE.

Ville de Béotie, entre Haliarte et Livadie, au sud-ouest du lac Copaïs. Batailles entre Thèbes et Athènes en 446 ; entre les coalisés et Agésilas en 394.

COS.

Ile et cité du Dodécanèse, proche de Cnide. De langue dorienne, elle fit partie de l'*Hexapole* organisée autour du sanctuaire d'Apollon Triopien. Hippocrate en était originaire et son école de médecine continua à y fleurir après lui auprès de l'*Asclépieion* local.

CRATINOS.

Poète comique athénien du Ve siècle. Plus âgé qu'Aristophane, il remporta son premier succès aux Dionysies urbaines de 455. Il composait encore à l'époque des premières comédies d'Aristophane et fut vainqueur en 423 avec sa pièce *La Bouteille*, alors que *Les Nuées* n'avaient que le 3ᵉ prix. On lui attribuait 28 comédies. Il semble avoir défini le genre de la comédie ancienne avec sa liberté d'invention, sa vive satire politique, ses invectives passionnées. Il exaltait les mœurs d'autrefois et fustigeait les hommes politiques contemporains, en particulier Périclès, qu'il tenait pour un démagogue.

CRÉNIDÈS.

Ville de Thrace, proche du mont Pangée. En 356, menacée par les tribus thraces du voisinage, elle appela à l'aide Philippe de Macédoine qui la secourut, la fortifia, y installa des colons et en changea le nom pour lui donner celui de *Philippes*.

CRITIAS.

Homme politique athénien, né vers 450. Disciple de Socrate (il a donné son nom à un dialogue de Platon), auteur de tragédies et de traités politiques perdus, il fut exilé en 410 après la chute du régime des Quatre-Cents. Il rentra en 404 et devint l'un des Trente Tyrans ; violent et sans scrupules, il fit condamner à mort le chef du parti modéré, Théramène. Lui-même fut tué en 403 dans un combat contre les démocrates du Pirée.

CROTONE.

Ville d'Italie méridionale fondée à la fin du VIIIᵉ siècle par des colonisateurs d'Achaïe. Rivale de sa voisine Sybaris, elle finit par la détruire en 511-510. A cette époque Crotone avait un régime aristocratique inspiré par le philosophe Pythagore, qui s'y était réfugié depuis une vingtaine d'années. Une célèbre école de médecine y fleurit. Denys l'Ancien prit Crotone et la rattacha à ses États. Le plus illustre des Crotoniates fut l'athlète Milon, qui vivait à la fin du VIᵉ siècle.

CUMES.

Ville d'Italie méridionale fondée en 757 par les Chalcidiens sur les côtes de Campanie. Elle eut à lutter contre les Étrusques, jusqu'à ce que Hiéron de Syracuse eût battu leur flotte au large de la ville (474). Elle fut détruite par les Campaniens en 421.

CYLON.

Jeune noble athénien qui, en 632, tenta de s'emparer de la tyrannie avec l'aide de troupes venues de Mégare. Après son échec il put s'échapper, mais ses complices, réfugiés en suppliants sur l'autel d'Athéna, furent exécutés. C'était un sacrilège, dont le souvenir pesa longtemps sur la famille des Alcméonides, qui en était responsable.

CYPSÉLOS.

Tyran de Corinthe, fondateur de la dynastie des Cypsélides en 657, il régna environ trente ans. Il manifesta son opulence en consacrant un trésor à Delphes et de riches offrandes à Olympie. Il eut pour successeur son fils Périandre.

CYRÈNE.

Ville grecque de Libye, fondée en 631. Elle connut une grande prospérité sous la dynastie des huit rois Battiades, qui portaient alternativement le nom de Battos et d'Arcésilas. Les trois derniers rois, de 525 environ à 440 environ, se comportèrent comme les tyrans grecs. Ils dominèrent la Cyrénaïque tout entière, où les Cyrénéens avaient fondé les villes de Barcé, Euhespérides et Taucheira. Un commerce actif, fondé sur l'exportation des produits agricoles (blé, bois et une plante locale appelée *silphion*), s'établissait avec la Grèce propre et spécialement avec Athènes. Après la chute de la monarchie, vers 440, Cyrène fut gouvernée par les représentants des grandes familles, non sans connaître de temps à autre des luttes de factions. Son monnayage est riche (or et argent). La ville est située à 600 m d'altitude, sur le rebord d'un plateau. Son port en est éloigné d'une quinzaine de kilomètres. Une indentation du plateau, délimitée par deux ravins, forme l'acropole. Une voie monumentale l'unissait à l'agora, où se trouvait le tombeau circulaire de Battos, fondateur de la cité, puis en contrebas au sanctuaire d'Apollon, son dieu protecteur : source d'Apollon, temple dorique à colonnade extérieure de 6 × 11 colonnes, remontant au début du VIᵉ siècle et reconstruit au milieu du IVᵉ siècle avec son grand autel, petit temple et autel d'Artémis, trésors et fontaines. A l'est, une autre colline portait le temple de Zeus, grand temple dorique à colonnade extérieure de 8 × 17 colonnes (construit vers 520-490). Les nécropoles s'étendaient tout autour de la ville (tombes à chambres souterraines, parfois dotées d'une façade architecturale taillée dans le roc, chapelles funéraires en forme de temples). Les fouilles ont livré un grand nombre de sculptures et d'inscriptions. Patrie du philosophe Aristippe et du mathématicien Théodore.

D

DADOUQUE.

Prêtre d'Éleusis, littéralement «le porteur de torche», qui jouait un rôle dans la cérémonie d'initiation aux Mystères. Il était choisi traditionnellement dans le *génos* éleusinien des Kérykes, qui fournissait aussi le héraut sacré.

DAMOPHON.

Sculpteur de Messène, en activité dans la première moitié du IIe siècle avant J.-C. Il fut chargé de restaurer la statue chryséléphantine de Zeus de Phidias à Olympie, dont les ajustages avaient souffert (Pausanias, IV, 31, 6).

DÉCÉLIE.

Bourg d'Attique, au nord d'Athènes, sur les contreforts du Parnès. Les Lacédémoniens s'y fortifièrent en 413 et, solidement établis dans ce point d'appui, ravagèrent même pendant l'hiver la campagne d'Attique jusqu'à la fin de la guerre du Péloponnèse. C'est pourquoi la dernière partie de cette guerre (413-404) est parfois appelée «guerre de Décélie».

DÉLION.

Bourg de Béotie, proche de Tanagra et de la frontière attique, où se trouvait un sanctuaire d'Apollon. Les Athéniens, qui en avaient fait un point d'appui fortifié, y subirent une lourde défaite à la fin de 424. Alcibiade et Socrate y combattirent, l'un comme cavalier, l'autre comme hoplite.

DÉLOS.

Petite île des Cyclades, lieu légendaire de la naissance d'Apollon et d'Artémis, habitée aux temps préhelléniques sur le mont Cynthe, à l'époque mycénienne dans la plaine qu'arrosait l'Inopos. Délos devient au VIIe siècle le plus grand sanctuaire insulaire ; l'*Hymne homérique à Apollon* évoque les panégyries brillantes qu'y tenaient les Ioniens de la côte anatolienne et des îles. Centre religieux de la fédération des Cycla-

des, l'île fut d'abord soumise à la prépondérance naxienne ; mais, dès le VIe siècle, l'influence croissante d'Athènes dans l'Égée s'exerce aussi sur Délos où elle envoie de magnifiques processions. Pisistrate ordonne en 543 la première purification du sanctuaire ; en 478 Délos devient le centre de la ligue fondée par Athènes, le trésor en est placé dans le temple d'Apollon jusqu'en 454, date de son transfert à Athènes ; une purification totale de l'île a lieu en 426 et ses habitants sont déportés en 422 ; les finances du sanctuaire sont alors gérées par des fonctionnaires athéniens. Grâce à Sparte, Délos recouvre son autonomie en 401, mais Athènes s'y réinstalle dès 394.

Les principaux lieux de culte se répartissaient entre le sanctuaire d'Apollon, dans la plaine, les sanctuaires de la vallée de l'Inopos et ceux du Cynthe. L'entrée principale du grand sanctuaire s'ouvrait au sud, aux pèlerins débarqués au port Sacré ; les Athéniens y élevèrent un propylée de quatre colonnes doriques, débouchant sur la voie Sacrée. A l'ouest, le portique coudé des Naxiens (vers 550) encadrait une place dallée où se dressaient le colosse de marbre dédié par eux à Apollon et le palmier de bronze offert plus tard par l'Athénien Nicias (417) ; au sud-est, l'*Oïkos* (maison) des Naxiens, édifice allongé, entièrement en marbre, à colonnade centrale, précédé d'un porche à quatre colonnes ioniques (VIIe-VIe siècle). Au centre du sanctuaire, trois temples d'Apollon : le temple du VIe siècle, qui contenait une célèbre statue du dieu due aux sculpteurs Tectaios et Angélion ; le temple commencé par les Déliens au Ve siècle et resté longtemps inachevé ; le temple des Athéniens, de la fin du Ve siècle, qui abritait sept statues de dieux dédiées par Pisistrate. Au nord des temples, cinq trésors disposés en demi-cercle. La partie nord-ouest du sanctuaire appartenait à Artémis. On honorait, plus à l'est, les tombes des Vierges hyperboréennes venues apporter les premières offrandes à Apollon. En bordure du lac sacré, engorgement de l'Inopos, une terrasse gardée par une file de lions archaïques en marbre conduisait au *Létôon*, petit temple ionique du VIe siècle, dédié à Léto, mère d'Apollon et d'Artémis. Au sud du sanctuaire se trouvaient les édifices civils les plus importants : autel de Zeus *Polieus* et prytanée du Ve siècle, *Bouleutérion* et Agora. Sur une colline bordant la vallée de l'Inopos, on honora dès le VIe siècle les Cabires, dieux de

Samothrace. Sur le mont Cynthe étaient installés les cultes de Zeus et Athéna Cynthiens, et l'Artémis Ilithye ; plus bas, dès le VIII⁰ siècle il y eut un culte d'Héra (petit temple de marbre du VI⁰ siècle).

DÈME.
Subdivision territoriale de la cité athénienne, créée par Clisthène. On comptait une centaine de dèmes ruraux et urbains. L'assemblée du dème élit le *démarque*, chef du dème. Il inscrit sur les registres les jeunes gens de 18 ans devenant citoyens, dresse le cadastre, administre les biens du dème, s'occupe de la police, représente les habitants ou *démotes* dans les cérémonies. Trente juges des dèmes, tirés au sort, parcourent les dèmes ruraux pour juger les affaires d'importance réduite.

DÉMOCRITE.
Philosophe d'Abdère, né vers 460, mort dans le deuxième quart du IV⁰ siècle. Nous ne connaissons ses ouvrages que par une liste de titres conservée par un compilateur d'époque romaine. Mais son importance est considérable comme fondateur du matérialisme.

DÉMOSTHÈNE.
1° Général athénien du V⁰ siècle. Il lutta contre les Étoliens en 426, occupa Pylos et prit Sphactérie en 425. Parti pour secourir Nicias en Sicile en 413, il fut fait prisonnier dans la débâcle et mis à mort par les Syracusains.
2° Orateur et homme politique né en 384. Ses tuteurs dilapident sa fortune ; il se fait *logographe* et se prépare avec ténacité à la vie politique. Premier discours politique en 354 : *Contre la loi de Leptine*. Il lutte avec acharnement contre Philippe : *I⁰ Philippique* (351) ; les *trois Olynthiennes* (349-348) ; *Sur la Paix* (345). Il participe à l'ambassade qui négocie la paix de Philocrate, puis il engage les Athéniens à l'utiliser pour refaire leurs forces : *II⁰, III⁰* et *IV⁰ Philippique* (344, 341, 340). Il lutte en même temps contre ses adversaires politiques : *Contre Midias* (347), qui l'avait insulté dans ses fonctions de chorège ; *Sur l'Ambassade infidèle* (343) à l'occasion du procès d'Eschine. Il cherche des alliances pour Athènes dans le Péloponnèse, dénonce l'avidité croissante de Philippe, réorganise la flotte. Après la « surprise d'Élatée » (339), il obtient l'alliance de Thèbes. Malgré la défaite de Chéronée (338), le peuple lui décerne

une couronne d'or, sur la proposition de Ctésiphon, qu'Eschine attaqua ensuite pour illégalité ; le procès, plaidé en 330, est gagné par Démosthène avec le *Discours sur la couronne*. Compromis en 324 dans l'affaire d'Harpale, trésorier d'Alexandre qui s'était réfugié à Athènes avec les fonds qui lui étaient confiés, Démosthène est condamné et s'exile à Trézène, puis à Égine. Il rentre à la mort d'Alexandre, participe à la lutte contre Antipater, s'enfuit après la défaite d'Athènes et s'empoisonne à Calaurie pour échapper aux Macédoniens (322).

DENYS.
1° — l'Ancien, tyran de Syracuse, né en 430, mort en 367.
2° — le Jeune, son fils et successeur.

DIAGORAS.
1° Célèbre athlète originaire d'Ialysos à Rhodes. Il avait une stature de presque 2 m et remporta des victoires au pugilat dans les quatre Grands Jeux. Pindare composa en son honneur la *VII⁰ Olympique* en 464. Ses fils, après lui, triomphèrent eux aussi à Olympie.
2° — de Milo. Accusé de sacrilège envers les Mystères (415).

DIDYMES.
Site d'Ionie, tout proche de Milet, où se trouvait le grand sanctuaire d'Apollon, siège d'un oracle et objet de la piété des Milésiens. Jusqu'aux guerres médiques, ce sanctuaire fut confié aux soins de la famille des Branchides. Une allée d'honneur montait du port au sanctuaire, bordée de statues archaïques d'hommes assis et de lions (plusieurs ont été transportés au British Museum). Le temple archaïque, incendié par les Perses en 494, fut remplacé par un édifice colossal entrepris au début de l'époque hellénistique.

DIOLCOS.
Piste dallée qui traversait l'isthme de Corinthe d'une mer à l'autre et permettait de faire passer les navires du golfe Saronique dans le golfe de Corinthe et vice versa. Des fouilles récentes ont permis d'en retrouver les vestiges sur plusieurs centaines de mètres. Il semble que l'on plaçait les bateaux sur un véhicule à roues qui était ensuite tiré sur la voie dallée, large de 3,50 m à 5 m. La construction de ce dispositif remonte à l'époque archaïque. Il fut perfectionné par la

suite, en particulier au moment de la guerre du Péloponnèse.

DION.

1° Ville de Macédoine, située au pied du mont Olympe, au sud de Pydna.

2° Oncle de Denys le Jeune. C'était le frère de la femme de Denys l'Ancien et il avait été chargé, du vivant de ce dernier, d'importantes fonctions administratives. Il s'était lié d'amitié avec Platon en 389, lors de la visite de celui-ci à Syracuse. Lorsque Platon revint pour conseiller Denys le Jeune, Dion fut bientôt frappé d'exil par son neveu, désireux de se soustraire à son influence, et Platon fut impuissant à les réconcilier. En 357, Dion revint à Syracuse avec des troupes mercenaires et en chassa Denys après deux ans de lutte. Mais il fut assassiné en 354, alors qu'il essayait d'établir dans la ville une constitution aristocratique.

DIPOINOS.

Sculpteur crétois, élève de Dédale, selon la tradition, comme son compatriote et collaborateur Scyllis. Ils semblent avoir travaillé au VIIe siècle en divers lieux du monde grec, mais surtout dans le Péloponnèse, où Pline l'Ancien et Pausanias signalent plusieurs de leurs ouvrages.

DIPYLON.

Nom donné à une porte d'Athènes, au nord-ouest de l'enceinte. Là passait la route de l'Académie, par où on gagnait le dème de Thria, derrière Éleusis. La voie Sacrée d'Éleusis franchissait l'enceinte tout près de là, un peu plus au sud, par la porte Sacrée. Le Dipylon ou *Double Porte*, ainsi nommé depuis le IIIe siècle avant J.-C. au moins, est encore un bel exemple de construction militaire remontant sous sa forme actuelle à la seconde moitié du IVe siècle. Une porte intérieure et une porte extérieure, encadrées l'une et l'autre de tours, délimitent une cour de 42 × 22 m, fermée de murs latéraux puissants (5 m de large). Les portions de l'enceinte encore visibles remontent au début du IVe siècle. Entre le Dipylon et la porte Sacrée se trouvait un bâtiment, le *Pompeion*, qui était utilisé lors de la procession (*pompé*) des fêtes d'Éleusis. Une borne retrouvée indique que le quartier du Céramique s'étendait jusqu'au Dipylon. A l'époque géométrique, cette région était occupée par une nécropole où l'on a retrouvé les fameux vases dits du Dipylon.

DITHYRAMBE.

Composition poétique et musicale destinée à être chantée par un chœur en l'honneur d'une divinité, surtout Dionysos, mais aussi Apollon. On en attribuait la création en tant que genre littéraire au poète Arion (fin du VIIe-début du VIe siècle). Mais déjà Archiloque, au VIIe siècle, semble avoir composé des dithyrambes. Les plus grands lyriques grecs, Pindare, Bacchylide, cultivèrent ce genre poétique. A Athènes l'exécution de dithyrambes par un chœur de cinquante hommes ou jeunes garçons était un des éléments traditionnels des fêtes dionysiaques. Les frais de ces chœurs étaient supportés par des chorèges désignés par les tribus.

DIX-MILLE.

Corps de mercenaires grecs qui prit part à l'expédition de Cyrus le Jeune contre Artaxerxès II en 401. Après la défaite et la mort de Cyrus à Cunaxa, les chefs de ces mercenaires, sous le commandement d'un Spartiate, Cléarque, furent arrêtés et exécutés par les Perses au cours d'une négociation. Xénophon, qui suivait l'expédition à titre privé, comme ami d'un des stratèges ainsi massacrés, rétablit le courage ébranlé des Grecs et fut élu stratège avec quatre autres officiers. La dure retraite, marquée de combats et de péripéties, dura tout l'hiver 401-400 jusqu'à l'arrivée au bord de la mer Noire, qui fut saluée par les cris fameux de *Thalassa ! Thalassa !* (la mer ! la mer !). Rentrés en Europe après de nouvelles aventures, les survivants se mirent au service de Sparte au début de 399, pour reprendre aussitôt la guerre en Asie contre les satrapes Tissapherne et Pharnabaze.

DRACHME.

Unité pondérale et monétaire grecque. Son poids varie suivant les systèmes (un peu plus de 6 g dans le système éginétique, environ 4,37 g dans le système attique). En numismatique, on connaît des pièces d'argent d'une drachme, de deux drachmes (*didrachmes*), de quatre drachmes (*tétradrachmes*) et même parfois de dix drachmes (*décadrachmes*). La drachme se divise en 6 oboles.

DRACON.

Législateur athénien de la fin du VIIe siècle.

DRÉROS.

Cité de Crète orientale, dans la montagne à

l'ouest du golfe de Mirabello, où l'on a découvert un sanctuaire archaïque du VIIe siècle avec trois statues de culte (demi-grandeur naturelle) représentant sans doute Apollon, Artémis et leur mère Léto. La technique de ces statues est celle du *sphyrélaton*, plaques de bronze martelées sur une forme en bois au modelé sommaire.

E

ECCLÉSIA.
Nom donné à l'Assemblée du peuple dans beaucoup de cités grecques et en particulier à Athènes, où elle se réunissait d'abord sur l'Agora, puis sur la colline de la Pnyx.

ÉGINE.
Ile du golfe Saronique, habitée dès les origines, repeuplée vers 960 de colons péloponnésiens (venus, selon la tradition, d'Épidaure). De la fin du VIIIe siècle au début du Ve, sa puissance maritime, industrielle et commerciale ne cesse de croître, alors que l'aridité de son sol la détourne de l'agriculture. Ses bronzes et sa céramique sont spécialement réputés. Son système pondéral et monétaire, fondé sur une drachme de 6,14 g, est le plus ancien (vers 650) et le plus répandu dans le Péloponnèse. Égine participa à la fondation de Naucratis. Sa puissance économique lui valut l'hostilité d'Athènes. Solon interdit l'exportation des céréales d'Attique et détacha Athènes du système éginétique pour lui faire adopter le système euboïque. Égine bat la flotte athénienne en 488, mais elle se fait vaincre en 458, et, assiégée, capitule en 457. Athènes lui impose une garnison, un tribut écrasant, l'adhésion à la ligue de Délos ; en 431, les Éginètes sont expulsés et remplacés par des clérouques. A l'intérieur de l'île se trouvait un sanctuaire d'Aphaïa, divinité locale identifiée à Athéna. Le temple dorique date des premières années du Ve siècle. Construit en calcaire local, il est entouré d'une colonnade (6 × 12 colonnes finement stuquées). Le plan comporte un porche, une *cella* avec colonnade intérieure pour les deux étage, un opisthodome. Il a été récemment restauré. Les frontons sculptés (au musée de Munich) représentent des scènes de bataille ; la déesse Athéna figure au centre de chacun d'eux. L'école éginétique de sculpture fut illustrée successivement, depuis l'époque dédalique, par Smilis, Callon et surtout Onatas.

ÉLATÉE.
Ville de Phocide, au sud de la barrière montagneuse du Callidrome, sur la route qui fait communiquer, par les Thermopyles, Grèce centrale et Grèce du Nord. Son occupation subite par Philippe en 339 frappa de stupeur les Athéniens (Démosthène, *Sur la couronne*, 169 et suiv.).

ÉLÉE.
Aujourd'hui Vélia, sur la côte de Lucanie, au sud de Pæstum. Patrie des philosophes Parménide et Zénon : c'est pourquoi leurs disciples s'appellent « éléates ».

ÉLIS.
Cité principale de l'Élide, dont dépendait le sanctuaire d'Olympie. Ses habitants, les Éléens, étaient responsables de l'organisation des Jeux Olympiques.

ÉLEUSIS.
Dème d'Attique, centre d'un culte de Déméter dès l'époque mycénienne, rattaché à Athènes, selon la légende, par le synœcisme de Thésée, annexé en réalité à la fin du VIIIe siècle ou au début du VIIe siècle. A 20 km environ à l'ouest d'Athènes, au bord du golfe que ferme l'île de Salamine, Éleusis commande la petite plaine agricole de Thria. Venant d'Athènes, la voie Sacrée franchit les collines de l'Ægaléos et aboutit devant la porte du sanctuaire, sur une place où se trouvait conservé le puits *Callichoros*. Là, selon la légende, Déméter s'était assise au cours de sa course errante à la recherche de Coré. On franchissait ensuite l'enceinte, plusieurs fois remaniée et agrandie (par Pisistrate, Cimon et Périclès). A l'intérieur s'élevait, à côté d'autres bâtiments, le *Télestérion*, qui servait aux initiations. Périclès l'avait fait construire par l'architecte Ictinos à l'emplacement d'un précédent édifice élevé par Pisistrate. C'était une salle *hypostyle*, carrée (52 m × 54 m), fermée de toutes parts, avec 42 grandes colonnes intérieures pour supporter la toiture, surmontée en son centre d'un lanterneau. Au milieu de la salle, sur une plate-forme, une petite construction, l'*Anactoron*, abritait les objets sacrés. Dans la seconde moitié du IVe siècle, l'architecte Philon éleva contre la façade orientale du *Télestérion* un porche de 12 colonnes + 2 en retour.

ÉLEUTHÈRES.
Bourg proche de la frontière entre l'Attique et

la Béotie, au pied du Cithéron, à 47 km d'Athènes. De là fut apportée à Athènes l'idole de Dionysos Éleuthéreus que l'on conservait dans un temple proche du théâtre. Patrie du sculpteur Myron. Sur un éperon du Cithéron qui domine le site antique et la route qui mène vers Thèbes, une forteresse du IVe siècle, construite en pierre de taille, est encore bien conservée.

EMPÉDOCLE.
Philosophe du Ve siècle, originaire d'Agrigente. Il développa son système en vers épiques d'une poésie grandiose, sur le ton d'un prophète inspiré. On prétendit qu'il s'était jeté volontairement dans le cratère de l'Etna.

ÉPAMINONDAS.
Général et homme d'État thébain. Issu d'une famille noble, mais pauvre, cultivé, philosophe, il rentra d'exil pour aider Pélopidas à libérer Thèbes de l'oppression lacédémonienne en décembre 379. Il collabora à la réforme des institutions et des forces armées. Après avoir tenu tête à Agésilas au congrès de Sparte, il révéla son génie militaire en remportant la victoire de Leuctres (371). Après de nombreux succès diplomatiques et militaires, il mourut à Mantinée (362).

ÉPEIOS.
Personnage du cycle troyen, fils de Panopée et constructeur du Cheval de Troie. On le tenait pour l'auteur du *xoanon* d'Hermès vénéré à Ainos. On lui attribuait aussi, après la guerre de Troie, la fondation de Métaponte en Italie méridionale.

ÉPHÈSE.
Cité d'Ionie, à l'embouchure du Caÿstre. Très prospère à l'époque archaïque, elle fut une des premières, à la fin du VIIe siècle, à frapper des monnaies d'électrum, au type de l'abeille, qui resta longtemps le symbole civique d'Éphèse. Elle connut plusieurs tyrans dans la première moitié du VIe siècle. Elle entretint de bonnes relations avec Crésus, qui contribua, au milieu du siècle, à l'érection du grand temple d'Artémis, un des plus grands du monde grec. Ce temple fut élevé par les architectes crétois Chersiphron et Métagénès, qui consacrèrent un livre à leur chef-d'œuvre (Vitruve le cite encore à l'époque d'Auguste). Il était de dimensions exceptionnelles : 55 m × 115 m au stylobate,

avec une double colonnade extérieure (8 colonnes en façade, 21 sur les longs côtés, 9 à l'arrière), dont chaque colonne avait 12 mètres de haut. D'ordre ionique, ces colonnes avaient un tambour inférieur orné de personnages en relief. L'intérieur se divisait en un porche profond, la *cella* et un opisthodome. Respecté par Xerxès après la révolte de l'Ionie, ce temple brûla en 356, incendié par un dément, Hérostrate, la nuit même où naissait Alexandre. Il fut reconstruit à l'époque hellénistique sur le même plan. Éphèse était le point de départ de la route Royale conduisant à Suse, capitale de l'empire perse.

ÉPHIALTE.
Homme politique athénien, auteur de la réforme de 462.

ÉPICHARME.
Poète comique sicilien qui écrivit un grand nombre de comédies à la fin du VIe et au début du Ve siècle. Il vécut surtout à Syracuse. Nous connaissons le titre de 37 pièces, et il en reste d'assez nombreux fragments qui permettent d'apprécier sa verve comique acerbe et son goût des maximes. Il fut très admiré de Platon.

ÉPIDAURE.
Cité d'Argolide, sur le golfe Saronique, célèbre par son sanctuaire d'Asclépios qui se trouvait à 9 km de la ville, au pied du mont Kynortion, dans une petite plaine arrosée d'eaux aux vertus thérapeutiques. Il se développa surtout au IVe siècle. Le temple dorique d'Asclépios, entouré d'une colonnade de 6 × 11 colonnes, est entièrement ruiné. Il était de dimensions moyennes (24 m × 13 m). Construit par l'architecte Théodotos, il avait été décoré par le sculpteur Timothéos (il reste quelques sculptures des frontons), tandis que Thrasymédès de Paros exécutait la statue de culte chryséléphantine. Une inscription nous a gardé les comptes de construction et permet d'en suivre les étapes jusque dans le détail (date probable : vers 370). Un édifice circulaire, la *Tholos*, construit au milieu du IVe siècle, passait pour l'œuvre d'un architecte nommé Polyclète (dit *le Jeune* pour le différencier du célèbre sculpteur). La Tholos avait une *cella* circulaire avec une colonnade extérieure dorique et une colonnade intérieure corinthienne. La décoration architecturale était d'un extrême raffinement. Le sanctuaire ren-

fermait en outre des portiques pour l'incubation, une source dont l'eau avait des vertus curatives, un temple d'Artémis et des autels. A proximité, il y avait un stade et, contre la colline, le théâtre dont la construction, dans la seconde moitié du IVe siècle, est attribuée au même Polyclète que la Tholos. C'est le plus beau et le mieux conservé de Grèce. Il pouvait accueillir 14 000 spectateurs.

ÉPIMÉNIDE.

Sage crétois à demi légendaire qui vécut dans la seconde moitié du VIIe et au début du VIe siècle. Poète, philosophe et devin, il était volontiers consulté par les cités grecques dans des circonstances difficiles. Il purifia Athènes après le meurtre des complices de Cylon. Solon devint son ami. Épiménide fut parfois compté au nombre des Sept Sages (à la place de Périandre).

ÉPONYME.

Magistrat qui donne son nom à l'année ou héros qui a donné son nom à une tribu.

ERGASTINES.

Jeunes filles qui offraient le péplos à Athéna lors des grandes Panathénées.

ESCHINE.

Orateur athénien né en 390-389. Il fut acteur, puis fonctionnaire subalterne, avant de s'intéresser à la politique. Il participa à l'ambassade de Philocrate en 346 et devint dès lors un partisan de la politique macédonienne. En 345, il fit condamner pour immoralité Timarque, qui se préparait à l'attaquer. Accusé de trahison par Démosthène, il fut acquitté en 343. En 339, à Delphes, il fit voter par les Amphictyons la guerre sacrée contre Amphissa, permettant à Philippe d'intervenir en Grèce centrale. Après Chéronée, il accusa Ctésiphon d'illégalité pour avoir fait décerner une couronne d'or à Démosthène, mais il n'obtint pas le cinquième des voix et dut s'exiler (330). Il fonda une école de rhétorique à Rhodes et mourut en 314.

ESCHYLE.

Poète tragique, né à Éleusis vers 525. Il combattit à Marathon, avec son frère Cynégire, et à Salamine. Il débuta au théâtre en 500, et remporta en 484 sa première victoire. Il triompha en 472 avec Les Perses. Il se rendit à Syracuse auprès du tyran Hiéron qui l'avait invité. Rentré à Athènes, il fut de nouveau vainqueur avec Les Sept contre Thèbes (467) et la trilogie de l'Orestie (458). Deux autres tragédies nous sont parvenues : Les Suppliantes et Prométhée enchaîné. Mécontent des réformes d'Éphialte, il s'exila en Sicile et mourut à Géla en 456.

ÉTÉSIENS (Vents).

Vents qui soufflent l'été en mer Égée.

EUBULE.

Homme politique athénien du IVe siècle. Excellent financier, il géra pendant plusieurs années l'importante caisse du Théôrique et exerça une influence décisive sur l'administration et la politique d'Athènes aux alentours de 350. Partisan de la paix avec Philippe, il combattit la politique de Démosthène.

EUCLIDE.

Archonte éponyme à Athènes pour l'année 403-402, où la démocratie fut restaurée après la tyrannie des Trente. C'est aussi l'année où les Athéniens abandonnèrent l'usage de l'alphabet attique dans les inscriptions officielles pour adopter l'alphabet ionien.

EUGAMMON.

Poète épique originaire de Cyrène. Il composa vers 565, à la cour du roi de Cyrène Battos II, un poème appelé La Télégonie, qui racontait la suite des aventures d'Ulysse après l'Odyssée et sa mort tragique : le héros était tué par son fils, Télégonos, qu'il avait eu de Circé et qui ne connaissait pas son père.

EUHESPÉRIDES.

La plus occidentale des cités grecques d'Afrique, fondée par des Cyrénéens au VIe siècle sur la côte ouest de Cyrénaïque (aujourd'hui Benghazi).

EUMÉLOS.

Poète épique de la seconde moitié du VIIIe siècle, originaire de Corinthe. Il appartenait à la puissante famille des Bacchiades. Dans les Corinthiaques, il chanta les origines mythiques de sa cité. Il avait aussi composé un hymne à Apollon pour les Messéniens.

EUMOLPIDES.

Famille noble d'Éleusis, dans les rangs de qui était pris l'hiérophante.

EUPATRIDES.

Nom donné en Attique aux familles aristocratiques.

EUPHRANOR.

Peintre grec du IVe siècle, très admiré pour ses tableaux de bataille (*La Bataille de Mantinée*, où il représentait un choc de cavaliers) et pour sa décoration du portique de Zeus à Athènes (*Thésée, Le Peuple et la Démocratie*, et l'*Assemblée des Douze Dieux*). Il était aussi sculpteur.

EUPOLIS.

Poète comique athénien du Ve siècle, contemporain d'Aristophane, dont il fut un moment l'ami et le collaborateur avant de devenir son rival. Il écrivit une quinzaine de pièces, toutes perdues, entre 429 et 412, année de sa mort prématurée. On admirait sa fécondité d'invention, sa grâce et son esprit satirique.

EURIPIDE.

Poète tragique athénien du Ve siècle. Fils d'un boutiquier et d'une marchande de légumes, il passait pour être né le jour même de Salamine en septembre 480. Élève des sophistes Anaxagore, Prodicos et Protagoras, il fut ami de Socrate. Il débuta au théâtre en 455 et écrivit, disait-on, 100 pièces (92 tragédies et 8 drames satiriques). Il semble avoir connu des infortunes conjugales, ce qui expliquerait certaines réflexions misogynes dans ses œuvres. A la fin de sa vie, il quitta Athènes et mourut en 406 à Pella, en Macédoine, où le roi Archélaos l'avait accueilli. Nous connaissons le titre de 74 pièces, dont 18 nous sont conservées, parmi lesquelles *Alceste* (438), *Médée* (431), *Hippolyte* (428), *Iphigénie en Tauride* et *Iphigénie à Aulis*. Attaqué par les poètes comiques et spécialement par Aristophane, il ne triompha que 5 fois dans les concours dramatiques. Mais il connut une grande gloire après sa mort : ses œuvres furent souvent reprises et on lui éleva des statues. Nous connaissons son visage par plusieurs bonnes copies.

EURYMÉDON.

Fleuve côtier d'Asie Mineure, en Pamphylie, sur les bords duquel Cimon remporta en 467 une victoire décisive sur les Perses.

F

FLÛTE.

On donne traditionnellement ce nom, assez impropre, à l'*aulos*. C'était en réalité un instrument à anche, comme la clarinette. Il comportait généralement deux tuyaux cylindriques réunis par une mentonnière qui maintenait les deux embouchures contre les lèvres des musiciens. Des trous latéraux permettaient de varier la hauteur des sons. Connu depuis les temps préhelléniques (on le voit déjà sur des monuments crétois), l'*aulos* était employé pour rythmer les mouvements d'un groupe (troupe en marche, travailleurs, rameurs), mais aussi, en raison de ses qualités acoustiques, pour soutenir les chœurs, en particulier au théâtre où sa valeur expressive faisait merveille. Les virtuoses de la flûte (ou *aulètes*) étaient fort appréciés du public : on organisait pour eux des concours (en particulier aux Jeux Pythiques). La *XIIe Pythique* de Pindare est écrite pour un aulète vainqueur.

G

GÉLA.

Colonie dorienne, fondée au début du VIIe siècle sur la côte sud de la Sicile par des Crétois et des Rhodiens de Lindos ; le centre de la cité et la plupart des sanctuaires se trouvaient sur une acropole à l'est. Au début du Ve siècle, le tyran Hippocratès étendit sa domination sur une partie de la Sicile orientale. Après lui, Gélon, puis ses frères Hiéron et Polyzalos furent tyrans de Géla. Le dernier consacra à ce titre l'*Aurige* de Delphes. Après la chute des tyrans (466), Géla eut un régime aristocratique modéré : Eschyle vint s'y retirer et y mourut (456). La ville succomba aux attaques carthaginoises en 405.

GÉLON.

Fils de Deinoménès. Il était général de la cavalerie d'Hippocratès, tyran de Géla, à qui il succéda. Il épousa Démarété, fille de Théron, tyran d'Agrigente, et devint tyran de Syracuse en 485. Il vainquit les Carthaginois à Himère en 480 et mourut en 478.

GORDION.

Ville d'Anatolie, sur le fleuve Sangarios, à

100 km environ à l'ouest d'Ankara. Capitale du royaume de Phrygie au VIIIᵉ siècle, elle fut détruite à la fin du VIIIᵉ ou au début du VIIᵉ par l'invasion des Cimmériens.

GORGIAS.
Sophiste né à Léontini, en Sicile, au début du Vᵉ siècle, élève d'Empédocle et de Tisias. Envoyé en ambassade à Athènes en 427, il y acquit une grande vogue par son enseignement. Par son *Traité de l'art oratoire* et par les discours d'apparat qu'il avait composés, il fut l'un des créateurs de la rhétorique. Platon donna son nom à un dialogue où il le met en scène avec Socrate et ses disciples.

GORTYNE.
Ville de Crète, proche de Phæstos, célèbre par la découverte d'une longue inscription gravée au Vᵉ siècle. Ce n'est pas un code à proprement parler, mais un ensemble de dispositions juridiques portant sur des sujets fort variés, tant de droit civil que de droit criminel.

GYLIPPOS.
Général spartiate, vainqueur des Athéniens à Syracuse en 413.

GYMNASE.
Destiné d'abord à l'entraînement des athlètes, le gymnase, avec le développement de l'infanterie et la nécessité de former les citoyens par la gymnastique au métier des armes, devint aussi le lieu d'exercice des éphèbes. Les plus anciens gymnases connus sont à Athènes l'*Académie* et le *Lycée*, dont la fondation est attribuée à Pisistrate et à ses fils ; puis celui du *Cynosarges*. Situés hors de la ville, c'étaient des jardins plantés d'arbres et rafraîchis d'eaux courantes, où voisinaient monuments religieux (autels, statues, enclos sacrés) et installations sportives : pistes couvertes, fontaines où les athlètes se lavaient, constructions légères où ils se reposaient et laissaient leurs vêtements ou leurs accessoires. A l'époque classique l'architecture des gymnases se développa. Le gymnase de Delphes, construit vers 330, au terme de cette évolution, est installé sur deux terrasses de niveaux différents et comporte : en haut, un portique long de 200 m, flanqué d'une piste à ciel ouvert ; plus bas, des bouches d'eau pour le bain, une piscine ronde et un édifice dont la cour péristyle est flanquée de bâtiments sur deux côtés. Dès la fin du Vᵉ siècle, le gymnase devient un foyer intellectuel en abritant l'enseignement des sophistes et de Socrate lui-même. Cet usage se généralisa vite : Platon à l'Académie, Aristote au Lycée, Antisthène au Cynosarges en sont les exemples les plus célèbres. Au IVᵉ siècle, les gymnases sont intégrés à l'agglomération urbaine ; leur place est soigneusement prévue dans les plans des cités neuves.

GYTHION.
Port de Laconie, à 45 km au sud de Sparte, dont il était le seul débouché sur la mer.

H

HALICARNASSE.
Colonie grecque de Carie, où se mêlaient les traditions doriennes et les influences ioniennes, patrie de Panyassis et d'Hérodote. Soumise à la Perse, elle fut longtemps gouvernée par des tyrans, qui étaient parfois des femmes, comme l'Artémise qui participa avec la flotte perse à la bataille de Salamine. Au IVᵉ siècle, Halicarnasse fut la capitale des satrapes de Carie. L'un d'eux, Mausole, eut pour tombeau le fameux Mausolée.

HARMODIOS.
Un des Tyrannoctones. Au dire de Thucydide (I, 20 et II, 53 et suiv.), Hipparque, amoureux éconduit d'Harmodios (ce dernier accordait ses faveurs à Aristogiton), se vengea en faisant écarter la sœur d'Harmodios du rôle de canéphore qu'elle aurait dû jouer dans une cérémonie religieuse. C'est pour venger cet affront qu'Harmodios, aidé d'Aristogiton, décida de tuer les Pisistratides, ce qui aboutit au meurtre d'Hipparque et au renforcement de la tyrannie d'Hippias. Déjà Hérodote (V, 55-56) avait combattu l'erreur historique, très généralement répandue, qui faisait des Tyrannoctones des champions de la liberté mus par un idéal politique. Cette interprétation intéressée avait été présentée dès le début par Clisthène et les Alcméonides qui, avec l'aide de Sparte, ils chassèrent Hippias en 510 et consacrèrent aussitôt sur l'Agora les statues d'Harmodios (imberbe) et d'Aristogiton (barbu) exécutées par le sculpteur Anténor.

HÉCATÉE.
Écrivain et homme politique de Milet, qui donna vainement à ses compatriotes des conseils de prudence lors de la révolte de l'Ionie au début du ve siècle. Premier historien et géographe qui ait écrit en prose, il composa quatre livres de *Généalogies* et une *Périégèse* en deux livres, l'un pour l'Europe, l'autre pour l'Asie. Il fut très lu jusqu'à l'époque hellénistique.

HÉLIÉE.
Tribunal populaire d'Athènes, institué par Solon : 6 000 jurés *(héliastes)* sont tirés au sort chaque année par les archontes entre les citoyens athéniens de plus de 30 ans qui se proposent. Ils sont répartis en dix sections de 500 membres, plus 1 000 suppléants. Les héliastes prêtent serment et reçoivent chaque jour une indemnité de trois oboles (deux à l'époque de Périclès). Au moment du procès, on tire au sort les juges qui siégeront en nombre variable selon l'importance de la cause ; ils sont présidés par le magistrat instructeur. Ils décident d'abord par un vote de la culpabilité de l'accusé. Chaque juré dispose de deux jetons de vote, celui qui acquitte, traversé d'une tige pleine, celui qui condamne, à tige creuse. Il y a deux urnes, celle qui reçoit les votes valables et celle qui reçoit les jetons inutiles. Puis les jurés fixent la peine : si la loi ne prévoit pas de pénalité pour le délit en cause, l'accusation et la défense en proposent chacune une, et le tribunal se prononce entre elles. La sentence des héliastes est sans appel. Cf. Aristote, *Constitution d'Athènes*, 63 et suiv.

HÉRACLITE.
Philosophe de la fin du vi^e siècle et du début du ve, né à Éphèse. Sa philosophie, qu'il fit connaître dans des ouvrages en prose, lui inspira des formules célèbres comme : « On ne se baigne pas deux fois dans le même fleuve » et : « La guerre est mère de toutes choses. »

HERMÈS.
Représentation traditionnelle de ce dieu sous la forme d'un pilier quadrangulaire surmonté de la tête d'Hermès, généralement barbu. Deux tenons faisaient saillie sur les côtés, à la hauteur des épaules, pour qu'on puisse accrocher des couronnes. Enfin le sexe était sculpté sur la face antérieure du pilier. L'Hermès-pilier passait pour une invention athénienne qu'on attri-

HERMÈS-PILIER
Copie d'époque romaine (Musée de Cyrène), inspirée du célèbre Hermès d'Alcamène.

buait à Hipparque, fils de Pisistrate. Ils étaient très nombreux à Athènes. Alcamène en avait sculpté un célèbre pour les Propylées de l'Acropole. La mutilation des Hermès en 415 provoqua un grand scandale. Ultérieurement, on prit l'habitude de présenter sur un pilier non seulement la tête du dieu Hermès, mais aussi toutes sortes de visages divins, ou des copies d'œuvres célèbres, ou des portraits dont on ne gardait que la tête : cet usage fut très répandu à l'époque romaine, où on sculpta aussi des hermès doubles.

HÉRODOTE.
Né à Halicarnasse vers 490-480, le futur historien appartenait à une famille en vue, qui

lutta contre le tyran Lygdamis, fils d'Artémise. L'oncle d'Hérodote, le poète Panyassis, fut mis à mort par le tyran. Hérodote émigra, probablement à Samos. Puis il voyagea beaucoup, visitant la Grèce, l'Empire perse (Syrie, Mésopotamie, Égypte, Ionie), le Pont-Euxin, la Thrace et la Macédoine, Cyrène. La chronologie de ces voyages est discutée. Il séjourna longuement à Athènes, où il connut Périclès et Sophocle, qui lui dédia un poème. Le peuple athénien lui décerna des honneurs à la suite de lectures publiques. Hérodote se rendit ensuite à Thourioi, fondée en 443 en Italie méridionale sur l'initiative de Périclès, et il devint citoyen de cette ville, d'où il voyagea dans les colonies grecques d'Occident. Il mourut après le début de la guerre du Péloponnèse, mais la date exacte de sa mort n'est pas connue.

HÉSIODE.
Poète de la fin du VIIe siècle, originaire d'Ascra en Béotie, où son père était venu depuis Cymé d'Éolide, après des essais malheureux pour pratiquer le commerce maritime. Il mena dans son village la vie d'un petit exploitant agricole, tout en pratiquant la poésie d'une manière très personnelle. Son plus grand voyage fut d'aller à Chalcis en Eubée pour participer à un concours poétique dont il sortit vainqueur. Outre *La Théogonie* et *Les Travaux et les Jours*, on lui attribuait de nombreux poèmes que la critique alexandrine, suivie par les modernes, considérait déjà comme apocryphes.

HIÉRON.
Second fils de Deinoménès. Il succéda à son frère Gélon d'abord comme tyran de Géla, puis comme tyran de Syracuse en 478. Il bat les Étrusques sur mer devant Cumes en 474. La mort de Théron d'Agrigente en 472 le laisse maître de presque toute la Sicile. Il fonde la ville d'Etna, remporte de nombreuses victoires hippiques aux Jeux et les fait célébrer par Simonide, Bacchylide, Pindare. Il invite Eschyle à séjourner à sa cour. Il meurt en 466.

HIMÈRE.
Cité fondée au milieu du VIIe siècle dans l'ouest de la Sicile par des Chalcidiens de Zancle et des exilés syracusains. Elle fit appel à Théron d'Agrigente et à Gélon contre les Carthaginois, qui furent battus sous ses murs en 480. Elle fut détruite par Carthage en 408.

HIPPOCRATE.
Médecin né à Cos, d'une famille de médecins qui prétendaient descendre d'Asclépios. Son activité s'exerça surtout pendant le dernier tiers du Ve siècle. Il voyagea beaucoup et mourut en Thessalie. La collection des écrits hippocratiques comprend en réalité peu d'œuvres qui lui soient sûrement attribuées.

HIPPODAMOS.
Urbaniste et architecte milésien du Ve siècle. Il prit part à la reconstruction de Milet après 470, puis vint à Athènes où, vers 475, il traça le plan du Pirée ; il participa sans doute à la fondation de Thourioi en 443. Il avait écrit un traité sur la constitution idéale des cités. Son nom reste attaché aux plans de villes orthogonaux et fonctionnels, qu'il contribua à répandre en Grèce.

HIPPONAX.
Poète originaire d'Éphèse, auteur de poèmes satiriques vers le milieu du VIe siècle.

HOLOCAUSTE.
Sacrifice où la victime est entièrement brûlée.

HYPÉRIDE.
Orateur athénien du IVe siècle, élève d'Isocrate et peut-être de Platon. Il entra dans la vie politique en 360 en plaidant un procès d'illégalité. De mœurs peu rigoureuses, on sait qu'il défendit devant l'Aréopage la courtisane Phryné, accusée d'impiété. En politique, il participa activement à la lutte contre Philippe. Plus tard, il accusa Démosthène au moment de l'affaire d'Harpale (324). Après l'échec du soulèvement contre les Macédoniens qui suivit la mort d'Alexandre, il fut pris et mis à mort (322).

I

IBYCOS.
Poète lyrique, né à Rhégion dans la première moitié du VIe siècle. Il séjourna longtemps à Samos à la cour de Polycrate.

ICTINOS.
Architecte du milieu du Ve siècle, peut-être athénien. Auteur du Parthénon (447-438), avec Callicratès et Phidias, et du *Télestérion* d'Éleusis. On lui attribue aussi le temple d'Apollon Épikourios à Bassæ (Phigalie).

IPHICRATE.
Général athénien qui se distingua à maintes reprises au cours de la première moitié du IVᵉ siècle. Il employa avec bonheur les *peltastes*.

ISOCRATE.
Rhéteur athénien né en 436. Son père était fabricant de flûtes. Il fut l'élève de Prodicos, de Socrate et de Gorgias. Ayant perdu son patrimoine, il dut pour vivre se faire logographe ; écarté de la politique par sa timidité et la faiblesse de sa voix, il fonda en 393 une école de rhétorique dont le succès lui permit de refaire fortune. Il composa surtout des discours d'apparat, d'un style extrêmement travaillé, où il exposait ses conceptions politiques : *Panégyrique* (380), *Panathénaïque* (339). Dans l'*Antidosis*, action fictive en échange de biens, il développe en guise d'apologie personnelle ses idées sur l'éducation, la rhétorique et la philosophie. Il meurt en 338.

J

JASON.
Tyran de Phères en Thessalie. Il fut assassiné en 370, après avoir joué en Grèce du Nord un grand rôle pendant quelques années.

L

LACÉDÉMONE.
Autre nom de Sparte. Tandis que le nom de Sparte désigne la ville même, celui de Lacédémone a une plus grande extension : il était employé par les citoyens de Sparte pour désigner soit la ville, soit l'État, en particulier dans leurs relations avec les autres cités grecques. Les Lacédémoniens comprennent à la fois les Spartiates proprement dits et les *périèques*. On suppose que le nom de Lacédémone désignait déjà l'État organisé en Laconie avant l'arrivée des envahisseurs doriens (qui se situerait vers le IXᵉ siècle).

LADÉ.
Ile d'Ionie, proche de Milet, près de laquelle la flotte des Ioniens révoltés fut défaite par les Perses en 494.

LATOMIES.
Carrières de pierre. Le mot est employé particulièrement pour désigner celles de Syracuse qui servirent de prison pour les captifs athéniens après l'expédition de Sicile.

LAURION.
Région montagneuse à la pointe sud-est de l'Attique, célèbre par ses mines de plomb argentifère exploitées dès le VIᵉ siècle. Elles jouèrent un rôle important dans l'économie d'Athènes aux Vᵉ et IVᵉ siècles. Le minerai était extrait dans des galeries profondes (certaines sont à plus de 100 m de la surface du sol), basses et étroites (1 m de haut sur moins de 1 m de large). La séparation du plomb argentifère et des autres produits se faisait par lavage dans des bassins de décantation, puis on séparait l'argent du plomb par fusion dans des fours. Il subsiste des vestiges importants de ces installations antiques.

LÉBADÉE.
Ville de Béotie, aujourd'hui Livadie. Siège de l'oracle de Trophonios, que l'on consultait dans une grotte selon une procédure qui frappait l'imagination (Pausanias, IX, 39, 9 et suiv.).

LÉCYTHE.
Vase à parfum, souvent employé dans les rites funéraires. Dans la céramique attique du Vᵉ siècle, il existe une catégorie spéciale de lécythes funéraires où le décor figuré, polychrome, est posé sur un fond blanc.

LÉLANTINE (Plaine).
La plaine Lélantine s'étend entre Chalcis et Érétrie en Eubée. Elle fut disputée entre ces deux cités au cours d'une guerre qui partagea la Grèce en deux camps au VIIᵉ siècle.

LÉOCHARÈS.
Sculpteur athénien du IVᵉ siècle. Il participa vers 350 à la décoration du Mausolée d'Halicarnasse. Il avait exécuté de nombreuses statues de dieux et des portraits (dont celui d'Isocrate). Après Chéronée, il travailla pour les souverains macédoniens. On lui attribue l'original du célèbre Apollon du Belvédère au musée du Vatican.

LESCHÉ.
Bâtiment servant de salle de réunion. La *Lesché* des Cnidiens à Delphes était décorée de peintures par Polygnote.

LEUCTRES.
Bourg de Béotie, à une quinzaine de kilomètres au sud-ouest de Thèbes, dans une plaine où Épaminondas infligea en 371 une lourde défaite à l'armée lacédémonienne.

LIBYE.
Nom donné par les Grecs à l'Afrique, qui pour eux commençait à l'ouest de l'Égypte. Au sens restreint, le mot s'applique à la Cyrénaïque, seule région du continent qui ait été occupée par des colonies helléniques. Les peuplades libyennes, décrites par Hérodote au livre IV de ses *Histoires*, eurent avec les Grecs des rapports tantôt pacifiques, tantôt hostiles.

LITURGIE.
Charge financière imposée par l'État athénien à un ou plusieurs citoyens riches. Les liturgies périodiques se rapportaient aux fêtes religieuses. La *chorégie* consiste à équiper et à entretenir un chœur dramatique, comique ou dithyrambique : financement, mais aussi recrutement des acteurs et des choreutes et surveillance des répétitions. Les chœurs participent à un concours et le chorège vainqueur fait d'ordinaire une consécration à la divinité (monuments chorégiques). L'*hestiasis* consiste à subvenir aux frais du repas commun de la tribu lors d'une fête religieuse. Il y a aussi des liturgies extraordinaires comme la *triérarchie*. Cette charge très lourde finit par être partagée entre plusieurs citoyens, et même, au milieu du IVe siècle, entre les membres d'une *symmorie*. Tout Athénien dont la fortune passe pour importante est soumis aux liturgies, mais, s'il estime qu'un autre citoyen plus riche que lui devrait supporter la charge et s'y refuse, il peut proposer l'échange de leurs fortunes (*antidosis*) par une action intentée devant les héliastes.

LOGOGRAPHE.
Rhéteur qui compose des discours pour des causes privées. Le logographe ne plaide pas lui-même : il fournit le texte que le plaideur lira devant le tribunal. Lysias, Hypéride firent métier de logographe. A distinguer du *synégore*.

LYCURGUE.
1° Législateur légendaire de Sparte, de race royale. Il aurait vécu à la fin du IXe siècle et se serait inspiré des institutions doriennes de Crète.

2° Orateur athénien du IVe siècle. Il appartenait à la vieille famille des *Étéoboutades* et fut prêtre de Poséidon *Erechtheus*. Après Chéronée, il administra les finances d'Athènes et fit exécuter de nombreux travaux : arsenal du Pirée, théâtre de Dionysos, gymnase du Lycée, etc. Il mourut en 324. De ses discours subsiste celui qu'il prononça contre Léocrate, un Athénien accusé de s'être soustrait par la fuite à ses obligations militaires après la bataille de Chéronée.

LYDIE.
Royaume d'Asie Mineure, ayant pour capitale Sardes, et qui prospéra sous la dynastie des Mermnades jusqu'à la conquête perse (546).

LYGDAMIS.
1° Tyran de Naxos (vers 545-525), ami de Polycrate de Samos.
2° Tyran d'Halicarnasse dans le deuxième quart du Ve siècle.

LYSANDRE.
Général spartiate. Navarque en mer Égée en 407, il renforça sa flotte avec l'aide de Cyrus le Jeune. Remplacé un moment par Callicratidas qui se fait battre aux îles Arginuses, il reprend le commandement et bat la flotte athénienne à Ægospotamos (405). Il assiège et prend Athènes en 404, mais se refuse à la détruire et se borne à raser les Longs Murs. Enorgueilli par ses succès, il se fait rendre des honneurs exceptionnels : il a sa statue à Delphes, des autels et un véritable culte dans certaines cités. Rappelé par les éphores, il est tenu à l'écart du pouvoir. Il meurt à la bataille d'Haliarte en 395.

LYSIAS.
Né à Athènes vers 440, il était fils d'un riche Syracusain, Céphalos, établi comme métèque au Pirée où il dirigeait une fabrique d'armes. Il passa quelques années à Thourioi, puis revint à Athènes en 412 ; il y exploita une fabrique d'armes. Mais ses biens sont confisqués par les Trente, son frère Polémarque est assassiné et lui-même doit s'enfuir à Mégare (404). Il rentre en 403 avec les démocrates et plaide, pour venger son frère, contre Ératosthène, l'un des Trente. Contraint par la perte de sa fortune à exercer le métier de logographe, il composa plusieurs plaidoyers : *Pour l'invalide, Contre Diogiton, Sur l'olivier*.

M

MANTINÉE.
Cité d'Arcadie orientale. Détruite par Sparte en 385, elle fut reconstituée en 370 par Épaminondas, qui l'entoura d'une puissante enceinte de tracé ovale en briques crues sur un socle de pierre, longue de près de 4 km, flanquée de 126 tours et percée de 10 portes. Bataille de Mantinée en 362.

MARATHON.
Dème du nord-est de l'Attique. Bataille de Marathon en 490.

MARBRE.
On appréciait particulièrement les marbres des Cyclades, celui de Paros avant tout, à gros grain, très blanc, translucide, résistant, le plus apprécié des sculpteurs. En Attique, le marbre de l'Hymette, au grain fin, teinté de gris ou de bleu, dur, est un excellent matériau de construction ; le marbre du Pentélique, dur et serré, blanc à l'extraction, prend à l'air une teinte dorée ; il est employé en architecture (Parthénon, Propylées), mais aussi pour la sculpture (décor du Parthénon).

MASSALIA (Marseille).
Comptoir de Phocée, fondé vers 600 sur les côtes de Provence. Très prospère, la cité consacra un trésor à Delphes.

MAUSOLE.
Fils d'Hécatomnos, satrape de Carie au milieu du IVe siècle. Actif et puissant, il contribua à détacher de la Confédération athénienne Chio, Rhodes et Cos (357-355). Très ouvert à la culture hellénique, il modernisa Halicarnasse, sa capitale, en fit un grand port, battit monnaie dans le style de Rhodes. Il mourut en 353.

MAUSOLÉE.
Tombeau monumental de Mausole à Halicarnasse, projeté peut-être de son vivant, commencé par sa veuve Artémise ; interrompu probablement à la mort de celle-ci en 351, il fut achevé par les soins d'Alexandre (vers 333). Il se composait d'un haut socle rectangulaire, d'une cella entourée de 36 colonnes ioniques et d'une pyramide de gradins supportant un quadrige. Les architectes furent Satyros et Pythéos. Le décor sculpté, œuvre de Scopas, Timothéos, Bryaxis et Léocharès, comprenait deux frises (Centauromachie et Amazonomachie) pour le socle et une frise de chars en course pour la cella. Le quadrige, œuvre de Pythéos, portait les statues de Mausole et d'Artémise ; d'autres statues et une série de lions ornaient la terrasse et les entrecolonnements de la cella.

MÉGALOPOLIS.
Capitale fédérale de la Ligue arcadienne, fondée en 370 par Épaminondas sur les rives de l'Hélisson, elle réunit par synœcisme une quarantaine de bourgades. Entourée d'une enceinte de 9 km, elle était divisée en deux par le fleuve. Au nord, les centres municipaux : agora rectangulaire, sanctuaires (Zeus Sôter et divinités arcadiennes), gymnase. Au sud, les bâtiments fédéraux : le Thersilion, grande salle hypostyle, à 5 rectangles concentriques de colonnes portant un toit à 4 versants, destinée à l'assemblée permanente (tribune centrale pour l'orateur) ; le portique dorique de la façade servait de scène au théâtre (un des plus grands de Grèce), construit dans la seconde moitié du IVe siècle.

MÉGARA HYBLÆA.
Colonie grecque de la côte orientale de Sicile, fondée en 750 par des Doriens venus de Mégare. L'exiguïté de son territoire la poussa à fonder à son tour Sélinonte. Elle fut détruite en 483 par Gélon et repeuplée à la fin du IVe siècle. On y a fait des fouilles importantes.

MÉGARE.
Centre politique de la Mégaride, région située entre l'Isthme, la Béotie et l'Attique. Florissante dès le VIIIe siècle, Mégare fut une grande cité colonisatrice (métropole de Mégara Hyblæa et Sélinonte en Sicile, de Chalcédoine, Byzance et Héraclée en Propontide). Dans la seconde moitié du VIIe siècle, elle fut gouvernée par le tyran Théagénès, auteur de grands travaux ; au VIe siècle, elle connut un régime oligarchique. Longtemps rivale d'Athènes pour la possession de Salamine, elle s'allia à elle vers 460 jusqu'en 446 ; puis l'hostilité renaissante entre les deux cités fut le prétexte de la guerre du Péloponnèse (décret excluant Mégare des marchés attiques en 432). Envahie et dévastée annuellement par Athènes, puis soumise à l'hégémonie de Sparte, Mégare retrouva une certaine prospérité au IVe siècle. Elle fut la patrie

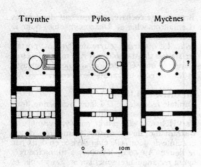

Tirynthe   Pylos   Mycènes

0   5   10m

LE MÉGARON A TIRYNTHE, PYLOS ET MYCÈNES

On reconnaît le porche d'entrée à deux colonnes, l'antichambre et la grande salle à quatre colonnes, avec un foyer circulaire au centre. A Tirynthe et à Pylos, le trône princier se trouve contre le mur de droite.

du poète élégiaque Théognis (570-483) et de l'architecte Eupalinos, qui travailla à Samos à l'époque de Polycrate. De la ville, établie sur deux collines, subsistent actuellement quelques ruines de l'aqueduc et de la fontaine construits par Théagénès.

MÉGARON.
Salle rectangulaire, précédée d'un vestibule, qui devint la salle principale des palais mycéniens.

MESSÈNE.
Ville fondée par Épaminondas au flanc du mont Ithome en 371 pour accueillir les Messéniens regroupés. Elle était défendue par une longue enceinte de 9 km, d'appareil régulier, flanquée de tours carrées ou semi-circulaires, et qui enfermait aussi des champs et des pâturages. Les vestiges en sont impressionnants.

MÉTÈQUES.
Étrangers domiciliés à Athènes. Ils n'ont pas les droits civils ni politiques, sont soumis à une taxe spéciale et doivent avoir un répondant athénien. Mais ils prennent leur part des charges publiques, servent dans l'armée, participent aux fêtes religieuses. Ils peuvent recevoir, pour

services rendus à la cité, les droits civils (métèques *isotèles*). Ils s'occupent essentiellement d'industrie et de commerce.

MÉTOPE.
Plaques de pierre ou de terre cuite intercalées entre les triglyphes dans la frise dorique. Elles sont parfois sculptées ou simplement peintes.

MÉTROPOLE.
Cité fondatrice d'une colonie.

MILET.
Importante cité d'Ionie, située à l'entrée du golfe Latmique, sur la rive méridionale duquel elle occupe une presqu'île facile à défendre. Déjà un comptoir créto-mycénien s'y était établi au milieu du IIe millénaire. Colonisée ensuite par les Ioniens au moment de la migration ionienne, elle devint un foyer de commerce et de culture et une grande métropole colonisatrice. Son rôle fut prépondérant en mer Noire et très important dans les relations avec l'Égypte. Elle fut des premières cités grecques qui adoptèrent l'invention lydienne de la monnaie. Elle soutint Érétrie dans la guerre Lélantine. Rudement gouvernée par le tyran Thrasybule à la fin du VIIe et au début du VIe siècle, elle connut ensuite des luttes intestines. Ce fut la seule ville grecque qui s'entendit avec Cyrus. Au VIe siècle, les savants et philosophes Thalès, Anaximène et Anaximandre l'illustrèrent. Entraînée dans la révolte de l'Ionie par Aristagoras, malgré les conseils de l'historien Hécatéos, elle fut prise et détruite en 494. Sa reconstruction au cours du Ve siècle permit aux urbanistes comme Hippodamos d'appliquer leurs théories. Milet fit partie de la première Ligue de Délos.

MILO.
Ile volcanique des Cyclades du Sud ; habitée dès le IIIe millénaire. Le site de Phylacopi accueillit trois cités successives ; la plus récente (1500-1100, palais, fresques) fut détruite par les Doriens. La cité de Mélos, au nord, ne fut fondée qu'en 700 par Sparte. Membre de la Ligue maritime de Délos, elle fit défection pendant la guerre du Péloponnèse, fut assiégée deux fois par Athènes, cruellement dépeuplée (416) et occupée par des clérouques.

MILTIADE.
Général athénien, issu d'une famille aristocra-

tique dont les Pisistratides furent un moment jaloux. Son oncle avait exercé la tyrannie en Chersonèse de Thrace et il s'y rendit à son tour en 516. Soumis à Darius jusqu'à la révolte de l'Ionie, il rentra à Athènes en 493, y fut accusé vainement par des adversaires politiques et, élu stratège en 490, joua un rôle décisif dans la victoire de Marathon. En 489, à la tête de la flotte athénienne, il assiégea Paros sans succès. Blessé accidentellement durant le siège, il rentra à Athènes où il fut accusé devant le peuple et condamné à une forte amende. Il mourut peu après des suites de sa blessure.

MIMNERME.
Poète élégiaque et flûtiste originaire de Colophon (dernier tiers du VIIe siècle).

MISTHOS.
Indemnité journalière payée à un citoyen chargé d'une fonction publique.

MONNAIE.
Si l'usage d'employer comme monnaie d'échange un certain poids de métal remonte à une haute antiquité, l'idée d'authentifier le lingot de métal par une marque garantissant sa qualité et son poids n'apparut qu'assez tard. On attribuait cette invention soit aux Lydiens, soit à Phidon d'Argos ; elle date en tout cas du VIIe siècle. Plus que l'*électrum* lydien, c'est l'argent qui servit pour la frappe des monnaies dans les cités grecques. L'or est d'un emploi beaucoup plus rare, sauf dans l'Empire perse, et sa frappe correspond d'ordinaire à des circonstances exceptionnelles («monnayage de détresse»). Toutefois au IVe siècle, quelques cités (Cyrène, Lampsaque, Panticapée) et Philippe de Macédoine eurent un monnayage d'or régulier. Le bronze ne servait que pour les monnaies divisionnaires de faible valeur et avait une circulation essentiellement locale. L'argent au contraire était utilisé aussi pour des transactions extérieures, et certains monnayages (Égine à l'époque archaïque, Athènes à l'époque classique) ont vraiment servi de moyens d'échanges internationaux. Les systèmes monétaires, très variés, reposaient sur le poids des principales monnaies d'argent. L'unité est d'ordinaire la *drachme*, qui se divise en 6 *oboles*. La pièce essentielle du système, qui sert de poids-étalon, est soit la pièce de 4 drachmes (*tétradrachme*), soit celle de 2 drachmes

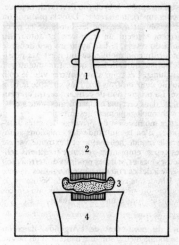

**LA FRAPPE
DES MONNAIES GRECQUES**
1. Marteau. — 2. Poinçon mobile portant le coin de revers. — 3. Flan de métal précieux. — 4. Enclume fixe portant le coin du droit.

(*didrachme*) : on l'appelle le *statère*. La frappe de pièces plus importantes, comme celles de 10 drachmes (*décadrachme*), reste exceptionnelle. Au-dessus de ces valeurs, les Grecs usaient d'unités de compte qui ne correspondirent jamais à des pièces effectivement frappées : ces unités de compte, empruntées aux systèmes pondéraux, sont la *mine* (valant 100 drachmes) et le *talent* (valant 60 mines, soit 6 000 drachmes).
D'abord frappées d'un emblème sur une seule face, les monnaies furent ensuite frappées sur les deux faces. Le flan de métal, d'un poids déterminé, mais d'une forme peu régulière, était frappé à chaud, à la main, entre deux coins gravés en creux. L'un de ces coins était fixé dans une enclume, l'autre était la face inférieure d'un poinçon mobile tenu en main par l'ouvrier qui frappait sur l'autre extrémité du poinçon avec un marteau. Les coins pouvaient être en fer ou en bronze. Le coin inférieur correspond à

ce qu'on appelle le *droit* (ou l'avers) de la pièce, le coin supérieur au *revers*. Dans la pratique on les reconnaît à ce que les bords de la pièce forment souvent un léger ressaut autour du motif du revers, le flan ayant un peu débordé autour du coin mobile, ce qui n'est pas possible autour du coin fixe, qui est maintenu par l'enclume. Les coins s'usaient très vite, le coin mobile deux ou trois fois plus vite que le coin fixe. La progression de cette usure, qu'on peut suivre dans certains cas privilégiés, aide à classer chronologiquement les émissions.

Battre monnaie est un privilège des cités autonomes, d'où la multitude des émissions à travers le monde hellénique et l'extrême variété des types, empruntés soit aux traditions religieuses locales, soit aux produits du terroir, soit même à des calembours étymologiques (la rose de Rhodes, le céleri ou *sélinon* de Sélinonte, la pomme ou *mèlon* de Milo). Beaucoup de ces monnaies sont d'une haute qualité d'art.

MYCÈNES.

Cité du nord-ouest de l'Argolide, dans un site montagneux, sur une hauteur d'où la vue s'étend au loin sur la plaine d'Argos et qui permet de contrôler la principale route vers Corinthe. Déjà habitée à l'époque néolithique, elle connut sa plus grande prospérité au cours du IIᵉ millénaire durant l'époque à laquelle elle a donné son nom. Détruite par des envahisseurs vers la fin du XIIᵉ siècle, elle fut repeuplée par la suite : elle figure au nombre des cités qui participèrent à la bataille de Platées. Mais un peu plus tard, en 468, Argos, aidée par Tégée et Cléonées, la détruisit de nouveau complètement. Elle ne connut ensuite une certaine renaissance que vers le IIIᵉ siècle, à l'époque hellénistique.

L'acropole forme un triangle irrégulier, presque inaccessible vers le sud-est où le ravin du torrent Chaos est très abrupt. Un rempart en appareil «cyclopéen» (à gros blocs irréguliers) enferme une surface étendue (30 000 m²), à laquelle on accédait par une entrée principale (porte des Lions) au nord-ouest et par une porte secondaire vers le nord. La porte des Lions, accessible aux chars, est défendue par un bastion en blocs énormes disposés en assises régulières. Passé la porte, on débouche sur une place occupée par un grenier à grains et par un cimetière royal du XVIᵉ siècle : tombes à fosse disposées à l'intérieur d'une enceinte circulaire.

Une rampe permettait d'accéder au palais royal, dont les bâtiments étaient disposés sur des terrasses, au sommet de l'Acropole. Ce qu'on en voit encore (base des murs, revêtement du sol) date du XIVᵉ et du XIIIᵉ siècle. On reconnaît la cour centrale et le *mégaron* précédé de son antichambre et de son porche. Au milieu de la grande salle, un foyer circulaire entre quatre colonnes. Les murs étaient peints à fresque, le sol stuqué ou pavé de dalles de gypse.

Les quartiers d'habitation s'étendaient en dehors de l'enceinte fortifiée ; plusieurs faubourgs ont été fouillés, révélant l'habileté des architectes mycéniens à adapter leurs plans aux accidents du terrain. Les maisons, placées sur des terrasses, avaient souvent un étage supérieur et des magasins à demi souterrains ; elles s'éclairaient par une cour intérieure ; les toits étaient probablement plats.

Plusieurs types de tombes furent en usage. Pour les simples particuliers, elles sont d'abord «à ciste» (coffre rectangulaire en dalles de pierre), puis à chambre souterraine (sépultures familiales). Les premières tombes royales sont des fosses surmontées de stèles (cercle de tombes à l'entrée de l'Acropole, et second cercle, plus récent, hors de l'enceinte). Puis apparaissent les *tholoi*, à coupole en ogive construite en encorbellement, avec une porte monumentale précédée d'une allée (*dromos*) entre deux talus que soutiennent parfois des murs de pierre : le tout est encastré dans le flanc d'une colline (tombes d'Égisthe, des Lions, des Génies, « Trésor d'Atrée », tombe de Clytemnestre).

MYRON.

Sculpteur du Vᵉ siècle, originaire d'Éleuthères, à la limite de l'Attique et de la Béotie. Élève d'Hagéladas d'Argos, il semble avoir exercé son activité surtout au milieu du siècle. Ce fut essentiellement un bronzier qui s'attacha à rendre le mouvement. Les textes mentionnent de lui plusieurs statues d'athlètes et de divinités. Deux de ses œuvres nous sont connues par des copies ou des documents figurés : le groupe d'*Athéna et Marsyas* (sur l'Acropole d'Athènes) et le fameux *Discobole* représenté en pleine action. Myron était célèbre aussi comme animalier : il avait sculpté une vache dont plusieurs textes vantent le réalisme extraordinaire.

N

NAVARQUE.
Amiral de la flotte lacédémonienne.

NAXOS.
1º La plus grande et la plus riche des Cyclades. Elle joua au VIIᵉ et au VIᵉ siècle un rôle dominant en mer Égée. Dans la confédération insulaire dont Délos était le centre religieux, elle occupait le premier rang, comme le montrent les offrandes qu'elle consacra dans l'île : *colosse* de plus de 5 m de haut en marbre (vers 600 ; il en reste d'importants fragments), salle (*oïkos*) et portique des Naxiens (début et milieu du VIᵉ siècle). En outre, elle consacra vers 575 le *Sphinx* des Naxiens à Delphes. L'île renferme d'importantes carrières de marbre où des statues archaïques, colossales et inachevées, ont été laissées en place. Elle battit monnaie au type du canthare, allusion à ses vignes. A l'époque de Polycrate de Samos, elle fut soumise au tyran Lygdamis, que le parti aristocratique, soutenu par les Lacédémoniens, chassa vers 525. Pendant les guerres médiques, elle fut prise et pillée par les Perses. Puis elle prit part avec les autres Grecs à la bataille de Platées et entra dans la Ligue de Délos. Elle reçut des colons athéniens. Au IVᵉ siècle, en 376, une flotte péloponnésienne fut détruite par les Athéniens dans les eaux de Naxos.
2º Cité de Sicile orientale, au nord de Catane, fondée par des Chalcidiens au milieu du VIIIᵉ siècle. Elle passait pour la plus ancienne colonie grecque de Sicile.

NÉMÉE.
Bourg du Péloponnèse, sur le territoire de la cité de Cléonées. Héraclès y avait tué, selon la légende, un lion qui répandait la terreur. Un sanctuaire de Zeus Néméen s'y trouvait, auprès duquel on célébrait depuis 573, tous les deux ans, en juillet, les Jeux Néméens. On voit encore les ruines du temple dorique de Zeus élevé au milieu du IVᵉ siècle. La colonnade intérieure avait des chapiteaux corinthiens.

NESTOR.
Héros grec de la guerre de Troie, le plus âgé et le plus sage des chefs grecs. On attribue à sa dynastie le palais mycénien découvert à Pylos, en Messénie.

NICIAS.
Homme politique et général athénien à l'époque de la guerre du Péloponnèse. Doté d'une grande fortune (il possédait plus de mille esclaves dont il louait les services à raison d'une obole par tête et par jour), c'était un homme religieux et modéré. Stratège en 425, il laissa à Cléon le soin de régler l'affaire de Sphactérie. En 424, il occupa l'île de Cythère, pour bloquer les côtes de Laconie. L'année suivante, il prit Mendé en Chalcidique. Ces succès militaires ne l'empêchèrent pas de favoriser la conclusion de la paix dès que Cléon fut mort en 422. C'est pourquoi le traité de 421 porte le nom de *paix de Nicias*. Il s'opposa par la suite à la politique aventureuse préconisée par Alcibiade, mais le peuple le chargea malgré lui de diriger l'expédition de Sicile, qu'il avait déconseillée : il y trouva la mort dans la défaite en 413. Il avait manifesté sa piété en consacrant à Apollon, dans son sanctuaire de Délos, un magnifique palmier de bronze en 418.

O

OLYMPIE.
Sanctuaire de Zeus en Élide, situé au confluent de l'Alphée et du Cladéos au pied du mont Kronion, sur un site occupé dès le IIᵉ millénaire. En 776, avec la fondation officielle des Jeux et l'organisation d'une trêve sacrée permettant aux pèlerins de s'y rendre, tous les quatre ans, en sécurité, le sanctuaire devient panhellénique. Il est administré, au nom des 16 cités d'Élide, par la ville de Pise, puis après 576 Élis qui y exerce son autorité en dépit de fréquents démêlés avec ses voisins (pillage du sanctuaire par les Arcadiens en 364). Le développement architectural du sanctuaire commence à l'époque archaïque ; dans l'enceinte sacrée ou *Altis*, toujours plantée d'arbres, le temple d'Héra, élevé vers 600 avant J.-C. sur l'emplacement d'un temple plus ancien, se compose d'un porche à deux colonnes, d'une *cella* et d'un opisthodome avec une colonnade extérieure de 6 × 16 colonnes doriques. Dix trésors au moins se dressaient sur la terrasse nord, offerts par les villes de Sicyone, Syracuse, Épidaure, Byzance, Sybaris, Cyrène, Sélinonte, Métaponte, Mégare et Géla. Au nord-ouest, le Prytanée, bâtiment carré, renfermait l'autel

d'Hestia, où l'on recevait vainqueurs et hôtes de marque. A l'est se trouvait le stade, long de 600 pieds olympiques (191,27 m). Au sud, hors de l'enceinte, le *Bouleutérion*, deux bâtiments à abside encadrant un édifice carré. Le temple de Zeus fut construit par Libon d'Élis de 468 à 456, avec une colonnade extérieure de 6 × 13 colonnes doriques. Les frontons et les métopes sculptés par un artiste inconnu (peut-être Pæonios de Mendé) sont des chefs-d'œuvre du style sévère (fronton est : Zeus, Pélops et Œnomaos avant la course en char ; fronton ouest : Apollon, Centaures et Lapithes ; frise dorique au-dessus du porche intérieur d'entrée et de l'opisthodome : exploits d'Héraclès). La statue de culte, colossale, en or et ivoire, était l'œuvre de Phidias (pour lequel un atelier fut construit à l'ouest du sanctuaire). Au IVe siècle l'aspect du sanctuaire fut modifié complètement par de nouvelles constructions : temple de la Grande Mère au nord, et plusieurs portiques à l'est et au sud.

Après Chéronée (338), Philippe éleva un édifice circulaire, le *Philippeion*, à 18 colonnes ioniques extérieures et 9 colonnes corinthiennes intérieures, pour abriter les statues chryséléphantines des membres de sa famille, œuvres de Léocharès. Aux offrandes géométriques et archaïques (trépieds, figurines de bronze, armures votives, etc.) viennent s'ajouter à l'époque classique les statues des vainqueurs, œuvres des plus grands sculpteurs de l'époque, et des offrandes de toutes sortes, comme la *Victoire* sculptée par Pæonios pour les Messéniens ou l'*Hermès* de Praxitèle, qui était abrité dans le temple d'Héra. Pausanias a consacré la majeure partie des livres V et VI de sa *Périégèse* à décrire le sanctuaire d'Olympie.

OLYNTHE.

Ville de Chalcidique. Ravagée en 479 par les Perses, reconstruite et repeuplée au milieu du Ve siècle, elle devient le centre de la ligue des cités grecques de Chalcidique en 392. Attaquée par le roi de Macédoine, assiégée et prise par Sparte en 379, elle entre dans l'alliance athénienne en 375, mais la quitte en 371. Elle s'allie à Philippe II en 366, puis, inquiète de sa politique de conquête, elle conclut une alliance défensive avec Athènes. Philippe s'en empara et la rasa entièrement en 348. Les fouilles américaines ont permis d'étudier le plan de la ville et les ruines des habitations au Ve et au IVe siècle.

ORPHISME.

Doctrine eschatologique mal connue qui s'exprimait dans des poèmes attribués au chanteur thrace Orphée.

OXYRHYNCHOS (Helléniques d').

Ouvrage historique anonyme, dont d'importants fragments ont été retrouvés sur des papyrus en provenance du bourg égyptien d'Oxyrhynchos.

P

PÆONIOS DE MENDÉ.

Sculpteur du Ve siècle, originaire de Mendé, colonie d'Érétrie en Chalcidique. Pausanias (VI, 26, 1) lui attribue la *Victoire* érigée par les Messéniens, près du temple de Zeus à Olympie, vers 455, ainsi que les sculptures du fronton oriental de ce temple (VI, 10, 8). On possède, en même temps que la *Victoire* en marbre (malheureusement mutilée), la dédicace de cette offrande, mentionnant le nom de Pæonios et lui attribuant les acrotères du temple. Il y a de bonnes raisons pour considérer Pæonios comme le maître d'œuvre du décor sculpté (acrotères, frontons et métopes) pour l'ensemble du temple d'Olympie.

PALESTRE.

La palestre est une dépendance du gymnase. Il y a aussi des palestres privées où les enfants, sous la direction du pédotribe, pratiquent les exercices du corps. Une palestre se compose d'une cour entourée de bâtiments servant de vestiaire, de salles de gymnastique, de lieu de repos, quelquefois de salles de bains.

PANATHÉNÉES.

Les Grandes Panathénées sont la grande fête civique d'Athéna à Athènes. Depuis 566-565, elles sont célébrées tous les quatre ans avec éclat, tandis que la fête annuelle est beaucoup moins importante. Elles comportent des concours hippiques et athlétiques, dont les vainqueurs reçoivent comme prix une amphore « panathénaïque » pleine de l'huile produite par les oliviers sacrés. Elles ont lieu en juillet et durent quatre jours. Il y a une fête de nuit, une course aux flambeaux (*lampadédromie*) et la célèbre procession qui commençait au lever du soleil. Tout le peuple s'y rassemblait derrière

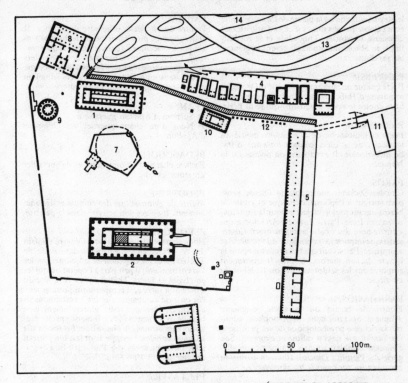

LE SANCTUAIRE DE ZEUS A OLYMPIE A L'ÉPOQUE CLASSIQUE

1. Temple d'Héra. — 2. Temple de Zeus. — 3. Victoire de Pæonios. — 4. Terrasse des Trésors. — 5. Portique d'Écho. — 6. Bouleutérion. — 7. Enclos de Pélops. — 8. Prytanée. — 9. Philippeion. — 10. Temple de la Mère des Dieux. — 11. Stade. — 12. Statues des Zanes. — 13. Route moderne. — 14. Mont Cronion.

les victimes des sacrifices, les jeunes filles porteuses de corbeilles sacrées (*canéphores*) et les magistrats. Cavaliers et chars participaient à la cérémonie que Phidias évoque sur la frise ionique du Parthénon. On offrait à Athéna *Polias* un *péplos* que des femmes et des jeunes filles d'Athènes, qu'on appelait les *Ergastines*, avaient tissé pendant neuf mois de travail : sur ce vêtement sacré étaient représentés les épisodes de la Gigantomachie, où Athéna avait joué un rôle capital.

PANGÉE.
Montagne de la Thrase occidentale, située entre

le Strymon, la côte et la plaine de Philippes. Elle était célèbre par ses mines d'or et d'argent. Les Thasiens, l'historien Thucydide et le roi Philippe de Macédoine en exploitèrent largement les produits.

PANYASSIS.
Poète épique de la première moitié du Vᵉ siècle, originaire d'Halicarnasse. Oncle d'Hérodote, il lutta contre le tyran Lygdamis qui le fit périr.

PARMÉNIDE.
Poète et philosophe de la première moitié du Vᵉ siècle, né à Elée, colonie ionienne d'Italie méridionale. Il avait écrit un poème *De la Nature*.

PAROS.
Cité des Cyclades, métropole de Thasos, prospère surtout à l'époque archaïque et rivale de Naxos durant tout le VIᵉ siècle pour la suprématie en mer Égée. Patrie du poète Archiloque qui y fut honoré d'un culte après sa mort. Centre artistique important (céramique du VIIᵉ siècle et sculpture), Paros était célèbre avant tout pour la beauté de son marbre, le plus fréquemment employé par les sculpteurs depuis le début du VIᵉ siècle.

PARRHASIOS.
Peintre de la fin du Vᵉ siècle, originaire d'Éphèse. Socrate, nous dit Xénophon, admirait la richesse psychologique de ses peintures. On vantait son dessin raffiné et expressif. Son *Philoctète* semblait souffrir vraiment, son allégorie du Peuple (*Démos*) athénien paraissait éprouver les sentiments les plus variés.

PAUSANIAS.
1° Spartiate, neveu de Léonidas, qui fut chargé de la régence pendant la minorité du fils de ce roi. Il commanda l'armée des Grecs confédérés à la bataille de Platées. Il remporta des succès par la suite à Chypre et à Byzance, qu'il délivra des Perses. Mais, privé de son commandement, il voulut s'établir comme tyran dans cette ville et entra en négociations avec le Grand Roi. Rappelé à Sparte par les éphores, il fut convaincu de trahison et on le laissa périr de faim dans le temple d'Athéna *Chalkioikos* où il s'était réfugié (467).
2° Écrivain du IIᵉ siècle après J.-C., auteur d'une très utile *Périégèse de la Grèce*.

PAUSIAS.
Peintre du IVᵉ siècle, originaire de Sicyone. Il était renommé pour sa virtuosité technique : on vantait ses raccourcis (dans le *Sacrifice d'un taureau*, l'animal était vu par la croupe), ses effets de transparence (dans l'*Ivresse*, une femme buvait dans un grand verre à travers lequel on voyait son visage) et son *fa presto*.

PÉAN.
1° Surnom d'Apollon guérisseur.
2° Nom d'un chant guerrier en l'honneur d'Apollon.

PÉDAGOGUE.
Esclave chargé d'accompagner et de surveiller un jeune garçon.

PÉDOTRIBE.
Maître de gymnastique des enfants et des adolescents. Il exerce son activité dans la palestre.

PÉLOPIDAS.
Homme politique et homme de guerre thébain du IVᵉ siècle, ami d'Épaminondas. Exilé de Thèbes après l'occupation de la Cadmée par les Lacédémoniens, il prit part à l'opération qui les en chassa et libéra Thèbes (379). A la tête du « Bataillon sacré », il remporta un premier succès en rase campagne sur les Lacédémoniens à Tégyra, puis prit part glorieusement à la bataille de Leuctres (371). Il mena ensuite plusieurs expéditions en Thessalie et fut tué en 364 à Cynoscéphales. Lysippe avait fait son portrait à Delphes peu après 369. Plutarque lui a consacré une de ses *Vies parallèles*.

PELTASTES.
Troupe d'infanterie légère.

PENTATHLE.
Concours athlétique pour athlètes complets, qui figurait dans les Grands Jeux. Il se composait de cinq épreuves (c'est ce que signifie son nom) : saut, course de vitesse, lancer du disque, pugilat (auquel on substitua ultérieurement le lancer du javelot), lutte. Il fut introduit à Olympie lors de la 18ᵉ Olympiade, en 708.

PENTÉCONTAÉTIE.
Période d'environ cinquante ans qui s'étend entre les guerres médiques et la guerre du Péloponnèse.

PENTÉCONTORE.
Navire à cinquante rameurs.

PENTÉLIQUE.
Montagne qui ferme la plaine d'Athènes vers le nord-est et la sépare de la plaine de Marathon. Elle a la forme caractéristique d'un fronton triangulaire. On y exploitait des carrières fournissant un marbre d'excellente qualité pour la sculpture et pour la construction.

PENTHÉSILÉE.
1° Amazone qui vint au secours de Troie assiégée par les Grecs. Achille, en la tuant, fut violemment ému par sa beauté.
2° On désigne sous le nom de *Peintre de Penthésilée*, un peintre de vases attiques du deuxième quart du Vᵉ siècle, contemporain de Polygnote. Son chef-d'œuvre représente la mort de Penthésilée (coupe du musée de Munich).

PÉRIANDRE.
Tyran de Corinthe, fils de Cypsélos. Il régna de 627 à 586 d'après la chronologie traditionnelle. Dépeint par les uns comme un souverain très dur, il était compté par d'autres au rang des Sept Sages.

PÉRICLÈS.
Homme politique athénien, fils du stratège Xanthippe. Sa mère Agariste appartenait à la famille des Alcméonides. Il se fit connaître en 472, en s'acquittant de la chorégie : il fit jouer à cette occasion *Les Perses* d'Eschyle. Il devint ensuite un des chefs de la faction démocratique, avec Éphialte dont il seconda l'action contre l'Aréopage. Après la mort d'Éphialte, Périclès devint l'homme politique le plus influent d'Athènes. La disparition de Cimon, avec lequel il s'était d'ailleurs réconcilié, puis l'ostracisme de Thucydide, fils de Mélésias, chef de la faction aristocratique et gendre de Cimon, en 443, lui laissèrent le champ libre. De 443 à 430 il fut tous les ans réélu stratège et cette autorité, pourtant en principe militaire et collégiale, lui suffit pour inspirer toute la politique de la cité. Entouré d'amis choisis parmi les esprits les plus éminents de son temps, comme le philosophe Anaxagore, le poète Sophocle, l'historien Hérodote, le sculpteur Phidias, l'urbaniste Hippodamos, le devin Lampon, sans compter sa maîtresse, la brillante Milésienne Aspasie, il porta la puissance et la renommée d'Athènes au plus

haut point. Mais il avait prévu le conflit fatal avec Sparte et crut pouvoir le déclencher à son heure avec le décret «mégarien» de 432. Rendu responsable des premières épreuves que la guerre par lui voulue avait infligées à sa patrie, il fut jugé et condamné à une amende. Dès l'année suivante, il est vrai, le peuple lui confiait de nouveau la stratégie : mais, épuisé par le travail et les soucis, Périclès mourait quelques mois plus tard, à la fin de l'été 429.

PÉRIÉGÈSE.
Ce nom, qui signifie «guide circulaire, explication détaillée», a servi de titre à des ouvrages géographiques comme celui d'Hécatée de Milet. La *Périégèse de la Grèce* écrite par Pausanias au IIᵉ siècle après J.-C. nous a conservé de nombreux et précieux renseignements.

PÉRIÈQUES.
Catégorie d'habitants de l'État lacédémonien et de diverses autres cités grecques.

PÉRIPLE.
Nom donné aux recueils d'instructions nautiques dont se servaient les marins grecs. Nous avons conservé le texte d'un *Périple* du IVᵉ siècle, attribué à tort au géographe du Vᵉ siècle Skylax.

PÉRISTYLE.
1° Adjectif : se dit d'un bâtiment entouré d'une colonnade (on dit aussi *périptère*).
2° Nom : un péristyle est une cour entourée de colonnes.

PHARNABAZE.
Satrape perse en Asie Mineure à la fin du Vᵉ et au début du IVᵉ siècle.

PHARSALE.
Ville de Thessalie près de laquelle fut trouvée la lamelle d'or «orphique».

PHIDIAS.
Sculpteur athénien du Vᵉ siècle, fils de Charmidès. Pline l'Ancien place l'apogée de sa carrière dans la 83ᵉ Olympiade (448-445) : cela doit correspondre à l'achèvement de son chef-d'œuvre, la statue de Zeus dans le temple d'Olympie. Élève d'Hagéladas, Phidias a dû commencer à travailler après les guerres médiques. L'ex-voto athénien de Delphes (Miltiade, avec Athéna et

Apollon, accompagnés des héros éponymes des tribus attiques), érigé en souvenir de Marathon, peut avoir été consacré avant 461, à l'époque où Cimon, fils de Miltiade, inspirait la politique d'Athènes. La grande Athéna en bronze de 8 m de haut, dressée sur l'Acropole et dite plus tard Athéna *Promachos*, est probablement visée par un document épigraphique de 453-452. C'est entre cette date et le début des travaux du Parthénon en 447 que Phidias a dû se rendre à Olympie pour exécuter le Zeus chryséléphantin destiné au temple élevé par Libon, qu'on venait tout juste d'achever. On y a trouvé récemment un modeste bol attique ayant appartenu au grand sculpteur qui a gravé de sa main, à la pointe, sous le pied, le graffite : « J'appartiens à Phidias. » Chargé ensuite par Périclès de présider à l'ensemble des travaux entrepris sur l'Acropole d'Athènes, Phidias s'occupa spécialement de la décoration sculptée du Parthénon, qui lui doit sa remarquable unité dans la conception comme dans l'exécution. En même temps il sculptait la colossale Athéna *Parthénos* (12 m de haut) qui fut achevée en 438. Entre cette date et le début de la guerre du Péloponnèse, Phidias fut accusé d'avoir dilapidé les fonds mis à sa disposition pour la statue ; condamné, il mourut en prison, selon Plutarque. Une tradition attique, sans doute désireuse de laver Athènes d'un tel acte d'ingratitude à l'égard de l'artiste, prétendait qu'il s'exila et se rendit en Élide, où il aurait alors seulement sculpté le Zeus d'Olympie. Les Anciens admiraient en Phidias non seulement une technique impeccable, qui se manifesta aussi bien dans la statuaire en bronze que dans l'art complexe des effigies chryséléphantines, dans l'orfèvrerie que dans la peinture (l'intérieur du bouclier de la Parthénos était décoré d'une Gigantomachie peinte), mais encore et surtout la noblesse de son inspiration : la haute idée qu'il se faisait de la divinité lui a permis, suivant le mot de Quintilien, « d'enrichir en quelque manière la religion traditionnelle ». L'influence décisive qu'il exerça sur ses contemporains et sur tout l'art ultérieur s'explique en grande partie par là.

PHIDON.
Roi d'Argos au VIIe siècle, à qui une tradition attribuait l'invention de la monnaie.

PHILOCRATE.
Homme politique athénien du milieu du IVe siè-cle, principal négociateur de la paix qui porte son nom.

PHILON.
Architecte attique du IVe siècle, originaire d'Éleusis. Il construisit à partir de 347 l'arsenal ou *skeuothèque* du Pirée.

PHILOXÉNOS.
Poète originaire de Cythère, auteur de dithyrambes (fin du Ve-début du IVe siècle).

PHOCÉE.
Cité grecque d'Ionie, sur la côte d'Asie Mineure, au nord de l'embouchure du fleuve Hermos. Longtemps prospère, elle étendit son commerce de la mer Noire à l'Égypte (où elle participait à la colonie de Naucratis) et à la Méditerranée occidentale où elle joua un rôle capital sur les côtes d'Espagne, de Gaule et de Corse. Assiégée par les Perses, elle fut évacuée par ses habitants en 545. Une partie d'entre eux gagna Marseille, les autres rentrèrent chez eux et se soumirent à Cyrus.

PHOCION.
Stratège athénien du IVe siècle. Il dirigea plusieurs opérations militaires à partir de 351, et en particulier obligea Philippe à lever le siège de Byzance en 340. Après la défaite de Chéronée, il se montra favorable à une entente avec la Macédoine, estimant qu'Athènes n'était pas en mesure de résister. Il jouissait d'une grande réputation d'intégrité que Plutarque a recueillie en lui consacrant une de ses *Vies parallèles*.

PHORMION.
Stratège athénien de la seconde moitié du Ve siè-cle, célèbre pour ses victoires navales devant Patras et Naupacte en 429.

PHRYNÉ.
Célèbre courtisane du IVe siècle. Elle fut la maîtresse de Praxitèle et consacra à Delphes sa propre statue dorée, œuvre de ce sculpteur. Accusée d'impiété devant un tribunal athénien, elle fut défendue par Hypéride, qui usa d'un effet pathétique en dévoilant brusquement sa beauté (voir Praxitèle).

PHRYNICHOS.
1° Poète tragique athénien du début du Ve siè-cle. Il passait pour avoir le premier introduit sur

le théâtre des rôles féminins (d'ailleurs joués sous le masque par un acteur masculin). Il s'inspira directement des événements contemporains dans *La Prise de Milet* (494), qui lui valut une amende pour avoir évoqué des malheurs récents, et dans *Les Phéniciennes* (476), qui montrèrent la voie aux *Perses* d'Eschyle.

2° Chef d'une faction d'oligarques extrémistes à Athènes à l'époque du régime des Quatre-Cents. Il fut assassiné en 411 et son meurtrier reçut par la suite le droit de cité.

PINDARE.

Poète lyrique béotien, né près de Thèbes en 518. Il appartenait à l'aristocratie dorienne et garda toujours, avec la fierté de ses origines, un penchant marqué pour les cités et les régimes aristocratiques. Esprit profondément religieux, il eut une dévotion particulière pour l'Apollon de Delphes : on montrait plus tard dans le temple du dieu le siège de fer où Pindare s'asseyait. Sa longue carrière poétique commence pour nous avec la *Xe Pythique* (498), composée à l'âge de vingt ans, et s'achève avec la *VIIIe Pythique* (446), alors qu'il avait soixante-douze ans. Il mourut en 438. Poète inspiré et conscient de l'être, il avait écrit des poèmes lyriques de toutes sortes, religieux (hymnes, péans, dithyrambes, etc.) ou profanes (éloges, lamentations funèbres, chants de victoire pour les Jeux). Seuls nous restent, avec quelques fragments très brefs d'autres poèmes, les 4 livres d'odes triomphales (ou *épinicies*), *Olympiques*, *Pythiques*, *Isthmiques* et *Néméennes*.

PIRÉE.

Le premier port d'Athènes était une rade foraine, la baie de Phalère. Thémistocle commença l'aménagement du Pirée derrière la presqu'île de l'Acté. On y trouve trois ports défendus par la même enceinte : Munychie, Zéa et le Cantharos. Tous trois pouvaient recevoir des bateaux de guerre, mais le principal port militaire était Zéa, baie presque fermée avec 196 loges de navires et des arsenaux, dont la *skeuothèque* construite en 346 par Philon. Le Cantharos était le plus vaste et devint le port commercial (*emporion*) entouré de portiques : halle au blé, bourse du commerce, marché. Entre les deux ports, l'agora ; non loin de là, le théâtre et, plus à l'est, les sanctuaires, dont celui d'Artémis *Mounychia*. Les quartiers d'habitation se trouvaient au sud et au nord, de part et d'autre de l'agora. Des bornes délimitaient les quartiers. Plusieurs d'entre elles ont été retrouvées. Le plan de la cité avait été tracé par Hippodamos de Milet. Le Pirée fut relié à Athènes par deux longs murs parallèles appelés «les Jambes» (*skélè*), construits l'un par Cimon, l'autre par Périclès.

PISE.

Petite cité d'Élide, proche d'Olympie. Le légendaire Œnomaos était roi de Pise. Après 580, les Éléens d'Élis enlevèrent à Pise la direction des Jeux Olympiques et la conservèrent désormais, sauf pendant de brefs intermèdes.

PISISTRATE.

Tyran d'Athènes au VIe siècle. Issu d'une grande famille de Brauron, bourg proche de la côte est de l'Attique, il devint chef du parti populaire. Il mena une campagne victorieuse contre Mégare et reconquit Salamine. Après un attentat simulé contre sa personne, il se fit donner par le peuple une garde armée de gourdins avec laquelle il s'empara de l'Acropole et établit la tyrannie (560). Deux fois expulsé par les aristocrates, il reprit le pouvoir d'abord grâce à une entente avec l'Alcméonide Mégaclès, dont il épousa la fille, puis par la force. Il mourut en 527.

PISISTRATIDES.

On appelle ainsi soit l'ensemble de la dynastie de Pisistrate et de ses fils, soit Hippias et Hipparque, ses fils qui se partagèrent le pouvoir après sa mort. Hipparque fut assassiné en 514 par Harmodios et Aristogiton. Hippias, chassé en 510, se réfugia en Perse. Il participa à l'expédition de Darius et à la bataille de Marathon (490).

PITTACOS.

Législateur de Mytilène au VIIe siècle, un des Sept Sages.

PLATÉES.

Cité béotienne sur les contreforts septentrionaux du Cithéron. Bataille de Platées en 479. Les Platéens, fidèles à l'alliance d'Athènes depuis Marathon, furent en butte aux attaques de Thèbes pendant la guerre du Péloponnèse.

PLATON.

Philosophe du IVe siècle. Né à Athènes en 427

343

d'une famille noble, il reçut une brillante éducation littéraire et scientifique (un de ses maîtres fut l'Héraclitéen Cratyle). En 407, il rencontra Socrate et se consacra entièrement à la philosophie. A la mort de Socrate, à laquelle il n'avait pu assister, il se retira à Mégare, puis voyagea à Cyrène, en Égypte, en Italie méridionale où il fréquenta les milieux pythagoriciens. Vers 388, Dion l'appelle à Syracuse auprès de Denys l'Ancien ; brouillé avec celui-ci, il rentra à Athènes après avoir failli être réduit en esclavage et il fonda l'Académie en 387. Ses nouveaux voyages en Sicile en 367 et 361 auprès de Denys le Jeune sont encore des échecs. Il meurt en 347. Dans son œuvre abondante on distingue les dialogues du début, encore fortement marqués par le souvenir et la pensée personnelle de Socrate (*Apologie de Socrate, Criton, Ion, Euthyphron, Protagoras, Gorgias*) ; ceux de la maturité, où la métaphysique propre de Platon et sa théorie des Idées, pures essences dont notre monde visible n'est qu'un reflet, prennent définitivement forme (*La République, Le Banquet, Phèdre, Phédon*) ; enfin les dialogues de la vieillesse (*Parménide, Timée, Critias, Les Lois*), où le style est moins souple et où la pensée se plaît soit à retrouver les préoccupations cosmogoniques des Présocratiques, soit à tracer l'image d'une cité idéale dans le plus grand détail, en empruntant beaucoup à l'histoire. Il apparaît assez clairement que la création philosophique et littéraire a servi de substitut à l'action politique à laquelle un Athénien comme Platon pouvait légitimement aspirer et dont il s'est trouvé écarté par les circonstances.

PNYX.

Colline d'Athènes, située à l'ouest de l'Acropole et de l'Aréopage, et au sommet de laquelle on prit l'habitude de réunir l'*Ecclésia* (au lieu de la réunir sur l'Agora), à partir de 500 environ avant J.-C.

POIDS ET MESURES.

En raison de la diversité des systèmes métrologiques employés dans le monde grec et du caractère fragmentaire de notre information au sujet de certains d'entre eux, il suffira de présenter ici les principaux éléments du système attique, en rappelant toutefois que les correspondances indiquées avec notre système métrique sont plus théoriques que réelles, les mesures antiques n'ayant jamais eu la précision rigoureuse des nôtres.

1. *Mesures de longueur :* 1 stade (177,6 m) = 6 plèthres (29,6 m) = 100 orgyes (1,776 m) = 400 coudées (0,440 m) = 600 pieds (0,296 m). Le pied se divise lui-même en 16 dactyles de 0,0185 m.

2. *Mesures de capacité :* a) solides : 1 médimne (52,50 l) = 6 hectes (8,75 l) = 48 chœnices (1,09 l). Le chœnice se divise en 4 cotyles de 0,273 l.

b) liquides : 1 métrète (26,20 l) = 8 chous (3,27 l). Le chous se divise en 12 cotyles de 0,273 l.

3. *Mesures de poids :* 1 talent (26,196 kg) = 60 mines (436,6 g) = 6 000 drachmes (4,366 g). La drachme se divise en 6 oboles de 0,728 g (voir Drachme).

POLÉMARQUE.

Proprement « chef de guerre ». Titre donné à un des archontes à Athènes. Il avait encore des responsabilités primordiales dans le commandement militaire à l'époque de Marathon. Puis ces responsabilités lui échappèrent au bénéfice des stratèges et le polémarque n'eut plus que certaines fonctions religieuses et la juridiction sur les étrangers ou métèques. Cf. Aristote, *Const. d'Athènes*, 58.

POLYCLÈTE.

Sculpteur du vᵉ siècle, originaire d'Argos selon Platon et les inscriptions. Pline (qui le dit originaire de Sicyone) place l'apogée de sa carrière dans la 90ᵉ Olympiade, soit en 420-417. Cette date doit correspondre à l'exécution de la statue chryséléphantine d'Héra pour le temple de cette divinité près d'Argos, reconstruit après l'incendie de 423. On citait de lui plusieurs statues d'athlètes ; la plus ancienne victoire ainsi commémorée remonte à 460, mais il peut s'écouler plusieurs années entre la victoire et l'érection d'une statue votive. Contemporain de Phidias, auprès de qui les Anciens le plaçaient au premier rang, il fut vainqueur au concours d'Éphèse, qui l'opposait à Phidias, à Crésilas et à un quatrième sculpteur moins connu pour l'exécution d'une statue d'Amazone blessée. Théoricien de son art, Polyclète, qui avait recueilli la tradition des bronziers d'Argos, avait rédigé un traité des proportions de la figure humaine sous le titre de *Canon*. Il y poussait à ses conséquences extrêmes une tendance à systématiser les proportions au moyen de formules mathématiques que ses prédécesseurs immédiats avaient déjà manifestée. Tout en admirant la perfection formelle de ses statues, on leur reprochait certain défaut de vie intérieure : elles «n'exprimaient pas complètement la majesté divine» (Quintilien).

POLYCRATE.

Tyran de Samos dans la seconde moitié du VIe siècle. Il établit sa tyrannie vers 535, avec l'aide du tyran de Naxos, Lygdamis, contre l'aristocratie des riches Samiens. Appuyé sur des mercenaires et sur une flotte considérable, il fut un temps le chef du plus puissant État de la mer Égée. Il entretint des relations amicales avec Cyrus, puis avec Cambyse, et avec le pharaon Amasis. Sparte et Corinthe essayèrent vainement de le renverser. Mais il fut attiré dans un guet-apens par un satrape perse qui le fit arrêter et supplicier vers 522. Durant son règne, son opulence étonna les Grecs par les grands travaux de Samos (aqueduc souterrain construit par Eupalinos, achèvement ou reconstruction du grand temple d'Héra, grand môle devant le port), les œuvres d'art (parmi lesquelles le fameux anneau de Polycrate) et les œuvres littéraires qu'il suscita en attirant écrivains et artistes comme les poètes Ibycos et Anacréon, ou le sculpteur Théodoros.

POLYGNOTE.

Peintre du Ve siècle, originaire de Thasos. Son père était déjà peintre et son fils le devint comme lui. Théophraste dit qu'il a «inventé» la peinture, et de fait son œuvre fit oublier tous ses prédécesseurs. Son activité est attestée à Athènes, à Thespies et à Platées en Béotie, ainsi qu'à Delphes. Il vint à Athènes et s'y lia avec la sœur de Cimon, Elpinicé, vers 470-460. Il contribua à décorer le Pœcile, le sanctuaire de Thésée et celui des Dioscures. La Pinacothèque des Propylées abritait d'autres de ses tableaux, peints sur des panneaux de bois fixés ensuite sur la muraille. A Delphes, il avait décoré la *Lesché* (salle de réunion) des Cnidiens de deux grandes compositions, la *Prise de Troie* et *Ulysse évoquant les morts*, que Pausanias décrit dans le plus grand détail. Il avait imaginé d'étager les personnages en les distribuant par groupes à des hauteurs différentes sur un terrain accidenté, ce qui donnait de la profondeur à la composition. D'autre part il savait varier l'expression des visages et traduire ainsi les sentiments. Son coloris restait simple et son dessin, quoique très habile, purement linéaire, sans effort de modelé par les valeurs. L'habitude archaïque d'inscrire les noms des personnages à côté de chacun d'eux subsistait dans ses tableaux.

POTIDÉE.

Colonie de Corinthe en Chalcidique, fondée à la fin du VIIIe siècle, sur l'isthme de Pallène. Elle fut assiégée et prise par les Athéniens au début de la guerre du Péloponnèse.

PRAXITÈLE.

Sculpteur athénien du IVe siècle, fils du sculpteur Céphisodote. Son apogée est placée par Pline dans la 104e Olympiade (364-360). Il vécut surtout à Athènes, où il eut pour maîtresse la courtisane Phryné. Les textes lui attribuent un grand nombre de statues de culte et d'offrandes non seulement à Athènes, mais en Béotie, à Mantinée, à Olympie, et aussi en Asie Mineure (Cnide, Éphèse, Parion). Il pratiqua le bronze et le marbre avec une prédilection pour ce dernier. Il s'adressait au peintre Nicias pour faire colorier ses statues de marbre. D'un artiste si universellement admiré, il nous reste peut-être une œuvre authentique, l'*Hermès portant Dionysos enfant* retrouvé dans l'Héraion d'Olympie (mais certains, non sans de sérieux arguments, considèrent l'œuvre comme une excellente copie romaine). Harmonie, grâce, détachement suprême au prix de quelque mollesse, et une inspiration religieuse qui fut longtemps méconnue, telles sont, avec une virtuosité technique sans faille, les qualités d'un art qui marqua plus profondément qu'aucun autre la sensibilité des Anciens.

PRODICOS.

Sophiste du Ve siècle, originaire de l'île de Céos. Contemporain de Protagoras, il apparaît à ses côtés dans le dialogue de Platon. Il s'attachait particulièrement à la précision du vocabulaire par la distinction des nuances entre les synonymes. Il aurait inventé le fameux apologue d'Héraclès qui doit choisir entre les deux chemins du Vice et de la Vertu.

PROPYLÉE.

Entrée monumentale formée d'un porche à colonnes en avant d'une porte. Lorsque la porte ou les portes sont pratiquées dans un mur d'enceinte, il peut y avoir un second porche placé symétriquement au premier vers l'intérieur. Dans ce cas le mot s'emploie au pluriel : les Propylées.

PROTAGORAS.

Sophiste du Vᵉ siècle, né à Abdère. Il figure dans le dialogue de Platon qui porte son nom sous l'aspect d'un homme déjà âgé (en 432), illustre et conscient de l'être, disert et détaché, confiant seulement en son aptitude à enseigner l'art de persuader. C'est lui qui formule l'idée que l'homme est « la mesure de toutes choses ». Son scepticisme lui valut un procès d'impiété qui l'obligea à quitter Athènes, où il avait fait plusieurs séjours. Sa renommée lui permettait de faire payer très cher ses leçons. Il mourut en 411 dans un naufrage.

PROXÈNE.

Citoyen d'une cité grecque qui est chargé par une autre cité grecque de s'occuper des intérêts de ses ressortissants dans la ville où il réside : hospitalité, assistance juridique, politique ou financière. La qualité de proxène, la *proxénie*, est conférée par décret. Elle est à la fois un honneur et une charge.

PYLOS.

Nom antique de la région proche du golfe de Navarin, sur la côte ouest de la Messénie. On y a dégagé un important palais mycénien.

PYTHAGORE.

Philosophe du VIᵉ siècle, né à Samos. Ayant quitté sa ville natale, peut-être pour fuir la tyrannie de Polycrate, il se retira à Crotone, où il fonda une école philosophique ayant le caractère d'une véritable secte, avec des règles de vie rigoureuses : repas en commun, abstinence de certains mets. Il enseignait que l'âme immortelle se réincarne après la mort dans un autre être vivant (métempsycose). Il poussa fort loin la spéculation mathématique (théorème de Pythagore) : pour lui, tout l'univers est régi par les nombres. Il joua un rôle politique considérable à Crotone, où la secte dirigea longtemps le gouvernement de la cité en fonction de théories oligarchiques. Mais Pythagore finit par être chassé de Crotone et se réfugia à Locres, puis à Métaponte où il mourut. Son influence, répandue dans tout le monde grec par ses disciples, fut profonde et durable.

R

RHAMNONTE.

Dème du nord de l'Attique, sur la côte qui fait face à l'Eubée, au nord de Marathon. C'était un point solidement fortifié (enceinte du IVᵉ siècle). A quelque distance, vers l'intérieur des terres, s'élevait le sanctuaire de Némésis, avec un temple dorique construit dans la seconde moitié du Vᵉ siècle.

RHÉGION.

Colonie chalcidienne fondée vers 730-720 sur la côte italienne du détroit de Messine. Au nombre des colons figuraient des Messéniens qui avaient quitté leur pays à la suite de la conquête lacédémonienne : ils jouèrent un rôle important dans l'aristocratie qui dirigea la ville à l'époque archaïque. Au début du Vᵉ siècle, le tyran Anaxilas lui donna un éclat exceptionnel. En 387, la ville fut prise et détruite par Denys l'Ancien. Denys le Jeune la fonda de nouveau. Elle fut la patrie du poète Ibycos et la patrie d'adoption du sculpteur samien Pythagoras.

RHODES.

Après avoir joué un rôle important à l'époque mycénienne comme relais sur la route d'Asie et de Chypre, l'île fut colonisée par des Doriens. Ses trois cités, Camiros, Lindos et Ialysos, membres de l'Hexapole dorienne, furent prospères à l'époque archaïque (belle céramique rhodienne aux VIIᵉ et VIᵉ siècles). Des Rhodiens participèrent à la fondation de Géla au début du VIIᵉ siècle, d'autres étaient présents à Naucratis, d'autres rejoignirent les Théréens à Cyrène vers 580-575. Un citoyen de Lindos, Cléobule, contemporain de Solon et de Périandre, compta au nombre des Sept Sages : on lui attribuait la formule : « Rien ne vaut mieux que la modération. » Au Vᵉ siècle, Rhodes fit partie de la Ligue athénienne jusqu'en 412, date où l'île s'allia avec Sparte. En 408, les trois cités rhodiennes s'unirent par un synœcisme pour fonder la ville neuve de Rhodes. Celle-ci entra dans la deuxième Confédération maritime d'Athènes, s'en détacha en 357-355 au moment de la Guerre Sociale, mais, menacée par Mausole, puis par Artémise, réclama de nouveau la protection d'Athènes en 350. Malgré l'appui de Démosthène, les Rhodiens ne furent pas secourus et se soumirent au satrape d'Halicarnasse jusqu'à l'expédition d'Alexandre.

S

SALAMINE.

1° Ile du golfe Saronique, fermant la baie d'Éleusis. Les Athéniens s'y installèrent pour la première fois vers 600, en en chassant des colons mégariens. Après plusieurs guerres successives, Pisistrate s'assura définitivement la possession de l'île. Au cours du VI⁰ siècle des clérouques y furent installés. Après la tyrannie des Trente, Salamine fut, avec Éleusis, le lieu de refuge des oligarques. Le héros Ajax, fils de Télamon, éponyme d'une des dix tribus attiques, y était particulièrement honoré.
2° Ville de l'île de Chypre.

SAMOS.

Grande île de la mer Égée, voisine de la côte asiatique, peuplée de Pélasges, puis de Cariens, et colonisée au XI⁰ siècle par un Ionien, Proclès, dont les descendants y régnèrent jusque vers 680. Elle connut sa plus grande prospérité sous la tyrannie de Polycrate (535-522). Révoltée par les Perses, Samos participa à la révolte de l'Ionie, puis entra dans la Ligue de Délos. Après une révolte contre Athènes en 440-439, Samos dut capituler et se soumettre à Périclès. Durant la guerre du Péloponnèse, l'île fut une des bases principales de la flotte athénienne. Elle servit de refuge aux démocrates durant le régime des Quatre-Cents et resta fidèle jusqu'à l'époque des Trente, d'où la collation globale du droit de cité athénien aux Samiens en 405. En 404, après la victoire de Sparte, Samos se détache d'Athènes, puis entre dans l'alliance de Thèbes en 392. Soumise de nouveau aux Perses, puis reprise par les Athéniens en 365, elle reçut des clérouques. Le traité signé après Chéronée laissait Samos dans la dépendance d'Athènes. Les fouilles allemandes ont dégagé près du site antique, sur la côte sud de l'île (à l'ouest du petit port de Tigani), les restes du sanctuaire d'Héra, avec des éléments du grand temple ionique. Ce temple colossal à double colonnade extérieure mesurait 51 × 102 m.

SAMOTHRACE.

Ile de la mer de Thrace, entre Thasos et la Chersonèse, colonisée aux VIII⁰ et VII⁰ siècles par des Éoliens venus de Lesbos ou d'Éolide. Elle possédait au début du V⁰ siècle un territoire étendu sur la côte de Thrace. L'île était le centre d'un culte antérieur à l'arrivée des Grecs, celui des Grands Dieux ou Cabires, qui furent plus tard confondus avec Castor et Pollux, les Dioscures. Ils étaient liés à une divinité féminine, d'un type asiatique, la Grande Mère. Hérodote, Lysandre, les rois de Macédoine s'y firent initier. La cité antique se trouvait au nord-ouest de l'île, et le sanctuaire, situé un peu plus à l'ouest, a été exploré par une mission américaine. La plupart des monuments datent de l'époque hellénistique.

SAPHO.

Poétesse de la fin du VII⁰-début du VI⁰ siècle, originaire de Lesbos.

SCAPTÉ-HYLÉ.

Site non identifié, sur le mont Pangée, où se trouvaient d'importantes mines de métaux précieux.

SCOLIE.

On appelle ainsi (en grec *skolion*) de brefs couplets que l'on chantait dans les banquets.

SCOPAS.

Sculpteur du IV⁰ siècle, né à Paros. Les Anciens appréciaient beaucoup ses œuvres et nous en ont laissé de nombreuses mentions. Il fit partie de l'équipe chargée de décorer le Mausolée d'Halicarnasse vers 350. Il sculpta une des colonnes historiées de l'Artémision d'Éphèse (reconstruit après l'incendie de 356). Il donna les plans du temple d'Aléa Athéna à Tégée en Arcadie (reconstruit vers le milieu du IV⁰ siècle, après avoir brûlé en 395-394). On croit reconnaître son style sur quelques têtes provenant des frontons. Très habile marbrier, il semble que Scopas ait excellé pour exprimer les sentiments violents (comme dans sa *Ménade* exaltée) ou langoureux (comme dans le *Pothos*, allégorie du désir amoureux). Son influence fut considérable sur l'art hellénistique.

SÉGESTE.

Cité indigène de la Sicile occidentale, peuplée d'Élymes, une des trois principales tribus indigènes de Sicile (les autres sont les Sicanes et les Sicules). Elle fut en relations constantes avec les Grecs et les Carthaginois. Alliée d'Athènes contre Syracuse en 458, en 426 et en 415, menacée par Sélinonte après la défaite athénienne, Ségeste fit appel à l'intervention des Puniques, qui entraîna en 409-405 la destruction de

Sélinonte, Agrigente, Géla et Himère. Ce sont apparemment les difficultés économiques consécutives à ces événements qui empêchèrent les Ségestains d'achever le temple dorique qu'ils avaient entrepris d'élever dans leur ville sur le modèle grec et dont seule la colonnade extérieure (6 colonnes × 14) avait été construite (les colonnes n'ont pas été cannelées et les blocs du soubassement ont encore leurs tenons de bardage).

SÉLINONTE.
Cité grecque de la Sicile occidentale, fondée par Mégara Hyblæa au milieu du VIe siècle. La ville occupait une colline perpendiculaire au rivage, entre deux ravins abrupts. Très prospère jusqu'à sa destruction par les Puniques en 409, elle possédait de nombreux temples groupés les uns sur la colline principale, les autres sur une autre colline plus à l'est.

SICYONE.
Cité du Péloponnèse, voisine de Corinthe. Elle dominait une plaine fertile sur la côte méridionale du golfe de Corinthe. Desservie par un port artificiel de modeste importance, elle n'eut jamais un rôle économique comparable à celui de Corinthe : mais elle connut quelque éclat du milieu du VIIe siècle au milieu du VIe siècle sous la tyrannie des Orthagorides, et en particulier sous le plus brillant de ces tyrans, Clisthène, qui régna environ de 600 à 570. Les artistes de Sicyone, peintres et sculpteurs, jouissaient d'une grande réputation (ainsi les sculpteurs Canachos, puis Lysippe, ou le peintre Pausias).

SIMONIDE.
Poète lyrique originaire de l'île de Céos. Né vers 556, il devint bientôt célèbre et gagna l'amitié du Pisistratide Hipparque. Plus tard, il fréquenta la cour de princes thessaliens, les Scopades. Il chanta les victoires grecques au cours des guerres médiques, puis se rendit auprès d'Hiéron à Syracuse et mourut à Agrigente en 468. Il avait composé des *Péans*, des *Epinicies*, des *Thrènes* (chants de deuil) et des *Epigrammes*. Il était l'oncle du poète Bacchylide.

SINOPE.
Colonie de Milet, fondée vers 630 sur la côte méridionale de la mer Noire. Elle servit elle-même de métropole à plusieurs fondations de moindre importance dans la même région.

SIPHNOS.
Ile et cité des Cyclades. La découverte de mines d'or et d'argent sur son territoire vers 530 lui valut une brève et éclatante prospérité (Hérodote, III, 57-58), dont témoigna la consécration à Delphes d'un trésor tout en marbre et richement sculpté.

SITOPHYLAQUES.
Contrôleurs du commerce des céréales à Athènes. Voir Aristote, *Constitution d'Athènes*, 51.

SOCRATE.
Philosophe né à Athènes vers 470. Fils du sculpteur Sophronisque et d'une sage-femme, il apprend d'abord le métier de sculpteur et dédie sur l'Acropole un relief représentant les Charites ; puis il se consacre à la philosophie par le biais de la physique et de l'astronomie. Il pratique une méthode d'enseignement originale, la *maïeutique*, ou l'art d'accoucher les esprits en les stimulant par des questions successives. Il participe comme hoplite à l'expédition de Potidée en 431 et se bat à Délion en 424. Prytane au moment du procès des Arginuses, il cherche vainement à empêcher la condamnation illégale des stratèges. Compromis par les actes de ses disciples Critias et Alcibiade, inquiétant pour la démocratie athénienne par sa propre attitude philosophique, il est accusé en 399 de corrompre la jeunesse et d'être impie envers les dieux de la cité ; condamné à mort, il refuse de s'évader par respect pour les lois de sa patrie et boit la ciguë dans sa prison.

SOLON.
Poète et législateur, né à Athènes vers 640. Issu d'une grande famille, mais pauvre, il s'enrichit par le commerce. Il conseilla dans ses poèmes l'annexion de Salamine. Archonte en 594-593, il réforme la constitution et l'économie athéniennes, déclare ses lois intangibles pour dix ans, voyage au loin, puis rentre à Athènes où il meurt vers 550 après avoir vainement essayé de lutter contre Pisistrate. Ses élégies morales et politiques sont la première œuvre littéraire d'Athènes que l'on ait conservée. Il compte au nombre des Sept Sages.

SOPHOCLE.
Poète tragique, né à Colone, près d'Athènes, en 496. Il était le fils d'un riche armurier. Il con-

duisit en jouant de la lyre le chœur d'éphèbes qui chanta l'hymne de victoire après Salamine. Il l'emporta sur Eschyle dès son premier concours dramatique (468). Stratège en 441, il accompagna Périclès dans l'expédition contre Samos. Il mourut à Athènes en 406. Il avait été vingt fois vainqueur. Sept tragédies nous sont parvenues sur 130 pièces qu'il avait écrites : *Ajax, Antigone* (442), *Électre, Œdipe-roi, Les Trachiniennes, Philoctète* (409), *Œdipe à Colone* (joué après sa mort en 401) ainsi que des fragments d'un drame satirique : *Les Limiers*.

SPARTE.
Cité laconienne, fondée au IXᵉ siècle par synœcisme de quatre villages et organisée par un législateur à demi légendaire, Lycurgue, en un État oligarchique et militaire qui se maintint sans changement apparent durant les siècles. Devenue la plus puissante cité du Péloponnèse, Sparte soutint au Vᵉ siècle une longue rivalité avec Athènes et en sortit victorieuse. Mais, après une brève période d'hégémonie incontestée, sa puissance fut abattue par Épaminondas. La ville se composait de plusieurs bourgades assez éloignées les unes des autres, depuis Pitané au nord jusqu'à Amyclées au sud, le long de la vallée de l'Eurotas. Confiante dans la valeur de ses soldats, elle n'eut jamais de remparts jusqu'à la fin de l'époque classique. Pauvre en monuments, elle possédait toutefois des sanctuaires vénérés comme celui d'Athéna *Chalkioikos* («à la demeure de bronze»), dont le temple était orné de plaques de bronze, celui d'Artémis *Orthia* (déesse agraire) ou celui d'Apollon à Amyclées, avec la statue du dieu et son «trône» dus à Bathyclès de Magnésie.

SPHACTÉRIE.
Ilot fermant le golfe de Pylos, où eut lieu en 424 une importante opération militaire.

SPONDOPHORES.
Ambassadeurs chargés de proclamer dans les cités grecques la trêve sacrée à l'occasion des Jeux Olympiques.

STÉSICHORE.
Poète lyrique né à Himère vers le milieu du VIIᵉ siècle.

STRATÈGES.
A Athènes, chefs militaires élus pour un an, au nombre de dix. Voir Aristote, *Constitution d'Athènes*, 61.

SYCOPHANTES.
Individus qui assignaient en justice sous divers prétextes les riches citoyens, dans l'espoir de recevoir une part de leurs biens s'ils étaient condamnés. L'origine du mot n'est pas claire, mais l'emploi qu'en font les orateurs montre combien ces dénonciateurs quasi professionnels inspiraient à la fois la crainte et le mépris.

SYNÉGORE.
Ami d'un plaideur qui lui apporte devant le tribunal, à titre gracieux, le secours de son éloquence. A distinguer du logographe.

SYNŒCISME.
Union de plusieurs villages en une cité. Cet acte politique ne s'accompagne pas toujours d'une concentration urbaine. Thésée passait pour avoir réalisé le synœcisme d'Athènes. A l'époque classique certaines cités, comme Mégalopolis, se constituèrent encore par synœcisme.

SYRACUSE.
Colonie grecque de la Sicile orientale, fondée par Corinthe en 733 sur l'îlot rocheux d'Ortygie. Elle s'étendit progressivement sur la terre ferme et fortifia vers l'intérieur tout le plateau des Épipoles. Elle devint la plus puissante des cités siciliennes, ornée de monuments fastueux par ses tyrans successifs, les Deinoménides Gélon et Hiéron, puis Denys l'Ancien et Denys le Jeune.

T

TANAGRA.
Ville de Béotie, proche de la frontière attique célèbre par la découverte dans la nécropole avoisinante de nombreuses figurines de terre cuite, en particulier du IVᵉ siècle. Bataille de Tanagra en 457.

TARENTE.
Colonie de Sparte en Italie méridionale, fondée à la fin du VIIIᵉ siècle.

TÉGÉE.
Cité d'Arcadie, célèbre par son temple d'Aléa

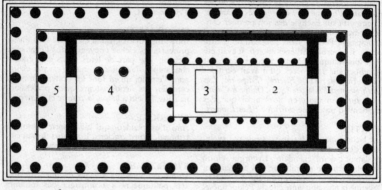

LE PARTHÉNON

1. Porche d'entrée ou pronaos. — 2. Salle principale ou cella. — 3. Socle de la statue d'Athéna Parthénos. — 4. Salle aux quatre colonnes (ou Parthénon proprement dit). — 5. Porche postérieur ou opisthodome.

Athéna, dont les plans furent donnés par Scopas au milieu du IVᵉ siècle. On a retrouvé quelques fragments des statues décorant les frontons.

TEMPLE.

C'est la demeure du dieu. Il dérive du *mégaron :* l'élément essentiel en est la grande salle, précédée d'un porche que soutiennent deux colonnes entre les prolongements des murs latéraux (dits *antes*). A l'époque classique, le plan habituel comporte un vestibule (*pronaos*), ouvert d'ordinaire à l'est, une chambre ou *cella* qui abrite la statue du dieu, enfin un porche arrière (*opisthodome*), où l'on garde le trésor et les offrandes. A l'extérieur, le temple est parfois entouré d'une colonnade continue : il est dit alors *péristyle*. Mais la façade peut présenter simplement deux colonnes entre les antes, ou un portique anté-

L'INTÉRIEUR DE L'HÉPHAISTEION

(Dessin restauré par G. P. Stevens, 1947.)

rieur (temple *prostyle*), ou un portique sur les deux façades (temple *amphiprostyle*). L'ensemble du bâtiment repose sur des fondations surmontées d'une assise de réglage, sur laquelle s'élève le soubassement, généralement formé de trois degrés dont le dernier, appelé le *stylobate*, porte la colonnade. L'accès en est parfois facilité par une rampe. Les colonnes supportent l'entablement sur lequel s'appuient les extrémités de la charpente, soutenue aussi, le cas échéant, par une colonnade intérieure dans la *cella*, généralement à étages superposés ; un bon exemple en est fourni par l'intérieur de l'Héphaïsteion, pseudo-Théseion à Athènes.

TERPANDRE.
Musicien et poète originaire de Lesbos (début du VIIᵉ siècle). C'était un célèbre citharède. Il remporta la victoire à un concours musical de Sparte, aux fêtes d'Apollon Carneios, vers 675.

THALÈS.
Philosophe de la première moitié du VIᵉ siècle, originaire de Milet. Il fut à la fois mathématicien, astronome et philosophe de la nature. Il tenait l'eau pour élément primordial. On le comptait au nombre des Sept Sages.

THASOS.
Ile de la mer de Thrace, colonisée au début du VIIᵉ siècle, par des Pariens que conduisait Télésiclès, père du poète Archiloque. Elle est à la fin de l'archaïsme la cité la plus prospère du Nord, grâce à l'exploitation des mines d'or et d'argent du mont Pangée sur le continent. Après s'être soumise à Darius en 491, elle entra dans la Ligue de Délos, mais fit défection en 466-465. Elle fut assiégée et réduite par Cimon en 463. Mais sa richesse resta grande jusqu'à la fin de l'Antiquité (marbre, huile, vin, marché des esclaves thraces). Patrie du peintre Polygnote et de l'athlète Théogénès. La ville antique était située au nord de l'île, dominée par une double acropole (sanctuaires d'Athéna et d'Apollon) et ceinte d'un puissant rempart de marbre et de gneiss (début du Vᵉ siècle). On y a reconnu le port, l'agora et plusieurs sanctuaires, entre autres celui d'Héraclès, dont le culte était particulièrement important dans cette ville.

THÉAGÉNÈS.
Tyran de Mégare dans la seconde moitié du VIIᵉ siècle.

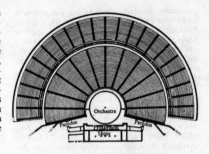

LE THÉATRE D'ÉPIDAURE
(*Plan restauré, d'après Dörpfeld.*) *Autour de l'orchestra circulaire, au milieu de laquelle se dresse l'autel de Dionysos, les gradins forment un demi-cercle un peu outrepassé. Ils sont partagés dans le sens de la hauteur en deux zones inférieure et supérieure par une allée (diazôma), au-dessus de laquelle les escaliers sont dédoublés. Le bâtiment de scène (skéné) est précédé d'un portique (proskénion) qui fait face à l'orchestra. Entre la skéné et les gradins, de chaque côté, un passage (parodos) donne accès à l'orchestra.*

THÉATRE.
Si les larges escaliers des palais crétois, dominant une esplanade, peuvent être considérés comme les lointains ancêtres du théâtre grec, c'est à Athènes, à la fin du Vᵉ siècle, qu'apparaît le théâtre proprement dit, composé d'une esplanade de terre battue (orchestra) où le chœur évolue autour de l'autel de Dionysos, d'un emplacement aménagé pour les spectateurs sur des échafaudages ou sur un terrain en pente, et enfin d'un bâtiment en toile ou en bois pour les acteurs. Une évolution assez rapide conduit à l'établissement d'installations en dur : les premiers vestiges en ont été relevés au théâtre de Dionysos *Eleuthéreus*, sur les pentes sud de l'Acropole, dès le dernier quart du Vᵉ siècle. Dans la seconde moitié du IVᵉ siècle, le type du théâtre grec en pierre est bien défini. Les bancs de pierre des spectateurs s'étagent en hémicycle sur la pente d'une colline, divisés en secteurs par des escaliers et parfois en zones superposées par une ou deux allées horizontales. Au centre,

l'*orchestra* circulaire, derrière laquelle s'élèvent les bâtiments de la scène (*skéné*) qui servent de fond de décor et de coulisses. Une estrade basse, en bois, communiquant avec l'*orchestra* par des escaliers de quelques marches, accueille les acteurs quand ils ne participent pas aux mouvements du chœur dans l'*orchestra*. Le mur de la *skéné* est percé de portes pour donner accès à cette estrade. Des apparitions (surtout pour les divinités) peuvent se faire à l'étage. Devant le mur de la *skéné* peut s'élever un portique peu profond (*proskénion*) qui donne plus d'ampleur au cadre. Des éléments mobiles (en bois ou en toile) enrichissent le décor. Diverses machines de scène étaient utilisées pour des effets spéciaux. Les acteurs, tous des hommes, grâce aux masques qu'ils portent, peuvent jouer successivement plusieurs personnages.

THÈBES.

Selon la légende, cette ville de Béotie fut fondée par le Phénicien Cadmos, gouvernée ensuite par la dynastie des Labdacides (dont Laïos et Œdipe), assiégée par les Sept Chefs argiens et détruite par leurs fils (Épigones). A la fin de l'époque mycénienne, elle devint la cité la plus importante de Béotie, mais dut lutter longtemps contre sa rivale Orchomène. Elle s'allia aux Perses pendant les guerres médiques, puis lutta contre Athènes (batailles de Tanagra en 457 et Coronée en 447). Occupée en 382 par une garnison lacédémonienne, libérée en 379 par Pélopidas, elle devint une grande puissance militaire grâce à Épaminondas. Mais la mort de celui-ci à Mantinée (362) mit fin à l'hégémonie de Thèbes. Révoltée contre Alexandre en 336, la ville fut prise, dépeuplée et détruite.
Sur une acropole, la Cadmée, dont l'enceinte était percée de sept portes, on a reconnu les restes d'un palais mycénien du XIVᵉ siècle, incendié vers le XIIIᵉ siècle.

THÉMISTOCLE.

Homme d'État athénien, né vers 525. Archonte en 493, chef politique écouté entre 490 et 480, il crée la puissance navale d'Athènes en faisant aménager les ports du Pirée et construire des trières sur le produit des mines d'argent du Laurion. Il fait ostraciser en 482 son rival Aristide. Lors de la seconde invasion perse, il persuade les Athéniens d'évacuer la ville et contraint la flotte grecque à livrer bataille à Salamine (480). Il commence la construction des Longs Murs entre Athènes et le Pirée. Ostracisé à son tour en 471 après un conflit avec Cimon, il intrigua avec Pausanias. Impliqué dans les poursuites intentées contre ce dernier, il finit par se réfugier auprès du Grand Roi qui l'accueillit généreusement. Il mourut à Magnésie du Sipyle en 459.

THÉODOROS.

Sculpteur, architecte et orfèvre du VIᵉ siècle, originaire de Samos. Il inventa la fonte des grands bronzes en creux à la cire perdue, construisit avec Rhoïcos le temple d'Héra à Samos et cisela le fameux anneau de Polycrate et un grand cratère d'argent offert à Delphes par le tyran.

THÉOGNIS.

Poète du VIᵉ siècle, originaire de Mégare.

THÉRA (Santorin).

Ile volcanique des Cyclades du Sud, colonisée par Sparte au IXᵉ siècle et métropole de Cyrène. La ville s'étendait en longueur sur un étroit plateau rocheux qui s'avance en dominant la mer sur le flanc oriental du *Messa Vouno*. Le sanctuaire d'Apollon Carnéen se trouvait à l'extrémité orientale du plateau.

THÉRAMÈNE.

Homme politique athénien, élève de Prodicos et de Socrate, d'opinions modérées. Il joua un rôle important dans la révolution de 411. Triérarque aux îles Arginuses, il figura parmi les accusateurs des stratèges. Il fut chargé de négocier avec Sparte la reddition d'Athènes en 404. Membre du gouvernement des Trente, il blâma leurs excès. Critias le fit arrêter et mettre à mort.

THERMOPYLES.

Défilé entre la mer et les hauteurs du Callidrome par où on accédait de la Grèce du Nord à la Grèce centrale.

THÉRON.

Tyran d'Agrigente depuis 488 environ, il s'allia à Gélon, à qui il donna en mariage sa fille Démarété et dont il épousa la nièce. Attaqué par les Carthaginois dans Himère en 480, il les vainquit grâce au secours que Gélon lui apporta. Après la mort de Gélon, Théron eut des difficultés avec le successeur de celui-ci, Hiéron, mais le poète

Simonide les réconcilia. Il mourut en 472. Pindare a chanté dans ses *II* et *III* *Olympiques* la victoire du quadrige de Théron à Olympie en 476.

THESPIS.
Le plus ancien poète tragique athénien, personnage à demi légendaire. Vers le milieu du VIᵉ siècle, il ajouta aux chants du chœur dithyrambique un prologue et des répliques dites par un acteur dont il tenait lui-même le rôle. Il allait jouer ses pièces dans les dèmes de l'Attique, en emmenant son matériel et sa troupe sur un chariot : d'où l'expression « le chariot de Thespis ».

THOURIOÏ.
Colonie grecque d'Italie méridionale, fondée à l'emplacement de l'ancienne Sybaris en 443, sur l'initiative de Périclès, par des colons appartenant à différents peuples grecs. Ils étaient répartis en dix tribus suivant leur cité d'origine. Les survivants des Sybarites, dont la ville avait été détruite par Crotone en 510, se joignirent à eux. La ville fut divisée en douze quartiers par quatre rues longitudinales et trois rues transversales, selon le principe de l'urbanisme milésien. Thourioï devint rapidement prospère et se détacha bientôt d'Athènes.

THRASYBULE.
1° Tyran de Milet (fin du VIIᵉ-début du VIᵉ siècle).
2° Général et homme politique athénien, qui joua un grand rôle dans la deuxième partie de la guerre du Péloponnèse. Pendant la révolution des Quatre-Cents, il commandait la flotte athénienne à Samos et contribua à rétablir la démocratie. Aux îles Arginuses, il était triérarque et fut parmi les accusateurs des stratèges. Exilé à Thèbes par les Trente, il en revint avec quelques partisans en 403, prit la forteresse de Phylé, puis le Pirée et fut le principal auteur de la chute des Trente. Il conduisit ultérieurement des opérations dans le nord de la mer Égée en 389 et mourut en 388.

THUCYDIDE.
1° Homme politique athénien, fils de Mélésias. Adversaire de Périclès, il fut ostracisé en 444.
2° Historien athénien, fils d'Oloros, né vers 460, d'une famille riche alliée aux princes thraces. Il possédait des mines d'or dans la région du mont Pangée. Stratège en 424, il ne put

empêcher Brasidas de prendre Amphipolis et dut s'exiler en Thrace. Il entreprit alors son histoire de la guerre du Péloponnèse. Il fut assassiné à son retour à Athènes, après 404-403.

TIMOLÉON.
Homme politique du IVᵉ siècle, originaire de Corinthe. Dans cette ville, vers 365, il fait tuer son frère Timophane qui aspirait à la tyrannie. Envoyé à Syracuse pour y résoudre la crise politique (344), il expulse Denys le Jeune, rappelle les bannis, établit un régime équilibré. Il bat les Carthaginois au bord du Crimisos (341), reconquiert et réorganise les cités grecques de Sicile. Puis il renonce au pouvoir (337) et meurt en 336 à Syracuse.

TIMOTHÉOS.
1° Poète lyrique de la fin du Vᵉ et de la première moitié du IVᵉ siècle, originaire de Milet. Il fut célèbre pour ses hymnes, ses odes, ses dithyrambes et ses *nomes*.
2° Général athénien de la première moitié du IVᵉ siècle, fils de Conon. Il joua un grand rôle dans la formation de la deuxième Confédération maritime d'Athènes en 377. Il reprit Samos aux Perses en 365, conduisit ensuite de brillantes opérations en Macédoine et en Chalcidique, mais échoua devant Amphipolis en 361. Durant la Guerre Sociale, il ne put s'emparer de Chios en 356. Accusé lors de son retour, il fut condamné à une lourde amende de cent talents et s'exila à Chalcis où il mourut en 354.
3° Sculpteur de la première moitié du IVᵉ siècle, qui fournit les modèles pour les sculptures du temple d'Asclépios à Épidaure (vers 370), sauf celles des frontons, et les acrotères de la façade occidentale. Il participa plus tard à la décoration du mausolée d'Halicarnasse.

TRÉSOR.
Petit édifice où les cités déposaient leurs offrandes dans les sanctuaires panhelléniques.

TRIBUT.
Contribution financière versée par un État à un autre ou à un organisme fédéral. Payé par les membres de la première Ligue de Délos en proportion de leur richesse respective, le tribut était levé chaque année par des fonctionnaires spéciaux, les *hellénotames*. Il fut déposé jusqu'en 454 dans le temple d'Apollon à Délos ; puis le trésor fut transféré à Athènes et gardé

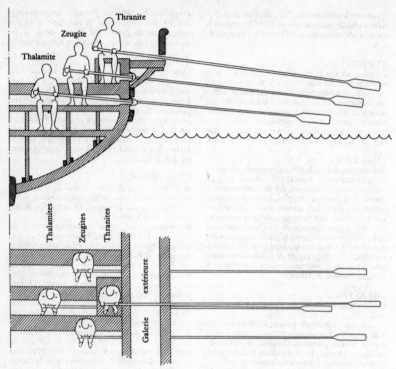

Thranite

Zeugite

Thalamite

Thalamites

Zeugites

Thranites

Galerie extérieure

DISPOSITION DES RAMEURS SUR LA TRIÈRE

sur l'Acropole. Le tribut constitua dès lors une ressource essentielle de l'État athénien qui en fixait le montant tous les quatre ans et le percevait sur les cités de l'empire, groupées en cinq districts. Les listes épigraphiques où étaient consignées les sommes dues sont d'importants documents pour l'histoire politique et économique du temps.

TRIÈRE.
Vaisseau de guerre à trois rangs de rameurs dont on attribuait l'invention aux Corinthiens.

TYRANNOCTONES.
Surnom d'Harmodios et Aristogiton, qui tuèrent en 514 un des fils et successeurs de Pisistrate, tyran d'Athènes, Hipparque. Leurs statues en bronze, œuvres d'Anténor (après 510), figuraient sur l'Agora ; elles furent emportées par Xerxès en 480 et remplacées en 477 par un second groupe dû à Critios et Nésiotès.

TYRTÉE.
Poète lyrique qui vécut à Sparte, dans la

seconde moitié du VIIe siècle, auteur d'élégies martiales qui exaltaient la valeur guerrière des combattants lacédémoniens.

V

VÊTEMENT.

Le propre du vêtement grec est d'être lâche et non ajusté, qu'il soit tissé de laine ou de lin. Les hommes portent d'ordinaire une tunique courte serrée à la taille par une ceinture. Les artisans n'attachent la tunique que sur l'épaule gauche, pour garder le bras droit entièrement libre, ou encore se contentent d'un pagne. Contre le froid et la pluie, on utilise un grand manteau de laine, pièce de drap rectangulaire qu'on drape de diverses façons. Les cavaliers et les voyageurs utilisent volontiers un manteau court en laine fermé par une fibule sur une épaule, la chlamyde : c'est le manteau habituel des soldats grecs. Les pieds sont nus ou munis de sandales, parfois de bottes montant jusqu'à mi-jambes ou de brodequins à lacets. Sur la tête, on peut porter un chapeau à larges bords (*pétase*) ou un simple bonnet conique en feutre (*pilos*) ; mais d'ordinaire on va nu-tête. Les femmes portent une tunique longue ou courte en lin (*chiton*) dont les manches sont d'ordinaire cousues. Par-dessus la tunique, elles portent un grand châle ou un manteau analogue à celui des hommes, mais d'ordinaire en tissu plus fin et souvent décoré de motifs tissés (et non brodés). C'est là le costume ionien traditionnel. En pays dorien, la tradition est de porter directement sur la peau un *péplos* en laine, formé d'une grande pièce de drap rectangulaire maintenue sur les deux épaules par deux agrafes (ou *fibules*) avec un rabat sur l'extérieur. Une ceinture maintient l'ensemble fermé à hauteur de la taille. Parfois le rabat est si long qu'il faut le maintenir avec une deuxième ceinture, par-dessus laquelle on fait bouffer l'étoffe en un repli. Les sculpteurs ont largement utilisé les ressources plastiques que leur offrait le drapé du *péplos*. Les femmes portent volontiers des chapeaux de feutre ou de paille, ou elles s'enveloppent la tête dans un châle. Leurs sandales et leurs chaussures peuvent être en cuir très fin avec des coloris variés. Elles ne portent guère en guise de sous-vêtement qu'une ceinture haute servant de soutien-gorge. Seules les acrobates revêtaient une sorte de caleçon collant pour faire leurs tours.

X

XÉNOPHANE.

Philosophe du VIe siècle, né à Colophon en Ionie. Il s'exila quand Cyrus annexa les cités ioniennes (540), se réfugia en Italie à Élée et y fonda l'école de philosophie dite *éléate*.

XÉNOPHON.

Écrivain athénien né en 427. Il suit l'enseignement des sophistes, puis de Socrate. Il quitte Athènes à la chute des Trente, participe avec les mercénaires grecs à l'expédition de Cyrus le Jeune, puis à la retraite des Dix Mille. Il suit Agésilas en Ionie (396), puis à Coronée (394). Banni d'Athènes, il se retire à Sparte et les Lacédémoniens lui donnent un domaine à Scillonte près d'Olympie. C'est là qu'il écrit *Le Banquet, Les Mémorables* où il met en scène Socrate, *L'Économique*, des traités sur la chasse et l'équitation, une *Constitution de Lacédémone, La Cyropédie, L'Anabase,* et *Les Helléniques*. Son domaine est ravagé en 371 par les Éléens ; il se retire alors à Corinthe. En 367, la sentence d'exil est rapportée et Xénophon rentre à Athènes où il meurt en 355.

XOANON.

Statue d'allure primitive en pierre ou en bois. On dit au pluriel des *xoana*.

Z

ZANES.

Statues de Zeus en bronze que les Hellanodiques érigeaient à Olympie avec le produit des amendes.

ZÉNON.

Philosophe du Ve siècle, originaire d'Élée en Italie méridionale. On lui doit des sophismes célèbres pour nier l'existence du mouvement.

ZEUXIS.

Peintre originaire d'Héraclée (il y avait plusieurs villes de ce nom), actif à la fin du Ve siècle et au début du IVe. Il séjourna à Athènes et travailla pour le roi Archélaos de Macédoine. On admirait beaucoup le caractère naturaliste de sa peinture et sa virtuosité dans le jeu des ombres et dans le modelé. Il avait aussi peint des tableaux en camaïeu.

BIBLIOGRAPHIE

Les indications données ci-dessous n'ont d'autre objet que d'aider le lecteur français à s'orienter vers des travaux plus spécialisés. On n'a donc retenu que des ouvrages récents ou tout à fait fondamentaux, pour la plupart en langue française, qui fourniront les éléments indispensables à une première recherche et des références plus détaillées.

Présentation du pays dans son cadre actuel : J. et G. Roux, *La Grèce*, Paris, 1964 ; P. Lévêque, *Nous partons pour la Grèce*, Paris, 1961 ; R. Boulanger, J. Bousquet, J.-P. Michaud, J.-J. Maffre, *Grèce* (Coll. « Les Guides Bleus »), Paris, 1983.

I. LA CIVILISATION MYCÉNIENNE

On trouvera une bibliographie récente des nombreux travaux portant sur les textes mycéniens dans le livre (brillant et discutable) de P. Faure, *Ulysse le Crétois*, Paris, 1980, pp. 280 sq.). Voir aussi H. Van Effenterre, *La seconde fin du monde*, Toulouse, 1974 ; G. Mylonas, *Mycenae and the Mycenaean Age*, Londres, 1966 ; T. B. L. Webster, *La Grèce de Mycènes à Homère*, Paris, 1962 ; W. Taylor, *The Mycenaeans*, Londres, 2ᵉ éd., 1982. Sur l'archéologie, l'ouvrage de base est P. Demargne, *Naissance de l'art grec* (Coll. « L'Univers des formes »), Paris, 1964.

II. LA CIVILISATION GÉOMÉTRIQUE ET LE MONDE D'HOMÈRE

Pour l'archéologie, voir P. Demargne, *Naissance de l'art grec*, cité ci-dessus. Exposé d'ensemble sur les « siècles obscurs » ; A. M. Snodgrass, *The Dark Age of Greece*, Londres, 1971. Sur la céramique géométrique : J. N.

COLDSTREAM, *Greek Geometric Style*, Londres, 1968 ; P. COURBIN, *La Céramique géométrique de l'Argolide*, Paris, 1967.

Il n'existe pas en français d'ouvrage récent sur la question homérique. Voir F. ROBERT, *Homère*, Paris, 1950. On peut se reporter à G. Breccia, *La Questione omerica*, Florence, 1979 (bibl. pp. 121-127) ; A. HEUBECK, *Die homerische Frage*, Darmstadt, 1974 ; C. A. TRYPANIS, *The Homeric Epics*, Warminster, 1977. Le livre de M. I. FINLEY, *Le Monde d'Ulysse*, Paris, 1969, est accompagné d'une utile note bibliographique par P. VIDAL-NAQUET. Voir aussi P. FAURE, *La Vie quotidienne en Grèce au temps de la guerre de Troie*, Paris, 2ᵉ éd., 1980.

III. et IV. L'AGE ARCHAÏQUE
ET L'AGE CLASSIQUE

Exposés d'ensemble : P. LÉVÊQUE, *L'Aventure grecque*, Paris, 1964 ; H. BENGTSON, *Griechische Geschichte*, Munich, 3ᵉ éd., 1965 ; N. G. L. HAMMOND, *A History of Greece to 322 B. C.*, Oxford, 2ᵉ éd., 1967 (exposé détaillé, avec toutes les références aux textes anciens) ; Ed. WILL, *Le Monde grec et l'Orient I. Le Vᵉ siècle* (Coll. « Peuples et civilisations »), Paris, 1972 ; Ed. WILL, Cl. MOSSÉ, P. GOUKOWSKY, *Le Monde grec et l'Orient II, Le IVᵉ siècle et l'époque hellénistique*, Paris, 1975 ; O. PICARD, *Les Grecs devant la menace perse*, Paris, 1980 ; H. VAN EFFENTERRE, *L'Age grec : 550-270*, Paris, 1968.

Sur la colonisation grecque : Cl. MOSSÉ, *La Colonisation dans l'Antiquité*, Paris, 1970 ; P. FAURE, *La Vie quotidienne des colons grecs de la mer Noire à l'Atlantique au siècle de Pythagore*, Paris, 1978.

Il n'existe pas de bon atlas de l'Antiquité en français. On peut utiliser N. G. L. HAMMOND, *Atlas of the Greek and Roman World in Antiquity*, Park Ridge (N. J.), 1981, qui présente des cartes lisibles et détaillées, ou H. BENGSTON et V. MILOJCIC, *Grosser historischer Weltatlas*, I. *Vorgeschichte und Altertum*, Munich, 1953.

V. LA GUERRE

Exposé d'ensemble : Y. GARLAN, *La Guerre dans l'Antiquité*, Paris, 1972. Voir aussi P. COURBIN, M. DÉTIENNE, M. I. FINLEY, Y. GARLAN, F. VIAN, P. VIDAL-NAQUET, *Problèmes de la guerre en Grèce ancienne*, Paris 1968. Sur l'armement : A. M. SNODGRASS, *Arms and Armours of the Greeks*, Londres, 1967. Sur la cavalerie : J. K. ANDERSON, *Ancient Greek Horsemanship*, Berkeley-Los Angeles, 1961 ; P. VIGNERON, *Le Cheval dans l'Antiquité*, Nancy, 1968 ; on lira aussi avec intérêt, dans la traduction d'E. DELEBECQUE, les deux traités de Xénophon, *Le Commandant de la cavalerie* (Paris, 1973) et *De l'art équestre* (Paris, 1978). Sur la marine de guerre : J. ROUGÉ, *La Marine dans l'Antiquité*, Paris, 1975 ; L. CASSON, *Ships and Seamanship in the Ancient World*, Princeton, 1971.

VI. LA RELIGION

Une mise au point excellente : F. ROBERT, *La Religion grecque*, Paris, 1981. Un exposé riche et suggestif : W. BURKERT, *Griechische Religion der archaischen und klassischen Epoche*, Stuttgart, 1977. Le gros manuel de M. P. NILSSON, *Geschichte der griechischen Religion*, I, Munich, 3ᵉ éd., 1967, reste fort utile. On lit toujours avec profit le chapitre dense et pénétrant d'A.-F. FESTUGIÈRE dans GORCE et MORTIER, *Histoire générale des religions*, *Grèce-Rome*, Paris, 1944. Voir aussi E. DES PLACES, *La Religion grecque. Dieux, cultes, rites et sentiments religieux dans la Grèce antique*, Paris, 1969 ; U. BIANCHI, *La Religione greca*, Turin 1975 ; E. SIMON, *Die Götter der Griechen*, Munich, 1969. Sur la mythologie : L. SÉCHAN et P. LÉVÊQUE, *Les Grandes Divinités de la Grèce*, Paris, 1966.

Sur les actes du culte : H. W. PARKE, *Festivals of the Athenians*, Londres, 1977 ; E. SIMON, *Festivals of Attica, An Archaeological Commentary*, Madisson-Londres, 1983.

Sur les oracles, excellente mise au point : R. FLACELIÈRE, *Devins et oracles grecs*, Paris, 1961 ; H. W. PARKE, *The Oracles of Zeus*, Oxford, 1967 ; G. ROUX, *Delphes, son oracle et ses dieux*, Paris, 1976.

Sur les cultes funéraires : D. C. KURTZ et J. BOARDMAN, *Greek Burial Customs*, Ithaca (N. Y.), 1971 ; K. FRIIS JOHANSEN, *The Attic Grave-reliefs of the Classical Periods, An Essay in Interpretation*, Copenhague, 1951.

VII. LA CITÉ

Sur les institutions politiques : V. EHRENBERG, *L'Etat grec*, Paris, 1976, avec d'importants compléments bibliographiques par Ed. WILL. Sur les ligues de cités : J. A. O. LARSEN, *Greek Federal States, their Institutions and History*, Oxford, 1968. Voir aussi J. de ROMILLY, *Problèmes de la démocratie grecque*, Paris, 1975. Sur l'esclavage : Y. GARLAN, *Les Esclaves en Grèce ancienne*, Paris, 1982.

Sur les installations urbaines : R. MARTIN, *L'Urbanisme dans la Grèce antique*, Paris, 2ᵉ éd. 1974 ; R. E. Wycherley, *How the Greeks built the Cities*, Londres, 2ᵉ éd., 1962. Sur l'éducation : H.-I. MARROU, *Histoire de l'éducation dans l'antiquité*, Paris, 6ᵉ éd., 1965 ; W. JAEGER, *Paideia*, Paris, 1964.

Sur la vie quotidienne, le petit livre de Ch. PICARD, *La Vie dans la Grèce classique*, Paris, 1947 (plusieurs fois réimprimé depuis), garde son intérêt, qui fut novateur à l'époque. Voir aussi R. FLACELIÈRE, *La Vie quotidienne en Grèce au siècle de Périclès*, Paris, 3ᵉ éd., 1978, et l'ouvrage de P. FAURE cité à la rubrique III-IV.

VIII. PHILOSOPHIE ET LITTÉRATURE

Deux introductions à la littérature grecque : J. de ROMILLY, *Précis de littérature grecque*, Paris, 1980 ; R. FLACELIÈRE, *Histoire littéraire de la Grèce*, Paris, 1962. Le manuel fondamental est A. LESKY, *Geschichte der griechischen Literatur*, Berne-Munich, 3ᵉ éd., 1971. Sur la philosophie, A. RIVAUD, *Histoire de la philosophie, I. Des origines à la scholastique*, Paris, 1948, et l'ouvrage de Jaeger cité à la rubrique VII. Une introduction à Platon : G. RODIS-LEWIS, *Platon et la « chasse de l'être »*, Paris, 4ᵉ éd., 1972. Sur les sciences, voir P. H. MICHEL et J. BEAUJEU, dans R. TATON, *Histoire générale des sciences*, I, Paris, 1957 ; B. GILLE, *Les Mécaniciens grecs, la naissance de la technologie*, Paris, 1980.

IX. L'ART

Exposés d'ensemble : R. GINOUVÈS, *L'Art grec*, Paris, 2ᵉ éd., 1981 ; F. CHAMOUX, *Art grec*, Paris-Lausanne, 1966. Les quatre volumes de « L'Univers des formes » couvrent l'ensemble de l'art grec avec une belle et abondante illustration : P. DEMARGNE, *Naissance de l'art grec*, 1964 ; J. CHARBONNEAUX, R. MARTIN, F. VILLARD, *La Grèce archaïque*, 1968 ; des mêmes auteurs, *La Grèce classique*, 1969, et *La Grèce hellénistique*, 1970. Voir aussi M. ROBERTSON, *A History of Greek art*, Cambridge, 1975.

Sur l'architecture : R. MARTIN, *Monde grec*, dans *Architecture universelle*, Fribourg, 1966 ; H. BERVE, G. GRUBEN, et M. HIRMER, *Temples et sanctuaires grecs*, Paris, 1965. Sur la sculpture, le grand *Manuel d'archéologie grecque : la sculpture*, de Ch. PICARD, avec ses 7 volumes (Paris, 1935-1963), représente une somme érudite peu accessible au profane. Pour la céramique, voir F. VILLARD, *Les Vases grecs*, Paris, 1956 ; P. E. ARIAS et M. HIRMER, *Le Vase*

BIBLIOGRAPHIE

grec, Paris, 1956 ; R. M. Cook, *Greek Painted Pottery*. Sur la numismatique :
C. M. Kraay, *Archaic and Classical Coins*, Londres, 1976 ; G. K. Jenkins,
Monnaies grecques, Paris-Fribourg, 1972.

TABLE DES MATIÈRES

Aubin Imprimeur

LIGUGÉ, POITIERS

Achevé d'imprimer en juin 1994
Nº d'édition 15279 / Nº d'impression L 45586
Dépôt légal novembre 1983
Imprimé en France